GÉNIE DU CHRISTIANISME
I

CHATEAUBRIAND

GÉNIE

DU

CHRISTIANISME

I

Chronologie et introduction
par
Pierre Reboul
doyen de la Faculté des Lettres
et Sciences humaines de Lille

GARNIER-FLAMMARION

CHRONOLOGIE

1768 : 4 SEPTEMBRE — Fils de René-Auguste de Chateaubriand et d'Apolline de Bédée, François-René naît à Saint-Malo. De ce même mariage, contracté en 1753, étaient nés antérieurement, outre un enfant mort au berceau : Geoffroy (1758, mort en bas âge), Jean-Baptiste (1759), Marie-Anne (1760, qui devint Mme de Marigny), Bénigne (1761, qui devint Mme de Québriac, puis Mme de Chateaubourg), Julie (1763, qui devint Mme de Farcy), Lucile (1764, qui devint Mme de Caud), Auguste (1766, mort en bas âge) et Calixte (1767, mort en bas âge).

1771 : Après un séjour en nourrice à Plancoët, il revient à Saint-Malo, auprès de ses parents.

1777 : JUIN — Il entre au collège de Dol.

1778 : M. de Chateaubriand, qui a acheté le domaine de Combourg en 1761 et s'y est installé en 1777, y fait venir sa famille.

1781 : 12 AVRIL — François-René fait sa première communion. Il quitte le collège de Dol et entre, en octobre, au collège de Rennes qu'il quitte, sans doute, en décembre 1782.

1783 : JANVIER À MAI OU JUIN — Séjour à Brest, où il prépare l'examen de Garde de Marine.
OCTOBRE — Il entre au collège de Dinan, pour quelques mois.

1784-1786 : Il séjourne à Combourg, en famille.

1786 : 10 AOUT — Il quitte Combourg pour rejoindre le régiment de Navarre à Cambrai.
6 SEPTEMBRE — Mort de son père, qui lui vaut la première d'une longue série d'absences.

1787 : 19 FÉVRIER — Après avoir été *présenté*, il suit une chasse royale à Versailles.

MARS-SEPTEMBRE — Il séjourne dans la région de Fougères, puis rejoint son régiment à Dieppe, en septembre. Il fait ensuite de fréquents séjours à Paris.

1788 : 16 DÉCEMBRE — Il est tonsuré à Saint-Malo, avec discrétion, en vue de pouvoir être reçu dans l'ordre de Malte.

29 DÉCEMBRE — Il assiste à l'ouverture des états de Bretagne.

1789-JUIN 1790 : Il séjourne à Paris et vend des bas...

1790 : L'*Almanach des muses* publie sa première œuvre imprimée : *l'Amour de la campagne*, une idylle en vers.

1791 : 7 ou 8 AVRIL — Il s'embarque à Saint-Malo pour l'Amérique.

11 JUILLET — Il débarque à Baltimore.

20 et 21 JUILLET — Il est reçu par G. Washington.

JUILLET-DÉCEMBRE — Il gagne les rives des lacs Ontario et Erié, voit les chutes du Niagara puis descend vers le sud, jusqu'à un point encore mal déterminé.

10 DÉCEMBRE — Il s'embarque à Philadelphie.

1792 : 2 JANVIER — Il débarque au Havre.

20 FÉVRIER — Un prêtre non assermenté bénit son mariage avec Céleste Buisson de la Vigne.

19 MARS — Un prêtre assermenté reprend cette opération, officiellement.

15 JUILLET — Il émigre et rejoint l'armée des Princes.

16 OCTOBRE — Il est libéré, après l'échec devant Thionville, où il a été blessé.

1793 : 20 JANVIER — Il débarque à Jersey.

17 MAI — Débarqué à Southampton, il y reçoit une feuille d'identité et gagne Londres, où il vit misérablement.

1793-1794 : Il enseigne le français dans une école de Beccles, dans le Suffolk.

1795 : 19 JANVIER — Il commence d'enseigner le français dans la même école transplantée à Bungay. A la suite d'un accident de cheval, il séjourne chez le pasteur Ives, de qui la fille, Charlotte, l'intéresse quelque peu.

1796 : JUIN — Il retourne à Londres. La blessure due à sa chute de cheval le dispense de servir.

1797 : 18 MARS — Publication de l'*Essai sur les révolutions*.

1798 (approximativement) : Il rencontre Mme de Belloy qui, moins farouche qu'Atala, donne certains traits à la fille de Lopez.

1800 : 8 MAI — Il débarque à Calais, muni d'un passeport au nom de David de La Sagne, Neuchâtelois.

1801 : 3 AVRIL — Publication d'*Atala*.
Eté — Il séjourne à Savigny-sur-Orge, chez Mme de Beaumont, auprès de qui il achève le *Génie du christianisme*, entrepris à Londres.

1802 : 14 AVRIL — Publication du *Génie du christianisme*, juste après la signature du Concordat.

1803 : 27 JUIN — Il arrive à Rome en qualité de secrétaire de la légation française, dont le chef, avec qui il s'entend mal, est le cardinal Fesch, oncle du Premier Consul.
4 NOVEMBRE — Mme de Beaumont meurt à Rome. Il conçoit les *Mémoires de ma vie*.
29 NOVEMBRE — Il est nommé chargé d'affaires auprès de la République du Valais.

1804 : FÉVRIER — Il arrive à Paris, où il retrouve Mme de Chateaubriand, avec qui il avait vécu trois mois en 1792.
21 MARS — Le duc d'Enghien est fusillé dans les fossés du château de Vincennes. Chateaubriand donne sa démission. Lié avec Mme de Custine, il fait, à Fervaques, plusieurs séjours chez elle.
Eté — Il rencontre Mme de Noailles.

1806 : 13 JUILLET — Il part de Paris pour l'Orient.
10 OCTOBRE — Il entre à Jérusalem.

1807 : 30 MARS — Il débarque à Algésiras et retrouve Mme de Noailles.
5 JUIN — Retour à Paris.
4 JUILLET — Une phrase du compte rendu par Chateaubriand du *Voyage pittoresque* de Laborde lui vaut d'être exilé de Paris.

1809 : 27 MARS — Publication des *Martyrs*.
Automne — Il entreprend de rédiger les *Mémoires de ma vie*.

1811 : 20 FÉVRIER — Il est élu membre de l'Institut, mais ne pourra siéger, son discours n'ayant pas reçu l'approbation de la commission. Peu après le 20 février, publication de l'*Itinéraire de Paris à Jérusalem*.

1812 : JANVIER — Mme de Noailles lui donne son congé... Pendant l'automne, il travaille à rédiger ses *Mémoires*.

1814 : 5 AVRIL — Publication de *De Buonaparte et des Bourbons*.

1815 : 20 MARS (4 heures du matin) — Il part pour Gand. 18 JUIN — Napoléon est battu à Waterloo. 17 AOUT — Chateaubriand est nommé pair de France.

1816 : 17 SEPTEMBRE — Publication de *la Monarchie selon la charte*, qui est saisie. Chateaubriand est privé de son titre de ministre d'Etat.

1817 : 4 JUILLET — Il entend chanter la grive dans le parc de Montboissier et se remet à rédiger ses *Mémoires*.

1818 : 5 OCTOBRE — Publication du premier numéro du *Conservateur* (qui devait disparaître en mars 1820). Automne : Mme Récamier cède à Chateaubriand, qui avait enfin compris qu'il pouvait accéder à l'inaccessible. Une liaison pure survécut jusqu'à la mort à cette brève liaison charnelle.

1820 : Publication des *Mémoires* [...] *touchant la vie et la mort de S. A. R.* [... le] *Duc de Berry* (le duc avait été assassiné le 13 février).

1821 : 1er JANVIER — Chateaubriand part pour Berlin, en qualité de ministre plénipotentiaire. 30 JUILLET — Il donne sa démission.

1822 : 9 JANVIER — Il est nommé ambassadeur à Londres. 5 OCTOBRE — Il arrive à Vérone, pour siéger au Congrès. 28 DÉCEMBRE — Il est nommé ministre des Affaires étrangères.

1823 : MARS-OCTOBRE — Guerre d'Espagne. Il est devenu l'amant de Mme de Castellane.

1824 : 6 JUIN — Il est chassé du ministère.

1826 : Le libraire Ladvocat commence la publication des *Œuvres complètes* de Chateaubriand.

1828 : 14 SEPTEMBRE — Chateaubriand part pour Rome en qualité d'ambassadeur.

1829 : 16 MAI — Il rentre à Paris, puis part pour Cauterets, d'où il revient à Paris à la suite de la constitution du ministère Polignac.
28 AOUT : Opposé à Polignac, il donne sa démission.

1830 : 7 AOUT — Il prononce un grand discours à la Chambre des Pairs, puis donne sa démission de pair de France.

1830-1833 : Rédaction des *Mémoires*.

1831 : Il séjourne à Genève, publie *Moïse* (tragédie écrite en 1812) et les *Etudes historiques*.

1832 : 16 JUIN — Accusé d'avoir favorisé les entreprises de la duchesse de Berry, il est arrêté.

1833 : MAI-JUIN — Il va à Prague plaider, en vain, la cause de la duchesse de Berry auprès de Charles X. Il rédige la *Préface testamentaire des Mémoires*.

1834 : 15 AVRIL — Publication de l'*Avenir du monde* dans *la Revue des Deux Mondes*.
25 OCTOBRE — Publication des *Lectures des Mémoires de M. de Chateaubriand* (ces lectures avaient eu lieu en février et en mars; des commentaires accompagnaient des textes inédits).

1836 : 22 MARS, 21 AVRIL et 14 MAI — Actes constitutifs de la société en commandite qui acquiert le droit de publier les *Mémoires d'outre-tombe*.
26 JUIN — *Essai sur la littérature anglaise*.

1838 : *Le Congrès de Vérone*.

1841 : 16 NOVEMBRE — Achèvement des *Mémoires*.

1844 : *La Vie de Rancé*.

1844-1848 : Révision des *Mémoires*.

1847 : 8 FÉVRIER — Mort de Mme de Chateaubriand.

1848 : 4 JUILLET — Mort de Chateaubriand.
21 OCTOBRE : Les *Mémoires* commencent de paraître dans *la Presse*. La publication, discontinue, se poursuit jusqu'en juillet 1850.

INTRODUCTION

Je ne suis point théologien.

CHATEAUBRIAND [1].

Ecrits dans un certain temps et pour ce temps, il semble que certains livres éprouvent de la peine à survivre aux décennies. Le but une fois atteint que visait l'auteur, ils paraissent morts. Tout ce qui tient à la propagande subit cette malédiction, qui frappe les myopes de la gloire. Bien des pages du *Génie du christianisme* sont défuntes : ce fatras d'érudition, ces raisonnements hâtifs, ces énoncés hautains, de la naïveté, ces efforts pour séduire des publics — tout cela pèse ou déçoit.

Même si, cependant, le *Génie du christianisme* n'offrait pas d'autres pages, vivantes, brûlantes d'un feu tout personnel, même si je n'y éprouvais pas, souvent, le génie d'un écrivain presque neuf, à sa date, et encore proche de moi — même dans ce cas, on ne pourrait renoncer à lire, à commenter, à étudier ce gros livre qui est, d'abord, un grand livre : il joue, dans la *social history of ideas* de la France, un rôle déterminant. Rien ne fut plus tout à fait comme avant, après la publication du *Génie*. Jusqu'à Stendhal, qui lui emprunte certains éléments de sa conception de l'amour.

Mais laissons les rebelles, tous ceux qui ne subissent pas les charmes du magicien. Mme Hamelin raconte en ses *Souvenirs* :

> Ce jour-là, dans Paris, pas une femme n'a dormi. On s'arrachait, on se volait un exemplaire. Puis quel réveil, quel babil, quelles palpitations! Quoi, c'est là le christianisme, disions-nous toutes; mais il est délicieux.

---

1. Lettre du 10 juillet 1797, dans le *Paris* de Peltier.

Un tel succès, croit-on, a pesé lourd sur la pensée catholique en France. On a étudié le *Génie* dans les écoles, dans les séminaires. Des éditions abrégées le mettaient à la portée de presque tous. Des prêtres lui ont emprunté le corps et l'allure de leurs sermons. Ils se sont paresseusement enfermés dans une apologétique mondaine qui avait fait ses preuves commerciales et ne faisait courir presque aucun risque sur le plan périlleux de la théologie. Nourris de ce Chateaubriand-là (un parmi d'autres, proches et différents), curés et directeurs ont gaspillé leur flamme en des jeux stériles, en de faciles méditations sur les peines de l'âme : ils auraient fait mieux à lire *l'Avenir du monde*. Nombre des défauts de l'Eglise de France, dans la première moitié du XIXᵉ siècle et au-delà, tiennent au *Génie* : un spiritualisme confus, un trop aisé détachement du siècle. Je ne peux le reprocher à l'auteur ni au livre : ses lumières chatoyantes ont aveuglé bien des lecteurs sur les ombres qu'elles épaississaient. Il convient donc de relire ce livre pour entrevoir l'une des causes de ce qu'on peut nommer le *déphasage* de l'Eglise, jusqu'à une date assez récente [1].

On abandonnerait aux historiens ces lourds volumes si le *Génie du christianisme* n'avait à tout le moins précipité l'évolution de la sensibilité dans la France préromantique et romantique. Les jeux du cœur complètent ceux de l'esprit, voire, parfois, les suppléent. Chateaubriand, avec une sorte de souverain désordre, file, agite, noue et dénoue presque tous les thèmes que le romantisme naissant s'apprête à traiter, magnifiquement. Libre à Vigny d'écrire : « Hypocrisie politique, littéraire et religieuse, faux air de génie, c'est tout ce qu'il y a dans cet homme qui n'a jamais rien inventé » [2], il n'en a pas moins, lui aussi, emprunté au *Génie* quelques-uns de ses secrets. Lamartine a beau faire la petite bouche : « Bien que cette lecture m'eût donné le délire de l'admiration, elle ne m'avait pas donné le délire du faux goût [...] Toi, me dit-on, qu'en penses-tu ? Moi, répondis-je, j'en suis ravi, mais je ne suis pas séduit. [...] Cela manque, selon moi, du principal élément de toute beauté parfaite : le naturel. C'est beau, mais c'est trop beau [3] », il est

---

1. Ce paragraphe doit son origine à une conversation avec M. Victor-L. Tapié, l'éminent historien et chateaubriandiste.
2. *Journal d'un poète*, 3 septembre 1836.
3. *Mémoires inédits*, pp. 112-115. *Ce qui est cherché n'est pas trouvé :* cette belle formule conclut le passage.

probable que le collégien de Belley fut autant *séduit* que *ravi*, puisque les souvenirs du *Génie* emplissent les *Méditations* et les *Harmonies.*

Rêve, instinct, sites, ruines, croyances populaires, imagination, jusqu'à ce rapport subtil qu'établit l'écrivain avec son lecteur, Chateaubriand a légué, sans parler des petits, à la plupart des grands écrivains romantiques, des principes, des thèmes, un clavier.

Ce n'est pas tout. Ce livre n'est qu'un parmi d'autres, du même auteur. On retrouve l'*Essai sur les révolutions* dans cet essai sur la religion. On y voit *les Martyrs.* On y pressent les *Mémoires d'outre-tombe*, après coup, il est vrai. On y devine aussi, sans trop d'effort, l'auteur.

C'est par lui que nous commençons.

I. *Qui écrivait le* Génie ?

Est-ce le jeune chevalier qui écrivait, en 1789 : « Avec deux ou trois êtres tels que toi et une maîtresse (car c'est un mal nécessaire), une campagne bien retirée à quelques lieues de Paris, ou même en Bretagne, nous coulerions des jours doux et délicieux [1] ? »

Est-ce le jeune voyageur qui, aux bords de l'Amérique, cherchait de la gloire dans une curiosité matérielle, tout en élaborant une épopée de l'homme de la nature ? Ou l'émigré, tantôt affamé, tantôt gorgé d'amour, qui méditait sur les révolutions avec une sympathie érudite et confiait aux marges de son livre ses misères, ses dégoûts, son désespoir ? Ou bien cet émigré de l'intérieur, de qui la liberté d'esprit surprenait un Sismondi ? Ou déjà ce vieillard, jetant sur le présent un regard sans amour et sans illusion, ouvrant, sur l'avenir, des yeux pleins de curiosité ? Tous à la fois.

Pour discerner les vérités de l'homme, il convient d'évoquer, brièvement, la genèse bizarre de l'œuvre. « J'ai pleuré et j'ai cru [2] » : c'est trop beau, c'est trop simple. Avant d'entreprendre le *Génie*, Chateaubriand était l'auteur, en somme heureux, de l'*Essai sur les révolutions* [3] — un *Essai* annoté rageusement dans les

1. Lettre au chevalier du Châtenet. Au fait, n'est-ce pas dans ces conditions idylliques, à Savigny, qu'il acheva le *Génie du christianisme* auprès de Mme de Beaumont ?
2. Préface du *Génie du christianisme* (1802).
3. Publié le 18 mars 1797.

marges de *l'exemplaire confidentiel*. Une note donne le
ton de son irréligion : « Personne n'y croit plus. »
M. Pierre Moreau a montré comment, sous ce vernis
ou malgré ces cris, ces professions, subsistent les réminiscences d'une enfance croyante et se laisse deviner
la foi du livre chrétien : les brutalités traduisent les
douleurs de l'arrachement plutôt qu'une confiance
assurée. Certes. Mais il y a ce ton, cette absence de foi,
cette impossibilité de croire.

Le succès de ce livre un peu impie ouvrit à notre
émigré pauvre des salons plus beaux, mieux fréquentés
que ses mansardes. Dans ces salons, on revenait à Dieu,
au Dieu vengeur qui paraissait avoir voulu punir de
leur irréligion la fortune et la noblesse. Une sorte de
méditation collective sur les malheurs subis redécou-
vrait les principes naguère bafoués de l'ancienne France.
Ou même, au fond de son désespoir, on retrouvait
l'espérance enfantine. Dans un beau *Discours préliminaire* à son *Psalmiste*, l'archevêque d'Aix, Mgr de Bois-
gelin, préludait avec une onction parfaite aux développements les plus sûrs du *Génie*.

Cette fin de la solitude, quelque admiration pour des
vies plus faciles, l'influence de la société dans laquelle
on est accueilli — tout préparait Chateaubriand à une
sorte de retournement, sinon à une conversion. On ne
pense pas tout à fait différemment, mais on ne dit plus
les mêmes choses...

Paraissait à Paris cependant, dû à la plume d'un
délicieux poète, Evariste Parny, ancien ami de Chateaubriand, *la Guerre des dieux anciens et modernes*,
ouvrage hostile au christianisme qui, au grand dommage
de celui-ci, présentait les combats entre les vieilles divinités et les serviteurs de Dieu. Selon Albert Cassagne,
Chateaubriand pourrait avoir écrit le compte rendu de
cet ouvrage inséré dans le *Paris* de Peltier (15 avril 1799).
Il envisagea, en tout cas, de rédiger « une sorte de réponse
au poème du pauvre Parny »[1]. N'est-ce pas, de fait,
une *Guerre des dieux anciens et modernes* que proposeront
les moins bonnes pages du *Génie* ?

Faut-il croire, comme il l'affirme dans la même lettre,
qu'il ait commencé ce livre à la demande de Fontanes ?
Cela paraît vraisemblable : cet ancien ami, provisoire-
ment exilé après le coup d'Etat de Fructidor, avait

1. Lettre à Baudus du 6 mai 1799.

renseigné l'émigration londonienne sur l'état des esprits en
France, sur la réaction morale et politique amorcée
dans le pays, sur ce que j'oserai appeler *l'état du marché* [1].

Le ton de cette lettre ne manifeste aucune conversion :
il y a un livre à écrire; Chateaubriand se propose de le
faire. Gardons-nous de lui jeter la pierre. Il se lasse
d'une Angleterre où se perdent ses talents, son génie. Il
aspire à retrouver la France, à y trouver un public.
Mieux : des lecteurs, des admirateurs. Peut-être, au
travers d'un scepticisme naturel et d'une lucidité nourrie
par la faim, avait-il donné à *l'Essai sur les révolutions* ses accents les plus violents.
On vient lui murmurer que les Français changent
d'opinion, que l'avenir immédiat n'est plus à l'incroyance
(dont l'honneur l'écartait), mais, sinon à la foi, du moins
à quelque religion : comment ne serait-il pas tenté ?
L'accueil aimable de la haute émigration, encore fortunée
et déjà convertie, séduisante aussi, l'avait préparé à
ce qui n'est pas encore une conversion, mais, à la fois,
un travail et une réaction de simple honnête homme.
Nulle hypocrisie : les souvenirs d'enfance, l'honneur,
le bon ton, tout lui permet de défendre une religion,
même s'il n'a guère la foi. Et, selon le beau mot de
M. Moreau, « Ce n'est pas le livre d'un converti : c'est
le livre qui le convertira [2] ».

Publiées dans la *Revue bleue* du 1er juin 1929, les
lettres à Baudus montrent le point de départ et l'évolution.

Le 5 avril 1799 :

> J'ai un petit manuscrit sur *la religion chrétienne
> par rapport à la morale et à la poésie*. Cet ouvrage
> est *très chrétien*, tout analogue à la circonstance, et
> ne saurait guère manquer de ce succès attaché aux
> ouvrages de circonstance. Ce pamphlet [3] contient
> à peu près trois feuilles d'impression in-8°, j'en
> demande quinze guinées. Fauche veut-il l'acheter ?

Le 6 mai :

> Il [s'agit]... d'un petit ouvrage sur *la Religion
> chrétienne par rapport à la poésie*. [...] Cet ouvrage
> est un ouvrage de circonstance. [...] Je ne crois pas

---

1. Fontanes séjourna à Londres de la fin de janvier au début
de juillet 1798.
2. *Op. cit.*, p. 156.
3. Anglicisme.

que l'ouvrage sur la religion puisse manquer sa
vente à cause du nombreux parti qui le porte, tant
au-dehors qu'au-dedans de la France.

Le 19 août, on a commencé l'impression. Le titre
change le 25 octobre. Le ton aussi :

> Je vous ai déjà dit, Monsieur, que je réclamais toute
> votre indulgence pour mon livre religieux. Il s'in-
> titule : *Des beautés poétiques et morales de la religion*
> *chrétienne et de sa supériorité sur tous les autres cultes*
> *de la terre*. Il s'imprime ici aux frais de Dulau [1]
> et Cie et formera deux volumes in-8º de 350 pages.
> Il me serait impossible de vous donner une idée
> exacte de ce livre, différent par son ton et son
> exécution de tous les livres religieux qui existent.
> J'ai fait tous mes efforts pour en bannir le ton
> polémique ou théologique et pour en rendre la
> lecture aussi agréable que celle d'un roman. Ce
> *qui est* certain, c'est que *j'y ai mis tout ce que je puis*
> *avoir dans le cœur et dans l'esprit* [2].

Ces trois textes se passent de commentaire. Ils
permettent pas de suivre Chateaubriand dans les récits
qu'il a faits lui-même de sa conversion et de la genèse
de son ouvrage. On se rappelle : une lettre de Mme de
Farcy aurait appris au chevalier le vœu formulé par sa
mère (décédée le 31 mai 1798) qu'il rentrât dans le sein
de l'Eglise.

> Ces deux voix sorties du tombeau [3], cette mort qui
> servait d'interprète à la mort m'ont frappé. Je suis
> devenu chrétien. Je n'ai point cédé, je l'avoue, à
> de grandes lumières surnaturelles; ma conviction
> est sortie de mon cœur : j'ai pleuré et j'ai cru [4].

Dans les *Mémoires d'outre-tombe*, il va plus vite
encore et plus loin : « Le titre de *Génie du christianisme*,

---

1. Ce bénédictin, libraire à Londres, aurait fait comprendre à
Chateaubriand qu'il serait plus original et plus profitable d'écrire un
livre religieux qu'un livre irréligieux. L'anecdote, qui se lit dans le
Mémorial de Sainte-Hélène et chez Scipion Marin, peut n'être pas
fausse, encore que ce récit paraisse imiter une conversation analogue
entre Rousseau et Diderot.
2. Nous soulignons.
3. Mme de Farcy avait, dit-il, succombé quand il reçut sa lettre.
Comme Mme de Farcy mourut à la fin de juillet 1799, le récit de
l'auteur s'effondre...
4. Préface du *Génie* (1802).

que je trouvai sur-le-champ, m'inspira; je me mis à l'ouvrage; je travaillai avec l'ardeur d'un fils qui bâtit un mausolée à sa mère. »

Le malheur veut que nous sachions qu'il avait commencé l'ouvrage dont il s'agit bien avant de recevoir cette lettre et que le titre n'en était pas encore le *Génie du christianisme*. C'est, avouons-le, un petit malheur...

Le 19 août 1799 une longue lettre donne des renseignements précis sur le livre :

> On cherche à vendre pour cent soixante pièces de vingt-quatre livres, à Paris, les feuilles d'un ouvrage qui s'imprime chez l'étranger et qui a pour titre : *De la religion chrétienne par rapport à la morale et aux beaux-arts*. Cet *octavo* de grandeur ordinaire et formant un volume d'environ 430 pages est une sorte de réponse indirecte au poème de le *Guerre des dieux* et autres livres de ce genre. Il se divise en sept parties.
>
> La première traite des mystères, des sacrements et des vertus du christianisme, considérés *moralement et poétiquement*.
>
> La seconde se rapporte aux traditions des Ecritures.
>
> Dans les troisième et quatrième parties, on examine le christianisme *employé comme merveilleux dans la poésie*.
>
> La cinquième partie contient ce qui a rapport au culte en général, tel que les fêtes, les cérémonies de l'Eglise, etc.
>
> La sixième partie parle du culte des tombeaux chez tous les peuples de la terre et le compare à ce que les chrétiens ont fait pour les morts.
>
> La septième enfin se forme de sujets divers comme de quelques chapitres sur les églises gothiques, sur les ruines, sur les monastères, sur les missions, sur les hospices, sur le culte des croix, des saints, des Vierges dans le désert, sur les harmonies entre les grands effets de la nature et de la religion chrétienne, etc., etc. [1]

Bref un ouvrage bâti, assez mal, puisqu'il conserve, dans l'ensemble et dans le détail, un aspect de pot-pourri. Le 25 octobre 1799, dans une lettre fort chrétienne de ton,

---

1. L'abbé Pailhès identifie le destinataire comme étant Mme Fontanes, sans nous convaincre.

adressée à Fontanes, il cite quelques passages « de l'ouvrage auquel vous vous intéressez ».

Enfin, le 19 février 1800, Chateaubriand annonce
pour bientôt son arrivée. Il emportera « une moitié de
l'ouvrage imprimée et l'autre manuscrite : *le tout formera
deux volumes in-8° de 350 pages* ». Il charge Fontanes de
s'inquiéter d'un libraire et paraît satisfait de ce qu'il a
écrit.

Il y a donc toute une part du *Génie* écrite à Londres,
que nous ne pouvons juger, puisque les épreuves rap-
portées par l'auteur ont disparu. Ce qui en fut publié
dans l'édition Pourrat en 1838 ne prouve rien, puisqu'il
s'agit de *membra disjecta* peut-être un peu corrigés avant
publication. Quant aux passages reproduits dans la correspondance, ils sont trop brefs pour que la comparaison
avec le texte définitif donne d'heureux résultats. On ne
laisse pas d'être surpris en constatant que Chateaubriand
va partir de Londres avec un ouvrage en principe achevé,
mais qu'il passera, à Paris, beaucoup de temps encore
avant de le mener à son terme définitif. Deux raisons
vraisemblables à cela : d'une part, il se peut que l'ouvrage soit moins achevé qu'il ne le dit ; d'autre part et
surtout, la conversation avec ses amis et, en général, le
contact avec la société parisienne lui imposent des modifications. Et puis, on le sait, il eut bien d'autres choses
à faire à Paris, où nous allons le suivre, qu'à s'occuper
du christianisme.

Il foula donc à Calais le sol de sa patrie, pour la première fois depuis sept ans, en mai 1800. Fontanes ne
l'avait pas trompé : la République chancelante, ou déjà
morte, cherchait le moyen de rétablir l'Eglise. Chateaubriand rentrait à l'heure voulue. En France comme
hors de France, on se tournait de nouveau vers la religion. En 1801 allait paraître à Lyon le livre de P.-S. Ballanche, *Du sentiment considéré dans ses rapports avec la
littérature et les arts*, où figure l'expression *génie du
christianisme* [1] et dont l'esprit ne laisse pas d'annoncer
celui de Chateaubriant [2]. De telles rencontres mani-

---

1. Sur l'antériorité de Ballanche ou de Chateaubriand, cf. V. Giraud,
Chateaubriand, *Etudes littéraires* (2e éd. Paris, 1912), pp. 93-111.
   2. On se contentera de reproduire les divisions de l'ouvrage de
Ballanche : « De la mélancolie : De ce qu'était ce sentiment chez les
anciens et de ce qu'il est chez les modernes — De la solitude — Des
ruines — Du malheur — De la mort et des Tombeaux — Des institutions religieuses : sans elles, rien de grand et de beau — Influence

festent les besoins du public ou ce que l'on a appelé *l'état du marché*. Il était temps d'agir, mais, pour d'autres, il fallait réagir. Chateaubriand devait occuper ses positions, mais, d'autre part, se garder de prendre des risques trop grands en un temps encore incertain. Dès le 22 décembre, il signait « l'auteur du *Génie du christianisme* », dans le *Mercure de France*, un très long compte rendu, violent, polémique, passablement injuste, de la deuxième édition de *De la littérature* de Mme de Staël : le tenant des autels se devait d'attaquer l'égérie du Directoire. Une charge précise et véhémente contre la notion de *perfectibilité*, c'est-à-dire contre le progrès, rend cet article curieux, presque bizarre. Son auteur devait, en 1831, prendre une position contraire, plus conforme à son génie, dans la préface des *Etudes historiques* (observons en passant que l'*Essai sur les révolutions*, affirmant l'éternel retour des faits dans un cercle infernal, ouvrait la voie à ce compte rendu que le *Génie* ne contredit que pour une part).

Ses amis, cependant, n'oubliaient pas le grand œuvre. Par la correspondance de Joubert, on imagine ce que fut leur action et l'influence de leurs critiques, combien Chateaubriand y gagna en tact, en goût, en originalité peut-être, mais y perdit en véhémence, en outrance et dans l'expression de soi.

Cette redécouverte de la France prenait du temps. Les amours aussi, j'imagine. Le 30 septembre 1801, il écrivait à Fontanes : « Je suis toujours malade et j'écris avec peine. Je touche enfin au bout de mon travail. Encore quinze jours et tout ira bien : cependant je suis triste, je ne sais pourquoi. » Le 16 octobre, il écrivait à Mme de Staël [1] avec simplicité :

> Je serai à Paris dans les premiers jours de décembre [2]; je m'occuperai de l'impression de mon ouvrage et je quitterai Paris, aussitôt qu'il a [3] paru, c'est-à-dire dans le courant de janvier ou le commencement de février au plus tard [...] Si le *Génie du christianisme* se vend, il doit me rapporter assez

des institutions religieuses sur la littérature et les arts — De la religion catholique — Des monuments de la religion catholique — De sa morale — De son influence sur la littérature et les arts. »

1. Malgré le compte rendu cité plus haut, Mme de Staël s'était employée à faire radier Chateaubriand de la liste des émigrés.
2. Il résidait alors à Savigny, chez Mme de Beaumont.
3. *Sic.*

d'argent pour acheter la chaumière dont je vous ai
parlé. J'aurai des poulets, puis un cochon, puis la
vache et le veau. Je serai heureux, si vos amis
philosophes ne cassent pas mon pot au lait.

Ils ne le cassèrent pas et le *Génie du christianisme*
parut enfin, le 14 avril 1802, au moment même où l'on
annonçait la signature du Concordat [1].

Restons-en là. Il faut essayer de répondre à la question
initialement posée : « *Qui est l'auteur du* Génie ? » Il
semble bien que le premier dessein ne soit pas pur et
que, jusqu'au bout, les soucis de gloire et d'argent
subsistent et s'imposent. Nul ne s'en étonnera. Je ne
m'en indignerai pas — moins encore à propos d'un
livre où l'on me rappelle que je suis double : *homo
duplex*. Le problème n'est pas là, mais ici : l'auteur de
l'*Essai sur les révolutions* pouvait-il, honnêtement, entreprendre la rédaction du *Génie* ? Il est possible, croyons-
nous, de discerner dans l'*Essai*, beau livre irréligieux,
le point de départ du grand livre religieux — non pas
dans les pages qui figurent dans les deux ouvrages, mais
au tréfonds même de l'*Essai :* « L'homme, faible dans ses
moyens et dans son génie, ne fait que se répéter sans
cesse. Il circule dans un cercle étroit dont il tâche en
vain à sortir. » Cet *éternel retour* des faits, des êtres, des
idées manifeste l'impuissance de l'Homme à faire
avancer l'Histoire. Il impose cette méthode un peu
scolaire des parallèles qu'on retrouve à la fois dans l'*Essai*
et dans le *Génie*. Mais, surtout, il cause une lassitude :
l'homme n'est donc qu'un écureuil enfermé dans une
grande roue ? *Nil novi sub sole*. Quelle tristesse! Les
misérables humiliations de l'émigration s'unissent à la
rancœur métaphysique d'un esprit sevré des vérités, de
l'infini, enfermé dans la clôture de sa condition. Sans
rien ôter à l'authenticité de l'expérience (qui marque
d'un ennui somptueux ou morose la plupart de ses belles
pages), Chateaubriand aspire à sortir du cercle et de
lui-même. C'est cela, peut-être, que signifie une lettre
adressée à Fontanes le 15 août 1798 : « Il y a déjà six ans
que je vis pour ainsi dire de mon *intérieur* et il faut à la

---

1. Le libraire Dulau avait fait imprimer un certain nombre d'épreuves du premier *Génie*. Chateaubriand le remboursa en lui adressant
134 exemplaires de la nouvelle mouture de son livre (Lettre à Dulau,
du 9 juin 1802, vente Charavay du 5 février 1908, mal datée dans
la Correspondance, tome I, p. 59).

fin qu'il s'épuise. » Revenir à la foi, c'est mettre fin à
cette *autophagie*. Ou, plus profondément, c'est donner, de
l'extérieur, une valeur sûre à des pauvretés intimes : la
misère n'est plus qu'un moment d'une dialectique vivante ;
l'impuissance devient puissance et l'auteur est... *sauvé*.

Le miracle n'est pas de la conversion, mais que la
foi, ressaisie dans une tâche presque alimentaire, fasse,
dans les champs déserts de son esprit, se redresser les
idées mortes, ravivées par une lumière neuve, par un
horizon différent, comme, jadis, les ossements poudreux
à la voix d'Ezéchiel.

La sincérité religieuse [1] de Chateaubriand pose un
faux problème. Ses contemporains ont eu mainte occasion de l'attaquer. Sismondi, le 22 mai 1809 : « Il a pris
la servilité pour caractère de la religion, parce qu'il a
appris cette religion au lieu de la sentir [2]. » Le comte de
Salaberry, dans ses *Souvenirs politiques :* « La présomption, le défaut de jugement, l'habitude baptismale de la
profusion, sous une fausse modestie une vanité effrénée,
l'absence réelle de tout principe religieux [3], moral, même
politique si vous rapprochez les actions du charlatanisme
des mots [...]. »

Le baron de Frénilly, dans ses *Souvenirs :* « Je n'ai
jamais vu Chateaubriand habillé qu'en bedeau. D'un
côté était le bon enfant, naïf, gai, prenant à tout, riant
et jouant à des riens ; de l'autre était le grand homme
bardé et piqué, gonflé, bourré et hérissé d'un orgueil
insatiable, et il se retournait à propos pour que la simplicité de l'enfant doublât les dimensions du grand
homme. Je ne crois pas que les esprits les plus difficiles
pussent l'accuser d'être dévot, ni pieux, ni peut-être
chrétien et je ne vois dans son *Génie du christianisme*
aucune raison de le penser [...]. Il mit le christianisme
en tableaux de Van Spaendonk ou de Breughel et il eut
un succès fou. » La duchesse de Broglie, le 22 août 1820 :
« Je relis le *Génie du christianisme*. Cela me semble bien
l'œuvre la plus frivole, la plus légère qu'on puisse lire.
C'est le produit d'une société toute factice et il n'y
a rien pour une âme sérieuse [...]. C'est un homme
qui veut faire de la religion pour la bonne compagnie,
comme on en voulait faire pour le peuple [...]. S'il y a

1. Abbé Georges Bertrin, *La Sincérité religieuse de Chateaubriand.*
Paris, 1900.
2. A Mme d'Albany *(Lettres inédites).*
3. Nous soulignons.

une preuve de l'incrédulité d'un siècle, c'est un pareil
livre en faveur d'une religion [1]. »

Faux problème, disions-nous : la sincérité religieuse
de Chateaubriand ne fait pas question, mais bien sa
sincérité pure et simple. Il n'a pas les exigences d'un
André Gide, d'un Benjamin Constant. L'autocritique
n'est pas non plus son fort. Sa pudeur, le sens de l'honneur, une faiblesse aux commodités de l'écriture, de la
réserve, son respect des autres, quelque souplesse dans
la casuistique, la certitude que rien ne vaut, l'idée aussi,
qui vient de Rousseau, que la gravité des mensonges
se mesure à leurs conséquences — tout fait qu'il n'attache guère d'importance aux menues distorsions de la
vérité. J'imagine qu'il dirait volontiers qu'un faux point
d'honneur sur le vrai ne convient qu'aux incroyants ;
la vérité est assez belle et grande pour ne pas souffrir
de nos mensonges. N'est-ce pas se prendre au sérieux,
excessivement, que vouloir être positivement vrai ? Alors
que saint Pierre a menti... Encombré d'amours où il
faut bien mentir un peu, engagé en des actions où l'on
ne peut sacrifier le succès à des soucis d'exactitude,
assez détaché de lui-même pour ne pas perdre de temps
à se condamner, Chateaubriand ne se fait pas conscience
d'arranger un peu les choses. Un homme plus profondément soucieux de soi n'écrirait pas le fameux *j'ai
pleuré et j'ai cru*. Qu'est-ce à dire, sinon qu'il transfor-
merait sa prose en écriture érudite ou en rapport de
policier ? Le noble vicomte n'a pas de ces mesquineries.
Un récit faux demeure vrai — en profondeur ou dans
l'action. Il se peut que, sur ce point, il ne soit pas mon
homme. Mais que lui importe ? et qu'importe ? Ce n'est
pas hypocrisie. C'est un laxisme confortablement adossé
à la foi du charbonnier.

Il y a, dans le *Génie*, bien des mensonges — par commission, par omission, par vague. Il donne de son
érudition, de ses voyages, de ses intentions, de son
expérience une idée fausse. C'est qu'il ne soutient pas
une thèse en Sorbonne, qu'il n'est pas un manant ni
un savant, mais un gentilhomme, un honnête homme
divisé contre lui-même, désolé, effrayé de cette diversité
impuissante, qui ne trouve de quiétude et d'unité que
dans l'idée de Dieu.

Nulle insincérité : une autre axiologie. Je ne plaide

---

1. Lettre à Barante, dans les *Souvenirs* de celui-ci (tome II, p. 461).

pas pour lui : je m'efforce de prendre en lui mes quartiers et de m'y sentir à l'aise. Son insincérité vient de sa division, qui fut, en partie, celle de son temps. Tantôt tâcheron d'érudition, tantôt poète assoiffé de gloire, ou pécheur appétant au salut, homme du siècle d'avant ou du siècle d'après, il met sa foi pacificatrice en un Dieu *qui ne fait pas le détail* et jette sur les flammes de son cœur les nuées superbes de son esprit.

II. *Propos et méthode.*

Le 25 septembre 1802, Chateaubriand répondait à l'abbé Nicolas Sylvestre Guillon : « Vous observez avec un excellent esprit que si j'avais écrit *Atala* et *le G[énie] du Chr[istianisme]* dans le style ordinaire des apologistes et des théologiens, je n'aurais pas trouvé vingt lecteurs. » Non pas le style seulement, mais le propos et la méthode.

Chateaubriand ressemble un peu à ces théoriciens de la guerre psychologique, empruntant à Mao Tsé-Toung les secrets de la guerre révolutionnaire. Du moins a-t-il le mérite du succès. Pour lutter contre le XVIIIe siècle, il s'y installe, il en part — d'autant plus aisément qu'il appartient à ce siècle, qu'il en a partagé les idées et les partage encore, partiellement. On avait fait du chrétien un ridicule. On l'avait montré hostile au progrès, au *comfort*, dépaysé dans sa patrie. On venait de jeter l'antiquité dans les jambes des prêtres qui, sottement, avaient paré les coups en parlant de Dieu. Pourquoi parler de Dieu — pourquoi partir de Dieu, puisqu'on ne le connaît plus ?

Il fallait prendre la route contraire, passer de l'effet à la cause, ne pas prouver que le christianisme est excellent parce qu'il vient de Dieu, mais qu'il vient de Dieu parce qu'il est excellent [1].

En bref, Chateaubriand renonce à une dialectique descendante qui ne prouve rien, puisqu'elle présuppose ce qui est en question. Il se hasarde en une dialectique ascendante, certes aléatoire, mais adéquate au XVIIIe siècle, puisqu'elle part de ce qui tombe sous les sens ou sous le sens, qu'elle n'approche point de Dieu par

1. *Génie du christianisme*, I, I, I.

les voies de la raison pure ni par l'effet de je ne sais
quelle lumière surnaturelle, mais qu'elle suit les chemins notés de l'expérience. Théologie non pas ration-
nelle, mais, pour ainsi dire, *empirique*. Aidé par tant de
Clarke, de Neuwentuyt, de Bernardin, il ne part donc
pas de Dieu; il n'arrive pas à lui non plus, mais il le
rend souhaitable ou, plus justement, il le montre souhaité, postulé, exigé, présent en creux dans l'expérience
de chacun. Non pas convaincre, mais séduire. Non pas
établir, mais faire désirer. Me faire découvrir en moi,
hors de moi, dans chacun de mes sentiments, dans
chacun de mes rapports avec les autres et avec le monde
le Dieu que j'ignore, le besoin de ce Dieu, d'une religion.
On dirait parfois sa méthode vaguement *phénoménologique*. Il part d'un rien, que je pense ou qu'il me fait
penser, et voici que j'aperçois que, dans mon for intérieur,
au-delà de ma conscience claire, si je ne suis pas chrétien,
je voudrais l'être. Pour résister, il faudrait ne plus jeter
les yeux sur ce paysage, ne pas aimer, ne pas scruter
son cœur, ne plus le sentir battre.

Le séducteur ne recule devant rien. Il ne s'en prend
pas seulement à ce que mon cœur a de meilleur, de plus
profond, à ce que mon esprit a de plus ambitieux. Disciple là encore de Voltaire, il sait, quand il le faut,
causer avec moi en *sociologue*. C'est l'homme social qui
postule Dieu. Après des orgies de sang, des revers de
fortune, quelque trouble, je veux que l'ordre soit. Or
voici que Dieu, seul, garantit mes biens, l'ordre et la
paix. La foi des autres organise et garantit ma quiétude.
L'espoir du salut les confine dans leurs misères.

On ne peut le juger si l'on oublie qu'il fut un *propa-
gandiste*. L'important n'est pas d'avoir raison, ni même
de bonnes raisons. C'est de convaincre. Un inventaire
et une analyse des besoins du public ont *logiquement*
précédé la rédaction du *Génie*. Sans grand souci des
apparentes contradictions, Chateaubriand cherche, trouve
et atteint celui qu'un argument peut toucher, qu'une
manœuvre peut séduire. Son séjour en Amérique et la
lecture des *Lettres édifiantes* peuvent l'avoir préparé à
cette apologétique. Il frappe où il peut et, s'il ne peut,
il caresse. Au chrétien honteux, qui souffrait de se croire
inférieur aux philosophes, il dit : « Rassurez-vous :
l'ennemi lui-même vous rend les armes. » A ceux qui
ont un cœur et des peines de cœur : « Vous devinez
Dieu. » A celui qui aime le beau : « Dieu est toute

beauté. » A tous ceux qui vénèrent Mammon et Dieu :
« Pourquoi pas ? » A ceux enfin qui se rendent aux chiffres,
aux faits, aux argumentations : « Je suis savant : voyez
mes références. » Naturellement insaisissable, il se fait
Protée au service de Dieu. De là, une diversité à ce point
opulente qu'elle ne souffre pas de ses disparates. Avec
trop de bonheur pour être exempt de toute mauvaise
foi, il s'en prend, successivement ou tout ensemble, au
cœur, au goût, à l'esprit, à l'intérêt social.

Au cœur d'abord. *La Nouvelle Héloïse* avait déjà présenté cette argumentation :

> Le pays des chimères est en ce monde le seul
> digne d'être habité [...] hors l'Etre existant par
> lui-même, il n'y a rien de beau que ce qui n'est
> pas [...]. Une langueur secrète s'insinue au fond
> de mon cœur, je le sens vide et gonflé [...]. Ne
> trouvant donc rien ici-bas qui lui suffise, mon âme
> avide cherche ailleurs de quoi la remplir ; en s'éle-
> vant à la source du sentiment et de l'Etre, elle y
> perd sa sécheresse et sa langueur : elle y renaît,
> elle s'y ranime, elle y trouve un nouveau ressort,
> elle y puise une nouvelle vie [1].

Ne nous y trompons pas : il s'agit en fait, directement
ou indirectement, d'une reprise, sur un autre plan, de
la *preuve cartésienne* de l'existence de Dieu. Descartes
se meut sur le plan de l'esprit et débusque l'infini du
fini qui est mon lot. Chateaubriand, de même, montre
Dieu en moi, dans le vide que son absence y laisse, mais
il transpose la démarche au niveau d'un cœur dont il
analyse les mouvements :

> Qu'on nous dise d'abord, si l'âme s'éteint au
> tombeau, d'où nous vient ce désir de bonheur qui
> nous tourmente. Nos passions ici-bas se peuvent
> aisément rassasier : l'amour, l'ambition, la colère
> ont une plénitude assurée de jouissance ; le besoin
> de félicité est le seul qui manque de satisfaction
> comme d'objet, car on ne sait ce que c'est que cette
> félicité qu'on désire.

---

1. VIᵉ partie, lettre VIII. Chateaubriand cite longuement cette
lettre en II, III, 4.

C'est donc en moi, dans l'insatisfaction d'une âme avide, que je découvre l'idée d'une satisfaction : le besoin suggère, voire établit l'existence de ce qui pourra lui satisfaire. Une *âme avide*, comme écrivait Julie d'Etange :

> Il est certain que notre âme demande éternellement ; à peine a-t-elle obtenu l'objet de sa convoitise qu'elle demande encore : l'univers entier ne la satisfait point. L'infini est le seul champ qui lui convienne [1].

Le cœur joue ici un tel rôle qu'on ne sait, le plus souvent, où l'on est et que l'auteur gagne à coup sûr. Il s'agit seulement de me dire mon trouble, au besoin de le ranimer, puis, quand je l'éprouve ou que j'en prends conscience, de me montrer dans ce mal un hommage au bien, dans cette inquiétude, la réclamation du repos ; dans les creux pathétiques de mon cœur, la preuve ineffable de l'existence de Dieu. Qu'importe qu'elle soit ineffable, puisqu'elle est éprouvée, *expérimentée*...

On retrouve la même transposition en ce qui concerne Pascal. Ce n'est pas que Chateaubriand emprunte aux *Pensées* le texte relatif aux deux infinis. Il en reprend, sur un autre plan, les intentions morales, la tactique et la stratégie :

> L'homme est suspendu dans le présent, entre le passé et l'avenir, comme sur un rocher entre deux gouffres ; derrière lui, devant lui tout est ténèbres ; à peine aperçoit-il quelques fantômes qui, remontant du fond des deux abîmes, surnagent un instant à leur surface, et s'y replongent [2].

1. I, VI, 1.
2. I, IV, 2. Cette phrase magnifique et complexe aurait pu inspirer Lautréamont. Si l'on peut revenir à Pascal après avoir nommé Isidore Ducasse, on observera qu'un parallèle entre l'auteur des *Pensées* et celui du *Génie* intéresserait plus encore par le relevé des différences que par celui des ressemblances : le grand absent du *Génie*, c'est Dieu — en tant que personne. Fils du XVIIIe siècle, engagé dans les intérêts d'une société à reconstruire, soucieux de ménager un repos à son esprit agité, Chateaubriand se contente aisément de l'idée de Dieu. Soigneusement dualiste, il cantonne la personne divine dans un au-delà où elle ne risque guère de le gêner, mais d'où elle conserve sa rassurante efficace.

Merveilleux texte sur-naturaliste, qui convainc d'autant mieux que l'auteur apparaît convaincu. Si je jette, de mes yeux exorbités, ces regards effarés sur l'avenir et sur le passé, c'est que le voyageur de l'Amérique et l'émigré de l'Angleterre ont éprouvé, devant le temps, ce même vertige qui convertit à l'éternel.

Qui raisonne peut n'être pas séduit. Mais on ne raisonne pas sans trêve. Et, au bout de quelques pages, je ne sais plus si l'auteur s'en prend à mon cœur ou à mon esprit. Une gracieuse confusion s'établit entre ce que je pense et ce que j'éprouve, qui peut me donner l'illusion de la sagesse, puisque j'aspire à l'unité.

L'esprit n'est pas pour autant négligé — d'autant moins qu'il fut et demeure l'ennemi. Les lecteurs du *Génie* éprouvaient une mauvaise conscience à l'égard des lumières. Un siècle de chefs-d'œuvre les avait convaincus que la science n'était pas chrétienne, qu'il était impossible de croire et de savoir. Contre cet état d'esprit, Chateaubriand lutte selon deux méthodes. Aux savants, il paraît dire : « Vous parlez d'érudition : j'y suis cuistre. » Comme souvent après lui les écrivains spiritualistes, il cache les libres jeux de son esprit et de son cœur parmi un amoncellement de détails érudits plus ou moins bien établis. On n'en finirait pas de rechercher les sources de ce qu'il avance. On doute souvent qu'il en soit persuadé. Il y a là un tel excès qu'on ne peut l'expliquer sinon par une intention de propagande, par une manœuvre. Le savoir n'est pas une fin : c'est un moyen. Que l'Ecriture parle du serpent, Chateaubriand n'hésite pas à tirer argument en faveur de l'authenticité de la *Genèse* des mœurs de l'animal qu'il décrit avec une lente et longue complaisance, non sans trouver chez les voyageurs anglais d'autres éléments de confirmation [1] : magnifique et bizarre exemple de dialectique ascendante. Mais je suis un mauvais lecteur. D'honnêtes femmes au cœur sensible entendaient bien mieux ce texte que je ne fais. « La vraie science, devaient-elles dire, loin de contredire aux Ecritures, les confirme. »

Si soucieux qu'il soit de prouver que la religion ne redoute pas les lumières, Chateaubriand n'en pense pas moins, avec d'autres et après d'autres, qu'un vain savoir peut écarter de Dieu et qu'il est des fruits défendus.

---

1. I, III, 2. L'auteur qualifie ce passage « d'induction tirée des mœurs du serpent en faveur des vérités de l'Ecriture ».

L'un des éléments historiquement majeurs du *Génie*
est ce coup porté à la science, cette inlassable répétition
d'attaques finalement couronnées de succès, ce mépris
contagieusement communiqué d'un savoir inutile et
dangereux. Ce réquisitoire insidieux donne au cœur
bonne conscience. Sur les traces effacées de Rousseau,
il affirme : « *Les siècles savants* ont toujours touché aux
siècles de destruction[1]. » Comment ne convaincrait-il
pas ceux qui savent que le siècle des lumières a pris fin
dans la Révolution ? Avec beaucoup de justesse il
montre la fragilité des acquisitions de la science : « On
ne veut, dit-on, que des choses positives. Eh, grand
Dieu ! qu'y a-t-il de moins positif que les sciences, dont
les systèmes changent plusieurs fois par siècle ? » Est-ce,
d'ailleurs, la science qui construit les ponts, qui permet
les progrès ? Du tout : « On peut apprendre, dans un
temps assez court, ce qu'il est utile d'en savoir pour
devenir un bon ingénieur. Au-delà de cette géométrie
pratique, le reste n'est plus qu'une *géométrie spéculative*,
qui a ses jeux, ses inutilités et pour ainsi dire ses romans,
comme les autres sciences[2]. » Il invoque jusqu'au comportement éventuellement maladroit du savant dans le
monde, son inadaptation aux réalités, cet air absent d'un
qui remonte de la caverne platonicienne — non sans se
rappeler un Pascal qu'il travestit un peu :

> Il est vrai que les esprits géométriques sont
> souvent faux dans le train ordinaire de la vie, mais
> cela vient même de leur extrême justesse. Ils veulent
> trouver partout des vérités absolues, tandis qu'en
> morale et en politique les vérités sont relatives. Il
> est rigoureusement vrai que deux et deux font
> quatre, mais il n'est pas de la même évidence
> qu'une bonne loi à Athènes soit une bonne loi à
> Paris. Il est de fait que la liberté est une chose
> excellente : d'après cela faut-il verser des torrents
> de sang pour l'établir chez un peuple, en tel degré
> que ce peuple ne la comporte pas[3] ?

Il cantonne donc une certaine science dans le domaine
des vérités abstraites, inutiles ou inopportunes, voire

1. I, IV, 3.
2. III, II, 2.
3. III, II, 1.

dangereuses quand on confond le relatif ou le circon-
stanciel avec l'absolu. Que si nous agissons, nous aurons
plus grand besoin de l'esprit de finesse que de l'esprit
de géométrie [1].

L'auteur consacre beaucoup plus de pages au goût
qu'à l'esprit et au cœur. Est-ce la première fois, dans
l'histoire sociale des idées en France, que des appréciations purement littéraires fondent une argumentation
étrangère, dans ses fins, à l'esthétique ? Tout se passe
comme si l'auteur saisissait l'occasion qu'il se donne
de faire de la critique littéraire, d'écrire, dans ce long
pensum, ce qu'il a envie d'écrire. Pourquoi ? Parce qu'il
est lui-même un homme de goût et que, par là, on
pouvait l'atteindre au mieux [2]. Tout cela touche au
plus profond de sa personne, en un point où se confondent,
je crois, les attitudes morale, politique, littéraire et religieuse. Je discerne en lui, à cette date comme plus tard,
sur tous les plans, une presque parfaite disponibilité :
il est prêt à tout dire, à tout faire. Cette liberté l'enchante, mais ces mille virtualités lui pèsent. Pouvoir
tout, c'est n'être rien. Les manèges de son imagination,
les creux de son cœur, les tentations de son esprit —
tout cela lui donne le vertige : il recule devant son génie.
Il veut se délester du poids qui l'entraîne et le charme.
Il veut au moins savoir où s'agripper, pour être charmé,
mais non pas entraîné. Il veut — c'est là sa grandeur
ambiguë; d'autres diraient sa mauvaise foi — jouir des
libertés d'un sceptique tout en conservant un havre de
grâce. On dirait d'une chatte qui ne veut se mouiller
ni se brûler et qui, cependant, tâche à tremper sa patte
en un lait trop chaud. La foi et le goût jouent ici un
même rôle salvateur. Mais ils n'ont pas même efficace,
car il n'y a pas de goût du charbonnier : le goût se
spécifie en préceptes, en goûts et en dégoûts. Les horreurs de Londres, l'épuisement, jusqu'à la tentation du
suicide, du fond intérieur — tout cela explique un néo-
classicisme presque pathétique, parfumé, certes, d'un
je ne sais quoi de romantique, mais un peu trop ferme,
un peu trop dur — comme il convient au rocher auquel
on veut *s'assurer*. On perçoit, à travers toute son œuvre,

---

1. Observons cependant que cette critique postule implicitement
la création d'une science du relatif dont, presque en même temps,
Bonald posait les premières pierres.
2. L'influence de Joubert fut sans doute primordiale sur ce point.

ce même dialogue poursuivi entre le charme du vertige
et le besoin de sécurité. Il ne va jusqu'au bout dans un
sens ni dans l'autre. *Homo duplex*.

Outre cette authenticité, il est, dans ces pages, une
rouerie. La critique littéraire a plus de charme que la
théologie. Chateaubriand ne s'adresse pas à des spécia-
listes, mais à des gens bien élevés que tentent toutes les
nouveautés, à condition qu'elles ne bouleversent rien.
Faciles d'accès, légères parfois, mais toujours fines, ces
lignes reposent le lecteur du fatras érudit, lui confèrent
le sceau d'une bonne conscience mondaine et le séduisent
habilement. Portés sur Racine, sur Milton ou sur
l'Ecriture, les jugements de goût deviennent autant
d'arguments insidieux : « Ce qu'il y a de véritablement
ineffable dans l'Ecriture, c'est ce mélange continuel des
plus profonds mystères et de la plus extrême simplicité :
caractères d'où naissent le touchant et le sublime [1]. »
N'allons pas dire que Chateaubriand réduit la *Genèse*
et l'*Evangile* à l'état de roman ou de poème vulgaires.
Les citations multipliées, les admirations prodiguées, la
justesse des appréciations de détail, tout nous amène à
reconnaître ce je ne sais quoi de *véritablement ineffable*.
On n'avait pas, d'abord, remarqué ces deux mots, qui
constituent le piège de la phrase. L'analyse stylistique
fonde ici la critique d'attribution. D'attribution à Dieu.

Les jugements de goût comportent, entre autres, cet
immense avantage qu'on peut s'y permettre tout. Si
je ne suis pas sûr que les mérites de Racine tiennent
à son christianisme, je suis encore moins sûr que celui-ci
n'ait aucune part à son génie propre. L'auteur a donc,
en fait, loisir d'affirmer ce qu'il veut : « Ce vers si simple
et si aimable :

Je ne l'ai point encore embrassé d'aujourd'hui,

est le mot d'une mère chrétienne [2]. » Pourquoi non,
mais pourquoi ? Malgré leur élégance et leur pénétration,
ces examens parallèles des auteurs païens et des auteurs
chrétiens ont vieilli. Chateaubriand les a payés d'un prix
élevé : la rédaction des *Martyrs*...

L'homme de goût auquel s'adresse le *Génie* n'est que
la fine fleur d'une société déterminée. Chateaubriand
ne se fait aucun scrupule de lui parler non plus en tant

1. I, I, 4.
2. II, II, 7.

qu'il lit et bavarde, mais en tant qu'il vit et agit dans cette société. Il met bas son masque d'écrivain. Pourquoi se cacherait-il ? Bien des philosophes (Voltaire en particulier) lui ont tracé la route. Après l'effort janséniste pour toucher Dieu lui-même, l'apologétique, d'abord violente et pathétique [1], s'est traînée au niveau du siècle et des intérêts sociaux. Chateaubriand, à son tour, s'emploie à inquiéter les nantis et, à travers eux, tous ceux qui aspirent à l'être : « Vous qui voulez jouir en paix du fruit de votre sagesse, semble-t-il leur dire, vous qui aspirez à reconstruire votre fortune, vous tous qui voulez l'ordre pour sauvegarder vos richesses et votre paix, venez à Dieu qui peut seul garantir l'ordre social. » Sans aucun des scrupules qu'on aurait aujourd'hui et qui ne s'imposaient pas à la date, Chateaubriand met en lumière l'utilité sociale et politique de l'Eglise. Dans la société, la morale joue le même rôle que jouent ailleurs le goût et la foi. Sans elle, tout s'effondre dans un désordre effrayant, dans un *struggle for life* [2] :

> La morale est la base de la société, mais si tout est matière en nous, il n'y a réellement ni vice ni vertu, et conséquemment plus de morale. Nos lois, toujours *relatives* et *changeantes*, ne peuvent servir de point d'appui à la morale, toujours *absolue* et *inaltérable ;* il faut donc qu'elle ait sa source dans un monde plus stable que celui-ci, et des garants plus sûrs que des récompenses précaires ou des châtiments passagers [...]. Quand les hommes perdent l'idée de Dieu, ils se précipitent dans tous les crimes en dépit des lois et des bourreaux [3].

Ce n'est plus le « vérité en deçà des Pyrénées, erreur au-delà ». Ce n'est pas encore le cri d'Ivan Karamazov : « Si Dieu n'existe pas, alors, tout est permis. » C'est leur mise en œuvre, leur exploitation, en un temps où, la Révolution une fois terminée, chacun s'employait à équilibrer son bilan et à se ménager un avenir. Et l'auteur affirme : « Sans le christianisme, le naufrage de la société et des lumières eût été total [4]. »

---

1. On songe à Bourdaloue.
2. C'est la société balzacienne.
3. I, VI, 2.
4. IV, VI, 13.

III. *Quelques faiblesses.*

Un tel propos, une telle méthode impliquent, dans le détail, quelques faiblesses que les critiques contemporains ont signalées, non sans *rogne* et *grogne*. L'érudition ne laisse pas d'être de seconde main. La dialectique ascendante part d'où elle peut pour arriver n'importe où. Les caprices d'un génie empoisonnent et affaiblissent parfois son pouvoir de séduction [1]. Malgré le sérieux attentif de l'auteur, ce jeu de propagande souffre du défaut qui entache presque toutes les propagandes : une adaptation consciente à l'état du marché, aux désirs supposés de la clientèle, comporte des erreurs et, à terme, des ridicules. Il serait vain de les relever, mais il convient d'en fournir quelques exemples, pour faire comprendre les haines provoquées par ce livre qui, selon la formule de Stendhal, « a pu trouver des lecteurs ».

Quand, pour faire admettre l'idée de foi, Chateaubriand écrit : « L'amitié, le patriotisme, l'amour, tous les sentiments nobles sont aussi une espèce de foi [2] », il a raison : l'homme est amené, souvent, voire toujours, à s'engager au-delà des certitudes. Il prélude, en somme, à l'admirable mot de Unamuno : « Rien de ce qui mérite d'être prouvé ne se peut prouver ni désapprouver. » Mais il ne se contente pas de cela : il joue sur le sens du mot foi — connaissance ou fidélité. Tous les cas où la vie sociale repose sur la fidélité (ils sont et étaient plus encore nombreux) servent à faire accepter une connaissance d'un type particulier. De même, dans le cas du mystère et des mystères.

La philologie joue parfois de mauvais tours. Chateaubriand, qui a eu, longtemps avant, une vague connaissance des rudiments de l'hébreu, feint de lire les textes saints dans cette langue et, à propos du mot *Enosh*, qui signifierait à la fois *homme* et *douleur*, écrit :

> Peut-être, dans un mouvement d'angoisse, Adam, témoin des labeurs de son épouse, et recevant dans ses bras Caïn, son premier-né, l'éleva vers le Ciel en s'écriant : *Enosh (ô douleur !)*. Triste exclamation, par laquelle on aura, par la suite, désigné la race humaine [3].

1. A moins, il est vrai, qu'ils ne l'augmentent.
2. I, II, 2.
3. I, III, 2.

On éprouve quelque peine à le suivre quand il se perd dans les détails de la chronologie et affirme que, pour s'y retrouver, il suffit de suivre la *Genèse* : « Pourquoi donc aller, par un zèle ardent d'impiété, se consumer l'esprit sur des chicanes de temps aussi arides qu'indéchiffrables, lorsque nous avons le fil le plus certain pour nous guider dans l'histoire [1] ? » Que si, cependant, nous doutions que le monde fût aussi jeune qu'il est dit, il suffirait de croire que Dieu l'a créé, à la date dite, déjà vieux...

Pourquoi prouve-t-il le Déluge par la beauté de la description qu'il en fait et par la présence d'ossements d'éléphants en Sibérie — alors qu'il s'agit de mammouths ? Pourquoi, surtout, proclamer qu'il faut une intervention particulière de la Providence pour maintenir les nuages dans le ciel, faute de quoi ils tomberaient [2] ? Pourquoi démontrer l'harmonie providentielle du monde par le fait que les crocodiles mangent les poissons — lesquels, sans cela, remonteraient les rivières et risqueraient de périr, faute d'eau [3] ? Pourquoi découvrir, dans un regard d'enfant, une preuve de l'existence de Dieu et proclamer que l'enfant le connaît ? « Nous en prenons à témoin ses petites rêveries, ses inquiétudes, ses craintes dans la nuit, son penchant à lever les yeux vers le ciel [4]. » Pourquoi, à propos de quelques vers de Milton consacrés à Adam et Ève, écrire : « La vraie religion a pu seule donner le caractère d'une tendresse aussi sainte, aussi sublime [5] ? » Pourquoi, encore, l'habitat des crucifères prouverait-il la beauté de la Croix [6] ? Pourquoi écrire : « Les derniers devoirs qu'on rend aux hommes seraient bien tristes s'ils étaient dépouillés des signes de la religion [7] », comme s'il était question qu'ils fussent gais ?

Ces exemples ne prouvent rien, sinon les dangers de la dialectique ascendante, la lecture de Bernardin de Saint-Pierre et, surtout, les risques de toute propagande. L'auteur jette sa ligne aussi souvent qu'il peut : les mauvais lancers ne comptent pas, puisqu'il suffit de recommencer. D'occasion en occasion, on discerne cependant ce qui a fait la faiblesse de ce beau livre : à

1. I, IV, 1.
2. I, V, 2.
3. I, V, 10.
4. I, VI, 5.
5. II, II, 4.
6. IV, I, 2.
7. IV, II, 1.

force de vouloir séduire n'importe qui à propos de
n'importe quoi, de livrer bataille sur tous les terrains,
de s'engager dans toutes les directions, d'utiliser toutes
les autorités, d'invoquer son cœur, les poissons ou les
crucifères, l'auteur finit par donner l'idée d'une mauvaise
foi. Une certaine restriction du champ paie la bonne
foi. Lui refuse de choisir, de se limiter, de renoncer
— voire de se renoncer. Il le refuse, parce que l'intéresse
dans la foi (bonne ou mauvaise) l'admirable liberté
qu'elle laisse à l'esprit. Tout se passe comme si la foi
se composait des prémices de la connaissance, offerts
à Dieu afin qu'on puisse en paix savourer le reste.

En vérité, la mauvaise et la bonne foi de Chateaubriand
se confondent. Sa foi et son apologétique correspondent
à son besoin personnel sincèrement et lucidement
éprouvé, qui n'est autre que celui de son temps.

Il ne convient pas de s'arrêter là trop longtemps. Ces
défauts, si l'on ose dire, font corps avec l'ouvrage.
Malgré tant de critiques, l'auteur n'a pu les gommer.
Il ne nous revient pas de nous substituer à lui — d'autant
moins que ces faiblesses n'ôtent pas grand-chose à
sa force.

IV. *Forces.*

On ne cherche pas ici à dénombrer ni à mesurer
toutes les forces du *Génie*. On a déjà, çà ou là, mentionné
quelques éléments de sa beauté. Ils n'expliquent pas
un succès surprenant. Pour reprendre une argumentation
de l'auteur, un si vaste public ne peut guère avoir
erré. Si le *Génie* n'avait enfin en lui que des secrets de
vendeur d'orviétan, nul n'en parlerait plus.

Nous voyons bien que l'un de ces secrets-là fut dans
une parfaite adaptation au moment, servie et presque
provoquée par une parfaite présence au moment, une
exacte adéquation à la situation, une participation
authentique à l'histoire. Tout est *authentique* dans ce
livre, même les mensonges. Par-delà les élégances d'un
style à la fois tendre et musclé qui introduit peut-être
dans la phrase française le jeu concerté des arrière-plans,
des toiles de fond, cette présence à l'histoire constitue
sans doute l'essentielle vertu d'un livre qui ramassait
quelques-unes des qualités de l'*Essai sur les révolutions*
et annonçait l'*Avenir du monde*.

Vivant à la ligne de partage des eaux entre le XVIIIe et le XIXe siècle, Chateaubriand se donne les gants de ne pas accabler les philosophes qu'il a admirés, qu'il vient d'encenser et de suivre. Il ne se renie pas : il se dépasse. Sous couleur d'une profitable urbanité, il se fait des alliés de ses adversaires, ses maîtres de la veille. Il eût été imprudent de s'en prendre à de telles autorités. Voltaire et Rousseau sont deux puissants dieux avec qui un inconnu ne songe pas à se colleter. Chateaubriand leur brûle encore de l'encens, pour mieux se servir d'eux. Il les montre chrétiens et fait, de ses hommages, une annexion. Ce n'est pas seulement une habileté tactique, mais aussi un sentiment profond, non dépourvu d'une exacte pénétration :

> Rousseau est un des écrivains du XVIIIe siècle dont le style a le plus de charme, parce que cet homme, bizarre à dessein, s'était au moins créé une ombre de religion. Il avait foi en quelque chose qui n'était pas le Christ, mais qui pourtant était l'Evangile; ce fantôme de christianisme, tel quel, a quelquefois donné beaucoup de grâces à son génie [1].

Il y a plus d'habileté dans cette juste admiration que dans tant d'injures dont on a vainement essayé d'accabler la mémoire de Rousseau [2].

Cette liberté dans le ton ne manifeste pas seulement la fidélité à soi-même : elle est l'une des faces de l'authenticité d'un génie. Riche déjà de toutes ses ouvertures sur l'avenir de la sensibilité, riche aussi de toutes les caresses que prodigue son style, de tant d'aperçus offerts sur des mystères, de cette *aura* dont il nimbe ses mots et son expérience, voire de cette majesté où, parfois, il embaume son imagination, Chateaubriand situe son livre et son génie à une profondeur plus grave et plus opportune, plus adéquate à son temps. Peut-être initié à l'histoire par Voltaire, il découvre ici, malgré son méchant article sur Mme de Staël, sa richesse et son rôle. Le christianisme brise le cercle de l'éternel retour. Aucune religion, croyons-nous, n'impose aussi précisément le sens de l'*avant* et de l'*après*. Toute sa

---

1. III, IV, 5.
2. Ce serait, nous disait-on, une belle étude que celle de l'influence exercée par Rousseau sur la droite française à sa naissance.

révélation est historique. Son Dieu n'est pas mathématicien, mais docteur ès sciences de l'histoire. En raison de ses dons, Chateaubriand a saisi ce caractère, cette vertu. Malgré son néo-classicisme, il se pense, profondément, comme un moderne. Il a, ainsi que Voltaire, le sens du progrès. Plus que Voltaire, il fait du temps un élément créateur et donne à l'histoire une sorte d'objectivité *absolue*. Cette intuition (qui fait le charme des œuvres de Hegel et de Marx) était particulièrement bien venue : l'Histoire s'était appesantie sur une classe déterminée et apparaissait à la France entière, avec une autorité éclatante et sanglante. Comme d'autres le font simultanément, Chateaubriand médite sur les deux décennies écoulées. Il manifeste déjà ce sens de l'histoire opulent et robuste qui fait une part essentielle de son génie. Plan de rencontre entre le temps et l'éternité, le livre fait une sorte de confidence : l'auteur suit le développement de l'histoire avec passion, mais éprouve, devant les jours qui disparaissent, un trouble angoissé et cherche l'au-delà à l'intérieur de son expérience elle-même. Ce passage d'un amateur dans les marges de la théologie n'est pas vain. Pascal, par ses *Provinciales*, avait rappelé les droits de la raison et de la conscience morale de tout chrétien. Ici, de même, c'est les droits de toute âme qui sont évoqués puisqu'on invoque le témoignage et l'appui de toutes les âmes. Toutes les âmes et le tout de chaque âme. En ce temps où les hiérarchies ont fait faillite, l'auteur eut la liberté réelle de prendre les choses à sa façon et de fonder sa propagande, sa séduction sur une analyse quasiment phénoménologique du comportement spirituel, intellectuel et cordial de l'homme. Il ne faut pas trop s'étonner de l'absence de Dieu en ce livre où l'on feint de rendre sa présence nécessaire. Si Dieu l'envahissait, le livre serait inutile, puisque tout le monde le verrait. La force et la faiblesse du *Génie* c'est, précisément, d'établir le dialogue apologétique à un niveau tel d'obscure et confuse profondeur que tout lecteur devait être touché, à travers son trouble, ses élans, ses intérêts, voire sa vanité.

Il y a le même rapport entre la lecture du *Génie* et une éventuelle conversion qu'entre l'audition d'un Précurseur et celle du Christ. Chateaubriand n'enseigne presque rien. Il prépare les voies, sinon les moyens, d'un enseignement. Saint Jean d'un type un peu particulier, mondain, littéraire, amateur de belles âmes, il met en condition; il fait de la vanité une alliée; de tous les adversaires, des Saxons à Leipzig; de tous les intérêts matériels, la garde impériale de Dieu, dissimulée dans les bas-fonds de l'âme; et, de tous les mouvements de mon cœur, de la crainte ressentie devant le temps, de l'angoisse à l'idée de la mort, d'un amour éprouvé, d'une pitié qui me traverse — de tout ce qui m'agite, autant de preuves intimes, irrécusables puisque presque ineffables du besoin que j'ai de Dieu.

Peut-être, après tout, que l'efficacité du livre provient de sa profonde sincérité. Chateaubriand touche ses lecteurs, parce qu'il est chacun d'eux — parce qu'il éprouve ce même frémissement et, dans le désordre vertigineux du siècle et des siècles, cherche lui aussi, plus passionnément que tout autre, un rocher où s'assurer, pour toujours et, surtout, dans l'immédiat. Car la douleur n'attend pas, non plus que le vertige. Assumant les contradictions de son époque, il l'a touchée parce qu'il la représentait.

Livre, quels qu'en puissent être les défauts, de bonne foi — puisque *vécu*, dont tous les aspects prodigieusement divers trouvent un symbole dans cinq doigts qui s'agrippent, dans une nuit de vertige, à une prise divine — qu'on ne voit pas.

Pierre REBOUL.

NOTRE TEXTE

Nous reproduisons le texte des *Œuvres complètes*, publiées chez Ladvocat de 1826 à 1831. Le *Génie du christianisme* remplit les tomes XI-XV, parus de 1826 à 1828. Nous n'avons pu reproduire tous les documents annexés à la fin du tome XIV et dans le tome XV qui, par leur volume même, eussent rendu cette édition impossible. Nous nous bornons donc à donner le texte de la préface de 1802, de celle de 1803, et de la *Défense du « Génie du christianisme »*.

Le choix du texte de 1828 s'imposait par deux raisons : *Atala* et *René* ont déjà paru dans un autre volume de cette collection et l'édition de 1828 est la seule de celles publiées sous le contrôle de l'auteur où ne figurent pas ces deux épisodes [1]; ce texte apparaît comme *définitif*, le dernier revu par Chateaubriand.

On ne pouvait ici reproduire les innombrables variantes ni même les étudier. Certaines manifestent la docilité de l'auteur qui a tenu compte, dans la mesure du possible, des reproches qu'on lui avait adressés quant aux faits, à la doctrine, voire à l'expression. D'autres, l'évolution de son goût. Tout en admirant le sérieux d'un écrivain inlassable, il peut arriver qu'on regrette les hardiesses et les efflorescences des premiers textes.

---

1. Rappelons que, jusqu'à l'édition Ladvocat parue de 1826 à à 1831 *René* figura dans le *Génie* au livre III de la deuxième partie où il illustrait le chapitre IX *(Du vague des passions)* et *Atala* au livre V de la troisième partie, à titre d'exemple des *Harmonies de la religion chrétienne avec les scènes de la nature et les passions du cœur humain.*

NOTE BIBLIOGRAPHIQUE

I. LE TEXTE [1]

Génie du christianisme ou *Beautés de la religion chrétienne*, par François-Auguste Chateaubriand. Paris (Migneret), 1802. 5 vol. in-8º :

Génie du christianisme, etc. Paris (Migneret), 1803. 2 vol. in-8º.

Cette seconde édition est ornée d'une dédicace au Premier Consul [2].

Un *Avertissement*, dans lequel l'auteur s'explique sur les modifications apportées, remplace la préface primitive. Cette édition est accompagnée de la *Défense du « Génie du christianisme »* publiée peu avant chez le même éditeur.

1. On se limite ici aux éditions qui importent à l'historien du texte.
2. Cette dédicace est reproduite dans le tome XV, p. XX de l'édition Ladvocat.

Epître dédicatoire au Premier Consul Bonaparte

Citoyen Premier Consul,

Vous avez bien voulu prendre sous votre protection cette édition du *Génie du christianisme*; c'est un nouveau témoignage de la faveur que vous accordez à l'auguste cause qui triomphe à l'abri de votre puissance. On ne peut s'empêcher de reconnaître dans vos destinées la main de cette Providence qui vous avait marqué de loin, pour l'accomplissement de ses desseins prodigieux. Les peuples vous regardent; la France, agrandie par vos victoires, a placé en vous son espérance, depuis que vous appuyez sur la Religion les bases de l'Etat et de vos prospérités. Continuez à tendre une main secourable à trente millions de chrétiens qui prient pour vous au pied des autels que vous leur avez rendus.

> Je suis avec un profond respect,
> Citoyen Premier Consul,
> votre très humble et très obéissant serviteur.
>
> Chateaubriand.

Génie du christianisme, etc. Lyon (Ballanche), 1804.
9 vol. in-12.
Chateaubriand a minutieusement revu le texte de
cette édition, qui reparut en 1809 chez le même éditeur,
avec des compléments.

Œuvres complètes de M. le Vicomte de Chateaubriand,
tomes XI-XV : *Le Génie du christianisme*. Paris (Ladvocat), 1826-1828. 5 vol. in-8°. Une préface nouvelle et
quelques modifications, dues, en particulier, à l'élimination d'*Atala* et de *René*.

Œuvres complètes de M. le Vicomte de Chateaubriand,
tome XXXI : *Opinions et discours. Œuvres diverses*.
Paris (Pourrat), 1838 [1].

II — PRINCIPALES ÉTUDES

BERTRIN (G.), *La sincérité religieuse de Chateaubriand*,
Paris, 1900.

CASSAGNE (A.), *La vie politique de François de Chateaubriand*, tome I, Paris, 1911.

GIRAUD (V.), *Le christianisme de Chateaubriand*, tome II :
L'évolution. Paris, 1928.

MOREAU (P.), *Chateaubriand. L'homme et la vie. Le Génie
et les livres*. Paris, 1927.

MOREAU (P.), *La conversion de Chateaubriand*. Paris,
1933.

MOREAU (P.), *Chateaubriand. L'homme et l'œuvre*. Paris,
1956.

POMMIER (J.), *La « conversion de Chateaubriand »*. *Europe*,
15 mai 1927.

VAN NESS SMEAD (J.), *Chateaubriand et la Bible*. Baltimore, 1924.

---

1. Parmi les *Œuvres diverses* figurent un certain nombre de fragments du *Génie* primitif. On les retrouvera dans le second volume de
la présente édition pp. 405-491.

GÉNIE DU CHRISTIANISME

PRÉFACE [1]

Lorsque le *Génie du christianisme* parut, la France sortait du chaos révolutionnaire; tous les éléments de la société étaient confondus : la terrible main qui commençait à les séparer n'avait point encore achevé son ouvrage; l'ordre n'était point encore sorti du despotisme et de la gloire.

Ce fut donc, pour ainsi dire, au milieu des débris de nos temples que je publiai le *Génie du christianisme*, pour rappeler dans ces temples les pompes du culte et les serviteurs des autels. Saint-Denis était abandonné : le moment n'était pas venu où Buonaparte devait se souvenir qu'il lui fallait un tombeau; il lui eût été difficile de deviner le lieu où la Providence avait marqué le sien. Partout on voyait des restes d'églises et de monastères que l'on achevait de démolir : c'était même une sorte d'amusement d'aller se promener dans ces ruines.

Si les critiques du temps, les journaux, les pamphlets, les livres n'attestaient l'effet du *Génie du christianisme*, il ne me conviendrait pas d'en parler; mais n'ayant jamais rien rapporté à moi-même, ne m'étant jamais considéré que dans mes relations générales avec les destinées de mon pays, je suis obligé de reconnaître des faits qui ne sont contestés de personne : ils ont pu être différemment jugés; leur existence n'en est pas moins avérée.

La littérature se teignit en partie des couleurs du *Génie du christianisme* : des écrivains me firent l'honneur d'imiter les phrases de *René* et d'*Atala*, de même que la

---

1. Cette Préface est nouvelle, celles qui ont accompagné les diverses éditions du *Génie du christianisme* sont réunies dans le XVe volume. [*De l'édition Ladvocat, Voir tome II de la présente édition pp. 397-401* (G. F.).]

chaire emprunta et emprunte encore tous les jours ce
que j'ai dit des cérémonies, des missions et des bienfaits
du christianisme.

Les fidèles se crurent sauvés par l'apparition d'un
livre qui répondait si bien à leurs dispositions intérieures :
on avait alors un besoin de foi, une avidité de consolation
religieuse, qui venait de la privation même de ces consolations depuis longues années. Que de force surnaturelle
à demander pour tant d'adversités subies! Combien de
familles mutilées avaient à chercher auprès du Père des
hommes les enfants qu'elles avaient perdus! Combien
de cœurs brisés, combien d'âmes devenues solitaires,
appelaient une main divine pour les guérir! On se
précipitait dans la maison de Dieu, comme on entre
dans la maison du médecin au jour d'une contagion.
Les victimes de nos troubles (et que de sortes de victimes!) se sauvaient à l'autel, de même que les naufragés
s'attachent au rocher sur lequel ils cherchent leur
salut.

Rempli des souvenirs de nos antiques mœurs, de la
gloire et des monuments de nos rois, le *Génie du christianisme* respirait l'ancienne monarchie tout entière : l'héritier légitime était pour ainsi dire caché au fond du
sanctuaire dont je soulevais le voile, et la couronne de
Saint-Louis, suspendue au-dessus de l'autel du Dieu
de Saint-Louis. Les Français apprirent à porter avec
regret leur regard sur le passé; les voies de l'avenir
furent préparées, et des espérances presque éteintes se
ranimèrent.

Buonaparte, qui désirait alors fonder sa puissance
sur la première base de la société, et qui venait de faire
des arrangements avec la cour de Rome, ne mit aucun
obstacle à la publication d'un ouvrage utile à la popu-
larité de ses desseins. Il avait à lutter contre les hommes
qui l'entouraient, contre des ennemis déclarés de toutes
concessions religieuses : il fut donc heureux d'être
défendu au-dehors par l'opinion que le *Génie du christianisme* appelait. Plus tard il se repentit de sa méprise;
et au moment de sa chute, il avoua que l'ouvrage dont
la publication avait le plus nui à son pouvoir était le
Génie du christianisme.

Mais Buonaparte, qui aimait la gloire, se laissait
prendre à ce qui en avait l'air; le bruit lui imposait; et
quoiqu'il devînt promptement inquiet de toute renommée, il cherchait d'abord à s'emparer de l'homme dans

lequel il reconnaissait une force. Ce fut par cette raison que l'Institut, n'ayant pas compris le *Génie du christianisme* dans les ouvrages qui concouraient pour le prix décennal, reçut l'ordre de faire un rapport sur cet ouvrage [1]; et bien qu'alors j'eusse blessé mortellement Buonaparte, ce maître du monde entretenait tous les jours M. de Fontanes des places qu'il avait l'intention de créer pour moi, des choses extraordinaires qu'il réservait à ma fortune.

Ce temps est passé : vingt années ont fui, des générations nouvelles sont survenues, et un vieux monde qui était hors de France y est rentré.

Ce monde a joui des travaux achevés par d'autres que par lui, et n'a point connu ce qu'ils avaient coûté : il a trouvé le ridicule que Voltaire avait jeté sur la religion effacé, les jeunes gens osant aller à la messe, les prêtres respectés au nom de leur martyre, et ce vieux monde a cru que cela était arrivé tout seul, que personne n'y avait mis la main.

Bientôt même on a senti une sorte d'éloignement pour celui qui avait rouvert la porte des temples, en prêchant la modération évangélique, pour celui qui avait voulu faire aimer le christianisme par la beauté de son culte, par le génie de ses orateurs, par la science de ses docteurs, par les vertus de ses apôtres et de ses disciples. Il aurait fallu aller plus loin. Dans ma conscience je ne le pouvais pas.

Depuis vingt-cinq ans, ma vie n'a été qu'un combat contre ce qui m'a paru faux en religion, en philosophie, en politique, contre les crimes ou les erreurs de mon siècle, contre les hommes qui abusaient du pouvoir pour corrompre ou pour enchaîner les peuples. Je n'ai jamais calculé le degré d'élévation de ces hommes; et depuis Buonaparte qui faisait trembler le monde, et qui ne m'a jamais fait trembler, jusqu'aux oppresseurs obscurs qui ne sont connus que par mon mépris, j'ai osé tout dire à qui osait tout entreprendre. Partout où je l'ai pu, j'ai tendu la main à l'infortune; mais je ne comprends rien à la prospérité : toujours prêt à me dévouer aux

---

1. On trouvera des extraits des différents rapports faits par des membres de l'Institut dans le cinquième volume du *Génie du christianisme*, XVe volume de la présente édition. [*Comme on l'a signalé dans la note intitulée* Notre texte, *p. 38, ces rapports n'ont pas été reproduits dans notre édition.* (G.F.).]

malheurs, je ne sais point servir les passions dans leur triomphe.

Aurait-on bien fait de suivre le chemin que j'avais tracé pour rendre à la religion sa salutaire influence ? Je le crois. En entrant dans l'esprit de nos institutions, en se pénétrant de la connaissance du siècle, en tempérant les vertus de la foi par celles de la charité, on serait arrivé sûrement au but. Nous vivons dans un temps où il faut beaucoup d'indulgence et de miséricorde. Une jeunesse généreuse est prête à se jeter dans les bras de quiconque lui prêchera les nobles sentiments qui s'allient si bien aux sublimes préceptes de l'Evangile; mais elle fuit la soumission servile, et dans son ardeur de s'instruire, elle a un goût pour la raison, tout à fait au-dessus de son âge.

Le *Génie du christianisme* paraît maintenant dégagé des circonstances auxquelles on aurait pu attribuer une partie de son succès. Les autels sont relevés, les prêtres sont revenus de la captivité, les prélats sont revêtus des premières dignités de l'Etat. L'espèce de défaveur qui en général s'attache au pouvoir devrait pareillement s'attacher à tout ce qui a favorisé le rétablissement de ce pouvoir : on est ému du combat; on porte peu d'intérêt à la victoire.

Peut-être aussi l'auteur nuirait-il, à présent, dans un certain monde, à l'ouvrage. Je ne sais comment il arrive que les services que j'ai eu le bonheur de rendre aient rarement été une cause de bienveillance pour moi auprès de ceux à qui je les ai rendus, tandis que les hommes que j'ai combattus ont toujours, au contraire, montré du penchant pour mes écrits et même pour ma personne : ce ne sont pas mes ennemis qui m'ont calomnié. Y aurait-il dans les opinions que j'ai appuyées, parce que sous beaucoup de rapports elles sont les miennes, y aurait-il un certain fond d'ingratitude naturelle ? Non, sans doute, et toute faute est de mon côté.

Par les diverses considérations de temps, de lieux, de personnes, je suis obligé de conclure que si le *Génie du christianisme* continue à trouver des lecteurs, on ne peut plus en chercher les raisons dans celles qui firent son premier succès : autant les chances lui furent favorables autrefois, autant elles lui sont contraires aujourd'hui. Cependant l'ouvrage se réimprime malgré la multitude des anciennes éditions, et je le regarde toujours comme mon premier titre à la bienveillance du public.

J'ai dit *(Préface générale)* que j'avais, dans cette édition de mes œuvres, retranché *Atala* et *René* du *Génie du christianisme*, pour les donner à part dans un volume avec un ouvrage analogue[1]; j'ai dit également, dans la *Préface générale*, les raisons qui m'avaient déterminé à faire cette division : elle était, au surplus, si naturelle que le *Génie du christianisme*, dégagé de ses épisodes, marche avec plus de rapidité, et n'en paraît que mieux composé. Il a suffi de faire disparaître une douzaine de phrases dans les chapitres qui précédaient et suivaient *Atala* et *René* pour qu'on n'aperçût pas même la trace de ces épisodes. L'ouvrage entier est également resté divisé en cinq volumes, parce que ces volumes, d'inégale grosseur dans les anciennes éditions, ont pris à peu près le même nombre de pages, en vertu d'une distribution meilleure.

---

1. *Voyez* le tome XVI. [*De l'édition Ladvocat.* (G.F.).]

PREMIÈRE PARTIE

DOGMES ET DOCTRINE

LIVRE PREMIER

MYSTÈRES ET SACREMENTS

CHAPITRE PREMIER

INTRODUCTION

Depuis que le christianisme a paru sur la terre, trois espèces d'ennemis l'ont constamment attaqué : les hérésiarques, les sophistes, et ces hommes en apparence frivoles, qui détruisent tout en riant. De nombreux apologistes ont victorieusement répondu aux subtilités et aux mensonges; mais ils ont été moins heureux contre la dérision. Saint Ignace d'Antioche [1], saint Irénée, évêque de Lyon [2], Tertullien, dans son *Traité des Prescriptions*, que Bossuet appelle divin, combattirent les novateurs, dont les interprétations superbes corrompaient la simplicité de la foi.

La calomnie fut repoussée d'abord par Quadrat et Aristide, philosophes d'Athènes : on ne connaît rien de leurs apologies, hors un fragment de la première, conservé par Eusèbe. Saint Jérôme et l'évêque de Césarée parlent de la seconde comme d'un chef-d'œuvre [3].

Les païens reprochaient aux fidèles l'athéisme, l'inceste, et certains repas abominables où l'on mangeait, disait-on, la chair d'un enfant nouveau-né. Saint Justin plaida la cause des chrétiens après Quadrat et Aristide : son style est sans ornement, et les actes de son martyre prouvent qu'il versa son sang pour sa religion avec la même simplicité qu'il écrivit pour elle [4]. Athénagore a mis plus d'esprit dans sa défense; mais il n'a ni la manière originale de Justin, ni l'impétuosité de l'auteur de l'*Apologétique*. Tertullien est le Bossuet africain et barbare; Théophile, dans les trois livres à son ami

---

1. Ignat. *in Patr. apost. Epist. ad Smyrn.* n. 1.
2. *In hæres.* lib. VI.
3. Eus. lib. IV, 3; Hieronym. *Epist.* 80; Fleury, *Hist. Eccl.* tom. I; Tillemont, *Mém. pour l'Hist. Eccl.* tom. II.
4. Just.

Autolyque, montre de l'imagination et du savoir; l'*Octave* de Minucius Félix présente le beau tableau d'un chrétien et de deux idolâtres, qui s'entretiennent de la religion et de la nature de Dieu, en se promenant au bord de la mer [1].

Arnobe le rhéteur, Lactance, Eusèbe, saint Cyprien, ont aussi défendu le christianisme; mais ils se sont moins attachés à en relever la beauté qu'à développer les absurdités de l'idolâtrie.

Origène combattit les sophistes, il semble avoir eu l'avantage de l'érudition, du raisonnement et du style, sur Celse son adversaire. Le grec d'Origène est singulièrement doux; il est cependant mêlé d'hébraïsmes et de tours étrangers, comme il arrive assez souvent aux écrivains qui possèdent plusieurs langues.

L'Eglise, sous l'empereur Julien, fut exposée à une persécution du caractère le plus dangereux. On n'employa pas la violence contre les chrétiens, mais on leur prodigua le mépris. On commença par dépouiller les autels; on défendit ensuite aux fidèles d'enseigner et d'étudier les lettres [2]. Mais l'empereur, sentant l'avantage des institutions chrétiennes, voulut, en les abolissant, les imiter : il fonda des hôpitaux et des monastères; et, à l'instar du culte évangélique, il essaya d'unir la morale à la religion, en faisant prononcer des espèces de sermons dans les temples [3].

Les sophistes dont Julien était environné se déchaînèrent contre le christianisme; Julien même ne dédaigna pas de se mesurer avec les *Galiléens*. L'ouvrage qu'il écrivit contre eux ne nous est pas parvenu; mais saint Cyrille, patriarche d'Alexandrie, en cite des fragments dans la réfutation qu'il en a faite, et que nous avons encore. Lorsque Julien est sérieux, saint Cyrille triomphe du philosophe; mais lorsque l'empereur a recours à l'ironie, le patriarche perd ses avantages. Le style de Julien est vif, animé, spirituel : saint Cyrille s'emporte, il est bizarre, obscur et contourné. Depuis Julien jusqu'à Luther, l'Eglise, dans toute sa force, n'eut plus besoin d'apologistes. Quand le schisme d'Occident se forma, avec les nouveaux ennemis parurent de nouveaux

---

1. *Voyez*, avec les auteurs cités ci-dessus, Dupin, dom Cellier, et l'élégante traduction des anciens Apologistes, par M. l'abbé de Gourcy.
2. Soc. 3, c. XII; Greg. Naz. 3, p. 51-97, etc.
3. *Voyez* Fleury, *Hist. Eccl.*

défenseurs. Il le faut avouer, les protestants eurent d'abord la supériorité sur les catholiques, du moins par les formes, comme le remarque Montesquieu. Erasme même fut faible contre Luther, et Théodore de Bèze eut une légèreté de style qui manqua trop souvent à ses adversaires.

Mais lorsque Bossuet descendit dans la carrière, la victoire ne demeura pas longtemps indécise; l'hydre de l'hérésie fut de nouveau terrassée. L'*Histoire des Variations* et l'*Exposition de la Doctrine catholique* sont deux chefs-d'œuvre qui passeront à la postérité.

Il est naturel que le schisme mène à l'incrédulité, et que l'athéisme suive l'hérésie. Bayle et Spinosa s'élevèrent après Calvin; ils trouvèrent dans Clarke et Leibniz deux génies capables de réfuter leurs sophismes. Abbadie écrivit en faveur de la religion une apologie remarquable par la méthode et le raisonnement. Malheureusement le style en est faible, quoique les pensées n'y manquent pas d'un certain éclat. « Si les philosophes anciens, dit Abbadie, adoraient les vertus, ce n'était après tout qu'une belle idolâtrie. »

Tandis que l'Eglise triomphait encore, déjà Voltaire faisait renaître la persécution de Julien. Il eut l'art funeste, chez un peuple capricieux et aimable, de rendre l'incrédulité à la mode. Il enrôla tous les amours-propres dans cette ligue insensée; la religion fut attaquée avec toutes les armes, depuis le pamphlet jusqu'à l'in-folio, depuis l'épigramme jusqu'au sophisme. Un livre religieux paraissait-il, l'auteur était à l'instant couvert de ridicule, tandis qu'on portait aux nues des ouvrages dont Voltaire était le premier à se moquer avec ses amis : il était si supérieur à ses disciples qu'il ne pouvait s'empêcher de rire quelquefois de leur enthousiasme irréligieux. Cependant le système destructeur allait s'étendant sur la France. Il s'établissait dans ces académies de province, qui ont été autant de foyers de mauvais goût et de factions. Des femmes de la société, de graves philosophes avaient leur chaire d'incrédulité. Enfin, il *fut reconnu* que le christianisme n'était qu'un système barbare dont la chute ne pouvait arriver trop tôt pour la liberté des hommes, le progrès des lumières, les douceurs de la vie, et l'élégance des arts.

Sans parler de l'abîme où ces principes nous ont plongés, les conséquences immédiates de cette haine contre l'Evangile furent un retour plus affecté que

sincère vers ces dieux de Rome et de la Grèce, auxquels
on attribua les miracles de l'antiquité [1]. On ne fut point
honteux de regretter ce culte qui ne faisait du genre
humain qu'un troupeau d'insensés, d'impudiques, ou
de bêtes féroces. On dut nécessairement arriver de là
au mépris des écrivains du siècle de Louis XIV, qui
ne s'élevèrent toutefois à une si haute perfection, que
parce qu'ils furent religieux. Si l'on n'osa pas les heurter
de front, à cause de l'autorité de leur renommée, on les
attaqua d'une manière indirecte. On fit entendre qu'ils
avaient été *secrètement* incrédules, ou que du moins ils
fussent devenus de bien plus grands hommes *s'ils
avaient vécu de nos jours*. Chaque auteur bénit son destin,
de l'avoir fait naître dans le beau siècle des Diderot et
des d'Alembert, dans ce siècle où les documents de la
sagesse humaine étaient rangés par ordre alphabétique
dans l'*Encyclopédie*, cette Babel des sciences et de la
raison [2].

Des hommes d'une grande doctrine et d'un esprit
distingué essayèrent de s'opposer à ce torrent. Mais
leur résistance fut inutile; leur voix se perdit dans la
foule, et leur victoire fut ignorée d'un monde frivole,
qui cependant dirigeait la France, et que par cette raison il était nécessaire de toucher [3].

Ainsi cette fatalité qui avait fait triompher les sophistes
sous Julien, se déclara pour eux dans notre siècle. Les
défenseurs des chrétiens tombèrent dans une faute qui
les avait déjà perdus : ils ne s'aperçurent pas qu'il ne
s'agissait plus de discuter tel ou tel dogme, puisqu'on
rejetait absolument les bases. En partant de la mission
de Jésus-Christ, et remontant de conséquence en conséquence, ils établissaient sans doute fort solidement les
vérités de la foi; mais cette manière d'argumenter,
bonne au xviie siècle, lorsque le fond n'était point
contesté, ne valait plus rien de nos jours. Il fallait
prendre la route contraire : passer de l'effet à la cause,
ne pas prouver que le christianisme est excellent, parce
qu'il vient de Dieu; mais qu'il vient de Dieu, parce qu'il
est excellent.

C'était encore une autre erreur que de s'attacher à

---

1. Le siècle de Louis XIV aimait et connaissait l'antiquité mieux
que nous, et il était chrétien.
2. *Voyez* la note I à la fin du volume.
3. Les *Lettres de quelques Juifs portugais* eurent un moment de
succès; mais elles disparurent bientôt dans le tourbillon irréligieux.

répondre sérieusement à des sophistes, espèce d'hommes qu'il est impossible de convaincre, parce qu'ils ont toujours tort. On oubliait qu'ils ne cherchent jamais de bonne foi la vérité, et qu'ils ne sont même attachés à leur système qu'en raison du bruit qu'il fait, prêts à en changer demain avec l'opinion.

Pour n'avoir pas fait cette remarque, on perdit beaucoup de temps et de travail. Ce n'était pas les sophistes qu'il fallait réconcilier à la religion, c'était le monde qu'ils égaraient. On l'avait séduit, en lui disant que le christianisme était un culte né du sein de la barbarie, absurde dans ses dogmes, ridicule dans ses cérémonies, ennemi des arts et des lettres, de la raison et de la beauté; un culte qui n'avait fait que verser le sang, enchaîner les hommes, et retarder le bonheur et les lumières du genre humain : on devait donc chercher à prouver au contraire que de toutes les religions qui ont jamais existé la religion chrétienne est la plus poétique, la plus humaine, la plus favorable à la liberté, aux arts et aux lettres; que le monde moderne lui doit tout, depuis l'agriculture jusqu'aux sciences abstraites; depuis les hospices pour les malheureux, jusqu'aux temples bâtis par Michel-Ange, et décorés par Raphaël. On devait montrer qu'il n'y a rien de plus divin que sa morale; rien de plus aimable, de plus pompeux que ses dogmes, sa doctrine et son culte : on devait dire qu'elle favorise le génie, épure le goût, développe les passions vertueuses, donne de la vigueur à la pensée, offre des formes nobles à l'écrivain, et des moules parfaits à l'artiste; qu'il n'y a point de honte à croire avec Newton et Bossuet, Pascal et Racine : enfin il fallait appeler tous les enchantements de l'imagination et tous les intérêts du cœur au secours de cette même religion contre laquelle on les avait armés.

Ici le lecteur voit notre ouvrage. Les autres genres d'apologies sont épuisés, et peut-être seraient-ils inutiles aujourd'hui. Qui est-ce qui lirait maintenant un ouvrage de théologie ? quelques hommes pieux qui n'ont pas besoin d'être convaincus; quelques vrais chrétiens déjà persuadés. Mais n'y a-t-il pas de danger à envisager la religion sous un jour purement humain ? Et pourquoi ? Notre religion craint-elle la lumière ? Une grande preuve de sa céleste origine, c'est qu'elle souffre l'examen le plus sévère et le plus minutieux de la raison. Veut-on qu'on nous fasse éternellement le reproche de cacher nos dogmes dans une nuit sainte, de peur qu'on n'en découvre la fausseté ? Le christianisme sera-t-il moins vrai quand il paraîtra plus beau ? Bannissons une frayeur pusillanime ; par excès de religion, ne laissons pas la religion périr. Nous ne sommes plus dans le temps où il était bon de dire : *Croyez, et n'examinez pas ;* on examinera malgré nous ; et notre silence timide, en augmentant le triomphe des incrédules, diminuera le nombre des fidèles.

Il est temps qu'on sache enfin à quoi se réduisent ces reproches d'*absurdité*, de *grossièreté*, de *petitesse* qu'on fait tous les jours au christianisme ; il est temps de montrer que, loin de rapetisser la pensée, il se prête merveilleusement aux élans de l'âme, et peut enchanter l'esprit aussi divinement que les dieux de Virgile et d'Homère. Nos raisons auront du moins cet avantage, qu'elles seront à la portée de tout le monde, et qu'il ne faudra qu'un bon sens pour en juger. On néglige peut-être un peu trop dans les ouvrages de ce genre, de parler la langue de ses lecteurs : il faut être docteur avec le docteur, et poète avec le poète. Dieu ne défend pas les routes fleuries quand elles servent à revenir à lui, et ce n'est pas toujours par les sentiers rudes et sublimes de la montagne que la brebis égarée retourne au bercail.

Nous osons croire que cette manière d'envisager le christianisme présente des rapports peu connus : sublime par l'antiquité de ses souvenirs qui remontent au berceau du monde, ineffable dans ses mystères, adorable dans ses sacrements, intéressant dans son histoire, céleste dans sa morale, riche et charmant dans ses pompes, il réclame toutes les sortes de tableaux. Voulez-vous le suivre dans la poésie ? le Tasse, Milton, Corneille, Racine, Voltaire, vous retracent ses miracles. Dans les belles-lettres, l'éloquence, l'histoire, la philosophie ? que n'ont point fait, par son inspiration, Bossuet, Fénelon, Massillon, Bourdaloue, Bacon, Pascal, Euler, Newton, Leibniz ! Dans les arts ? que de chefs-d'œuvre ! Si vous l'examinez dans son culte, que de choses ne vous disent point et ses vieilles églises gothiques, et ses prières admirables, et ses superbes cérémonies ! Parmi son clergé ? voyez tous ces hommes qui vous ont transmis la langue et les ouvrages de Rome et de la Grèce, tous ces solitaires de la Thébaïde, tous ces lieux de refuge pour les infortunés, tous ces missionnaires à la Chine, au Canada, au Paraguay, sans oublier les Ordres militaires, d'où va naître la chevalerie! Mœurs de nos aïeux, peinture des anciens jours, poésie, romans même, choses secrètes de la vie, nous avons tout fait servir à notre cause. Nous demandons des sourires au berceau, et des pleurs à la tombe : tantôt avec le moine Maronite, nous habitons les sommets du Carmel et du Liban; tantôt avec la fille de la Charité, nous veillons au lit du malade : ici deux époux américains nous appellent au fond de leurs déserts; là nous entendons gémir la vierge dans les solitudes du cloître : Homère vient se placer auprès de Milton, Virgile à côté du Tasse : les ruines de Memphis et d'Athènes contrastent avec les ruines des monuments chrétiens, les tombeaux d'Ossian avec nos cimetières de campagne; à Saint-Denis nous visitons la cendre des rois; et, quand notre sujet nous force de parler du dogme de l'existence de Dieu, nous cherchons seulement nos preuves dans les merveilles de la nature; enfin nous essayons de frapper au cœur de l'incrédule de toutes les manières; mais nous n'osons nous flatter de posséder cette verge miraculeuse de la religion, qui fait jaillir du rocher les sources d'eau vive.

Quatre parties, divisées chacune en six livres, composent notre ouvrage. La première traite des dogmes et de la doctrine.

La seconde et la troisième renferment la *poétique* du christianisme, ou les rapports de cette religion avec la poésie, la littérature et les arts.

La quatrième contient le culte, c'est-à-dire tout ce qui concerne les cérémonies de l'Eglise et tout ce qui regarde le clergé séculier et régulier.

Au reste, nous avons souvent rapproché les dogmes et la doctrine des autres cultes, des dogmes, de la doctrine et du culte évangéliques : pour satisfaire toutes les classes de lecteurs, nous avons aussi touché, de temps en temps, la partie historique et mystique de la religion. Maintenant que le lecteur connaît le plan général de l'ouvrage, entrons dans l'examen *des Dogmes et de la Doctrine;* et, afin de passer aux mystères chrétiens, commençons par nous enquérir de la nature des choses mystérieuses.

CHAPITRE II

DE LA NATURE DU MYSTÈRE

Il n'est rien de beau, de doux, de grand dans la vie, que les choses mystérieuses. Les sentiments les plus merveilleux sont ceux qui nous agitent un peu confusément : la pudeur, l'amour chaste, l'amitié vertueuse sont pleins de secrets. On dirait que les cœurs qui s'aiment s'entendent à demi-mot, et qu'ils ne sont que comme entrouverts. L'innocence, à son tour, qui n'est qu'une sainte ignorance, n'est-elle pas le plus ineffable des mystères ? L'enfance n'est si heureuse que parce qu'elle ne sait rien, la vieillesse si misérable que parce qu'elle sait tout; heureusement pour elle, quand les mystères de la vie finissent, ceux de la mort commencent.

S'il en est ainsi des sentiments, il en est ainsi des vertus : les plus angéliques sont celles qui, découlant immédiatement de Dieu, telle que la charité, aiment à se cacher aux regards, comme leur source.

· En passant aux rapports de l'esprit, nous trouvons que les plaisirs de la pensée sont aussi des secrets. Le secret est d'une nature si divine que les premiers hommes de l'Asie ne parlaient que par symboles. A quelle science revient-on sans cesse ? à celle qui laisse toujours quelque chose à deviner, et qui fixe nos regards sur une perspective infinie. Si nous nous égarons dans le désert, une sorte d'instinct nous fait éviter les plaines, où l'on voit tout d'un coup d'œil; nous allons chercher ces forêts, berceau de la religion, ces forêts dont l'ombre, les bruits et le silence sont remplis de prodiges, ces solitudes où les corbeaux et les abeilles nourrissaient les premiers Pères de l'Eglise, et où ces saints hommes goûtaient tant de délices, qu'ils s'écriaient : « *Seigneur, c'est assez ; je mourrai de douceur, si vous ne modérez ma joie !* » Enfin, on ne s'arrête pas au pied d'un monument moderne dont l'origine est connue : mais que dans une île déserte, au milieu de l'Océan, on trouve tout à coup une statue de bronze, dont le bras déployé montre les régions où le soleil se couche, et dont la base soit chargée d'hiéroglyphes, et rongée par la mer et le temps, quelle source de méditations pour le voyageur ! Tout est caché, tout est inconnu dans l'univers. L'homme lui-même n'est-il pas un étrange mystère ? D'où part l'éclair que nous appelons existence, et dans quelle nuit va-t-il s'éteindre ? L'Eternel a placé la Naissance et la Mort, sous la forme de deux fantômes voilés, aux deux bouts de notre carrière : l'un produit l'inconcevable moment de notre vie que l'autre s'empresse de dévorer.

Il n'est donc point étonnant, d'après le penchant de l'homme aux mystères, que les religions de tous les peuples aient eu leurs choses impénétrables. Les Selles étudiaient les paroles prodigieuses des colombes de Dodone; l'Inde, la Perse, l'Ethiopie, la Scythie, les Gaules, la Scandinavie, avaient leurs cavernes, leurs montagnes saintes, leurs chênes sacrés, où le brahmane, le mage, le gymnosophiste, le druide, prononçaient l'oracle inexplicable des Immortels.

A Dieu ne plaise que nous voulions comparer ces mystères aux mystères de la véritable religion, et les immuables profondeurs du Souverain qui est dans le ciel, aux changeantes obscurités de *ces dieux, ouvrages de la main des hommes* [1]! Nous avons seulement voulu faire remarquer qu'il n'y a point de religion sans *mystères;* ce sont eux qui, avec le *sacrifice*, constituent essentiellement le culte : Dieu même est le grand secret de la nature; la divinité était voilée en Egypte, et le sphinx s'asseyait sur le seuil de ses temples.

CHAPITRE III

DES MYSTÈRES CHRÉTIENS

DE LA TRINITÉ

On découvre au premier coup d'œil, dans la partie des mystères, un grand avantage de la religion chrétienne sur les religions de l'antiquité. Les mystères de celles-ci n'avaient aucun rapport avec l'homme, et ne formaient tout au plus qu'un sujet de réflexions pour le philosophe, ou de chants pour le poète. Nos mystères, au contraire, s'adressent à nous; ils contiennent les

1. Sap. cap. 13, v. 10.

secrets de notre nature. Il ne s'agit plus d'un futile
arrangement de nombres, mais du salut et du bonheur
du genre humain. L'homme, qui sent si bien chaque
jour son ignorance et sa faiblesse, pourrait-il rejeter
les mystères de Jésus-Christ ? ce sont ceux des infortunés !

La Trinité, premier mystère des chrétiens, ouvre
un champ immense d'études philosophiques, soit qu'on
la considère dans les attributs de Dieu, soit qu'on
recherche les vestiges de ce dogme autrefois répandu
dans l'Orient. C'est une très méchante manière de raisonner que de rejeter ce qu'on ne peut comprendre. A
partir des choses les plus simples dans la vie, il serait
aisé de prouver que nous ignorons tout, et nous voulons
pénétrer dans les *ruses* de la Sagesse !

La Trinité fut peut-être connue des Egyptiens : l'inscription grecque du grand obélisque du *Cirque majeur*,
à Rome, portait :

Μέγας Θεὸς, *le grand Dieu ;* θεογενητός, *l'Engendré de
Dieu ;* et Παμφεγγής, *le Tout-Brillant* (Apollon, l'Esprit).

Héraclides de Pont et Porphyre rapportent un fameux
oracle de Sérapis :

Πρῶτα Θεὸς, μετέπειτα λόγος, καὶ πνεῦμα σὺν αὐτοῖς.
. . Σύμφωυτα δή τρία πάντα, καὶ εἰς ἕν ἐόντα.

*Tout est Dieu dans l'origine ; puis le Verbe et l'Esprit :
trois dieux coengendrés ensemble et se réunissant dans un
seul.*

Les Mages avaient une espèce de Trinité dans leur
Métris, Oromasis et Araminis, ou Mitra Oromase et
Arimane.

Platon semble parler de ce dogme dans plusieurs
endroits de ses ouvrages.

« Non seulement, dit Dacier, on prétend qu'il a
connu le Verbe, fils éternel de Dieu, on soutient même
qu'il a connu le Saint-Esprit, et qu'ainsi il a eu quelque
idée de la très sainte Trinité, car il écrit au jeune Denys :

« *Il faut que je déclare à Archédémus ce qui est beaucoup plus précieux et plus divin, et que vous avez grande
envie de savoir, puisque vous me l'avez envoyé exprès ;
car, selon ce qu'il m'a dit, vous ne croyez pas que je vous
aie suffisamment expliqué ce que je pense sur la nature
du premier principe : il faut vous l'écrire par énigmes,
afin que si ma lettre est interceptée sur terre ou sur mer,*

celui qui la lira n'y puisse rien comprendre. Toutes choses sont autour de leur roi ; elles sont à cause de lui, et il est seul la cause des bonnes choses, second pour les secondes, et troisième pour les troisièmes [1]. »

» Dans l'*Epinomis* et ailleurs, il établit pour principes le premier bien, le Verbe ou l'entendement, et l'âme. Le premier bien, c'est Dieu;... le Verbe, ou l'entendement, c'est le fils de ce premier bien qui l'a engendré semblable à lui; et l'âme, qui est le terme entre le Père et le Fils, c'est le Saint-Esprit [2]. »

Platon avait emprunté cette doctrine de la Trinité, de Timée de Locres, qui la tenait lui-même de l'école Italique. Marsile Ficin, dans une de ses remarques sur Platon, montre, d'après Jamblique, Porphyre, Platon et Maxime de Tyr, que les Pythagoriciens connaissaient aussi l'excellence du Ternaire; Pythagore l'a même indiqué dans ce symbole :

Προτίμα τὸ σχῆμα, καὶ βῆμα καὶ Τριώβολον.
Honorato in primis habitum, tribunal et Triobolum.

Aux Indes, la Trinité est connue.

« Ce que j'ai vu de plus marqué et de plus étonnant dans ce genre, dit le père Calmette, c'est un texte tiré de Lamaastambam, l'un de leurs livres... Il commence ainsi : Le Seigneur, le bien, le grand Dieu, dans sa bouche est la parole. (Le terme dont ils se servent la personnifie). Il parle ensuite du Saint-Esprit en ce terme : *Ventus seu spiritus perfectus*, et finit par la création, en l'attribuant à un seul Dieu [3]. »

Au Tibet.

« Voici ce que j'appris de la religion du Tibet : ils appellent Dieu *Konciosa*, et ils semblent avoir quelque idée de l'adorable Trinité; car tantôt ils le nomment *Koncikocick*, Dieu-un, et tantôt *Koncioksum*, Dieu-trin. Ils se servent d'une espèce de chapelet, sur lequel ils prononcent ces paroles, *om, ha, hum*. Lorsqu'on leur en demande l'explication, ils répondent que *om* signifie intelligence, ou bras, c'est-à-dire puissance; que *ha* est

---

1. Dacier cite le tome III, lettre II, p. 312, apparemment du Platon de Serranus; mais tous les Platon de Serranus et de Ficin de la Bibliothèque royale ne donnent ni le même tome, ni la même page, ni la même lettre.
2. *Œuvres de Platon, traduites par Dacier*, tome I, p. 194.
3. *Lettres édif.*, tome XIV, p. 9.

la parole; que *hum* est le cœur ou l'amour; et que ces trois mots signifient Dieu [1].

Les missionnaires anglais à Otaïti ont trouvé quelques traces de la Trinité parmi les dogmes religieux des habitants de cette île.

Nous croyons d'ailleurs entrevoir dans la nature même une sorte de preuve physique de la Trinité. Elle est l'archétype de l'univers, ou, si l'on veut, sa divine charpente. Ne serait-il pas possible que la forme extérieure et matérielle participât de l'arche intérieure et spirituelle qui la soutient, de même que Platon [2] représentait les choses corporelles, comme l'ombre des pensées de Dieu ? Le nombre de TROIS semble être dans la nature le terme par excellence. Le TROIS n'est point engendré, et engendre toutes les autres fractions, ce qui le faisait appeler le nombre *sans mère* par Pythagore [3].

On peut découvrir quelque tradition obscure de la Trinité jusque dans les fables du polythéisme. Les Grâces l'avaient prise pour leur terme; elle existait au Tartare, pour la vie et la mort de l'homme, et pour la vengeance céleste; enfin trois dieux frères composaient, en se réunissant, la puissance entière de l'univers.

Les philosophes divisaient l'homme *moral* en trois parts, et les Pères de l'Eglise ont cru retrouver l'image de la Trinité spirituelle dans l'âme de l'homme.

« Si nous imposons silence à nos sens, dit Bossuet, et que nous nous renfermions pour un peu de temps au fond de notre âme, c'est-à-dire dans cette partie où la vérité se fait entendre, nous y verrons quelque image de la Trinité que nous adorons. La pensée, que nous sentons naître comme le germe de notre esprit, comme le fils de notre intelligence, nous donne quelque idée du Fils de Dieu conçu éternellement dans l'intelligence du Père céleste. C'est pourquoi ce Fils de Dieu prend

---

1. *Lettr. édif.*, tome XII, p. 437.
2. *In Rep.*
3. Hier. *Com. in Pyt.* Le 3, simple par lui-même, est le seul nombre qui se compose de simples, et qui fournit un nombre simple en se décomposant : vous ne pouvez composer un autre nombre complexe sans le 3, excepté le 2. Les générations du trois sont magnifiques, et tiennent à cette puissante unité qui est le premier anneau de la chaîne des nombres, et qui remplit l'univers. Les anciens faisaient un fort grand usage des nombres pris métaphysiquement, et il ne faut pas se hâter de prononcer que Pythagore, Platon, et les prêtres égyptiens, dont ils tiraient cette science, fussent des fous ou des imbéciles.

le nom de Verbe, afin que nous entendions qu'il naît dans le sein du Père, non comme naissent les corps, mais comme naît dans notre âme cette parole intérieure que nous y sentons, quand nous contemplons la vérité.

» Mais la fécondité de notre esprit ne se termine pas à cette parole intérieure, à cette pensée intellectuelle, à cette image de la vérité qui se forme en nous. Nous aimons et cette parole intérieure, et l'esprit où elle naît; et, en l'aimant, nous sentons en nous quelque chose qui ne nous est pas moins précieux que notre esprit et notre pensée, qui est le fruit de l'un et de l'autre, qui les unit, qui s'unit à eux, et ne fait avec eux qu'une même vie.

» Ainsi, autant qu'il se peut trouver de rapport entre Dieu et l'homme; ainsi, dis-je, se produit en Dieu l'amour éternel qui sort du Père qui pense, et du Fils qui est sa pensée, pour faire, avec lui et sa pensée, une même nature également heureuse et parfaite [1]. »

Voilà un assez beau commentaire, à propos d'un seul mot de la Genèse : *Faisons l'homme.*

Tertullien, dans son *Apologétique*, s'exprime ainsi sur le grand mystère de notre religion :

« Dieu a créé le monde par sa *parole*, sa *raison* et sa *puissance*. Vos philosophes même conviennent que *logos*, le verbe et la raison, est le créateur de l'univers. Les chrétiens ajoutent seulement que la propre substance du *verbe* et de la *raison*, cette substance par laquelle Dieu a tout produit, est *esprit ;* que cette *parole* ou le *verbe* a dû être prononcé par Dieu; que Dieu, l'ayant prononcé, l'a engendré; que conséquemment il est *Fils* de Dieu, et *Dieu*, à cause de l'unité de substance. Si le soleil prolonge un rayon, sa substance n'est pas séparée, mais étendue. Ainsi le verbe est *esprit* d'un esprit, et *Dieu* de Dieu, comme une lumière allumée d'une autre lumière. Ainsi ce qui procède de Dieu est *Dieu*, et les deux, avec leur esprit, ne font qu'un; différant en propriété, non en nombre; en ordre, non en nature : le fils est sorti de son principe sans le quitter. Or, ce rayon de Dieu est descendu dans le sein d'une vierge; il s'est revêtu de chair; il s'est fait homme uni à Dieu. Cette chair, soutenue de l'esprit, se nourrit, croît, parle, enseigne, opère : c'est le Christ. »

---

1. Boss. *Hist. univ.*, sec. part., pag. 167 et 168, tome II; édit. stér.

Cette démonstration de la Trinité peut être comprise par les esprits les plus simples. Il se faut souvenir que Tertullien parlait à des hommes qui persécutaient Jésus-Christ, et qui n'auraient pas mieux aimé que de trouver moyen d'attaquer la doctrine, et même la personne de ses défenseurs. Nous ne pousserons pas plus loin ces preuves, et nous les abandonnons à ceux qui ont étudié la secte Italique, et la haute théologie chrétienne.

Quant aux images qui soumettent à la faiblesse de nos sens le plus grand des mystères, nous avons peine à concevoir ce que le redoutable triangle de feu, imprimé dans la nue, peut avoir de ridicule en poésie. Le Père, sous la figure d'un vieillard, ancêtre majestueux des temps, ou représenté comme une effusion de lumière, serait-il donc une peinture si inférieure à celles de la mythologie ? N'est-ce pas une chose merveilleuse de voir l'Esprit saint, l'esprit sublime de Jéhovah, porté par l'emblème de la douceur, de l'amour et de l'innocence ? Dieu se sent-il travaillé du besoin de semer sa parole ? l'Esprit n'est plus cette Colombe qui couvrait les hommes de ses ailes de paix; c'est un Verbe visible, c'est une langue de feu, qui parle tous les dialectes de la terre, et dont l'éloquence élève ou renverse des empires.

Pour peindre le Fils divin, il nous suffira d'emprunter les paroles de celui qui le contempla dans sa gloire. « Il était assis sur un trône, dit l'apôtre; son visage brillait comme le soleil dans sa force, et ses pieds comme de l'airain fondu dans la fournaise; ses yeux étaient deux flammes. Un glaive à deux tranchants sortait de sa bouche; dans la main droite il tenait sept étoiles; dans la gauche, un livre scellé de sept sceaux. Un fleuve de lumière était devant ses lèvres. Les sept esprits de Dieu brillaient devant lui comme sept lampes; et de son marchepied sortaient des voix, des foudres et des éclairs [1]. »

_____

1. Apoc. cap. 1 et 4.

CHAPITRE IV

DE LA RÉDEMPTION

De même que la Trinité renferme les secrets de l'ordre métaphysique, la Rédemption contient les merveilles de l'homme, et l'histoire de ses fins et de son cœur. Avec quel étonnement, si l'on s'arrêtait un peu dans de si hautes méditations, ne verrait-on pas s'avancer ces deux mystères qui cachent dans leurs ombres les premières intentions de Dieu, et le système de l'univers! La Trinité confond notre petitesse, accable nos sens de sa gloire, et nous nous retirons anéantis devant elle. Mais la touchante Rédemption, en remplissant nos yeux de larmes, les empêche d'être trop éblouis, et nous permet du moins de les fixer un moment sur la croix.

On voit d'abord sortir de ce mystère la doctrine du péché originel, qui explique l'homme. Sans l'admission de cette vérité, connue par tradition de tous les peuples, une nuit impénétrable nous couvre. Comment, sans la tache primitive, rendre compte du penchant vicieux de notre nature, combattu par une voix qui nous annonce que nous fûmes formés pour la vertu ? Comment l'aptitude de l'homme à la douleur, comment ses sueurs qui fécondent un sillon terrible, comment les larmes, les chagrins, les malheurs du juste, comment les triomphes et les succès impunis du méchant, comment, dis-je, sans une chute première, tout cela pourrait-il s'expliquer ? C'est pour avoir méconnu cette dégénération que les philosophes de l'antiquité tombèrent en d'étranges erreurs, et qu'ils inventèrent le dogme de la réminiscence. Pour nous convaincre de la fatale vérité d'où naît le mystère qui nous rachète, nous n'avons pas besoin d'autres preuves que la malédiction prononcée contre Eve, malédiction qui s'accomplit chaque jour sous nos yeux. Que de choses dans ces brisements d'entrailles, et pourtant dans ce bonheur de la maternité! Quelles mystérieuses annonces de l'homme et de sa double destinée, prédite à la fois par la douleur et par la joie de la femme qui l'enfante! On ne peut se méprendre sur les voies du Très-Haut, en retrouvant les deux grandes fins de l'homme dans le travail de sa mère,

et il faut reconnaître un Dieu jusque dans une malédiction.

Après tout, nous voyons chaque jour le fils puni
pour le père, et le contrecoup du crime d'un méchant
aller frapper un descendant vertueux : ce qui ne prouve
que trop la doctrine du péché originel. Mais un Dieu
de bonté et d'indulgence, sachant que nous périssions
par cette chute, est venu nous sauver. Ne le demandons
point à notre esprit, mais à notre cœur, nous tous faibles
et coupables, comment un Dieu peut mourir. Si ce
parfait modèle du bon fils, cet exemple des amis fidèles,
si cette retraite au mont des Oliviers, ce calice amer,
cette sueur de sang, cette douceur d'âme, cette sublimité
d'esprit, cette croix, ce voile déchiré, ce rocher fendu,
ces ténèbres de la nature, si ce Dieu enfin expirant pour
les hommes, ne peut ni ravir notre cœur, ni enflammer
nos pensées, il est à craindre qu'on ne trouve jamais
dans nos ouvrages, comme dans ceux du Poète, « des
miracles éclatants », *Speciosa miracula*.

« Des images ne sont pas des raisons, dira-t-on peut-
être; nous sommes dans un siècle de lumière qui n'admet
rien sans preuves. »

Que nous soyons dans un siècle de lumière, c'est ce
dont quelques personnes ont douté; mais nous ne serons
point étonné si l'on nous fait l'objection précédente.
Quand on a voulu argumenter sérieusement contre le
christianisme, les Origène, les Clarke, les Bossuet ont
répondu. Pressé par ces redoutables adversaires, on
cherchait à leur échapper, en reprochant au christianisme ces mêmes disputes métaphysiques dans lesquelles
on voudrait nous entraîner. On disait, comme Arius,
Celse et Porphyre, que notre religion est un tissu de
subtilités qui n'offrent rien à l'imagination et au cœur,
et qui n'ont pour sectaires que des *fous et des imbéciles* [1].
Se présente-t-il quelqu'un qui, répondant à ces derniers
reproches, cherche à démontrer que le culte évangélique
est celui du poète, de l'âme tendre, on ne manquera
pas de s'écrier : Eh! qu'est-ce que tout cela prouve,
sinon que vous savez plus ou moins bien faire un tableau ?
Ainsi, voulez-vous peindre et toucher, on vous demande
des *axiomes* et des *corollaires*. Prétendez-vous raisonner,

---

1. Orig. c. Cel. lib. III, pag. 144. Arius appelle les chrétiens ὦ
δειλοί. Arr. Antonin. ap. Tertul. at scap. c. IV, lib. in Soh. Malela
Chronic. Porphyre donne à la religion l'épithète de βάρβαρον τόλμημα
Porph. ap. Eus. *Hist. Eccl.*, VI, c. IX.

il ne faut plus que des *sentiments* et des *images*. Il est difficile de joindre des ennemis aussi légers, et qui ne sont jamais au poste où ils vous défient. Nous hasarderons quelques mots sur la Rédemption, pour montrer que la théologie du christianisme n'est pas aussi absurde qu'on affecte de le penser.

Une tradition universelle nous apprend que l'homme a été créé dans un état plus parfait que celui où il existe à présent, et qu'il y a eu une chute. Cette tradition se fortifie de l'opinion des philosophes de tous temps et de tous pays, qui n'ont jamais pu se rendre compte de l'homme moral, sans supposer un état primitif de perfection, d'où la nature humaine est ensuite déchue par sa faute [1].

Si l'homme a été créé, il a été créé pour une fin quelconque : or, étant créé parfait, la fin à laquelle il était appelé ne pouvait être que parfaite.

Mais la cause finale de l'homme a-t-elle été altérée par sa chute ? Non, puisque l'homme n'a pas été créé de nouveau; non, puisque la race humaine n'a pas été anéantie, pour faire place à une autre race.

Ainsi l'homme, devenu mortel et imparfait par sa désobéissance, est resté toutefois avec des fins immortelles et parfaites. Comment parviendra-t-il à ses fins dans son état actuel d'imperfection ? Il ne le peut plus par sa propre énergie, par la même raison qu'un homme malade ne peut s'élever à la hauteur des pensées à laquelle un homme sain peut atteindre. Il y a donc disproportion entre la force et le poids à soulever par cette force : ici l'on entrevoit déjà la nécessité d'une aide ou d'une rédemption.

« Ce raisonnement, dira-t-on, serait bon pour le premier homme; mais nous, nous sommes capables de nos fins. Quelle injustice et quelle absurdité de penser que nous soyons tous punis de la faute de notre premier père! »

Sans décider ici si Dieu a tort ou raison de nous rendre solidaires, tout ce que nous savons et tout ce qu'il nous suffit de savoir à présent, c'est que cette loi existe. Nous voyons que partout le fils innocent porte le châtiment dû au père coupable; que cette loi est tellement liée au principe des choses, qu'elle se répète jusque dans l'ordre physique de l'univers. Quand un

---

1. *Vid.* Plat. Arist. Sen. les SS. PP. Pascal, Grot., Arn., etc.

enfant vient à la vie gangrené des débauches de son père, pourquoi ne se plaint-on pas de la nature ? car enfin, qu'a fait cet innocent pour porter la peine des vices d'autrui ? Hé bien, les maladies de l'âme se perpétuent comme les maladies du corps, et l'homme se trouve puni dans sa dernière postérité, de la faute qui lui fit prendre le premier levain du crime.

La chute ainsi avérée par la tradition universelle, par la transmission ou la génération du mal moral et physique ; d'une autre part, les fins de l'homme étant restées aussi parfaites qu'avant la désobéissance, quoique l'homme lui-même soit dégénéré, il suit qu'une rédemption ou un moyen quelconque de rendre l'homme capable de ses fins est une conséquence naturelle de l'état où est tombée la nature humaine.

La nécessité d'une rédemption une fois admise, cherchons l'ordre où nous pourrons la trouver. Cet ordre peut être pris ou dans l'homme ou au-dessus de l'homme.

Dans l'homme. Pour supposer une rédemption, il faut que le prix soit au moins en raison de la chose à racheter. Or, comment supposer que l'homme imparfait et mortel se pût offrir lui-même pour regagner une fin parfaite et immortelle ? Comment l'homme, participant à la faute primitive, aurait-il pu suffire, tant pour la portion du péché qui le regarde que pour celle qui concerne le reste du genre humain ? Un tel dévouement ne demandait-il pas un amour et une vertu au-dessus de la nature ? Il semble que le ciel ait voulu laisser s'écouler quatre mille années, depuis la chute jusqu'au rétablissement, afin de donner le temps aux hommes de juger par eux-mêmes combien leurs vertus dégradées étaient insuffisantes pour un pareil sacrifice.

Il ne reste donc que la seconde supposition : à savoir que la rédemption devait procéder d'une condition au-dessus de l'homme. Voyons si elle pouvait venir des êtres intermédiaires entre lui et Dieu.

Milton eut une belle idée, lorsqu'il supposa qu'après le péché l'Eternel demanda au ciel consterné s'il y avait quelque puissance qui voulût se dévouer pour le salut de l'homme. Les divines hiérarchies demeurèrent muettes, et parmi tant de séraphins, de trônes, d'ardeurs, de dominations, d'anges et d'archanges, nul ne se sentit assez de force pour s'offrir au sacrifice. Cette pensée du poète est d'une rigoureuse vérité en théologie. En effet, où les anges auraient-ils pris pour l'homme l'immense amour que suppose le mystère de la croix ? Nous dirons en outre que la plus sublime des puissances créées n'aurait pas même eu assez de force pour l'accomplir. Aucune substance angélique ne pouvait, par la faiblesse de son essence, se charger de ces douleurs, qui, selon Massillon, unirent sur la tête de Jésus-Christ toutes les *angoisses physiques* que la punition de tous les péchés commis depuis le commencement des races pouvait supposer, et toutes les *peines morales*, tous les *remords* qu'avaient dû éprouver les pécheurs en commettant le crime. Si le Fils de l'homme lui-même trouva le calice amer, comment un ange l'eût-il porté à ses lèvres ? Il n'aurait jamais pu boire *la lie*, et le sacrifice n'eût point été consommé.

Nous ne pouvions donc avoir pour rédempteur qu'une des trois personnes existantes de toute éternité : or, de ces trois divines personnes, on voit que le Fils, par sa nature même, devait être le seul à nous racheter. Amour qui lie entre elles les parties de l'univers, milieu qui réunit les extrêmes, principe vivifiant de la nature, il pouvait seul réconcilier Dieu avec l'homme. Il vint ce nouvel Adam, homme selon la chair par Marie, homme selon la morale par son Evangile, homme selon Dieu par son essence. Il naquit d'une Vierge, pour ne point participer à la faute originelle, et pour être une victime sans tache; il reçut le jour dans une étable, au dernier degré des conditions humaines, parce que nous étions tombés par l'orgueil : ici commence la profondeur du mystère, l'homme se trouble, et les voiles s'abaissent.

Ainsi le but que nous pouvions atteindre avant la désobéissance nous est proposé de nouveau, mais la route pour y parvenir n'est plus la même. Adam innocent y serait arrêté par des chemins enchantés; Adam pécheur n'y peut monter qu'au travers des précipices. La nature a changé depuis la faute de notre premier père, et la rédemption n'a pas eu pour objet de faire une création nouvelle, mais de trouver un salut final pour la première. Tout donc est resté dégénéré avec l'homme; et ce roi de l'univers, qui, d'abord né immortel, devait s'élever, sans changer d'existence, au bonheur des puissances célestes, ne peut plus maintenant jouir de la présence de Dieu, sans passer par les *déserts du tombeau*, comme parle saint Chrysostome. Son âme a été sauvée de la destruction finale par la rédemption;

mais son corps, joignant à la fragilité naturelle de la matière la faiblesse accidentelle du péché, subit la sentence primitive dans toute sa rigueur : il tombe, il se fond, il se dissout. Dieu, après la chute de nos premiers pères, cédant à la prière de son fils, et ne voulant pas détruire tout l'homme, inventa la mort comme un demi-néant, afin que le pécheur sentît l'horreur de ce néant entier, auquel il eût été condamné sans les prodiges de l'amour céleste.

Nous osons présumer que s'il y a quelque chose de clair en métaphysique, c'est la chaîne de ce raisonnement. Ici point de mots mis à la torture, point de divisions et de subdivisions, point de termes obscurs ou barbares. Le christianisme n'est point composé de ces choses, comme les sarcasmes de l'incrédulité voudraient nous le faire croire. L'Evangile a été prêché au pauvre d'esprit, et il a été entendu du pauvre d'esprit; c'est le livre le plus clair qui existe. Sa doctrine n'a point son siège dans la tête, mais dans le cœur; elle n'apprend point à disputer, mais à bien vivre. Toutefois elle n'est pas sans secrets. Ce qu'il y a de véritablement ineffable dans l'Ecriture, c'est ce mélange continuel des plus profonds mystères et de la plus extrême simplicité : caractères d'où naissent le touchant et le sublime. Il ne faut donc plus s'étonner que l'œuvre de Jésus-Christ parle si éloquemment; et telles sont encore les vérités de notre religion, malgré leur peu d'appareil scientifique, qu'un seul point admis vous force d'admettre tous les autres. Il y a plus : si vous espérez échapper en niant le principe, tel, par exemple, que le péché originel, bientôt, poussés de conséquence en conséquence, vous serez forcés d'aller vous perdre dans l'athéisme : dès l'instant où vous reconnaissez un Dieu, la religion chrétienne arrive, malgré vous, avec tous ses dogmes, comme l'ont remarqué Clarke et Pascal. Voilà, ce nous semble, une des plus fortes preuves en faveur du christianisme.

Au reste, il ne faut pas s'étonner que celui qui fait rouler, sans les confondre, ces millions de globes sur nos têtes, ait répandu tant d'harmonie dans les principes d'un culte établi par lui; il ne faut pas s'étonner qu'il fasse tourner les charmes et les grandeurs de ses mystères dans le cercle d'une logique inévitable, comme il fait revenir les astres sur eux-mêmes, pour nous ramener ou les fleurs ou les foudres des saisons. On a peine à concevoir le déchaînement du siècle contre le christianisme. S'il est vrai que la religion soit nécessaire aux hommes, comme l'ont cru tous les philosophes, par quel culte veut-on remplacer celui de nos pères ? On se rappellera longtemps ces jours où des hommes de sang prétendirent élever des autels aux vertus, sur les ruines du christianisme. D'une main ils dressaient des échafauds ; de l'autre, sur le frontispice de nos temples, ils garantissaient à Dieu l'*éternité*, et à l'homme la *mort* ; et ces mêmes temples, où l'on voyait autrefois ce Dieu qui est connu de l'univers, ces images de Vierge qui consolaient tant d'infortunés, ces temples étaient dédiés à la *Vérité*, qu'aucun homme ne connaît, et à la *Raison*, qui n'a jamais séché une larme !

CHAPITRE V

DE L'INCARNATION

L'Incarnation nous présente le Souverain des cieux dans une bergerie, celui qui *lance la foudre, entouré de bandelettes de lin, celui que l'univers ne peut contenir, renfermé dans le sein d'une femme.* L'antiquité eût bien su tirer parti de cette merveille. Quels tableaux Homère et Virgile ne nous auraient-ils pas laissés de la nativité d'un Dieu dans une crèche, des pasteurs accourus au berceau, des mages conduits par une étoile, des anges descendant dans le désert, d'une Vierge mère adorant son nouveau-né, et de tout ce mélange d'innocence, d'enchantement et de grandeur !

En laissant à part ce que nos mystères ont de direct et de sacré, on pourrait retrouver encore sous leurs voiles les vérités les plus ravissantes de la nature. Ces secrets du ciel, sans parler de leur partie mystique, sont peut-être le type des lois morales et physiques du monde : cela serait très digne de la gloire de Dieu, et l'on entreverrait alors pourquoi il lui a plu de se manifester dans ces mystères, de préférence à tout autre qu'il eût pu choisir. Jésus-Christ (par exemple, ou le monde moral), prenant naissance dans le sein d'une Vierge, nous enseignerait le prodige de la création physique, et nous montrerait l'univers se formant dans le sein de l'amour céleste. Les paraboles et les figures de ce mystère

seraient ensuite gravées dans chaque objet, autour de
nous. Partout en effet la force naît de la grâce : le fleuve
sort de la fontaine, le lion est d'abord nourri d'un lait
pareil à celui que suce l'agneau; et parmi les hommes, le
Tout-Puissant a promis la gloire du ciel à ceux qui pra-
tiquent les plus humbles vertus.

Ceux qui ne découvrirent dans la chaste Reine des
anges que des mystères d'obscénité sont bien à plaindre.
Il nous semble qu'on pourrait dire quelque chose d'assez touchant sur cette femme mortelle, devenue la mère
immortelle d'un Dieu rédempteur, sur cette Marie à la
fois vierge et mère, les deux états les plus divins de la
femme, sur cette jeune fille de l'antique Jacob, qui vient
au secours des misères humaines, et sacrifie un fils
pour sauver la race de ses pères. Cette tendre médiatrice
entre nous et l'Eternel ouvre avec la douce vertu de
son sexe un cœur plein de pitié à nos tristes confidences,
et désarme un Dieu irrité : dogme enchanté, qui adoucit
la terreur d'un Dieu, en interposant la beauté entre
notre néant et la majesté divine!

Les cantiques de l'Eglise nous peignent la bienheu-
reuse Marie assise sur un trône de candeur, plus éclatant que la neige; elle brille sur ce trône comme une *rose
mystérieuse*[1], ou comme l'*étoile du matin précurseur du
soleil de la grâce*[2]; les plus beaux anges la servent, les
harpes et les voix célestes forment un concert autour
d'elle; on reconnaît dans cette fille des hommes *le
refuge des pécheurs*[3], *la consolation des affligés*[4]; elle
ignore les saintes colères du Seigneur : elle est toute
bonté, toute compassion, toute indulgence.

Marie est la divinité de l'innocence, de la faiblesse
et du malheur. La foule de ses adorateurs dans nos
églises se compose de pauvres matelots qu'elle a sauvés
du naufrage, de vieux invalides qu'elle a arrachés à la
mort, sous le fer des ennemis de la France, de jeunes
femmes dont elle a calmé les douleurs. Celles-ci apportent
leurs nourrissons devant son image, et le cœur du nouveau-né, qui ne comprend pas encore le Dieu du ciel,
comprend déjà cette divine mère, qui tient un enfant
dans ses bras.

1. *Rosa mystica.*
2. *Stella matutina.*
3. *Refugium peccatorum.*
4. *Consolatrix afflictorum.*

CHAPITRE VI

LES SACREMENTS

LE BAPTÊME ET LA CONFESSION

Si les mystères accablent l'esprit par leur grandeur, on éprouve une autre sorte d'étonnement, mais qui n'est peut-être pas moins profond, en contemplant les sacrements de l'Eglise. La connaissance de l'homme civil et moral est renfermée tout entière dans ces institutions.

Le Baptême, le premier des sacrements que la religion confère à l'homme, selon la parole de l'apôtre, *le revêt de Jésus-Christ*. Ce sacrement nous rappelle la corruption où nous sommes nés, les entrailles douloureuses qui nous portèrent, les tribulations qui nous attendent dans ce monde; il nous dit que nos fautes rejailliront sur nos fils, que nous sommes tous solidaires : terrible enseignement qui suffirait seul, s'il était bien médité, pour faire régner la vertu parmi les hommes.

Voyez le néophyte debout au milieu des ondes du Jourdain : le solitaire du rocher verse l'eau lustrale sur sa tête; le fleuve des patriarches, les chameaux de ses rives, le temple de Jérusalem, les cèdres du Liban paraissent attentifs; ou plutôt regardez ce jeune enfant sur les fontaines sacrées. Une famille pleine de joie l'environne; elle renonce pour lui au péché, elle lui donne le nom de son aïeul, qui devient immortel dans cette renaissance perpétuée par l'amour de race en race. Déjà le père s'empresse de reprendre son fils, pour le reporter à une épouse impatiente, qui compte, sous ses rideaux, tous les coups de la cloche baptismale. On entoure le lit maternel : des pleurs d'attendrissement et de religion coulent de tous les yeux; le nouveau nom de l'enfant, l'antique nom de son ancêtre, est répété de bouche en bouche; et chacun, mêlant les souvenirs du passé aux joies présentes, croit reconnaître le vieillard dans le nouveau-né qui fait revivre sa mémoire. Tels sont les tableaux que présente le sacrement de Baptême; mais la religion, toujours morale, toujours sérieuse, alors même qu'elle est plus riante, nous montre

aussi le fils des rois dans sa pourpre renonçant aux
grandeurs de Satan, à la même piscine où l'enfant du
pauvre en haillons vient abjurer des pompes, auxquelles
pourtant il ne sera point condamné.

On trouve dans saint Ambroise une description
curieuse de la manière dont s'administrait le sacrement
de Baptême dans les premiers siècles de l'Eglise [1]. Le
jour choisi pour la cérémonie était le Samedi-Saint.
On commençait par toucher les narines et par ouvrir
les oreilles du catéchumène, en disant *ephpheta, ouvrez-
vous*. On le faisait ensuite entrer dans le saint des saints.
En présence du diacre, du prêtre et de l'évêque, il
renonçait aux œuvres du démon. Il se tournait vers
l'occident, image des ténèbres, pour abjurer le monde;
et vers l'orient, symbole de lumière, pour marquer son
alliance avec Jésus-Christ. L'évêque faisait alors la
bénédiction du bain, dont les eaux, selon saint Ambroise,
indiquent les mystères de l'Ecriture : la création, le
déluge, le passage de la mer Rouge, la nuée, les eaux
de Mara, Naaman, et le paralytique de la piscine. Les
eaux ayant été adoucies par le signe de la croix, on y
plongeait trois fois le catéchumène en l'honneur de la
Trinité, et en lui enseignant que trois choses rendent
témoignage dans le Baptême : l'eau, le sang, et l'esprit.

Au sortir du saint des saints, l'évêque faisait à l'homme
renouvelé l'onction sur la tête, afin de le sacrer de la
race élue et de la nation sacerdotale du Seigneur. Puis
on lui lavait les pieds; on lui mettait des habits blancs,
comme un vêtement d'innocence; après quoi il recevait
dans le sacrement de Confirmation l'esprit de crainte
divine, l'esprit de sagesse et d'intelligence, l'esprit de
conseil et de force, l'esprit de doctrine et de piété.
L'évêque prononçait à haute voix les paroles de l'apôtre :
*Dieu le père vous a marqué de son sceau. Jésus-Christ
notre Seigneur vous a confirmé, il a donné à votre cœur
les arrhes du Saint-Esprit.*

Le nouveau chrétien marchait alors à l'autel pour
y recevoir le pain des anges, en disant : *J'entrerai à
l'autel du Seigneur, du Dieu qui réjouit ma jeunesse*. A
la vue de l'autel couvert de vases d'or, de flambeaux,

---

1. *Ambros. de Myst.* Tertullien, Origène, saint Jérôme, saint
Augustin, parlent aussi du Baptême, mais moins en détail que saint
Ambroise. C'est dans les six livres des *Sacrements*, faussement attribués à ce Père, qu'on voit la circonstance des trois immersions et du
touchement des narines que nous rapportons ici.

de fleurs, d'étoffes de soie, le néophyte s'écriait avec le Prophète : *Vous avez préparé une table devant moi ; c'est le Seigneur qui me nourrit, rien ne me manquera, il m'a établi dans un lieu abondant en pâturage.* La cérémonie se terminait par le sacrifice de la messe. Ce devait être une fête bien auguste que celle où les Ambroise donnaient au pauvre innocent la place qu'ils refusaient à l'empereur coupable.

S'il n'y a pas dans ce premier acte de la vie chrétienne un mélange divin de théologie et de morale, de mystères et de simplicité, rien ne sera jamais divin en religion.

Mais, considéré dans une sphère plus élevée, et comme figure du mystère de notre rédemption, le Baptême est un bain qui rend à l'âme sa vigueur première. On ne peut se rappeler sans regret la beauté des anciens jours, alors que les forêts n'avaient pas assez de silence, les grottes pas assez de profondeur, pour les fidèles qui venaient y méditer les mystères. Ces chrétiens primitifs, témoins de la rénovation du monde, étaient occupés de pensées bien différentes de celles qui nous courbent aujourd'hui vers la terre, nous tous chrétiens vieillis dans le siècle, et non pas dans la foi. En ce temps-là la sagesse était sur les rochers, dans les antres avec les lions, et les rois allaient consulter le solitaire de la montagne. Jours trop tôt évanouis ! il n'y a plus de saint Jean au désert, et l'heureux catéchumène ne sentira plus couler sur lui ces flots du Jourdain, qui emportaient aux mers toutes ses souillures.

La Confession suit le Baptême, et l'Eglise, avec une prudence qu'elle seule possède, a fixé l'époque de la Confession à l'âge où l'idée du crime peut être conçue : il est certain qu'à sept ans l'enfant a les notions du bien et du mal. Tous les hommes, les philosophes même, quelles qu'aient été d'ailleurs leurs opinions, ont regardé le sacrement de Pénitence comme une des plus fortes barrières contre le vice, et comme le chef-d'œuvre de la sagesse. « Que de restitutions, de réparations, dit Rousseau, la Confession ne fait-elle point faire chez les catholiques [1] ! » Selon Voltaire, « la Confession est une chose très excellente, un frein au crime, inventé dans l'antiquité la plus reculée : on se confessait dans la célébration de tous les anciens mystères. Nous avons

---

1. *Emile*, tome III, pag. 201, *dans la note.*

imité et sanctifié cette sage coutume : elle est très
bonne pour engager les cœurs ulcérés de haine à pardonner [1]. »

Sans cette institution salutaire, le coupable tomberait
dans le désespoir. Dans quel sein déchargerait-il le
poids de son cœur ? Serait-ce dans celui d'un ami ?
Eh! qui peut compter sur l'amitié des hommes ? Pren-
dra-t-il les déserts pour confidents ? Les déserts retentissent toujours pour le crime du bruit de ces trompettes
que le parricide Néron croyait ouïr autour du tombeau
de sa mère [2]. Quand la nature et les hommes sont impitoyables, il est bien touchant de trouver un Dieu prêt
à pardonner : il n'appartenait qu'à la religion chrétienne d'avoir fait deux sœurs, de l'innocence et du
repentir.

CHAPITRE VII

DE LA COMMUNION

C'est à douze ans, c'est au printemps de l'année, que
l'adolescent s'unit à son Créateur. Après avoir pleuré
la mort du Rédempteur du monde avec les montagnes
de Sion, après avoir rappelé les ténèbres qui couvrirent
la terre, la chrétienté sort de la douleur : les cloches se
raniment; les saints se dévoilent, le cri de la joie, l'antique *alleluia* d'Abraham et de Jacob fait retentir le
dôme des églises. Des jeunes filles vêtues de lin, et des
garçons parés de feuillages, marchent sur une route
semée des premières fleurs de l'année; ils s'avancent
vers le temple, en répétant de nouveaux cantiques;
leurs parents les suivent; bientôt le Christ descend sur
l'autel pour ces âmes délicates. Le froment des anges
est déposé sur la langue véridique qu'aucun mensonge
n'a encore souillée; tandis que le prêtre boit, dans le vin
pur, le Sang méritoire de l'Agneau.

Dans cette solennité, Dieu rappelle un sacrifice sanglant, sous les espèces les plus paisibles. Aux incom-
mensurables hauteurs de ces mystères, se mêlent les

---

1. *Question encycl.*, tome III, pag. 234, article *Curé de campagne*,
sect. II.
2. Tacite. Hist.

souvenirs des scènes les plus riantes. La nature ressuscite avec son Créateur, et l'ange du printemps semble lui ouvrir les portes du tombeau, comme cet Esprit de lumière, qui dérangea la pierre du glorieux sépulcre. L'âge des tendres communiants et celui de la naissante année confondent leurs jeunesses, leurs harmonies et leurs innocences. Le pain et le vin annoncent les dons des champs prêts à mûrir, et retracent les tableaux de l'agriculture; enfin Dieu descend dans les âmes de ces enfants pour les féconder, comme il descend, en cette saison, dans le sein de la terre, pour lui faire porter ses fleurs et ses richesses.

Mais, dira-t-on, que signifie cette Communion mystique où la *raison* est obligée de se soumettre à une *absurdité*, sans aucun profit pour les mœurs ?

Qu'on nous permette d'abord de répondre, en général pour tous les rites chrétiens, qu'ils sont de *la plus haute moralité*, par cela seul qu'*ils ont été pratiqués par nos pères;* par cela seul que *nos mères ont été chrétiennes* sur nos berceaux; enfin, parce que la religion a chanté autour du cercueil de nos aïeux, et souhaité la paix à leurs cendres.

Ensuite, supposé même que la Communion fût une cérémonie puérile, c'est du moins s'aveugler beaucoup de ne pas voir qu'une solennité qui doit être précédée d'une confession générale, qui ne peut avoir lieu qu'après une longue suite d'actions vertueuses, est très favorable aux bonnes mœurs. Elle l'est même à un tel point que si un homme approchait dignement, une seule fois par mois, du sacrement d'Eucharistie, cet homme serait, de nécessité, l'homme le plus vertueux de la terre. Transportez le raisonnement de l'individuel au collectif, de l'homme au peuple, et vous verrez que la Communion est une législation tout entière.

« Voilà donc des hommes, dit Voltaire (dont l'autorité ne sera pas suspecte), voilà des hommes qui reçoivent Dieu dans eux, au milieu d'une cérémonie auguste, à la lueur de cent cierges, après une musique qui a enchanté leurs sens, au pied d'un autel brillant d'or. L'imagination est subjuguée, l'âme saisie et attendrie; on respire à peine, on est détaché de tout bien terrestre, on est uni avec Dieu, il est dans notre chair et dans notre sang. Qui osera, qui pourra commettre après cela une seule faute, en concevoir seulement la pensée! Il était impossible, sans doute, d'imaginer un mystère qui retînt plus fortement les hommes dans la vertu [1]. »

Si nous nous exprimions nous-mêmes avec cette force, on nous traiterait de fanatiques.

L'Eucharistie a pris naissance à la Cène; et nous en appelons aux peintres, pour la beauté du tableau où Jésus-Christ est représenté disant ces paroles : *Hoc est corpus meum*. Quatre choses sont ici :

1º Dans le pain et le vin *matériels* on voit la consécration de la nourriture des hommes, qui vient de Dieu, et que nous tenons de sa munificence. Quand il n'y aurait dans la Communion que cette offrande des richesses de la terre à celui qui les dispense, cela seul suffirait pour la comparer aux plus belles coutumes religieuses de la Grèce.

2º L'Eucharistie rappelle la Pâque des Israélites, qui remonte aux temps des Pharaons; elle annonce l'abolition des sacrifices sanglants; elle est aussi l'image de la vocation d'Abraham, et de la première alliance de Dieu avec l'homme. Tout ce qu'il y a de grand en antiquité, en histoire, en législation, en figures sacrées, se trouve donc réuni dans la communion du chrétien.

3º L'Eucharistie annonce la réunion des hommes en une grande famille, elle enseigne la fin des inimitiés, l'égalité naturelle et l'établissement d'une nouvelle loi, qui ne connaîtra ni Juifs, ni Gentils, et invitera tous les enfants d'Adam à la même table.

Enfin la quatrième chose que l'on découvre dans l'Eucharistie, c'est le mystère direct et la présence réelle de Dieu dans le pain consacré. Ici il faut que l'âme s'envole un moment vers ce monde intellectuel, qui lui fut ouvert avant sa chute.

Lorsque le Tout-Puissant eut créé l'homme à son image, et qu'il l'eut animé d'un souffle de vie, il fit alliance avec lui. Adam et Dieu s'entretenaient ensemble dans la solitude. L'alliance fut de droit rompue par la désobéissance. L'Etre éternel ne pouvait plus communiquer avec la Mort, la Spiritualité avec la Matière. Or, entre deux choses de propriétés différentes, il ne peut y avoir de point de contact que par un milieu. Le premier effort que l'amour divin fit pour se rapprocher de nous fut la vocation d'Abraham et l'établissement des sacrifices : figures qui annonçaient au monde

---

1. *Questions sur l'Encyclopédie*, tome IV, édit. de Genève.

l'avènement du Messie. Le Sauveur, en nous rétablissant dans nos fins, comme nous l'avons observé au sujet de la rédemption, a dû nous rétablir dans nos privilèges, et le plus beau de ces privilèges, sans doute, était de communiquer avec le Créateur. Mais cette communication ne pouvait plus avoir lieu immédiatement comme dans le Paradis terrestre : premièrement, parce que notre origine est demeurée souillée; en second lieu, parce que notre corps, maintenant sujet au tombeau, est resté trop faible pour communiquer directement avec Dieu, sans mourir. Il fallait donc un moyen médiat, et c'est le Fils qui l'a fourni. Il s'est donné à l'homme dans l'Eucharistie, il est devenu la route sublime par qui nous nous réunissons de nouveau à celui dont notre âme est émanée.

Mais si le Fils fût resté dans son essence primitive, il est évident que la même séparation eût existé ici-bas entre Dieu et l'homme, puisqu'il ne peut y avoir d'union entre la pureté et le crime, entre une réalité éternelle et le songe de notre vie. Or, le Verbe, en entrant dans le sein d'une femme, a daigné se faire semblable à nous. D'un côté, il touche à son Père par sa spiritualité; de l'autre, il s'unit à la chair par son effigie humaine. Il devient donc ce rapprochement cherché entre l'enfant coupable et le père miséricordieux. En se cachant sous l'emblème du pain, il est, pour l'œil du corps, un objet sensible, tandis qu'il reste un objet intellectuel pour l'œil de l'âme. S'il a choisi le pain pour se voiler, c'est que le froment est un emblème noble et pur de la nourriture divine.

Si cette haute et mystérieuse théologie, dont nous nous contentons d'ébaucher quelques traits, effraie nos lecteurs, qu'ils remarquent toutefois combien cette métaphysique est lumineuse auprès de celle de Pythagore, de Platon, de Timée, d'Aristote, de Carnéade, d'Épicure. On n'y trouve aucune de ces abstractions d'idées, pour lesquelles on est obligé de se créer un langage inintelligible au commun des hommes.

En résumant ce que nous avons dit sur la Communion, nous voyons qu'elle présente d'abord une pompe charmante; qu'elle enseigne la morale, parce qu'il faut être pur pour en approcher; qu'elle est l'offrande des dons de la terre au Créateur, et qu'elle rappelle la sublime et touchante histoire du Fils de l'homme. Unie au souvenir de la Pâque et de la première alliance, la Communion va se perdre dans la nuit des temps; elle tient aux idées premières sur la nature de l'homme religieux et politique, et exprime l'antique égalité du genre humain; enfin, elle perpétue la mémoire de notre chute primitive, de notre rétablissement et de notre réunion avec Dieu.

CHAPITRE VIII

LA CONFIRMATION, L'ORDRE ET LE MARIAGE

EXAMEN
DU VŒU DE CÉLIBAT, SOUS SES RAPPORTS MORAUX

On ne cesse de s'étonner lorsqu'on remarque à quelle époque de la vie la religion a fixé le grand hyménée de l'homme et du Créateur. C'est le moment où le cœur va s'enflammer du feu des passions, le moment où il peut concevoir l'Etre suprême : Dieu devient l'immense génie qui tourmente tout à coup l'adolescent, et qui remplit les facultés de son âme inquiète et agrandie. Mais le danger augmente; il faut de nouveaux secours à cet étranger sans expérience, exposé sur le chemin du monde. La religion ne l'oubliera point; elle tient en réserve un appui. La Confirmation vient soutenir ses pas tremblants comme le bâton dans la main du voyageur, ou comme ces sceptres qui passaient de race en race chez les rois antiques, et sur lesquels Evandre et Nestor, pasteurs des hommes, s'appuyaient en jugeant les peuples. Observons que la morale entière de la vie est renfermée dans le sacrement de Confirmation; quiconque a la force de confesser Dieu pratiquera nécessairement la vertu, puisque commettre le crime, c'est renier le Créateur.

Le même esprit de sagesse a placé l'Ordre et le Mariage immédiatement après la Confirmation. L'enfant est maintenant devenu homme, et la religion, qui l'a suivi des yeux avec une tendre sollicitude dans l'état de nature, ne l'abandonnera pas dans l'état de société. Admirez ici la profondeur des vues du législateur des chrétiens. Il n'a établi que deux sacrements sociaux, si nous osons nous exprimer ainsi; car en effet il n'y a que deux états dans la vie, le célibat et le mariage.

Ainsi, sans s'embarrasser des distinctions civiles, inventées par notre étroite raison, Jésus-Christ divise la société en deux classes. A ces classes il ne donne point de lois politiques, mais des lois morales, et par là il se trouve d'accord avec toute l'antiquité. Les anciens sages de l'Orient, qui ont laissé une si merveilleuse renommée, n'assemblaient pas des hommes pris au hasard, pour méditer d'impraticables constitutions. Ces sages étaient de vénérables solitaires qui avaient voyagé longtemps, et qui chantaient les dieux sur la lyre. Chargés des richesses puisées chez les nations étrangères, plus riches encore des dons d'une vie sainte, le luth à la main, une couronne d'or dans leurs cheveux blancs, ces hommes divins, assis sous quelque platane, dictaient leurs leçons à tout un peuple ravi. Et quelles étaient ces institutions des Amphion, des Cadmus, des Orphée ? Une belle musique appelée Loi, des danses, des cantiques, quelques arbres consacrés, des vieillards conduisant des enfants, un hymen formé auprès d'un tombeau, la religion et Dieu partout. C'est aussi ce que le christianisme a fait, mais d'une manière encore plus admirable.

Cependant les hommes ne s'accordent jamais sur les principes, et les institutions les plus sages ont trouvé des détracteurs. On s'est élevé dans ces derniers temps contre le vœu de célibat, attaché au sacrement d'Ordre. Les uns, cherchant partout des armes contre la religion, en ont cru trouver dans la religion même : ils ont fait valoir l'ancienne discipline de l'Eglise qui, selon eux, permettait le mariage du prêtre ; les autres se sont contentés de faire de la chasteté chrétienne l'objet de leurs railleries. Répondons d'abord aux esprits sérieux et aux objections morales.

Il est certain d'abord que le septième canon du second concile de Latran, l'an 1139, fixe sans retour le célibat du clergé catholique à une époque plus reculée : on peut citer quelques dispositions du concile de Latran [1], en 1123 ; de Trébur [2], en 895 ; de Troisi [3], en 909 ; de Tolède [4], en 633, et de Chalchique [5], en 461. Baronius prouve que le vœu de célibat était général parmi le clergé dès le sixième siècle [6]. Un canon du premier concile de Tours excommunie tout prêtre, diacre ou

1. Can. 21. — 2. Cap. 28. — 3. Cap. 8. — 4. Can. 52. — 5. Can. 16. — 6. Baron. *An.* 88, n. 18.

sous-diacre qui aurait conservé sa femme après avoir
reçu les ordres : *Si inventus fuerit presbyter cum suá
presbyterâ, aut diaconus cum suá diaconissâ, aut subdia-
conus cum suá sub-diaconissâ, annum integrum excom-
municatus habeatur*[1]. Dès le temps de saint Paul, la
virginité était regardée comme l'état le plus parfait pour
un chrétien.

Mais, en admettant un moment que le mariage des
prêtres eût été toléré dans la primitive Eglise, ce qui
ne peut se soutenir ni historiquement ni canoniquement,
il ne s'ensuivrait pas qu'il dût être permis à présent aux
ecclésiastiques. Les mœurs modernes s'opposent à cette
innovation, qui détruirait d'ailleurs de fond en comble la
discipline de l'Eglise.

Dans les anciens jours de la religion, jours de combats
et de triomphes, les chrétiens, peu nombreux et remplis
de vertu, vivaient fraternellement ensemble, goûtaient
les mêmes joies, partageaient les mêmes tribulations à
la table du Seigneur. Le pasteur aurait donc pu, à la
rigueur, avoir une famille au milieu de cette société
sainte, qui était déjà sa famille; il n'aurait point été
détourné par ses propres enfants du soin de ses autres
brebis, puisqu'ils auraient fait partie du troupeau; il
n'aurait pu trahir pour eux les secrets du pécheur,
puisqu'on n'avait point de crimes à cacher, et que les
confessions se faisaient à haute voix, dans ces *basiliques
de la mort*[2], où les fidèles s'assemblaient pour prier sur
les cendres des martyrs. Ces chrétiens avaient reçu du
ciel un sacerdoce que nous avons perdu. C'était moins
une assemblée du peuple qu'une communauté de lévites
et de religieuses : le baptême les avait tous créés prêtres
et confesseurs de Jésus-Christ.

Saint Justin le philosophe, dans sa première *Apologie*,
fait une admirable description de la vie des fidèles de
ces temps-là : « On nous accuse, dit-il, de troubler la
tranquillité de l'état; et, cependant, un des principaux
dogmes de notre foi est que rien n'est caché aux yeux
de Dieu, et qu'il nous jugera sévèrement un jour sur
nos bonnes et nos mauvaises actions : mais, ô puissant
empereur! les peines même que vous avez décernées
contre nous ne font que nous affermir dans notre culte,
puisque toutes ces persécutions nous ont été prédites

1. Can. 20.
2. S. Hieron.

par notre maître, fils du souverain Dieu, père et seigneur de l'univers...

» Le jour du soleil (le dimanche), tous ceux qui demeurent à la ville et à la campagne s'assemblent en un lieu commun. On lit les saintes Écritures; un *ancien* [1] exhorte ensuite le peuple à imiter de si beaux exemples. On se lève, on prie de nouveau; on présente l'eau, le pain et le vin : le prélat fait l'action de grâces, l'assistance répond *Amen*. On distribue une partie des choses consacrées, et les diacres portent le reste aux absents. On fait une quête; les riches donnent ce qu'ils veulent. Le prélat garde ces aumônes pour en assister les veuves, les orphelins, les malades, les prisonniers, les pauvres, les étrangers, en un mot, tous ceux qui sont dans le besoin, et dont le prélat est spécialement chargé. Si nous nous réunissons le jour du soleil, c'est que Dieu fit le monde ce jour-là, et que son Fils ressuscita à pareil jour, pour confirmer à ses disciples la doctrine que nous vous avons exposée.

» Si vous la trouvez bonne, respectez-la; rejetez-la, si elle vous semble méprisable : mais ne livrez pas pour cela aux bourreaux des gens qui n'ont fait aucun mal; car nous osons vous annoncer que vous n'éviterez pas le jugement de Dieu, si vous demeurez dans l'injustice : au reste, quel que soit notre sort, que la volonté de Dieu soit faite. Nous aurions pu réclamer votre équité en vertu de la lettre de votre père, César Adrien, d'illustre et glorieuse mémoire; mais nous avons préféré nous confier en la justice de notre cause [2]. »

L'*Apologie* de Justin était bien faite pour surprendre la terre. Il venait de révéler un âge d'or au milieu de la corruption, de découvrir un peuple nouveau, dans les souterrains d'un antique empire. Ces mœurs durent paraître d'autant plus belles, qu'elles n'étaient pas, comme aux premiers jours du monde, en harmonie avec la nature et les lois, et qu'elles formaient au contraire un contraste frappant avec le reste de la société. Ce qui rend surtout la vie de ces fidèles plus intéressante que la vie de ces hommes parfaits chantés par la fable, c'est que ceux-ci sont représentés heureux, et que les autres se montrent à nous à travers les charmes du malheur. Ce n'est pas sous le feuillage des bois et au bord des

1. Un prêtre.
2. Just. *Apol.*, édit. Marc. fol. 1742.

fontaines, que la vertu paraît avec le plus de puissance;
il faut la voir à l'ombre des murs des prisons, et parmi
des flots de sang et de larmes. Combien la religion est
divine, lorsque au fond d'un souterrain, dans le silence
et la nuit des tombeaux, un pasteur que le péril environne, célèbre à la lueur d'une lampe, devant un petit
troupeau de fidèles, les mystères d'un Dieu persécuté!

Il était nécessaire d'établir solidement cette innocence des chrétiens primitifs, pour montrer que, si
malgré tant de pureté on trouva des inconvénients au
mariage des prêtres, il serait tout à fait impossible de
l'admettre aujourd'hui.

En effet, quand les chrétiens se multiplièrent, quand
la corruption se répandit avec les hommes, comment le
prêtre aurait-il pu vaquer en même temps aux soins
de sa famille et de son église ? Comment fût-il demeuré
chaste avec une épouse qui eût cessé de l'être ? Que si
l'on objecte les pays protestants, nous dirons que dans
ces pays on a été obligé d'abolir une grande partie du
culte extérieur, qu'un ministre paraît à peine dans un
temple deux ou trois fois par semaine, que presque toutes
relations ont cessé entre le pasteur et le troupeau, et
que le premier est trop souvent un homme du monde,
qui donne des bals et des festins pour amuser ses enfants.
Quant à quelques sectes moroses, qui affectent la simplicité évangélique, et qui veulent une *religion* sans
culte, nous espérons qu'on ne nous les opposera pas.
Enfin, dans les pays où le mariage des prêtres s'est
établi, la confession, la plus belle des institutions morales,
a cessé et a dû cesser à l'instant. Il est naturel qu'on
n'ose plus rendre maître de ses secrets l'homme qui a
rendu une femme maîtresse des siens; on craint, avec
raison, de se confier au prêtre qui a rompu son contrat
de fidélité avec Dieu, et répudié le Créateur pour épouser
la créature.

Il ne reste plus qu'à répondre à l'objection que l'on
tire de la loi générale de la population.

Or, il nous paraît qu'une des premières lois naturelles
qui dut s'abolir à la nouvelle alliance, fut celle qui
favorisait la population, au-delà de certaines bornes.
Autre fut Jésus-Christ, autre Abraham : celui-ci parut
dans un temps d'innocence, dans un temps où la terre
manquait d'habitants; Jésus-Christ vint, au contraire,
au milieu de la corruption des hommes, et lorsque
le monde avait perdu sa solitude. La pudeur peut donc

fermer aujourd'hui le sein des femmes; la seconde
Eve, en guérissant les maux dont la première avait été
frappée, a fait descendre la virginité du ciel, pour nous
donner une idée de cet état de pureté et de joie, qui pré-
céda les antiques douleurs de la mère.

Le législateur des chrétiens naquit d'une vierge, et
mourut vierge. N'a-t-il pas voulu nous enseigner par
là, sous les rapports politiques et naturels, que la terre
était arrivée à son complément d'habitants, et que, loin
de multiplier les générations, il faudrait désormais les
restreindre ? A l'appui de cette opinion, on remarque
que les Etats ne périssent jamais par le défaut, mais
par le trop grand nombre d'hommes. Une population
excessive est le fléau des empires. Les barbares du Nord
ont dévasté le globe, quand leurs forêts ont été remplies;
la Suisse était obligée de verser ses industrieux habitants aux royaumes étrangers, comme elle leur verse
ses rivières fécondes; et sous nos propres yeux, au
moment même où la France a perdu tant de laboureurs,
la culture n'en paraît que plus florissante. Hélas! misérables insectes que nous sommes! bourdonnant autour
d'une coupe d'absinthe, où par hasard sont tombées
quelques gouttes de miel, nous nous dévorons les uns
les autres, lorsque l'espace vient à manquer à notre
multitude. Par un malheur plus grand encore, plus
nous nous multiplions, plus il faut de champ à nos
désirs. De ce terrain qui diminue toujours, et de ces
passions qui augmentent sans cesse, doivent résulter
tôt ou tard d'effroyables révolutions [1].

Au reste, les systèmes s'évanouissent devant des faits.
L'Europe est-elle déserte, parce qu'on y voit un clergé
catholique qui a fait vœu de célibat ? Les monastères
même sont favorables à la société, parce que les religieux, en consommant leurs denrées sur les lieux,
répandent l'abondance dans la cabane du pauvre. Où
voyait-on en France des paysans bien vêtus et des
laboureurs dont le visage annonçait l'abondance et la
joie, si ce n'était dans la dépendance de quelque riche
abbaye ? Les grandes propriétés n'ont-elles pas toujours
cet effet; et les abbayes étaient-elles autre chose que des
domaines où les propriétaires résidaient ? Mais ceci
nous mènerait trop loin, et nous y reviendrons lorsque
nous traiterons des Ordres monastiques. Disons pourtant

---

1. *Voyez* la note II à la fin du volume.

encore que le clergé favorisait la population, en prêchant la concorde et l'union entre les époux, en arrêtant les progrès du libertinage, et en dirigeant les foudres de l'Eglise contre le système du petit nombre d'enfants, adopté par le peuple des villes.

Enfin, il semble à peu près démontré qu'il faut, dans un grand Etat, des hommes qui, séparés du reste du monde, et revêtus d'un caractère auguste, puissent, sans enfants, sans épouse, sans les embarras du siècle, travailler aux progrès des lumières, à la perfection de la morale et au soulagement du malheur. Quels miracles nos prêtres et nos religieux n'ont-ils point opérés sous ces trois rapports dans la société! Qu'on leur donne une famille, et ces études et cette charité qu'ils consacraient à leur patrie, ils les détourneront au profit de leurs parents; heureux même si de vertus qu'elles sont, ils ne les transforment en vices!

Voilà ce que nous avions à répondre aux moralistes, sur le célibat des prêtres. Voyons si nous trouverons quelque chose pour les poètes : ici, il nous faut d'autres raisons, d'autres autorités, et un autre style.

CHAPITRE IX

SUITE DU PRÉCÉDENT

SUR LE SACREMENT D'ORDRE

La plupart des sages de l'antiquité ont vécu dans le célibat; on sait combien les gymnosophistes, les brahmanes, les druides ont tenu la chasteté à honneur. Les sauvages même la regardent comme céleste; car les peuples de tous les temps et de tous les pays n'ont eu qu'un sentiment sur l'excellence de la virginité. Chez les anciens, les prêtres et les prêtresses qui étaient censés commercer intimement avec le ciel, devaient vivre solitaires; la moindre atteinte portée à leurs vœux était suivie d'un châtiment terrible. On n'offrait aux dieux que des génisses qui n'avaient point encore été mères. Ce qu'il y avait de plus sublime et de plus doux dans la fable possédait la virginité; on la donnait à Vénus-Uranie et à Minerve, déesses du génie et de la sagesse;

l'Amitié était une adolescente, et la Virginité elle-même, personnifiée sous les traits de la Lune, promenait sa pudeur mystérieuse dans les frais espaces de la nuit.

Considérée sous ses autres rapports, la virginité n'est pas moins aimable. Dans les trois règnes de la nature, elle est la source des grâces et la perfection de la beauté. Les poètes, que nous voulons surtout convaincre ici, nous serviront d'autorité contre eux-mêmes. Ne se plaisent-ils pas à reproduire partout l'idée de la virginité comme un charme à leurs descriptions et à leurs tableaux ? Ils la retrouvent ainsi au milieu des campagnes, dans les roses du printemps et dans la neige de l'hiver; et c'est ainsi qu'ils la placent aux deux extrémités de la vie, sur les lèvres de l'enfant, et sur les cheveux du vieillard. Ils la mêlent encore aux mystères de la tombe, et ils nous parlent de l'antiquité qui consacrait aux mânes des arbres sans semence, parce que la mort est stérile, ou parce que, dans une autre vie, les sexes sont inconnus, et que l'âme est une vierge immortelle. Enfin ils nous disent que, parmi les animaux, ceux qui se rapprochent le plus de notre intelligence, sont voués à la chasteté. Ne croirait-on pas en effet reconnaître dans la ruche des abeilles le modèle de ces monastères où des vestales composent un miel céleste avec la fleur des vertus ?

Quant aux beaux-arts, la virginité en fait également les charmes, et les Muses lui doivent leur éternelle jeunesse. Mais c'est surtout dans l'homme qu'elle déploie son excellence. Saint Ambroise a composé trois traités sur la virginité; il y a mis les charmes de son éloquence, et il s'en excuse en disant qu'il l'a fait ainsi pour gagner l'esprit des vierges par la douceur de ses paroles [1]. Il appelle la virginité *une exemption de toute souillure* [2]; il fait voir combien sa tranquillité est préférable aux soucis du mariage; il dit aux vierges : « La pudeur, en colorant vos joues, vous rend excellemment belles. Retirées loin de la vue des hommes, comme des roses solitaires, vos grâces ne sont point soumises à leurs faux jugements; toutefois vous descendez aussi dans la lice pour disputer le prix de la beauté, non de celle du corps, mais de celle de la vertu : beauté qu'aucune maladie n'altère, qu'aucun âge ne fane, et que la mort même ne peut ravir. Dieu seul s'établit juge de cette

---

1. *De Virginit.*, lib. II, cap. I, num. 4.
2. Ibid., lib. I, cap. 5.

lutte des vierges, car il aime les belles âmes, même
dans les corps hideux... Une vierge ne connaît ni les
inconvénients de la grossesse ni les douleurs de l'enfantement... Elle est le don du ciel et la joie de ses proches.
Elle exerce dans la maison paternelle le sacerdoce de la
chasteté : c'est une victime qui s'immole chaque jour
pour sa mère. »

Dans l'homme, la virginité prend un caractère sublime.
Troublée par les orages du cœur, si elle résiste, elle
devient céleste. « Une âme chaste, dit saint Bernard, est
par vertu ce que l'ange est par nature. Il y a plus de
bonheur dans la *chasteté* de l'ange, mais il y a plus de
courage dans celle de l'homme. » Chez le religieux, elle
se transforme en humanité, témoins *ces Pères de la
Rédemption* et tous ces *Ordres hospitaliers* consacrés au
soulagement de nos douleurs. Elle se change en étude
chez le savant; elle devient méditation dans le solitaire :
caractère essentiel de l'âme et de la force mentale, il
n'y a point d'homme qui n'en ait senti l'avantage pour
se livrer aux travaux de l'esprit; elle est donc la première des qualités, puisqu'elle donne une nouvelle
vigueur à l'âme, et que l'âme est la plus belle partie de
nous-mêmes.

Mais si la chasteté est nécessaire quelque part, c'est
dans le service de la Divinité. « Dieu, dit Platon, est la
véritable mesure des choses; et nous devons faire tous
nos efforts pour lui ressembler [1]. » L'homme qui s'est
dévoué à ses autels y est plus obligé qu'un autre. « Il
ne s'agit pas ici, dit saint Chrysostome, du gouvernement d'un empire ou du commandement des soldats,
mais d'une fonction qui demande une vertu angélique.
L'âme d'un prêtre doit être plus pure que les rayons
du soleil [2]. » — « Le ministre chrétien, dit encore saint
Jérôme, est le truchement entre Dieu et l'homme. »
Il faut donc qu'un prêtre soit un personnage divin :
il faut qu'autour de lui règnent la vertu et le mystère;
retiré dans les saintes ténèbres du temple, qu'on l'entende sans l'apercevoir; que sa voix solennelle, grave
et religieuse, prononce des paroles prophétiques, ou
chante des hymnes de paix dans les sacrées profondeurs
du tabernacle; que ses apparitions soient courtes parmi
les hommes, qu'il ne se montre au milieu du siècle,

1. *Resp.*
2. Lib. VI, *de Sacerd.*

que pour faire du bien aux malheureux : c'est à ce prix
qu'on accorde au prêtre le respect et la confiance. Il
perdra bientôt l'un et l'autre, si on le trouve à la porte
des grands, s'il est embarrassé d'une épouse, si l'on se
familiarise avec lui, s'il a tous les vices qu'on reproche
au monde, et si l'on peut un moment le soupçonner
homme comme les autres hommes.

Enfin le vieillard chaste est une sorte de divinité :
Priam, vieux comme le mont Ida, et blanchi comme le
chêne du Gargare, Priam dans son palais, au milieu de
ses cinquante fils, offre le spectacle le plus auguste de
la paternité; mais Platon sans épouse et sans famille,
assis au pied d'un temple sur la pointe d'un cap battu
des flots, Platon enseignant l'existence de Dieu à ses
disciples, est un être bien plus divin : il ne tient point
à la terre; il semble appartenir à ces *démons*, à ces intelligences supérieures, dont il nous parle dans ses écrits.

Ainsi la virginité, remontant depuis le dernier anneau
de la chaîne des êtres jusqu'à l'homme, passe bientôt
de l'homme aux anges, et des anges à Dieu, où elle
se perd. Dieu brille à jamais unique dans les espaces
de l'éternité, comme le soleil, son image, dans le
temps.

Concluons que les poètes et les hommes du goût
le plus délicat, ne peuvent objecter rien de raisonnable
contre le célibat du prêtre, puisque la virginité fait
partie du souvenir dans les choses antiques, des charmes
dans l'amitié, du mystère dans la tombe, de l'innocence
dans le berceau, de l'enchantement dans la jeunesse,
de l'humanité dans le religieux, de la sainteté dans le
prêtre et dans le vieillard, et de la divinité dans les anges
et dans Dieu même.

CHAPITRE X

SUITE DES PRÉCÉDENTS

LE MARIAGE

L'Europe doit encore à l'Eglise le petit nombre de
bonnes lois qu'elle possède. Il n'y a peut-être point de
circonstance en matière civile, qui n'ait été prévue par

le droit canonique, fruit de l'expérience de quinze siècles,
et du génie des Innocent et des Grégoire. Les empereurs et les rois les plus sages, tels que Charlemagne
et Alfred le Grand, ont cru ne pouvoir mieux faire que
de recevoir dans le code civil une partie de ce code
ecclésiastique où viennent se fondre la loi lévitique,
l'Evangile et le droit romain. Quel vaisseau pourtant
que cette Eglise ! qu'il est vaste, qu'il est miraculeux !

En élevant le mariage à la dignité de sacrement,
Jésus-Christ nous a montré d'abord la grande figure de
son union avec l'Eglise. Quand on songe que le mariage
est le pivot sur lequel roule l'économie sociale, peut-on
supposer qu'il soit jamais assez saint ? On ne saurait
trop admirer la sagesse de celui qui l'a marqué du sceau
de la religion.

L'Eglise a multiplié ses soins pour un si grand acte
de la vie. Elle a déterminé les degrés de parenté où
l'union de deux époux serait permise. Le droit canonique, reconnaissant les générations simples, en partant
de la souche, a rejeté jusqu'à la quatrième le mariage [1]
que le droit civil, en comptant les branches doubles, fixait
à la seconde : ainsi le voulait la loi d'Arcade, insérée
dans les *Institutes de Justinien* [2].

Mais l'Eglise, avec sa sagesse accoutumée, a suivi dans
ce règlement le changement progressif des mœurs [3].
Dans les premiers siècles du christianisme, la prohibi-
tion de mariage s'étendait jusqu'au septième degré ;
quelques conciles même, tels que celui de Tolède [4]
dans le sixième siècle, défendaient, d'une manière illimitée, toute union entre les membres d'une même
famille.

L'esprit qui a dicté ces lois est digne de la pureté
de notre religion. Les païens sont restés bien au-dessous
de cette chasteté chrétienne. A Rome, le mariage entre
cousins germains était permis ; et Claude, pour épouser
Agrippine, fit porter une loi à la faveur de laquelle

---

1. *Conc. Lat. an.* 1205.
2. *Just. Inst. de Nupt.* Tit. x.
3. *Concil. Duziac. an.* 814. La loi canonique a dû varier selon les
mœurs des peuples Goth, Vandale, Anglais, Franc, Bourguignon,
qui entraient tour à tour dans le sein de l'Eglise.
4. *Conc. Tol. can.* 5.

l'oncle pouvait s'unir à la nièce [1]. Solon avait laissé au frère la liberté d'épouser sa sœur utérine [2].

L'Eglise n'a pas borné là ses précautions. Après avoir suivi quelque temps le Lévitique, touchant les *Affins*, elle a fini par déclarer *dirimants* empêchements de mariage tous les degrés d'affinité, correspondants aux degrés de parenté où le mariage est défendu [3]. Enfin elle a prévu un cas qui avait échappé à tous les jurisconsultes : ce cas est celui dans lequel un homme aurait entretenu un commerce illicite avec une femme. L'Eglise déclare qu'il ne peut choisir une épouse dans la famille de cette femme, au-dessus du second degré [4]. Cette loi, connue très anciennement dans l'Eglise [5], mais fixée par le concile de Trente, a été trouvée si belle, que le code français, en rejetant la totalité du concile, n'a pas laissé de recevoir le canon.

Au reste, les empêchements de mariage de parent à parent, si multipliés par l'Eglise, outre leurs raisons morales et spirituelles, tendent politiquement à diviser les propriétés, et à empêcher qu'à la longue tous les biens de l'Etat ne s'accumulent sur quelques têtes.

L'Eglise a conservé les fiançailles, qui remontent à une grande antiquité. Aulu-Gelle nous apprend qu'elles furent connues du peuple du Latium [7]; les Romains les adoptèrent [6]; les Grecs les ont suivies ; elles étaient en honneur sous l'ancienne alliance ; et dans la nouvelle, Joseph fut fiancé à Marie. L'intention de cette coutume est de laisser aux deux époux le temps de se connaître avant de s'unir [8].

---

1. Suet. *in Claud.* A la vérité cette loi ne fut pas étendue, comme on l'apprend par les fragments d'Ulpien, tit. 5 et 6, et elle fut abrogée par le code Théodose, ainsi que celle qui concernait les cousins germains. Observons que, dans le christianisme, le pape a le droit de dispenser de la loi canonique, selon les circonstances. Comme une loi ne peut jamais être assez générale pour embrasser tous les cas, cette ressource des dispenses ou des exceptions était imaginée avec beaucoup de prudence. Au reste, les mariages entre frères et sœurs dans l'Ancien Testament, tenaient à cette loi générale, de population abolie, comme nous l'avons dit, à l'avènement de Jésus-Christ, lors du complément des races.

2. Plut. *in Sol.*

3. *Conc. Lat.*

4. *Conc. Lat.* cap. 4, sess. 24.

5. *Conc. Anc.* c. ult. an. 304.

6. *Noct. Att.* lib. IV, cap. 4.

7. L. 2, ff. *de Spons.*

8. Saint Augustin en rapporte une raison aimable : *Constitutum est, ut jam pactæ sponsæ non statim tradantur, ne vilem habeat maritus datam, quam non suspiraverit sponsus dilatam.*

Dans nos campagnes, les fiançailles se montraient encore avec leurs grâces antiques. Par une belle matinée du mois d'août, un jeune paysan venait chercher sa prétendue à la ferme de son futur beau-père. Deux ménestriers, rappelant nos anciens *minestrels*, ouvraient la pompe en jouant sur leur violon des romances du temps de la chevalerie, ou des cantiques de pèlerins. Les siècles, sortis de leurs tombeaux gothiques, semblaient accompagner cette jeunesse avec leurs vieilles mœurs et leurs vieux souvenirs. L'épousée recevait du curé la bénédiction des fiançailles et déposait sur l'autel une quenouille entourée de rubans. On retournait ensuite à la ferme; la dame et le seigneur du lieu, le curé et le juge du village s'asseyaient avec les futurs époux, les laboureurs et les matrones, autour d'une table où étaient servis le verrat d'Eumée et le veau gras des patriarches. La fête se terminait par une ronde dans la grange voisine; la demoiselle du château dansait, au son de la musette, une ballade avec le fiancé, tandis que les spectateurs étaient assis sur la gerbe nouvelle, avec les souvenirs des filles de Jéthro, des moissonneurs de Booz, et des fiançailles de Jacob et de Rachel.

La publication des bans suit les fiançailles. Cette excellente coutume, ignorée de l'antiquité, est entièrement due à l'Eglise. Il faut la reporter au-delà du XIVᵉ siècle, puisqu'il en est fait mention dans une décrétale du pape Innocent III. Le même pape l'a transformée en règle générale dans le concile de Latran. Le concile de Trente l'a renouvelée, et l'ordonnance de Blois l'a fait recevoir parmi nous. L'esprit de cette loi est de prévenir les unions clandestines, et d'avoir connaissance des empêchements de mariage, qui peuvent se trouver entre les parties contractantes.

Mais enfin le mariage chrétien s'avance; il vient avec un tout autre appareil que les fiançailles. Sa démarche est grave et solennelle, sa pompe silencieuse et auguste; l'homme est averti qu'il commence une nouvelle carrière. Les paroles de la bénédiction nuptiale (paroles que Dieu même prononça sur le premier couple du monde) en frappant le mari d'un grand respect, lui disent qu'il remplit l'acte le plus important de la vie; qu'il va, comme Adam, devenir le chef d'une famille, et qu'il se charge de tout le fardeau de la condition humaine. La femme n'est pas moins instruite. L'image des plaisirs disparaît à ses yeux devant celle des devoirs. Une voix semble lui crier du milieu de l'autel : « O Eve! sais-tu bien ce que tu fais ? Sais-tu qu'il n'y a plus pour toi d'autre liberté que celle de la tombe ? Sais-tu ce que c'est que de porter dans tes entrailles mortelles, l'homme immortel et fait à l'image d'un Dieu ? » Chez les anciens, un hyménée n'était qu'une cérémonie pleine de scandale et de joie, qui n'enseignait rien des graves pensées que le mariage inspire : le christianisme seul en a rétabli la dignité.

C'est encore lui qui, connaissant avant la philosophie dans quelle proportion naissent les deux sexes, a vu le premier que l'homme ne peut avoir qu'une épouse, et qu'il doit la garder jusqu'à la mort. Le divorce est inconnu dans l'Église catholique, si ce n'est chez quelques petits peuples de l'Illyrie, soumis autrefois à l'Etat de Venise, et qui suivent le rite grec [1]. Si les passions des hommes se sont révoltées contre cette loi, si elles n'ont pas aperçu le désordre que le divorce porte au sein des familles, en troublant les successions, en dénaturant les affections paternelles, en corrompant le cœur, en faisant du mariage une prostitution civile, quelques mots que nous avons à dire ici ne seront pas sans doute écoutés.

Sans entrer dans la profondeur de cette matière, nous observerons que si, par le divorce, on croit rendre les époux plus heureux (et c'est aujourd'hui le grand argument), on tombe dans une étrange erreur. Celui qui n'a point fait le bonheur d'une première femme, qui ne s'est point attaché à son épouse par sa ceinture virginale ou sa maternité première, qui n'a pu dompter ses passions au joug de la famille, celui qui n'a pu renfermer son cœur dans sa couche nuptiale; celui-là ne fera jamais la félicité d'une seconde épouse : c'est en vain que vous y comptez. Lui-même ne gagnera rien à ces échanges : ce qu'il prend pour des différences d'humeur entre lui et sa compagne, n'est que le penchant de son inconstance et l'inquiétude de son désir. L'habitude et la longueur du temps sont plus nécessaires au bonheur, et même à l'amour, qu'on ne pense. On n'est heureux dans l'objet de son attachement, que lorsqu'on a vécu beaucoup de jours, et surtout beaucoup de mauvais jours avec lui. Il faut se connaître jusqu'au fond de l'âme; il faut que le voile mystérieux dont on couvrait

---

[1]. *Vid.* Fra-Paolo, sur le concile de Trente.

les deux époux dans la primitive Eglise, soit soulevé
par eux dans tous ses replis, tandis qu'il reste impénétrable aux yeux du monde. Quoi! sur le moindre caprice,
il faudra que je craigne de me voir privé de ma femme
et de mes enfants, que je renonce à l'espoir de passer
mes vieux jours avec eux ? Et qu'on ne dise pas que cette
frayeur me forcera à devenir meilleur époux : non, on
ne s'attache qu'au bien dont on est sûr, on n'aime point
une propriété que l'on peut perdre.

Ne donnons point à l'hymen les ailes de l'amour;
ne faisons point d'une sainte réalité un fantôme volage.
Une chose détruira encore votre bonheur dans vos liens
d'un instant : vous y serez poursuivi par vos remords,
vous comparerez sans cesse une épouse à l'autre; ce
que vous avez perdu à ce que vous avez trouvé; et, ne
vous y trompez pas, la balance sera toute en faveur des
choses passées : ainsi Dieu a fait le cœur de l'homme.
Cette distraction d'un sentiment par un autre empoi-
sonnera toutes vos joies. Caresserez-vous votre nouvel
enfant, vous songerez à celui que vous avez délaissé.
Presserez-vous votre femme sur votre cœur, votre cœur
vous dira que ce n'est pas la première. Tout tend à
l'unité dans l'homme : il n'est point heureux s'il se
divise; et, comme Dieu qui le fit à son image, son âme
cherche sans cesse à concentrer en un point le passé, le
présent et l'avenir [1].

Voilà ce que nous avions à dire sur les sacrements
d'Ordre et de Mariage. Quant aux tableaux qu'ils
retracent, il serait superflu de les décrire. Quelle imagination a besoin qu'on l'aide à se représenter ou le prêtre
abjurant les joies de la vie, pour se donner aux malheureux; ou la jeune fille se vouant au silence des solitudes,
pour trouver le silence du cœur; ou les époux promet-
tant de s'aimer au pied des autels ? L'épouse du chrétien
n'est pas une simple mortelle : c'est un être extraordinaire, mystérieux, angélique; c'est la chair de la chair,
le sang du sang de son époux. L'homme, en s'unissant
à elle, ne fait que reprendre une partie de sa substance;
son âme, ainsi que son corps, sont incomplets sans la
femme : il a la force; elle a la beauté : il combat l'ennemi
et laboure le champ de la patrie; mais il n'entend rien
aux détails domestiques, la femme lui manque pour

1. On peut consulter le livre de M. de Bonald, sur le Divorce :
c'est un des meilleurs ouvrages qui aient paru depuis longtemps.

apprêter son repas et son lit. Il a des chagrins, et la compagne de ses nuits est là pour les adoucir; ses jours sont mauvais et troublés, mais il trouve des bras chastes dans sa couche, et il oublie tous ses maux. Sans la femme, il serait rude, grossier, solitaire. La femme suspend autour de lui les fleurs de la vie, comme ces lianes des forêts qui décorent le tronc des chênes de leurs guirlandes parfumées. Enfin l'époux chrétien et son épouse vivent, renaissent et meurent ensemble; ensemble ils élèvent les fruits de leur union; en poussière ils retournent ensemble, et se retrouvent ensemble par-delà les limites du tombeau.

CHAPITRE XI

L'EXTRÊME-ONCTION

Mais c'est à la vue de ce tombeau, portique silencieux d'un autre monde, que le christianisme déploie sa sublimité. Si la plupart des cultes antiques ont consacré la cendre des morts, aucun n'a songé à préparer l'âme pour ces rivages inconnus dont on ne revient jamais.

Venez voir le plus beau spectacle que puisse présenter la terre; venez voir mourir le fidèle. Cet homme n'est plus l'homme du monde, il n'appartient plus à son pays; toutes ses relations avec la société cessent. Pour lui le calcul par le temps finit, et il ne date plus que de la grande ère de l'éternité. Un prêtre assis à son chevet, le console. Ce ministre saint s'entretient avec l'agonisant de l'immortalité de son âme; et la scène sublime que l'antiquité entière n'a présentée qu'une seule fois, dans le premier de ses philosophes mourants, cette scène se renouvelle chaque jour sur l'humble grabat du dernier des chrétiens qui expire.

Enfin le moment suprême est arrivé; un sacrement a ouvert à ce juste les portes du monde, un sacrement va les clore; la religion le balança dans le berceau de la vie; ses beaux chants et sa main maternelle l'endormiront encore dans le berceau de la mort. Elle prépare le baptême de cette seconde naissance; mais ce n'est plus l'eau qu'elle choisit, c'est l'huile, emblème de l'incorruptibilité céleste. Le sacrement libérateur rompt

peu à peu les attaches du fidèle; son âme, à moitié
échappée de son corps, devient presque visible sur son
visage. Déjà il entend les concerts des séraphins; déjà
il est prêt à s'envoler vers les régions où l'invite cette
Espérance divine, fille de la Vertu et de la Mort. Cependant l'Ange de la paix, descendant vers ce juste, touche
de son sceptre d'or ses yeux fatigués, et les ferme déli-
cieusement à la lumière. Il meurt, et l'on n'a point
entendu son dernier soupir; il meurt, et longtemps après
qu'il n'est plus, ses amis font silence autour de sa couche,
car ils croient qu'il sommeille encore : tant ce chrétien a
passé avec douceur!

LIVRE SECOND

VERTUS ET LOIS MORALES

PART SECOND

POETRY FOR ADVANCED...

CHAPITRE PREMIER

VICES ET VERTUS SELON LA RELIGION

La plupart des anciens philosophes ont fait le partage des vices et des vertus; mais la sagesse de la religion l'emporte encore ici sur celle des hommes.

Ne considérons d'abord que l'orgueil, dont l'Eglise fait le premier des vices. C'est le péché de Satan, c'est le premier péché du monde. L'orgueil est si bien le principe du mal, qu'il se trouve mêlé aux diverses infirmités de l'âme : il brille dans le souris de l'envie, il éclate dans les débauches de la volupté, il compte l'or de l'avarice, il étincelle dans les yeux de la colère, et suit les grâces de la mollesse.

C'est l'orgueil qui fit tomber Adam; c'est l'orgueil qui arma Caïn de la massue fratricide; c'est l'orgueil qui éleva Babel et renversa Babylone. Par l'orgueil, Athènes se perdit avec la Grèce; l'orgueil brisa le trône de Cyrus, divisa l'empire d'Alexandre, et écrasa Rome enfin sous le poids de l'univers.

Dans les circonstances particulières de la vie, l'orgueil a des effets encore plus funestes. Il porte ses attentats jusque sur Dieu.

En recherchant les causes de l'athéisme, on est conduit à cette triste observation, que la plupart de ceux qui se révoltent contre le ciel, ont à se plaindre en quelque chose de la société ou de la nature (excepté toutefois des jeunes gens séduits par le monde, ou des écrivains qui ne veulent faire que du bruit). Mais comment ceux qui sont privés des frivoles avantages que le hasard donne ou ravit dans ses caprices, ne savent-ils pas trouver le remède à ce léger malheur, en se rapprochant de la Divinité ? Elle est la véritable source des grâces : Dieu est si bien la beauté par excellence, que son nom seul prononcé avec amour suffit pour donner quelque chose de divin à l'homme le moins favorisé de la nature, comme on l'a remarqué de Socrate. Laissons l'athéisme à ceux qui, n'ayant pas assez de noblesse pour s'élever au-dessus des injustices du sort, ne montrent dans leurs blasphèmes que le premier vice de l'homme chatouillé dans sa partie la plus sensible.

Si l'Eglise a donné la première place à l'orgueil dans l'échelle des dégradations humaines, elle n'a pas classé moins habilement les six autres vices capitaux. Il ne faut pas croire que l'ordre où nous les voyons rangés soit arbitraire : il suffit de l'examiner, pour s'apercevoir que la religion passe excellemment de ces crimes qui attaquent la société en général, à ces délits qui ne retombent que sur le coupable. Ainsi, par exemple, l'envie, la luxure, l'avarice et la colère suivent immédiatement l'orgueil, parce que ce sont des vices qui s'exercent sur un sujet étranger, et qui ne vivent qu'au milieu des hommes, tandis que la gourmandise et la paresse, qui viennent les dernières, sont des inclinations solitaires et honteuses, réduites à chercher en elles-mêmes leurs principales voluptés.

Dans les vertus préférées par le christianisme, et dans le rang qu'il leur assigne, même connaissance de la nature. Avant Jésus-Christ, l'âme de l'homme était un chaos; le Verbe se fit entendre, aussitôt tout se débrouilla dans le monde intellectuel, comme à la même Parole, tout s'était jadis arrangé dans le monde physique : ce fut la création morale de l'univers. Les vertus montèrent comme des feux purs dans les cieux : les unes, soleils éclatants, appelèrent les regards par leur brillante lumière; les autres, modestes étoiles, cherchèrent la pudeur des ombres, où cependant elles ne purent se cacher. Dès lors on vit s'établir une admirable balance entre les forces et les faiblesses; la religion dirigea ses foudres contre l'orgueil, vice qui se nourrit de vertus : elle le découvrit dans les replis de nos cœurs, elle le poursuivit dans ses métamorphoses; les sacrements marchèrent contre lui en une armée sainte, et l'Humilité, vêtue d'un sac, les reins ceints d'une corde, les pieds nus, le front couvert de cendre, les yeux baissés et en pleurs, devint une des premières vertus du fidèle.

CHAPITRE II

DE LA FOI

Et quelles étaient les vertus tant recommandées par les Sages de la Grèce ? La force, la tempérance et la prudence. Jésus-Christ seul pouvait enseigner au monde que la foi, l'espérance et la charité sont des vertus qui conviennent à l'ignorance comme à la misère de l'homme.

C'est une prodigieuse raison, sans doute, que celle qui nous a montré dans la *foi* la source des vertus. Il n'y a de puissance que dans la conviction. Un raisonnement n'est fort, un poème n'est divin, une peinture n'est belle, que parce que l'esprit ou l'œil qui en juge, est convaincu d'une certaine vérité cachée dans ce raisonnement, ce poème, ce tableau. Un petit nombre de soldats persuadés de l'habileté de leur général, peuvent enfanter des miracles. Trente-cinq mille Grecs suivent Alexandre à la conquête du monde; Lacédémone se confie en Lycurgue, et Lacédémone devient la plus sage des cités; Babylone se présume faite pour les grandeurs, et les grandeurs se prostituent à sa foi mondaine : un oracle donne la terre aux Romains, et les Romains obtiennent la terre; Colomb, seul de tout un monde, s'obstine à croire à un nouvel univers; et un nouvel univers sort des flots. L'amitié, le patriotisme, l'amour, tous les sentiments nobles, sont aussi une espèce de foi. C'est parce qu'ils ont *cru* que les Codrus, les Pylade, les Régulus, les Arie, ont fait des prodiges. Et voilà pourquoi ces cœurs qui ne *croient* rien, qui traitent d'illusions les attachements de l'âme, et de folie les belles actions, qui regardent en pitié l'imagination et la tendresse du génie; voilà pourquoi ces cœurs n'achèveront jamais rien de grand, de généreux : ils n'ont de foi que dans la matière et dans la mort, et ils sont déjà insensibles comme l'une, et glacés comme l'autre.

Dans le langage de l'ancienne chevalerie, *bailler sa foi*, était synonyme de tous les prodiges de l'honneur. Roland, Du Guesclin, Bayard, étaient de féaux chevaliers, et les champs de Roncevaux, d'Auray, de Bresse, les descendants des Maures, des Anglais, des Lombards, disent encore aujourd'hui quels étaient ces hommes qui prêtaient *foi et hommage* à leur *Dieu*, leur *dame* et leur *roi*. Que d'idées antiques et touchantes s'attachent à notre seul mot de *foyer*, dont l'étymologie est si remarquable! Citerons-nous les martyrs, « ces héros qui, selon saint Ambroise, sans armées, sans légions, ont vaincu les tyrans adouci les lions, ôté au feu sa violence, et au glaive sa pointe [1] ? » La foi même, envisagée sous ce rapport, est une force si terrible, qu'elle bouleverserait le monde, si elle était appliquée à des fins perverses. Il n'y a rien qu'un homme, sous le joug d'une persuasion intime et qui soumet sans condition sa raison à celle d'un autre homme, ne soit capable d'exécuter. Ce qui prouve que les plus éminentes vertus, quand on les sépare de Dieu, et qu'on les veut prendre dans leurs simples rapports moraux, touchent de près aux plus grands vices. Si les philosophes avaient fait cette observation, ils ne se seraient pas tant donné de peine pour fixer les limites du bien et du mal. Le christianisme n'a pas eu besoin, comme Aristote, d'inventer une échelle, pour y placer ingénieusement une vertu entre deux vices; il a tranché la difficulté d'une manière sûre, en nous montrant que les vertus ne sont des vertus qu'autant qu'elles refluent vers leur source, c'est-à-dire vers Dieu.

Cette vérité nous restera assurée, si nous appliquons la foi à ces mêmes affaires humaines, mais en la faisant survenir par l'entremise des idées religieuses. De la foi vont naître les vertus de la société, puisqu'il est vrai, du consentement unanime des sages, que le dogme qui commande de croire en un Dieu rémunérateur et vengeur, est le plus ferme soutien de la morale et de la politique.

Enfin, si vous employez la foi à son véritable usage [2], si vous la tournez entièrement vers le Créateur, si vous en faites l'œil intellectuel par qui vous découvrez les merveilles de la Cité sainte, et l'empire des existences réelles, si elle sert d'ailes à votre âme, pour vous élever au-dessus des peines de la vie, vous reconnaîtrez que les Livres saints n'ont pas trop exalté cette vertu, lors-

---

1. Ambros. *de Off.* cap. 35.
2. *Voyez* la note IV à la fin du volume.

qu'ils ont parlé des prodiges qu'on peut faire avec elle. Foi céleste! foi consolatrice! tu fais plus que de transporter les montagnes, tu soulèves les poids accablants qui pèsent sur le cœur de l'homme!

CHAPITRE III

DE L'ESPÉRANCE ET DE LA CHARITÉ

L'espérance, seconde vertu théologale, a presque la même force que la foi : le désir est le père de la puissance; quiconque désire fortement obtient. « Cherchez, a dit Jésus-Christ, et vous trouverez; frappez, et l'on vous ouvrira. » Pythagore disait, dans le même sens : *La puissance habite auprès de la nécessité;* car nécessité implique privation, et la privation marche avec le désir. Père de la puissance, le désir ou l'espérance est un véritable génie; il a cette virilité qui enfante, et cette soif qui ne s'éteint jamais. Un homme se voit-il trompé dans ses projets, c'est qu'il n'a pas désiré avec ardeur; c'est qu'il a manqué de cet amour qui saisit tôt ou tard l'objet auquel il aspire, de cet amour qui, dans la Divinité, embrasse tout et jouit de tous les mondes, par une immense espérance toujours satisfaite, et qui renaît toujours.

Il y a cependant une différence essentielle entre la foi, et l'espérance considérée comme force. La foi a son foyer hors de nous; elle nous vient d'un objet étranger; l'espérance, au contraire, naît au-dedans de nous, pour se porter au-dehors. On nous impose la première, notre propre désir fait naître la seconde; celle-là est une obéissance, celle-ci un amour. Mais comme la foi engendre plus facilement les autres vertus, comme elle découle directement de Dieu, que par conséquent étant une émanation de l'Eternel, elle est plus belle que l'espérance, qui n'est qu'une partie de l'homme, l'Eglise a dû placer la foi au premier rang.

Mais l'espérance offre en elle-même un caractère particulier : c'est celui qui la met en rapport avec nos misères. Sans doute elle fut révélée par le ciel, cette religion qui fit une vertu de l'espérance ! Cette nour-

rice des infortunés, placée auprès de l'homme, comme
une mère auprès de son enfant malade, le berce dans
ses bras, le suspend à sa mamelle intarissable, et l'abreuve
d'un lait qui calme ses douleurs. Elle veille à son chevet solitaire, elle l'endort par des chants magiques.
N'est-il pas surprenant de voir l'espérance, qu'il est
si doux de garder, et qui semble un mouvement naturel
de l'âme, de la voir se transformer, pour le chrétien,
en une vertu rigoureusement exigée ? En sorte que,
quoi qu'il fasse, on l'oblige de boire à longs traits à
cette coupe enchantée, où tant de misérables s'esti-
meraient heureux de mouiller un instant leurs lèvres.
Il y a plus (et c'est ici la merveille), il sera *récompensé
d'avoir espéré*, autrement d'*avoir fait son propre bonheur*. Le fidèle, toujours militant dans la vie, toujours
aux prises avec l'ennemi, est traité par la religion, dans
sa défaite, comme ces généraux vaincus que le Sénat
romain recevait en triomphe, par la seule raison qu'ils
n'avaient pas désespéré du salut final. Mais si les anciens
attribuaient quelque chose de merveilleux à l'homme
que l'espoir n'abandonne jamais, qu'auraient-ils pensé
du chrétien qui, dans son étonnant langage, ne dit plus
entretenir, mais *pratiquer* l'espérance ?

Quant à la charité, fille de Jésus-Christ, elle signifie,
au sens propre, *grâce et joie*. La religion, voulant réformer le cœur humain, et tourner au profit des vertus
nos affections et nos tendresses, a inventé une nouvelle
passion : elle ne s'est servie pour l'exprimer, ni du mot
d'amour, qui n'est pas assez sévère, ni du mot d'amitié,
qui se perd au tombeau, ni du mot de pitié, trop voisin
de l'orgueil; mais elle a trouvé l'expression de *charitas*,
charité, qui renferme les trois premières, et qui tient
en même temps à quelque chose de céleste. Par là, elle
dirige nos penchants vers le ciel, en les épurant et les
reportant au Créateur; par là, elle nous enseigne cette
vérité merveilleuse, que les hommes doivent, pour ainsi
dire, s'aimer à travers Dieu qui spiritualise leur amour,
et n'en laisse que l'immortelle essence, en lui servant
de passage.

Mais si la charité est une vertu chrétienne, directement émanée de l'Eternel et de son Verbe, elle est
aussi en étroite alliance avec la nature. C'est à cette
harmonie continuelle du ciel et de la terre, de Dieu
et de l'humanité, qu'on reconnaît le caractère de la
vraie religion. Souvent les institutions morales et poli-

tiques de l'antiquité sont en contradiction avec les sentiments de l'âme. Le christianisme, au contraire, toujours d'accord avec les cœurs, ne commande point des vertus abstraites et solitaires, mais des vertus tirées de nos besoins et utiles à tous. Il a placé la charité comme un puits d'abondance dans les déserts de la vie. « La charité est patiente, dit l'apôtre; elle est douce, elle ne cherche à surpasser personne, elle n'agit point avec témérité, elle ne s'enfle point.

» Elle n'est point ambitieuse; elle ne suit point ses intérêts; elle ne s'irrite point; elle ne pense point le mal.

» Elle ne se réjouit point dans l'injustice; mais elle se plaît dans la vérité.

» Elle tolère tout, elle croit tout, elle espère tout, elle souffre tout [1]. »

CHAPITRE IV

DES LOIS MORALES, OU DU DÉCALOGUE

Il est humiliant pour notre orgueil, de trouver que les maximes de la sagesse humaine peuvent se renfermer dans quelques pages. Et dans ces pages encore, combien d'erreurs! Les lois de Minos et de Lycurgue ne sont restées debout, après la chute des peuples pour lesquels elles furent érigées, que comme les pyramides des déserts, immortels palais de la mort.

Lois du second Zoroastre.

Le temps sans bornes et incréé est le créateur de tout. La parole fut sa fille; et de sa fille naquit *Orsmus*, dieu du bien, et *Arimhan*, dieu du mal.

Invoque le taureau céleste, père de l'herbe et de l'homme.

L'œuvre la plus méritoire est de bien labourer son champ.

Prie avec pureté de pensée, de parole et d'action [2].

Enseigne le bien et le mal à ton fils âgé de cinq ans [3].

1. S. Paul *ad. Corinth.* cap. 13, v. 4 et seq.
2. *Zend-Av.*
3. Xenoph. *Cyr*. Plat. *de Leg.* lib. II.

Que la loi frappe l'ingrat [1].

Qu'il meure, le fils qui a désobéi trois fois à son père.

La loi déclare impure la femme qui passe à un second hymen.

Frappe le faussaire de verges.

Méprise le menteur.

A la fin et au renouvellement de l'année, observe dix jours de fêtes.

Lois Indiennes.

L'univers est Vichnou.

Tout ce qui a été, c'est lui; tout ce qui est, c'est lui; tout ce qui sera, c'est lui.

Hommes, soyez égaux.

Aime la vertu pour elle; renonce au fruit de tes œuvres.

Mortel, sois sage, tu seras fort comme dix mille éléphants.

L'âme est Dieu.

Confesse les fautes de tes enfants au soleil et aux hommes, et purifie-toi dans l'eau du Gange [2].

Lois Égyptiennes.

Cnef, dieu universel, ténèbres inconnues, obscurité impénétrable.

Osiris est le dieu bon; Typhon le dieu méchant.

Honore tes parents.

Suis la profession de ton père.

Sois vertueux; les juges du lac prononceront après ta mort sur tes œuvres.

Lave ton corps deux fois le jour, et deux fois la nuit.

Vis de peu.

Ne révèle point les mystères [3].

Lois de Minos.

Ne jure point par les dieux.

Jeune homme, n'examine point la loi.

La loi déclare infâme quiconque n'a point d'ami.

Que la femme adultère soit couronnée de laine, et vendue.

Que vos repas soient publics, votre vie frugale, et vos danses guerrières [4].

1. Xenoph. *Cyr.* Plat. *de leg.* lib. II.
2. *Pr. des Br. Hist. of. Ind.* Diod. Sic. etc.
3. Herod. liv. II. Plat. *de Leg.* Plut. *de Is. et Os.*
4. Arist. *Pol.* Plat. *de Leg.*

(Nous ne donnerons point ici les lois de Lycurgue, parce qu'elles ne font en partie que répéter celles de Minos.)

Lois de Solon.

Que l'enfant qui néglige d'ensevelir son père, que celui qui ne le défend point, meure.

Que le temple soit interdit à l'adultère.

Que le magistrat ivre boive la ciguë.

La mort au soldat lâche.

La loi permet de tuer le citoyen qui demeure neutre au milieu des dissensions civiles.

Que celui qui veut mourir le déclare à l'Archonte, et meure.

Que le sacrilège meure.

Epouse, guide ton époux aveugle.

L'homme sans mœurs ne pourra gouverner [1].

Lois primitives de Rome.

Honore la Petite Fortune.

Que l'homme soit laboureur et guerrier.

Réserve le vin aux vieillards.

Condamne à mort le laboureur qui mange le bœuf [2].

Lois des Gaules ou des Druides.

L'univers est éternel, l'âme immortelle.

Honore la nature.

Défendez votre mère, votre patrie, la terre.

Admets la femme dans tes conseils.

Honore l'étranger, et mets à part sa portion dans ta récolte.

Que l'infâme soit enseveli dans la boue.

N'élève point de temple, et ne confie l'histoire du passé qu'à ta mémoire.

Homme, tu es libre : sois sans propriété.

Honore le vieillard, et que le jeune homme ne puisse déposer contre lui.

Le brave sera récompensé après la mort, et le lâche puni [3].

Lois de Pythagore.

Honore les dieux immortels, tels qu'ils sont établis par la loi.

1. Pl. *in Vit. Sol.* Tit. Liv.
2. Pl. *in Num.* Tit. Liv.
3. Tac. *de Mor. Germ.* Strab. Cæs. *Com. Edda.* etc.

Honore tes parents.

Fais ce qui n'affligera pas ta mémoire.

N'admets point le sommeil dans tes yeux, avant d'avoir examiné trois fois dans ton âme les œuvres de ta journée.

Demande-toi : Où ai-je été ? Qu'ai-je fait ? Qu'aurais-je dû faire ?

Ainsi, après une vie sainte, lorsque ton corps retournera aux éléments, tu deviendras immortel et incorruptible : tu ne pourras plus mourir [1].

Tel est à peu près tout ce qu'on peut recueillir de cette antique sagesse des temps, si fameuse. Là, Dieu est représenté comme quelque chose d'obscur; sans doute, mais à force de lumière : des ténèbres couvrent la vue, lorsqu'on cherche à contempler le soleil. Ici, l'homme sans ami est déclaré infâme; ce législateur a donc déclaré infâmes presque tous les infortunés ? Plus loin, le suicide devient loi; enfin, quelques-uns de ces sages semblent oublier entièrement un Etre Suprême. Et que de choses vagues, incohérentes, communes, dans la plupart de ces sentences! Les sages du Portique et de l'Académie énoncent tour à tour des maximes si contradictoires, qu'on peut souvent prouver par le même livre que son auteur croyait et ne croyait point en Dieu, qu'il reconnaissait et ne reconnaissait point une vertu positive, que la liberté est le premier des biens, et le despotisme le meilleur des gouvernements.

Si, au milieu de tant de perplexités, on voyait paraître un code de lois morales, sans contradictions, sans erreurs, qui fît cesser nos incertitudes, qui nous apprît ce que nous devons croire de Dieu, et quels sont nos véritables rapports avec les hommes; si ce code s'annonçait avec une assurance de ton et une simplicité de langage inconnues jusqu'alors, ne faudrait-il pas en conclure que ces lois ne peuvent émaner que du ciel ? Nous les avons, ces préceptes divins : et quels préceptes pour le sage! et quel tableau pour le poète!

---

1. On pourrait ajouter à cette table un extrait de la *République* de Platon, ou plutôt des douze livres de ses lois, qui sont, à notre avis, son meilleur ouvrage, tant par le beau tableau des trois vieillards qui discourent en allant à la fontaine, que par la raison qui règne dans ce dialogue. Mais ces préceptes n'ont point été mis en pratique; ainsi nous nous abstiendrons d'en parler.

Quant au Coran, ce qui s'y trouve de saint et de juste est emprunté presque mot pour mot de nos livres sacrés; le reste est une compilation rabbinique.

Voyez cet homme qui descend de ces hauteurs brûlantes. Ses mains soutiennent une table de pierre sur sa poitrine, son front est orné de deux rayons de feu, son visage resplendit des gloires du Seigneur, la terreur de Jéhovah le précède : à l'horizon se déploie la chaîne du Liban avec ses éternelles neiges, et ses cèdres fuyant dans le ciel. Prosternée au pied de la montagne, la postérité de Jacob se voile la tête dans la crainte de voir Dieu et de mourir. Cependant les tonnerres se taisent, et voici venir une voix :

Ecoute, ô toi Israël, moi Jéhovah, *tes Dieux* [1], qui t'ai tiré de la terre de Mitzraïm, de la maison de servitude.

1 Il ne sera point à toi d'autres Dieux devant ma face.

2 Tu ne te feras point d'idole par tes mains, ni aucune image de ce qui est dans les *étonnantes eaux supérieures*, ni sur la terre au-dessous, ni dans les eaux sous la terre. Tu ne t'inclineras point devant les images, et tu ne les serviras point; car moi, je suis Jéhovah, *tes Dieux*, le Dieu fort, le Dieu jaloux, poursuivant l'iniquité des pères, l'iniquité de ceux qui me haïssent, sur les fils de la troisième et de la quatrième génération, et je fais mille fois grâces à ceux qui m'aiment, et qui gardent mes commandements.

3 Tu ne prendras point le nom de Jéhovah, *tes Dieux*, en vain; car il ne déclarera point innocent celui qui prendra son nom en vain.

4 Souviens-toi du jour du sabbat pour le sanctifier. Six jours tu travailleras, et tu feras ton ouvrage, et le jour septième de Jéhovah, *tes Dieux*, tu ne feras aucun ouvrage, ni toi, ni ton fils, ni ta fille, ni ton serviteur, ni ta servante, ni ton chameau, ni ton hôte, *devant tes portes;* car en six jours, Jéhovah fit les *merveilleuses eaux supérieures* [2], la terre et la mer

---

1. On donne le Décalogue mot à mot de l'hébreu, à cause de cette expression, *tes Dieux*, qu'aucune version n'a rendue. *Voyez* la note V à la fin du volume.

2. Cette traduction est loin de donner une idée de la magnificence du texte. *Shamajim* est une sorte de cri d'admiration, comme la voix d'un peuple qui, en regardant le firmament, s'écrierait : *Voyez ces eaux miraculeuses suspendues en voûtes sur nos têtes! ces dômes de cristal et de diamant!* On ne peut rendre en français, dans la traduction d'une loi, cette poésie qu'exprime un seul mot.

et tout ce qui est en elles, et se repose le septième : or, Jéhovah le bénit et le sanctifia.

5 Honore ton père et ta mère, afin que tes jours soient longs sur la terre, et *par-delà* la terre que Jéhovah, *tes Dieux*, t'a donnée.

6 Tu ne tueras point.

7 Tu ne seras point adultère.

8 Tu ne voleras point.

9 Tu ne porteras point contre ton voisin un faux témoignage.

10 Tu ne désireras point la maison de ton voisin, ni la femme de ton voisin, ni son serviteur, ni sa servante, ni son bœuf, ni son âne, ni rien de ce qui est à ton voisin.

Voilà les lois que l'Eternel a gravées, non seulement sur la pierre de Sinaï, mais encore dans le cœur de l'homme. On est frappé d'abord du caractère d'universalité qui distingue cette table divine des tables humaines qui la précèdent. C'est ici la loi de tous les peuples, de tous les climats, de tous les temps. Pythagore et Zoroastre s'adressent à des Grecs et à des Mèdes ; Jéhovah parle à tous les hommes : on reconnaît ce père tout-puissant qui veille sur la création, et qui laisse également tomber de sa main le grain de blé qui nourrit l'insecte, et le soleil qui l'éclaire.

Rien n'est ensuite plus admirable, dans leur simplicité pleine de justice, que ces lois morales des Hébreux. Les païens ont recommandé d'honorer les auteurs de nos jours : Solon décerne la mort au mauvais fils. Que fait Dieu ? il promet la vie à la piété filiale. Ce commandement est pris à la source même de la nature. Dieu fait un précepte de l'amour filial ; il n'en fait pas un de l'amour paternel ; il savait que le fils, en qui viennent se réunir les souvenirs et les espérances du père, ne serait souvent que trop aimé de ce dernier : mais au fils, il commande d'aimer, car il connaissait l'inconstance et l'orgueil de la jeunesse.

A la force du sens interne se joignent, dans le Décalogue, comme dans les autres œuvres du Tout-Puissant, la majesté et la grâce des formes. Le Brahmane exprime lentement les trois présences de Dieu ; le nom de *Jéhovah* les énonce en un seul mot ; ce sont les trois temps du verbe *être*, unis par une combinaison sublime : *havah*, il fut; *hovah*, étant, ou il est; et *je*, qui, lorsqu'il se trouve placé devant les trois lettres radicales d'un verbe, indique le futur, en hébreu, *il sera*.

Enfin, les législateurs antiques ont marqué dans leurs codes les époques des fêtes des nations; mais le jour du repos d'Israël est le jour même du repos de Dieu. L'Hébreu, et son héritier le Gentil, dans les heures de son obscur travail, n'a rien moins devant les yeux que la création successive de l'univers. La Grèce, pourtant si poétique, n'a jamais songé à rapporter les soins du laboureur ou de l'artisan, à ces fameux instants où Dieu créa la lumière, traça la route au soleil, et anima le cœur de l'homme.

Lois de Dieu, que vous ressemblez peu à celles des hommes! Eternelles comme le principe dont vous êtes émanées, c'est en vain que les siècles s'écoulent; vous résistez aux siècles, à la persécution, et à la corruption même des peuples. Cette législation religieuse, organisée au sein des législations politiques (et néanmoins indépendante de leurs destinées), est un grand prodige. Tandis que les formes des royaumes passent et se modifient, que le pouvoir roule de main en main au gré du sort, quelques chrétiens, restés fidèles au milieu des inconstances de la fortune, continuent d'adorer le même Dieu, de se soumettre aux mêmes lois, sans se croire dégagés de leurs liens par les révolutions, le malheur et l'exemple. Quelle religion dans l'antiquité n'a pas perdu son influence morale, en perdant ses prêtres et ses sacrifices ? Où sont les mystères de l'antre de Trophonius, et les secrets de Cérès-Eleusine ? Apollon n'est-il pas tombé avec Delphes, Baal avec Babylone, Sérapis avec Thèbes, Jupiter avec le Capitole ? Le christianisme seul a souvent vu s'écrouler les édifices où se célébraient ses pompes sans être ébranlé de la chute. Jésus-Christ n'a pas toujours eu des temples, mais tout est temple au Dieu vivant, et la maison des morts, et la caverne de la montagne, et surtout le cœur du juste; Jésus-Christ n'a pas toujours eu des autels de porphyre, des chaires de cèdre et d'ivoire, et des heureux pour serviteurs : mais une pierre au désert suffit pour y célébrer ses mystères, un arbre pour y prêcher ses lois, et un lit d'épines pour y pratiquer ses vertus.

LIVRE TROISIÈME

VÉRITÉS DES ÉCRITURES; CHUTE DE L'HOMME

CHAPITRE PREMIER

SUPÉRIORITÉ DE LA TRADITION DE MOÏSE SUR TOUTES LES AUTRES COSMOGONIES

Il y a des vérités que personne ne conteste, quoiqu'on n'en puisse fournir des preuves immédiates : la rébellion et la chute de l'esprit d'orgueil, la création du monde, le bonheur primitif et le péché de l'homme sont au nombre de ces vérités. Il est impossible de croire qu'un mensonge absurde devienne une tradition universelle. Ouvrez les livres du second Zoroastre, les dialogues de Platon et ceux de Lucien, les traités moraux de Plutarque, les fastes des Chinois, la Bible des Hébreux, les Edda des Scandinaves ; transportez-vous chez les Nègres de l'Afrique [1], ou chez les savants prêtres de l'Inde : tous vous feront le récit des crimes du dieu du mal ; tous vous peindront les temps trop courts du bonheur de l'homme, et les longues calamités qui suivirent la perte de son innocence.

Voltaire avance quelque part que nous avons la plus méchante *copie* de toutes les TRADITIONS sur l'origine du monde, et sur les éléments physiques et moraux qui le composent. Préfère-t-il donc la cosmogonie des Egyptiens, le grand œuf ailé des prêtres de Thèbes [2] ? Voici ce que débite gravement le plus ancien des historiens après Moïse :

« Le principe de l'univers était un air sombre et tempêtueux, un vent fait d'un air sombre et d'un turbulent chaos. Ce principe était sans bornes, et n'avait eu, pendant longtemps, ni limite, ni figure. Mais quand ce vent devint amoureux de ses propres principes, il en résulta une mixtion, et cette mixtion fut appelée désir ou amour.

» Cette mixtion, étant complète, devint le commen-

---

1. *Voyez* la note VI à la fin du volume.
2. Herod. lib. II. Diod. Sic.

cement de toutes choses ; mais le vent ne connaissait point son propre ouvrage, la mixtion. Celle-ci engendra à son tour avec le vent son père, *môt* ou le *limon*, et de celui-ci sortirent toutes les générations de l'univers [1]. »

Si nous passons aux philosophes grecs, Thalès, fondateur de la secte Ionique, reconnaissait l'eau comme principe universel [2]. Platon prétendait que la Divinité avait arrangé le monde, mais qu'elle n'avait pu le créer [3]. Dieu, dit-il, a formé l'univers d'après le modèle existant de toute éternité en lui-même [4]. Les objets visibles ne sont que les ombres des idées de Dieu, seules véritables substances [5]. Dieu fit en outre couler un souffle de sa vie dans les êtres. Il en composa un troisième principe à la fois esprit et matière, et ce principe est appelé l'*âme du monde* [6].

Aristote raisonnait comme Platon sur l'origine de l'univers ; mais il imagina le beau système de la chaîne des êtres, et, remontant d'action en action, il prouva qu'il existe quelque part un premier mobile [7].

Zénon soutenait que le monde s'arrangea par sa propre énergie ; que la nature est ce tout qui comprend tout ; que ce tout se compose de deux principes, l'un actif, l'autre passif, non existant séparés, mais unis ensemble ; que ces deux principes sont soumis à un troisième, *la fatalité ;* que Dieu, la matière, la fatalité ne font qu'un ; qu'ils composent à la fois les roues, le mouvement, les lois de la machine, et obéissent comme *parties* aux lois qu'ils dictent comme *tout* [8].

Selon la philosophie d'Epicure, l'univers existe de toute éternité. Il n'y a que deux choses dans la nature, le corps et le vide [9].

Les corps se composent de l'agrégation de parties de matière infiniment petites, les atomes, qui ont un mouvement interne, la gravité : leur révolution se ferait

1. Sanch. ap. Euseb. *Præpar. Evang.* lib. I, cap. 10.
2. Cic. *de Nat. Deor.* lib. I, n. 25.
3. *Tim.* pag. 28. Diog. Laert. lib. III. Plut. *de Gen. Anim.* pag. 78.
4. Plat. *Tim.* p. 29.
5. Id. *Rep.* lib. VII, p. 516.
6. *In Tim.* p. 34.
7. Arist. *de Gen. An.* lib. II, cap. 3. *Met.* lib. XI, cap. 5. *De Cœl.* lib. XI, cap. 3, etc.
8. Laert. lib. V. Stob. *Eccl. Phys.* cap. XIV. Senec. *Consol.* cap. XXIX. Cic. *de Nat. Deor.* Anton. lib. VII.
9. Lucret. lib. II. Laert. lib. X.

dans le plan vertical, si, par une loi particulière, ils ne décrivaient une ellipse dans le vide [1].

Epicure supposa ce mouvement de déclinaison, pour éviter le système des fatalistes, qui se reproduirait par le mouvement perpendiculaire de l'atome. Mais l'hypothèse est absurde : car si la déclinaison de l'atome est une loi, elle est de nécessité : et comment une cause obligée produira-t-elle un effet libre ?

La terre, le ciel, les planètes, les étoiles, les plantes, les minéraux, les animaux, en y comprenant l'homme, naquirent du concours fortuit de ces atomes; et lorsque la vertu productive du globe se fut évaporée, les races vivantes se perpétuèrent par la génération [2].

Les membres des animaux, formés au hasard, n'avaient aucune destination particulière : l'oreille concave n'était point creusée pour entendre, l'œil convexe arrondi pour voir; mais, ces organes se trouvant propres à ces différents usages, les animaux s'en servirent machinalement et de préférence à un autre sens [3].

Après l'exposition de ces cosmogonies philosophiques, il serait inutile de parler de celles des poètes. Qui ne connaît Deucalion et Pyrrha, l'âge d'or et l'âge de fer ? Quant aux traditions répandues chez les autres peuples de la terre : dans l'Inde un éléphant soutient le globe; le soleil a tout fait au Pérou; au Canada *le grand lièvre* est le père du monde; au Groenland l'homme est sorti d'un coquillage [4]; enfin la Scandinavie a vu naître Askus et Emla; Odin leur donna l'âme, Hœnerus la raison, et Lœdur le sang et la beauté.

> Askum et Emlam, omni conatu destitutos,
> Animam nec possidebant, rationem nec habebant,
> Nec sanguinem, nec sermonem, nec faciem venustam :
> Animam dedit Odinus, rationem dedit Hœnerus;
> Lœdur sanguinem addidit et faciem venustam [5].

Dans ces diverses cosmogonies, on est placé entre des contes d'enfants et des abstractions de philosophes : si l'on était obligé de choisir, mieux vaudrait encore se décider pour les premiers.

1. *Loc. cit.*
2. Lucret. lib. v-x. Cic. *de Nat. Deor.* lib. I, cap. 8-9.
3. Lucret. lib. IV-V.
4. *Vid.* Hesiod. Ovid. *Hist. of Hindost.* Herrera, *Histor de las Ind.* Charlevoix, *Hist. de la Nouv. France.* P. Lafit. *Mœurs des Ind. Travel. in Greeland by a Mission.*
5. Bartholin. *Ant. Dan.*

Pour découvrir l'original d'un tableau au milieu d'une foule de copies, il faut chercher celui qui, dans son unité ou la perfection de ses parties, décèle le génie du maître. C'est ce que nous trouvons dans la Genèse, original de ces peintures, reproduites dans les traditions des peuples. Quoi de plus naturel, et cependant de plus magnifique, quoi de plus facile à concevoir et de plus d'accord avec la raison de l'homme, que le Créateur descendant dans la nuit antique, pour faire la lumière avec une parole ? Le soleil, à l'instant, se suspend dans les cieux, au centre d'une immense voûte d'azur; de ses invisibles réseaux il enveloppe les planètes, et les retient autour de lui comme sa proie; les mers et les forêts commencent leurs balancements sur le globe, et leurs premières voix s'élèvent pour annoncer à l'univers ce mariage de qui Dieu sera le prêtre, la terre le lit nuptial, et le genre humain la postérité [1].

CHAPITRE II

CHUTE DE L'HOMME; LE SERPENT;
UN MOT HÉBREU

On est saisi d'admiration à cette autre vérité marquée dans les Ecritures: *L'homme mourant pour s'être empoisonné avec le fruit de vie;* l'homme perdu pour avoir goûté au fruit de science, pour avoir su trop connaître et le bien et le mal, pour avoir cessé d'être semblable à l'enfant de l'Evangile. Qu'on suppose toute autre défense de Dieu, relative à un penchant quelconque de l'âme : que deviennent la sagesse et la profondeur de l'ordre du Très-Haut ? Ce n'est plus qu'un caprice indigne de la Divinité, et aucune moralité ne résulte de la désobéissance d'Adam. Toute l'histoire du monde, au contraire, découle de la loi

1. Les Mémoires de la Société de Calcutta confirment les vérités de la Genèse. Ils nous montrent la mythologie partagée en trois branches, dont l'une s'étendait aux Indes, l'autre en Grèce, et la troisième chez les sauvages de l'Amérique septentrionale; enfin cette mythologie venant se rattacher à une plus ancienne tradition, qui est celle même de Moïse. Les voyageurs modernes aux Indes trouvent partout des traces des faits rapportés dans l'Ecriture; après en avoir longtemps contesté l'authenticité, on est obligé de la reconnaître.

imposée à notre premier père. Dieu a mis la science à sa portée : il ne pouvait la lui refuser, puisque l'homme était né intelligent et libre : mais il lui prédit que, s'il veut trop savoir, *la connaissance des choses* sera sa mort et celle de sa postérité. Le secret de l'existence politique et morale des peuples, les mystères les plus profonds du cœur humain sont renfermés dans la tradition de cet arbre admirable et funeste.

Or, voici une suite très merveilleuse à cette défense de la sagesse. L'homme tombe, et c'est le démon de l'orgueil qui cause sa chute. L'orgueil emprunte la voix de l'amour pour le séduire, et c'est pour une femme qu'Adam cherche à s'égaler à Dieu : profond développement des deux premières passions du cœur, la vanité et l'amour.

Bossuet, dans ses *Elévations à Dieu*, où l'on retrouve souvent l'auteur des *Oraisons funèbres*, dit, en parlant du mystère du serpent, que « les anges conversaient avec l'homme, en telle forme que Dieu permettait, et sous la figure des animaux. Eve donc ne fut point surprise d'entendre parler le serpent, comme elle ne le fut pas de voir Dieu même paraître sous une forme sensible. » Bossuet ajoute : « Pourquoi Dieu détermina-t-il l'ange superbe à paraître sous cette forme, plutôt que sous une autre ? Quoiqu'il ne soit pas nécessaire de le savoir, l'Ecriture nous l'insinue, en disant que le serpent était le plus fin de tous les animaux, c'est-à-dire, celui qui représentait mieux le démon dans sa malice, dans ses embûches, et ensuite dans son supplice. »

Notre siècle rejette avec hauteur tout ce qui tient de la merveille; mais le serpent a souvent été l'objet de nos observations; et, si nous osons le dire, nous avons cru reconnaître en lui cet esprit pernicieux et cette subtilité que lui attribue l'Ecriture. Tout est mystérieux, caché, étonnant dans cet incompréhensible reptile. Ses mouvements diffèrent de ceux de tous les autres animaux; on ne saurait dire où gît le principe de son déplacement, car il n'a ni nageoires, ni pieds, ni ailes, et cependant il fuit comme une ombre, il s'évanouit magiquement, il reparaît, et disparaît encore, semblable à une petite fumée d'azur, ou aux éclairs d'un glaive dans les ténèbres. Tantôt il se forme en cercle, et darde une langue de feu; tantôt, debout sur l'extrémité de sa queue, il marche dans une attitude perpendiculaire, comme par enchantement. Il se jette en orbe, monte et s'abaisse en spirale, roule ses anneaux comme une onde, circule sur les

branches des arbres, glisse sous l'herbe des prairies, ou
sur la surface des eaux. Ses couleurs sont aussi peu
déterminées que sa marche; elles changent aux divers
aspects de la lumière, et, comme ses mouvements, elles
ont le faux brillant et les variétés trompeuses de la
séduction.

Plus étonnant encore dans le reste de ses mœurs, il
sait, ainsi qu'un homme souillé de meurtre, jeter à l'écart
sa robe tachée de sang, dans la crainte d'être reconnu.
Par une étrange faculté, il peut faire rentrer dans son
sein les petits monstres que l'amour en a fait sortir. Il
sommeille des mois entiers, fréquente des tombeaux,
habite des lieux inconnus, compose des poisons qui
glacent, brûlent ou tachent le corps de sa victime des
couleurs dont il est lui-même marqué. Là, il lève deux
têtes menaçantes; ici, il fait entendre une sonnette : il
siffle comme un aigle de montagne; il mugit comme un
taureau. Il s'associe naturellement aux idées morales ou
religieuses, comme par une suite de l'influence qu'il eut
sur nos destinées : objet d'horreur ou d'adoration, les
hommes ont pour lui une haine implacable, ou tombent
devant son génie; le mensonge l'appelle, la prudence le
réclame, l'envie le porte dans son cœur, et l'éloquence à
son caducée. Aux enfers, il arme les fouets des furies;
au ciel, l'éternité en fait son symbole. Il possède encore
l'art de séduire l'innocence; ses regards enchantent les
oiseaux dans les airs; et, sous la fougère de la crèche, la
brebis lui abandonne son lait. Mais il se laisse lui-même
charmer par de doux sons; et, pour le dompter, le berger
n'a besoin que de sa flûte.

Au mois de juillet 1791, nous voyagions dans le Haut-
Canada, avec quelques familles sauvages de la nation des
Onontagués. Un jour que nous étions arrêtés dans une
grande plaine, au bord de la rivière Génésie, un serpent
à sonnettes entra dans notre camp. Il y avait parmi nous
un Canadien qui jouait de la flûte; il voulut nous divertir, et s'avança contre le serpent, avec son arme d'une
nouvelle espèce. A l'approche de son ennemi, le reptile
se forme en spirale, aplatit sa tête, enfle ses joues,
contracte ses lèvres, découvre ses dents empoisonnées et
sa gueule sanglante; il brandit sa double langue comme
deux flammes; ses yeux sont deux charbons ardents;
son corps gonflé de rage, s'abaisse et s'élève comme les
soufflets d'une forge; sa peau, dilatée, devient terne et
écailleuse; et sa queue, dont il sort un bruit sinistre, oscille

avec tant de rapidité qu'elle ressemble à une légère vapeur.

Alors le Canadien commence à jouer sur sa flûte; le serpent fait un mouvement de surprise, et retire la tête en arrière. A mesure qu'il est frappé de l'effet magique, ses yeux perdent leur âpreté, les vibrations de sa queue se ralentissent, et le bruit qu'elle fait entendre s'affaiblit et meurt peu à peu. Moins perpendiculaires sur leur ligne spirale, les orbes du serpent charmé s'élargissent, et viennent tour à tour se poser sur la terre, en cercles concentriques. Les nuances d'azur, de vert, de blanc et d'or reprennent leur éclat sur sa peau frémissante; et, tournant légèrement la tête, il demeure immobile dans l'attitude de l'attention et du plaisir.

Dans ce moment le Canadien marche quelques pas, en tirant de sa flûte des sons doux et monotones; le reptile baisse son cou nuancé, entrouvre, avec sa tête, les herbes fines, et se met à ramper sur les traces du musicien qui l'entraîne, s'arrêtant lorsqu'il s'arrête, et recommençant à le suivre, quand il recommence à s'éloigner. Il fut ainsi conduit hors de notre camp, au milieu d'une foule de spectateurs, tant sauvages qu'européens, qui en croyaient à peine leurs yeux : à cette merveille de la mélodie, il n'y eut qu'une seule voix dans l'assemblée, pour qu'on laissât le merveilleux serpent s'échapper.

A cette sorte d'induction, tirée des mœurs du serpent, en faveur des vérités de l'Ecriture, nous en ajouterons une autre, empruntée d'un mot hébreu. N'est-il pas fort extraordinaire, et en même temps bien philosophique, que le nom générique de l'homme, en hébreu, signifie la *fièvre* ou la *douleur? Enosh, homme,* vient par sa racine, du verbe *anash, être dangereusement malade.* Dieu n'avait point donné ce nom à notre premier père; il l'appela simplement Adam, *terre rouge* ou *limon.* Ce ne fut qu'après le péché, que la postérité d'Adam prit ce nom d'*Enosh,* ou d'*homme,* qui convenait si parfaitement à ses misères, et qui rappelait d'une manière bien éloquente et la faute et le châtiment. Peut-être, dans un mouvement d'angoisse, Adam, témoin des labeurs de son épouse, et recevant dans ses bras Caïn, son premier-né, l'éleva vers le ciel, en s'écriant : *Enosh! ô douleur!* Triste exclamation, par laquelle on aura, dans la suite, désigné la race humaine.

CHAPITRE III

CONSTITUTION PRIMITIVE DE L'HOMME

NOUVELLE PREUVE DU PÉCHÉ ORIGINEL

Nous avons rappelé, au sujet du Baptême et de la Rédemption, quelques preuves morales du péché originel. Il ne faut pas glisser trop légèrement sur une matière aussi importante. « Le nœud de notre condition, dit Pascal, prend ses retours et ses replis dans cet abîme, de sorte que l'homme est plus inconcevable sans ce mystère que ce mystère n'est inconcevable à l'homme[1]. »

Il nous semble qu'on peut tirer de l'ordre de l'univers une preuve nouvelle de notre dégénération primitive.

Si l'on jette un regard sur le monde, on remarquera que, par une loi générale et en même temps particulière, les parties intégrantes, les mouvements intérieurs ou extérieurs, et les qualités des êtres, sont en un rapport parfait. Ainsi, les corps célestes accomplissent leurs révolutions dans une admirable unité, et chaque corps, sans se contrarier soi-même, décrit en particulier la courbe qui lui est propre. Un seul globe nous donne la lumière et la chaleur : ces deux accidents ne sont point répartis entre deux sphères : le soleil les confond dans son orbe, comme Dieu, dont il est l'image, unit au principe qui féconde le principe qui éclaire.

Dans les animaux, même loi : leurs *idées*, si on peut les appeler ainsi, sont toujours d'accord avec leurs *sentiments*, leur *raison* avec leurs *passions*. C'est pourquoi il n'y a chez eux ni accroissement, ni diminution d'intelligence. Il sera aisé de suivre cette règle des accords, dans les plantes et dans les minéraux.

Par quelle incompréhensible destinée l'homme seul est-il excepté de cette loi, si nécessaire à l'ordre, à la conservation, à la paix, au bonheur des êtres ? Autant l'harmonie des qualités et des mouvements est visible dans le reste de la nature, autant leur désunion est frappante dans l'homme. Un choc perpétuel existe entre son entendement et son désir, entre sa raison et son cœur.

_____
1. *Pens. de Pascal*, ch. III, pens. 8.

Quand il atteint au plus haut degré de civilisation, il est au dernier échelon de la morale : s'il est libre, il est grossier; s'il polit ses mœurs, il se forge des chaînes. Brille-t-il par les sciences, son imagination s'éteint; devient-il poète, il perd la pensée : son cœur profite aux dépens de sa tête, et sa tête aux dépens de son cœur. Il s'appauvrit en idées, à mesure qu'il s'enrichit en sentiments; il se resserre en sentiments, à mesure qu'il s'étend en idées. La force le rend sec et dur; la faiblesse lui amène les grâces. Toujours une vertu lui conduit un vice, et toujours, en se retirant, un vice lui dérobe une vertu. Les nations, considérées dans leur ensemble, présentent les mêmes vicissitudes : elles perdent et recouvrent tour à tour la lumière. On dirait que le génie de l'homme, un flambeau à la main, vole incessamment autour de ce globe, au milieu de la nuit qui nous couvre; il se montre aux quatre parties de la terre, comme cet astre nocturne, qui, croissant et décroissant sans cesse, diminue à chaque pas pour un peuple la clarté qu'il augmente pour un autre.

Il est donc raisonnable de soupçonner que l'homme, dans sa constitution primitive, ressemblait au reste de la création, et que cette constitution se formait du parfait accord du sentiment et de la pensée, de l'imagination et de l'entendement. On en sera peut-être convaincu, si l'on observe que cette réunion est encore nécessaire aujourd'hui pour goûter une ombre de cette félicité que nous avons perdue. Ainsi, par la seule chaîne du raisonnement et les probabilités de l'analogie, le péché originel est retrouvé, puisque l'homme, tel que nous le voyons, n'est vraisemblablement pas l'homme primitif. Il contredit la nature : déréglé quand tout est réglé, double quand tout est simple, mystérieux, changeant, inexplicable, il est visiblement dans l'état d'une chose qu'un accident a bouleversée : c'est un palais écroulé et rebâti avec ses ruines : on y voit des parties sublimes et des parties hideuses, de magnifiques péristyles qui n'aboutissent à rien, de hauts portiques et des voûtes abaissées, de fortes lumières et de profondes ténèbres : en un mot la confusion, le désordre de toutes parts, surtout au sanctuaire.

Or, si la constitution primitive de l'homme consistait dans les accords, ainsi qu'ils sont établis dans les autres êtres; pour détruire un état dont la nature est l'harmonie, il suffit d'en altérer les contrepoids. La partie aimante et la partie pensante formaient en nous cette balance précieuse. Adam était à la fois le plus éclairé et le meilleur des hommes, le plus puissant en pensée et le plus puissant en amour. Mais tout ce qui est créé a nécessairement une marche progressive. Au lieu d'attendre de la révolution des siècles des *connaissances nouvelles*, qu'il n'aurait reçues qu'avec des *sentiments* nouveaux, Adam voulut tout connaître à la fois. Et remarquez une chose importante : l'homme pouvait détruire l'harmonie de son être de deux manières, ou en voulant trop *aimer*, ou en voulant trop *savoir*. Il pécha seulement par la seconde : c'est qu'en effet nous avons beaucoup plus l'orgueil des sciences que l'orgueil de l'amour : celui-ci aurait été plus digne de pitié que de châtiment; et si Adam s'était rendu coupable pour avoir voulu trop *sentir* plutôt que de trop *concevoir*, l'homme peut-être eût pu se racheter lui-même, et le Fils de l'Eternel n'eût point été obligé de s'immoler. Mais il en fut autrement : Adam chercha à comprendre l'univers, non avec le sentiment, mais avec la pensée; et toùchant à l'arbre de science, il admit dans son entendement un rayon trop fort de lumière. A l'instant l'équilibre se rompt, la confusion s'empare de l'homme. Au lieu de la clarté qu'il s'était promise, d'épaisses ténèbres couvrent sa vue : son péché s'étend comme un voile entre lui et l'univers. Toute son âme se trouble et se soulève; les passions combattent le jugement, le jugement cherche à anéantir les passions; et dans cette tempête effrayante, l'écueil de la mort vit avec joie le premier naufrage.

Tel fut l'accident qui changea l'harmonieuse et immortelle constitution de l'homme. Depuis ce jour, les éléments de son être sont restés épars, et n'ont pu se réunir. L'habitude, nous dirions presque l'amour du tombeau, que la matière a contractée, détruit tout projet de réhabilitation dans ce monde, parce que nos années ne sont pas assez longues pour que nos efforts vers la perfection première puissent jamais nous y faire remonter[1].

---

1. Et c'est en ceci que le système de *perfectibilité* est tout à fait défectueux. On ne s'aperçoit pas que si l'esprit gagnait toujours en lumières, et le cœur en sentiments ou en vertus morales, l'homme, dans un temps donné, se retrouvant au point d'où il est parti, serait de nécessité immortel; car, tout principe de *division* venant à manquer en lui, tout principe de *mort* cesserait. Il faut attribuer la longévité des patriarches, et le don de prophétie chez les Hébreux, à un rétablissement plus ou moins grand des équilibres de la nature humaine. Ainsi les matérialistes qui soutiennent le système de *perfectibilité* ne

Mais comment le monde aurait-il pu contenir toutes les races, si elles n'avaient point été sujettes à la mort ? Ceci n'est plus qu'une affaire d'imagination ; c'est demander à Dieu compte de ses moyens qui sont infinis. Qui sait si les hommes eussent été aussi multipliés qu'ils le sont de nos jours ? Qui sait si la plus grande partie des générations ne fût point demeurée vierge [1], ou si ces millions d'astres qui roulent sur nos têtes, ne nous étaient point réservés comme des retraites délicieuses où nous eussions été transportés par les anges ? On pourrait même aller plus loin : il est impossible de calculer à quelle hauteur d'arts et de sciences l'homme parfait et toujours vivant sur la terre, eût pu atteindre. S'il s'est rendu maître de bonne heure de trois éléments ; si, malgré les plus grandes difficultés, il dispute aujourd'hui l'empire des airs aux oiseaux, que n'eût-il point tenté dans sa carrière immortelle ? La nature de l'air, qui forme aujourd'hui un obstacle invincible au changement de planète, était peut-être différente avant le déluge. Quoi qu'il en soit, il n'est pas indigne de la puissance de Dieu et de la grandeur de l'homme, de supposer que la race d'Adam fut destinée à parcourir les espaces, et à animer tous ces soleils qui, privés de leurs habitants par le péché, ne sont restés que d'éclatantes solitudes.

s'entendent pas eux-mêmes, puisqu'en effet cette doctrine, loin d'être celle du *matérialisme*, ramène aux idées les plus mystiques de la *spiritualité*.

1. C'est l'opinion de saint Chrysostome. Il prétend que Dieu eût trouvé des moyens de génération qui nous sont inconnus. Il y a, dit-il, devant le trône de Dieu une multitude d'anges qui ne sont point nés par la voie des hommes. *De Virginit*. lib. II.

LIVRE QUATRIÈME

OBJECTIONS CONTRE LE SYSTÈME DE MOÏSE

CHAPITRE PREMIER

CHRONOLOGIE

Depuis que quelques savants ont avancé que le monde portait, dans l'histoire de l'homme, ou dans celle de la nature, des marques d'une trop grande antiquité, pour avoir l'origine moderne que lui donne la Bible, on s'est mis à citer Sanchoniathon, Porphyre, les livres Sanscrits, etc. Ceux qui font valoir ces autorités, les ont-ils toujours consultées dans leurs sources ?

D'abord, il est un peu téméraire de vouloir nous persuader qu'Origène, Eusèbe, Bossuet, Pascal, Fénelon, Bacon, Newton, Leibniz, Huet, et tant d'autres, étaient ou des ignorants, ou des simples, ou des pervers parlant contre leur conviction intime. Cependant ils ont cru à la vérité de l'histoire de Moïse, et l'on ne peut disconvenir que ces hommes n'eussent une doctrine, auprès de laquelle notre érudition est bien peu de chose.

Mais, pour commencer par la chronologie, les savants modernes ont donc dévoré, en se jouant, les insurmontables difficultés qui ont fait pâlir Scaliger, Petau, Usher, Grotius ? Ils riraient de notre ignorance, si nous leur demandions quand ont commencé les olympiades ; comment elles s'accordent avec les manières de compter par archontes, par éphores, par édiles, par consuls, par règnes, jeux pythiques, néméens, séculaires ; comment se réunissent tous les calendriers des nations ; de quelle manière il faut opérer pour faire tomber l'ancienne année de Romulus, de dix mois et de 354 jours, avec l'année de Numa, de 355 jours, et celle de Jules César de 365 ; par quel moyen on évitera les erreurs, en rapportant ces mêmes années à la commune année attique de 354 jours, et à l'année embolismique de 384 ?

Et pourtant ce ne sont pas là les seules perplexités touchant les années. L'ancienne année juive n'avait que

354 jours; on ajoutait quelquefois douze jours à la fin
de l'an, et quelquefois un mois de trente jours après le
mois Adar, afin d'avoir l'année solaire. L'année juive
moderne compte douze mois, et prend sept années de
treize mois en dix-neuf ans. L'année syriaque varie
également, et se forme de 365 jours. L'année turque ou
arabe reconnaît 354 jours, et reçoit onze mois interca-
laires, en vingt-neuf ans. L'année égyptienne se divise
en douze mois de trente jours, et ajoute cinq jours au
dernier; l'année persane, nommée yezdegerdic, lui ressemble[1].

Outre ces mille manières de mesurer les temps, toutes
ces années n'ont ni les mêmes commencements, ni les
mêmes heures, ni les mêmes jours, ni les mêmes divisions.
L'année civile des Juifs (ainsi que toutes celles des Orientaux) s'ouvre à la nouvelle lune de septembre, et leur
année ecclésiastique à la nouvelle lune de mars. Les
Grecs comptent le premier mois de leur année, de la
nouvelle lune qui suit le solstice d'été. C'est à notre mois
de juin que correspond le premier mois de l'année des
Perses, et la Chine et l'Inde partent de la première lune
de mars. Nous voyons ensuite des mois astronomiques
et civils qui se subdivisent en lunaires et solaires, en
synodiques et périodiques; nous voyons des sections de
mois en kalendes, ides, décades, semaines; nous voyons
des jours de deux espèces, artificiels et naturels, et qui
commencent : ceux-ci, au soleil levant, comme chez les
anciens Babyloniens, Syriens, Perses; ceux-là, au soleil
couchant, ainsi qu'en Chine, dans l'Italie moderne, et
comme autrefois chez les Athéniens, les Juifs, et les
Barbares du Nord. Les Arabes commencent leurs jours
à midi, et la France actuelle à minuit, de même que
l'Angleterre, l'Allemagne, l'Espagne et le Portugal.
Enfin, il n'y a pas jusqu'aux heures qui ne soient embarrassantes en chronologie, en se distinguant en babylo-
niennes, italiennes et astronomiques; et si l'on voulait
insister davantage, nous ne verrions plus soixante
minutes dans une heure européenne, mais mille quatre-
vingts scrupules dans l'heure chaldéenne et arabe.

On a dit que la chronologie est le flambeau de l'his-

---

1. La seconde année persane, appelée gélaléan, et qui commença
l'an du monde 1089, est la plus exacte des années civiles, en ce qu'elle
ramène les solstices et les équinoxes précisément aux mêmes jours.
Elle se compose au moyen d'une intercalation répétée six ou sept fois
dans quatre, et ensuite une fois dans cinq ans.

toire[1] : plût à Dieu que nous n'eussions que celui-là pour nous éclairer sur les crimes des hommes! Que serait-ce, si, pour surcroît de perplexité, nous allions nous engager dans les périodes, les ères ou les époques ? La période victorienne, qui parcourt cinq cent trente-deux années, est formée de la multiplication des cycles du soleil et de la lune. Les mêmes cycles, multipliés par celui d'indiction, produisent les sept mille neuf cent quatre-vingts années de la période julienne. La période de Constantinople, à son tour, renferme un égal nombre d'années à celui de la période julienne, mais ne commence pas à la même époque. Quant aux ères, ici on compte par l'année de la création[2], là par olympiade[3], par la fondation de Rome[4], par la naissance de Jésus-Christ, par l'époque d'Eusèbe, par celle des Séleucides[5], celle de Nabonassar[6], celle des martyrs[7]. Les Turcs ont leur hégire[8], les Persans leur yezdegerdic[9]. On compute encore par les ères julienne, grégorienne, ibérienne[10], et actienne[11]. Nous ne parlerons point des marbres d'Arundel, des médailles et des monuments de toutes les sortes, qui introduisent de nouveaux désordres dans la chronologie. Est-il un homme de bonne foi, qui, en jetant seulement un coup d'œil sur ces pages, ne convienne que tant de manières indécises de calculer les temps, suffisent pour faire de l'histoire un épouvantable chaos ? Les annales des Juifs, de l'aveu même des savants, sont les seules dont la chronologie soit simple, régulière et lumineuse. Pourquoi donc aller, par un zèle ardent d'impiété, se consumer l'esprit sur des chicanes de temps, aussi arides qu'indéchiffrables, lorsque nous avons le fil le plus certain pour nous guider dans l'histoire ? Nouvelle évidence en faveur des Ecritures.

---

1. *Voyez* la note VII à la fin du volume.
2. Cette époque se subdivise en grecque, juive, alexandrine, etc.
3. Les historiens grecs.
4. Les historiens latins.
5. L'historien Josèphe.
6. Ptolémée et quelques autres.
7. Les premiers chrétiens jusqu'en 532, A. D., et de nos jours par les chrétiens d'Abyssinie et d'Egypte.
8. Les Orientaux ne la placent pas comme nous.
9. Nom d'un roi de Perse, tué dans une bataille contre les Sarrasins, l'an de notre ère 632.
10. Suivie dans les conciles et sur les vieux monuments de l'Espagne.
11. Qui tire son nom de la bataille d'Actium, et dont se sont servis Ptolémée, Josèphe, Eusèbe et Censorius.

CHAPITRE II

LOGOGRAPHIE ET FAITS HISTORIQUES

Après les objections chronologiques contre la Bible, viennent celles qu'on prétend tirer des faits même de l'histoire. On rapporte la tradition des prêtres de Thèbes, qui donnait dix-huit mille ans au royaume d'Egypte, et l'on cite la liste des dynasties de ces rois, qui existe encore.

Plutarque, qu'on ne soupçonnera pas de *christianisme*, se chargera d'une partie de la réponse. « Encore, dit-il, en parlant des Egyptiens, que leur année ait été de quatre mois, selon quelques auteurs, elle n'était d'abord composée que d'un seul, et ne contenait que le cours d'une seule lune. Et ainsi, faisant d'un seul mois une année, cela est cause que le temps qui s'est écoulé depuis leur origine, paraît extrêmement long; et que, bien qu'ils habitent nouvellement leur pays, ils passent pour les plus anciens des peuples [1]. » Nous savons d'ailleurs par Hérodote[2], Diodore de Sicile[3], Justin[4], Jablonsky[5], Strabon[6], que les Egyptiens mettent leur orgueil à égarer leur origine dans les temps, et, pour ainsi dire, à cacher leur berceau sous les siècles.

Le nombre de leurs règnes ne peut guère embarrasser. On sait que les dynasties égyptiennes sont composées de rois contemporains; d'ailleurs le même mot, dans les langues orientales, se lit de cinq ou six manières différentes, et notre ignorance a souvent fait de la même personne cinq ou six personnages divers [7]. Et c'est aussi ce qui est arrivé par rapport aux traductions d'un seul

1. Plut. *in Num.* 30.
2. Herodot. lib. II.
3. Diod. lib. I.
4. Just. lib. I.
5. Jablonsk. *Panth. Egypt.* lib. II.
6. Strab. lib. XVII.
7. Pour citer un exemple entre mille, le monogramme de *Fo-hi*, divinité des Chinois, est exactement le même que celui de *Menès*, divinité de l'Egypte; et il est assez prouvé d'ailleurs que les caractères orientaux ne sont que des signes généraux d'idées, que chacun traduit dans sa langue, comme le chiffre arabe parmi nous. Ainsi, par exemple, l'Italien prononce *duodecimo*, le même nombre que l'Anglais exprime par le mot *twelve*, et que le Français rend par celui de *douze*.

nom. L'*Athoth* des Egyptiens est traduit dans Eratosthène par Ερμογενες, ce qui signifie en grec le *lettré*, comme *Athoth* l'exprime en égyptien : on n'a pas manqué de faire deux rois d'*Athoth* et d'*Hermès*, ou *Hermogènes*. Mais l'Athoth de Manethon se multiplie encore; il devient *Thoth* dans Platon, et le Texte de Sanchoniathon prouve en effet que c'est le nom primitif. La lettre *A* est une de ces lettres qu'on retranche et qu'on ajoute à volonté dans les langues orientales : ainsi l'historien Josèphe traduit par *Apachnas*, le nom du même homme qu'Africanus appelle *Pachnas*. Voici donc *Thoth* ; *Athoth, Hermès*, ou *Hermogènes*, ou *Mercure*, cinq hommes fameux qui vont composer entre eux près de deux siècles; et cependant ces *cinq* rois n'étaient qu'un *seul* Egyptien, qui n'a peut-être pas vécu soixante ans [1].

Après tout, qu'est-il besoin de s'appesantir sur des disputes logographiques, lorsqu'il suffit d'ouvrir l'histoire, pour se convaincre de l'origine moderne des hommes ? On a beau former des complots avec des siècles

---

1. Des personnes, qui pouvaient d'ailleurs être fort instruites, ont accusé les Juifs d'avoir corrompu les noms historiques. Comment ne savent-elles pas que ce sont les Grecs, au contraire, qui ont défiguré tous les noms d'hommes et de lieux, et en particulier ceux d'Orient * ? Les Grecs, à cet égard comme à beaucoup d'autres, ressemblaient fort aux Français. Croit-on que si *Livius* revenait au monde, il se reconnût sous le nom de *Tite-Live* ? Il y a plus : *Tyr* porte encore aujourd'hui, parmi les Orientaux, le nom d'*Asur*, de *Sour* ou de *Sur*. Les Athéniens eux-mêmes devaient prononcer *Tur* ou *Tour*; puisque cette lettre, qu'il nous plaît d'appeler *y grec*, et de faire siffler comme un *i*, n'est autre que l'*upsilon*, ou l'*u parvum* des Grecs.

Il n'est pas plus difficile de retrouver *Darius* dans *Assuerus*. L'A initial n'est pas d'abord, comme nous l'avons dit, qu'une de ces lettres mobiles, tantôt souscrites, tantôt supprimées. Reste donc *Suerus*. Or, le *delta* ou le D majuscule des Grecs, se rapproche du *sameck* ou de l'S majuscule des Hébreux. Le premier est un triangle, et le second un parallélogramme obtusangle, souvent même un parallélogramme curviligne, à base rectiligne. Le *delta*, dans les vieux manuscrits, sur les médailles et sur les monuments, n'est presque jamais fermé dans ses angles. L'S hébraïque s'est donc transformée en D chez les Grecs; changement de lettres si commun dans toute l'antiquité.

Si vous joignez à ces erreurs de figures les erreurs de prononciation, vous aurez une grande probabilité de plus. Supposons qu'un Français, entendant le mot *through (à travers)* dans la bouche d'un Anglais, voulût le prononcer et l'écrire sans connaître la puissance et la forme du *th*, il écrirait nécessairement ou *zrou*, ou *dsrou*, ou simplement *trou*. Il en est ainsi du *sameck* ou de l'S en hébreu. Le son de cette lettre, en suivant les points massorétiques, est mixte et participe fortement du D. Les Grecs, qui avaient le *th* comme les Anglais,

---

* VID. Boch. Geog. Sac. Cumb. ou *Sanch*. Saur. SUR LA BIBLE. Danet, Bayle, etc.

inventés, dont le temps n'est point le père; on a beau
multiplier et *supposer* la mort pour en emprunter des
ombres, tout cela n'empêche pas que le genre humain
ne soit que d'hier. Les noms des inventeurs des arts nous
sont aussi familiers que ceux d'un frère ou d'un aïeul.
C'est *Hypsuranius* qui bâtit ces huttes de roseaux où
logea la primitive innocence; *Usoüs* couvrit sa nudité de
peaux de bêtes, et affronta la mer sur un tronc d'arbre [1],
Tubalcaïn mit le fer dans la main des hommes [2]; Noé
ou Bacchus planta la vigne, Caïn ou Triptolème courba
la charrue, Agrotès [3] ou Cérès recueillit la première moisson. L'histoire, la médecine, la géométrie, les beaux-
arts, les lois ne sont pas plus anciennement au monde,
et nous le devons à Hérodote, Hippocrate, Thalès,
Homère, Dédale, Minos. Quant à l'origine des rois et
des villes, l'histoire nous en a été conservée par Moïse,
Platon, Justin et quelques autres, et nous savons quand
et pourquoi les diverses formes de gouvernement se sont
établies chez les peuples [4].

Que si pourtant on est étonné de trouver tant de grandeur et de magnificence dans les premières cités de l'Asie,
cette difficulté cède sans peine à une observation tirée
du génie des Orientaux. Dans tous les âges, ces peuples
ont bâti des villes immenses, sans qu'on en puisse rien
conclure en faveur de leur civilisation, et conséquemment
de leur antiquité. L'Arabe, échappé des sables brûlants
où il s'estimait heureux d'enfermer une ou deux toises
d'ombre sous une tente de peaux de brebis, cet Arabe
a élevé presque sous nos yeux des cités gigantesques;
vastes métropoles où ce citoyen des déserts semble avoir
voulu enclore la solitude. Les Chinois, si peu avancés
dans les arts, ont aussi les plus grandes villes du globe,
avec des jardins, des murailles, des palais, des lacs, des

---

mais non pas l'S, comme les Israélites, ont dû prononcer et écrire
Duerus au lieu de *Suerus.* De *Duerus* à *Darius,* la conversion est
facile; car on sait que les voyelles sont à peu près nulles en étymologie,
puisqu'il est vrai que chaque peuple en varie les sons à l'infini. Lorsqu'on veut être plaisant aux dépens de la religion, de la morale universelle, du repos des nations et du bonheur général des hommes,
avant de se livrer à une gaieté si funeste, il faudrait au moins être bien
sûr de ne pas tomber soi-même dans de grandes ignorances.

   1. Sanch. ap. Eus. *Præparat. Evang.* lib. I, cap. 10.
   2. *Gen.* cap. 4, v. 22.
   3. Sanch. *loc. cit.*
   4. *Vid.* Moys. *Pent.* Plat. *de Leg. et Tim.* Just. lib. II. Herod. Plut.
in Thes. Num. Lycurg. Sol., etc.

canaux artificiels, comme ceux de l'ancienne Babylone [1]. Nous-mêmes enfin, ne sommes-nous pas un exemple frappant de la rapidité avec laquelle les peuples se civilisent ? Il n'y a guère plus de douze siècles que nos ancêtres étaient aussi barbares que les Hottentots, et nous surpassons aujourd'hui la Grèce dans les raffinements du goût, du luxe et des arts.

La logique générale des langues ne peut fournir aucune raison valide en faveur de l'ancienneté des hommes. Les idiomes du primitif Orient, loin d'annoncer des peuples vieillis en société, décèlent au contraire des hommes fort près de la nature. Le mécanisme en est d'une extrême simplicité : l'hyperbole, l'image, les figures poétiques, s'y reproduisent sans cesse, tandis qu'on y trouve à peine quelques mots pour la métaphysique des idées. Il serait impossible d'énoncer clairement en hébreu la théologie des dogmes chrétiens [2]. Ce n'est que chez les Grecs et chez les Arabes modernes qu'on rencontre les termes composés, propres au développement des abstractions de la pensée. Tout le monde sait qu'Aristote est le premier philosophe qui ait inventé des catégories, où les idées viennent se ranger de force, quelle que soit leur classe ou leur nature [3].

Enfin, l'on prétend qu'avant que les Egyptiens eussent bâti ces temples dont il nous reste de si belles ruines, les peuples pasteurs gardaient déjà leurs troupeaux sur d'autres ruines laissées par une nation inconnue : ce qui supposerait une très grande antiquité.

Pour décider cette question, il faudrait savoir au juste qui étaient et d'où venaient les peuples pasteurs. M. Bruce, qui voyait tout en Ethiopie, les fait sortir de ce pays. Et cependant, les Ethiopiens, loin de pouvoir

---

1. *Vid.* le P. du Hald. *Hist. de la Ch. Lettr. édif.* Lord Mac. *Amb. to Ch.* etc.

2. On s'en peut assurer en lisant les Pères qui ont écrit en syriaque, tels que saint Ephrem, diacre d'Edesse.

3. Si les langues demandent tant de temps pour leur entière confection, pourquoi les Sauvages du Canada ont-ils des dialectes si subtils et si compliqués ? Les verbes de la langue huronne ont toutes les inflexions des verbes grecs. Ils se distinguent, comme les derniers, par la caractéristique, l'augment, etc.; ils ont trois modes, trois genres, trois nombres, et par-dessus tout cela, un certain dérangement de lettres, particulier aux verbes des langues orientales. Mais ce qu'ils ont de plus inconcevable, c'est un quatrième pronom personnel qui se place entre la seconde et la troisième personne, au singulier et au pluriel. Nous ne connaissons rien de pareil dans les langues mortes ou vivantes dont nous pouvons avoir quelque teinture.

répandre au-dehors des colonies, étaient eux-mêmes, à cette époque, un peuple nouvellement établi. *Æthiopes*, dit Eusèbe, *ab Indo flumine consurgentes, juxtà Ægyptym consederunt*. Manethon, dans sa sixième dynastie, appelle les pasteurs Φοινιϰες ζενοι, *Phéniciens étrangers*. Eusèbe place leur arrivée en Egypte sous le règne d'Aménophis; d'où il faut tirer ces deux conséquences : 1º. que l'Egypte n'était pas alors barbare, puisque Inachus, Egyptien, portait vers ce temps-là les lumières dans la Grèce; 2º. que l'Egypte n'était pas couverte de ruines, puisque Thèbes était bâtie, puisque Aménophis était père de ce Sésostris qui éleva la gloire des Egyptiens à son comble. Au rapport de l'historien Josèphe, ce fut Thetmosis qui contraignit les pasteurs à abandonner entièrement les bords du Nil[1].

Mais quels nouveaux arguments n'aurait-on point formés contre l'Ecriture, si on avait connu un autre prodige historique qui tient également à des ruines, hélas! comme toute l'histoire des hommes ? On a découvert depuis quelques années, dans l'Amérique septentrionale, des monuments extraordinaires sur les bords du Muskingum, du Miami, du Wabache, de l'Ohio, et surtout de Scioto[2], où ils occupent un espace de plus de vingt lieues en longueur. Ce sont des murs en terre avec des fossés, des glacis, des lunes, demi-lunes et de grands cônes qui servent de sépulcres. On a demandé, mais sans succès, quel peuple a laissé de pareilles traces. L'homme est suspendu dans le présent, entre le passé et l'avenir, comme sur un rocher entre deux gouffres; derrière lui, devant lui, tout est ténèbres; à peine aperçoit-il quelques fantômes qui, remontant du fond des deux abîmes, surnagent un instant à leur surface, et s'y replongent.

Quelles que soient les conjectures sur ces ruines américaines, quand on y joindrait les visions d'un monde primitif, et les chimères d'une Atlantide, la nation

----

1. Maneth. ad Joseph. et Afric Herod. I. II, c. 100. Diod. lib. I, Ps. 48. Euseb. *Chron.* lib. I, p. 13.

Au reste, l'invasion de ces peuples, rapportée par les auteurs profanes, nous explique ce qu'on lit dans la Genèse au sujet de Jacob et de ses fils : *Ut habitare possitis in terrâ Gessen, quia detestantur Ægyptii omnes pastores ovium.* (Gen. cap. XLVI, v. 34).

D'où l'on peut aussi deviner le nom grec du Pharaon sous lequel Israël entra en Egypte, et le nom du second Pharaon sous lequel il en sortit. L'Ecriture, loin de contrarier les autres histoires, leur sert au contraire de preuve.

2. *Voyez* la note VIII à la fin du volume.

civilisée qui a peut-être promené la charrue dans la plaine
où l'Iroquois poursuit aujourd'hui son ours, n'a pas eu
besoin, pour consommer ses destinées, d'un temps plus
long que celui qui a dévoré les empires de Cyrus,
d'Alexandre et de César. Heureux du moins ce peuple
qui n'a point laissé de nom dans l'histoire, et dont l'héritage n'a été recueilli que par les chevreuils des bois et les
oiseaux du ciel! Nul ne viendra renier le Créateur dans
ces retraites sauvages, et, la balance à la main, peser la
poudre des morts, pour prouver l'éternité de la race
humaine.

Pour moi, amant solitaire de la nature, et simple
confesseur de la Divinité, je me suis assis sur ces ruines.
Voyageur sans renom, j'ai causé avec ces débris comme
moi-même ignorés. Les souvenirs confus des hommes, et
les vagues rêveries du désert se mêlaient au fond de mon
âme. La nuit était au milieu de sa course : tout était muet,
et la lune, et les bois, et les tombeaux. Seulement, à longs
intervalles, on entendait la chute de quelque arbre que la
hache du temps abattait, dans la profondeur des forêts :
ainsi tout tombe, tout s'anéantit.

Nous ne nous croyons pas obligés de parler sérieusement des *quatre jogues*, ou âges indiens, dont le premier
a duré trois millions deux cent mille ans, le second un
million d'années, le troisième seize cent mille ans, et le
quatrième, ou l'âge actuel, qui durera quatre cent mille
ans.

Si l'on joint à toutes ces difficultés de chronologie, de
logographie et de faits, les erreurs qui naissent des passions
de l'historien ou des hommes qui vivent dans ses fastes ;
si l'on y ajoute les fautes de copistes, et mille accidents
de temps et de lieux, il faudra, de nécessité, convenir
que toutes les raisons en faveur de l'antiquité du globe
par l'histoire, sont aussi peu satisfaisantes qu'inutiles à
rechercher. Et certes, on ne peut nier que c'est assez mal
établir la durée du monde, que d'en prendre la base dans
la vie humaine. Quoi ! c'est par la succession rapide
d'ombres d'un moment, que l'on prétend nous démontrer
la permanence et la réalité des choses ! c'est par des
décombres qu'on veut nous prouver une société sans
commencement et sans fin ! Faut-il donc beaucoup de
jours pour amasser beaucoup de ruines ? Que le monde
serait vieux, si l'on comptait ses années par ses débris !

CHAPITRE III

ASTRONOMIE

On cherche dans l'histoire du firmament les secondes preuves de l'antiquité du monde et des erreurs de l'Écriture. Ainsi, les *cieux qui racontent la gloire du Très-Haut* à tous les hommes, et dont le *langage est entendu de tous les peuples* [1], ne disent rien à l'incrédule. Heureusement ce ne sont pas les astres qui sont muets; ce sont les athées qui sont sourds.

L'astronomie doit sa naissance à des pasteurs. Dans les déserts de la création nouvelle, les premiers humains voyaient se jouer autour d'eux leurs familles et leurs troupeaux. Heureux jusqu'au fond de l'âme, une prévoyance inutile ne détruisait point leur bonheur. Dans le départ des oiseaux de l'automne, ils ne remarquaient point la fuite des années, et la chute des feuilles ne les avertissait que du retour des frimas. Lorsque le coteau prochain avait donné toutes ses herbes à leurs brebis, montés sur leurs chariots couverts de peaux, avec leurs fils et leurs épouses, ils allaient à travers les bois chercher quelque fleuve ignoré, où la fraîcheur des ombrages et la beauté des solitudes les invitaient à se fixer de nouveau.

Mais il fallait une boussole, pour se conduire dans ces forêts sans chemins, et le long de ces fleuves sans navigateurs; on se confia naturellement à la foi des étoiles : on se dirigea sur leur cours. Législateurs et guides, ils réglèrent la tonte des brebis et les migrations lointaines. Chaque famille s'attacha aux pas d'une constellation; chaque astre marchait à la tête d'un troupeau. A mesure que les pasteurs se livraient à ces études, ils découvraient de nouvelles lois. En ce temps-là, Dieu se plaisait à dévoiler les routes du soleil aux habitants des cabanes, et la fable raconta qu'Apollon était descendu chez les bergers.

De petites colonnes de briques servaient à conserver le souvenir des observations : jamais plus grand empire n'eut une histoire plus simple. Avec le même instrument dont il avait percé sa flûte, auprès du même autel où il

1. Ps. 18, v. 1-3.

avait immolé le chevreau premier-né, le pâtre gravait sur un rocher ses immortelles découvertes. Il plaçait ailleurs d'autres témoins de cette pastorale astronomie; il échangeait d'annales avec le firmament; et, de même qu'il avait écrit les fastes des étoiles parmi ses troupeaux, il écrivait les fastes de ses troupeaux parmi les étoiles. Le soleil, en voyageant, ne se reposa plus que dans les bergeries; le taureau annonça par ses mugissements le passage du Père du jour, et le bélier l'attendit, pour le saluer au nom de son maître. On vit au ciel des vierges, des enfants, des épis de blé, des instruments de labourage, des agneaux, et jusqu'au chien du berger : la sphère entière devint comme une grande maison rustique, habitée par le pasteur des hommes.

Ces beaux jours s'évanouirent; les hommes en gardèrent une mémoire confuse, dans ces histoires de l'âge d'or, où l'on trouve le règne des astres mêlé à celui des troupeaux. L'Inde est encore aujourd'hui astronome et pastorale, comme l'Egypte l'était autrefois. Cependant, avec la corruption naquit la propriété, et avec la propriété, la mensuration, second âge de l'astronomie. Mais, par une destinée assez remarquable, ce furent encore les peuples les plus simples qui connurent le mieux le système céleste : le pasteur du Gange tomba dans des erreurs moins grossières que le savant d'Athènes; on eût dit que la muse de l'astronomie avait retenu un secret penchant pour les bergers, ses premières amours.

Durant les longues calamités qui accompagnèrent et qui suivirent la chute de l'empire romain, les sciences n'eurent d'autre retraite que le sanctuaire de cette Eglise qu'elles profanent aujourd'hui avec tant d'ingratitude. Recueillies dans le silence des cloîtres, elles durent leur salut à ces mêmes solitaires qu'elles affectent maintenant de mépriser. Un moine Bacon, un évêque Albert, un cardinal Cusa ressuscitaient dans leurs veilles le génie d'Eudoxe, de Timocharis, d'Hipparque, de Ptolémée. Protégées par les papes qui donnaient l'exemple aux rois, les sciences s'envolèrent enfin de ces lieux sacrés où la religion les avait réchauffées sous ses ailes. L'astronomie renaît de toutes parts : Grégoire XIII réforme le calendrier. Copernic rétablit le système du monde. Tycho-Brahé, au haut de sa tour, rappelle la mémoire des antiques observateurs babyloniens. Képler détermine la forme des orbites planétaires. Mais Dieu confond encore l'orgueil de l'homme, en accordant aux jeux de l'innocence ce qu'il refuse aux recherches de la philosophie : des enfants découvrent le télescope. Galilée perfectionne l'instrument nouveau; alors les chemins de l'immensité s'abrègent, le génie de l'homme abaisse la hauteur des cieux, et les astres descendent pour se faire mesurer.

Tant de découvertes en annonçaient de plus grandes encore, et l'on était trop près du sanctuaire de la nature pour qu'on fût longtemps sans y pénétrer. Il ne manquait plus que des méthodes propres à décharger l'esprit des calculs énormes dont il était écrasé. Bientôt Descartes osa transporter au grand Tout les lois physiques de notre globe; et, par un de ces traits de génie dont on compte à peine quatre ou cinq dans l'histoire, il força l'algèbre à s'unir à la géométrie, comme la parole à la pensée. Newton n'eut plus qu'à mettre en œuvre les matériaux que tant de mains lui avaient préparés, mais il le fit en artiste sublime; et des divers plans sur lesquels il pouvait relever l'édifice des globes, il choisit peut-être le dessin de Dieu. L'esprit connut l'ordre que l'œil admirait; les balances d'or, qu'Homère et l'Ecriture donnent au Souverain arbitre, lui furent rendues; la comète se soumit; à travers l'immensité la planète attira la planète; la mer sentit la pression de deux vastes vaisseaux qui flottent à des millions de lieues de sa surface; depuis le soleil jusqu'au moindre atome, tout se maintint dans un admirable équilibre : il n'y eut plus que le cœur de l'homme qui manqua de contrepoids dans la nature.

Qui l'aurait pu penser ? le moment où l'on découvrit tant de nouvelles preuves de la grandeur et de la sagesse de la Providence, fut celui-là même où l'on ferma davantage les yeux à la lumière : non toutefois que ces hommes immortels, Copernic, Tycho-Brahé, Képler, Leibniz, Newton, fussent des athées; mais leurs successeurs, par une fatalité inexplicable, s'imaginèrent tenir Dieu dans leurs creusets et dans leurs télescopes, parce qu'ils y voyaient quelques-uns des éléments sur lesquels l'Intelligence universelle a fondé les mondes. Lorsqu'on a été témoin des jours de notre révolution; lorsqu'on songe que c'est à la vanité du savoir que nous devons presque tous nos malheurs, n'est-on pas tenté de croire que l'homme a été sur le point de périr de nouveau pour avoir porté une seconde fois la main sur le fruit de science ? et que ceci nous soit matière de réflexion sur la faute originelle : *les siècles savants* ont toujours touché aux *siècles de destruction.*

Il nous semble pourtant bien infortuné, l'astronome qui passe les nuits à lire dans les astres sans y découvrir le nom de Dieu. Quoi! dans des figures si variées, dans une si grande diversité de *caractères,* on ne peut trouver les *lettres* qui suffisent à son nom! le problème de la Divinité n'est-il point résolu dans les calculs mystérieux de tant de soleils ? une algèbre aussi brillante ne peut-elle servir à dégager la grande *Inconnue ?*

La première objection astronomique que l'on fait au système de Moïse se tire de la sphère céleste : « Comment le monde est-il si nouveau! s'écrie-t-on. La seule composition de la sphère suppose des millions d'années. »

Aussi est-il vrai que l'astronomie est une des premières sciences que les hommes aient cultivées. M. Bailly prouve que les patriarches, avant Noé, connaissaient la période de six cents ans, l'année de 365 jours 5 heures 51 minutes 36 secondes; enfin qu'ils avaient nommé les six jours de la création d'après l'ordre planétaire [1]. Puisque les races primitives étaient déjà si savantes dans l'histoire du ciel, n'est-il pas très probable que les temps écoulés depuis le déluge ont été plus que suffisants pour nous donner le système astronomique, tel que nous l'avons aujourd'hui ? Il est impossible, d'ailleurs, de rien prononcer de certain sur le temps nécessaire au développement d'une science. Depuis Copernic jusqu'à Newton l'astronomie a plus fait de progrès en moins d'un siècle, qu'elle n'en avait fait auparavant dans le cours de trois mille ans. On peut comparer les sciences à des régions coupées de plaines et de montagnes : on avance à grands pas dans les premières; mais quand on est parvenu aux pieds des secondes, on perd un temps infini à découvrir les sentiers et à franchir les sommets, d'où l'on descend dans l'autre plaine. Il ne faut donc pas conclure que, puisque l'astronomie est restée quatre mille ans dans son âge moyen, elle a dû être des myriades de siècles dans son berceau : cela contredit tout ce qu'on sait de l'histoire et de la marche de l'esprit humain.

La seconde objection se déduit des époques historiques, liées aux observations astronomiques des peuples, et en particulier de celle des Chaldéens et des Indiens.

Nous répondons à l'égard des premières, qu'on sait

---

1. Bail. *Hist. de l'Ast. anc.*

que les sept cent vingt mille ans dont ils se vantaient, se réduisent à mille neuf cent trois ans [1].

Quant aux observations des Indiens, celles qui sont appuyées sur des faits incontestables ne remontent qu'à l'an 3102 avant notre ère. Cette antiquité est sans doute fort grande, mais enfin elle rentre dans des bornes connues. C'est à cette époque que commence la quatrième *jogue*, ou âge indien. M. Bailly, en dépouillant les trois premiers âges et les réunissant au quatrième, démontre que toute la chronologie des Brames se renferme dans un intervalle d'environ soixante-dix siècles [2], ce qui s'accorde parfaitement avec la chronologie des Septante. Il prouve jusqu'à l'évidence, que les fastes des Égyptiens, des Chaldéens, des Chinois, des Perses, des Indiens, se rangent avec une exactitude singulière sous les époques de l'Écriture [3]. Nous citons d'autant plus volontiers M. Bailly, que ce savant est mort victime des principes que nous avons entrepris de combattre. Lorsque cet homme infortuné écrivait, à propos d'*Hypatia*, jeune femme astronome, massacrée par les habitants d'Alexandrie, que *les modernes épargnent au moins la vie, en déchirant la réputation*, il ne se doutait guère qu'il serait lui-même une preuve lamentable de la fausseté de son assertion, et qu'il renouvellerait l'histoire d'*Hypatia* !

Au reste, tous ces calculs infinis de générations et de siècles, que l'on retrouve chez plusieurs peuples, ont leur source dans une faiblesse naturelle du cœur humain. Les hommes qui sentent en eux-mêmes un principe d'immortalité, sont comme tout honteux de la brièveté de leur existence ; il leur semble qu'en entassant tombeaux sur tombeaux, ils cacheront ce vice capital de leur nature, qui est de durer peu, et qu'en ajoutant du néant à du néant, ils parviendront à faire une éternité. Mais ils se trahissent eux-mêmes, et découvrent ce qu'ils prétendent dérober : car plus la pyramide funèbre est élevée, plus la statue vivante placée au sommet diminue, et la vie paraît encore bien plus petite, quand l'énorme fantôme de la Mort l'exhausse dans ses bras.

---

1. Les tables de ces observations, faites à Babylone avant l'arrivée d'Alexandre, furent envoyées par Callisthène à Aristote. *Voyez* Bailly.
2. *Voy.* la note IX à la fin du volume.
3. Bail. *Ast. Ind.* Discours préliminaire, part. II, pag. 126, etc.

CHAPITRE IV

HISTOIRE NATURELLE; DÉLUGE

L'astronomie n'étant donc pas suffisante pour détruire la chronologie de l'Ecriture [1], on revient à l'attaque par l'histoire naturelle : les uns nous parlent de certaines époques où l'univers entier se rajeunit; les autres nient les grandes catastrophes du globe, telles que le déluge universel; ils disent : « Les pluies ne sont que les vapeurs des mers. Or, toutes les mers ne suffiraient pas pour couvrir la terre à la hauteur dont parlent les Ecritures. » Nous pourrions répondre que raisonner ainsi, c'est aller contre ces mêmes lumières, dont on fait tant de bruit, puisque la chimie moderne nous apprend que l'air peut être transmué en eau; alors quel effroyable déluge! Mais nous renonçons volontiers à ces raisons, empruntées des sciences qui rendent compte de tout à l'esprit, sans rendre compte de rien au cœur. Nous nous contenterons de répondre que pour noyer la partie terrestre du globe, il suffit que l'Océan franchisse ses rivages, en entraînant l'eau de ses gouffres. D'ailleurs, hommes présomptueux, avez-vous pénétré dans *les trésors de la grêle* [2], et connaissez-vous les réservoirs de cet abîme où le Seigneur a puisé la mort au jour de ses vengeances ?

Soit que Dieu, soulevant le bassin des mers, ait versé sur les continents l'Océan troublé; soit que, détournant le soleil de sa route, il lui ait commandé de se lever sur le pôle avec des signes funestes, il est certain qu'un affreux déluge a ravagé la terre.

En ce temps-là, la race humaine fut presque anéantie. Toutes les querelles des nations finirent, toutes les révolutions cessèrent. Rois, peuples, armées ennemies sus-

---

1. On rit de Josué qui commande au soleil de s'arrêter. Nous n'aurions pas cru être obligés d'apprendre à notre siècle, que *le soleil n'est pas immobile*, quoique *centre*. On a excusé Josué, en disant qu'il parlait exprès comme le vulgaire; il eût été aussi simple de dire qu'il parlait comme Newton. Si vous vouliez arrêter une montre, vous ne briseriez pas une petite roue, mais le grand ressort, dont le repos fixerait subitement le système.

2. Job. cap. XXXVIII, v. 22.

pendirent leurs haines sanglantes, et s'embrassèrent
saisis d'une mortelle frayeur. Les temples se remplirent
de suppliants, qui avaient peut-être renié la Divinité
toute leur vie; mais la Divinité les renia à son tour, et
bientôt on annonça que l'Océan tout entier était aussi
à la porte des temples. En vain les mères se sauvèrent
avec leurs enfants sur le sommet des montagnes; en
vain l'amant crut trouver un abri pour sa maîtresse dans
la même grotte où il avait trouvé un asile pour ses plaisirs; en vain les amis disputèrent aux ours effrayés la
cime des chênes; l'oiseau même, chassé de branche en
branche par le flot toujours croissant, fatigua inutilement ses ailes sur des plaines d'eau sans rivages. Le soleil,
qui n'éclairait plus que la mort au travers des nues livides,
se montrait terne et violet comme un énorme cadavre
noyé dans les cieux; les volcans s'éteignirent, en vomissant de tumultueuses fumées; et l'un des quatre éléments, le feu, périt avec la lumière.

Ce fut alors que le monde se couvrit d'horribles ombres,
d'où sortaient d'effrayantes clameurs; ce fut alors qu'au
milieu des humides ténèbres, le reste des êtres vivants,
le tigre et l'agneau, l'aigle et la colombe, le reptile et
l'insecte, l'homme et la femme gagnèrent tous ensemble
la roche la plus escarpée du globe : l'Océan les y suivit,
et, soulevant autour d'eux sa menaçante immensité, fit
disparaître sous ses solitudes orageuses le dernier point
de la terre.

Dieu, ayant accompli sa vengeance, dit aux mers de
rentrer dans l'abîme; mais il voulut imprimer sur ce
globe des traces éternelles de son courroux : les dépouilles
de l'éléphant des Indes s'entassèrent dans les régions de la
Sibérie; les coquillages magellaniques vinrent s'enfouir
dans les carrières de la France; des bancs entiers de corps
marins s'arrêtèrent au sommet des Alpes, du Taurus et
des Cordillères, et ces montagnes elles-mêmes furent les
monuments que Dieu laissa dans les trois mondes, pour
marquer son triomphe sur les impies, comme un
monarque plante un trophée dans le champ où il a défait
ses ennemis.

Dieu ne se contenta pas de ces attestations générales
de sa colère passée : sachant combien l'homme perd
aisément la mémoire du malheur, il en multiplia les
souvenirs dans sa demeure. Le soleil n'eut plus pour
trône au matin, et pour lit au soir, que l'élément humide,
où il sembla s'éteindre tous les jours, ainsi qu'au temps

du déluge. Souvent les nuages du ciel imitèrent des vagues amoncelées, des sables ou des écueils blanchissants. Sur la terre, les rochers laissèrent tomber des cataractes : la lumière de la lune, les vapeurs blanches du soir couvrirent quelquefois les vallées des apparences d'une nappe d'eau; il naquit dans les lieux les plus arides des arbres, dont les branches affaissées pendirent pesamment vers la terre, comme si elles sortaient encore toutes trempées du sein des ondes; deux fois par jour la mer reçut ordre de se lever de nouveau dans son lit, et d'envahir ses grèves; les antres des montagnes conservèrent de sourds bourdonnements et des voix lugubres; la cime des bois présenta l'image d'une mer roulante, et l'Océan sembla avoir laissé ses bruits dans la profondeur des forêts.

CHAPITRE V

JEUNESSE ET VIEILLESSE · DE LA TERRE

Nous touchons à la dernière objection sur l'origine moderne du globe. On dit : « La terre est une vieille nourrice, dont tout annonce la caducité. Examinez ses fossiles, ses marbres, ses granits, ses laves, et vous y lirez ses années innombrables [1] marquées par cercle, par couche ou par branche, comme celles du serpent à sa sonnette, du cheval à sa dent, ou du cerf à ses rameaux. »

Cette difficulté a été cent fois résolue par cette réponse : *Dieu a dû créer, et a sans doute créé le monde avec toutes les marques de vétusté et de complément que nous lui voyons.*

En effet, il est vraisemblable que l'auteur de la nature planta d'abord de vieilles forêts et de jeunes taillis; que les animaux naquirent, les uns remplis de jours, les autres parés des grâces de l'enfance. Les chênes, en perçant le sol fécondé, portèrent sans doute à la fois les vieux nids des corbeaux et la nouvelle postérité des colombes. Ver, chrysalide et papillon, l'insecte rampa sur l'herbe, suspendit son œuf d'or aux forêts, ou trembla dans la vague des airs. L'abeille, qui pourtant n'avait

---

1. *Voyez* la note X à la fin du volume.

vécu qu'un matin, comptait déjà son ambroisie par générations de fleurs. Il faut croire que la brebis n'était pas sans son agneau, la fauvette sans ses petits ; que les buissons cachaient des rossignols étonnés de chanter leurs premiers airs, en échauffant les fragiles espérances de leurs premières voluptés.

Si le monde n'eût été à la fois jeune et vieux, le grand, le sérieux, le moral disparaissaient de la nature, car ces sentiments tiennent par essence aux choses antiques. Chaque site eût perdu ses merveilles. Le rocher en ruine n'eût plus pendu sur l'abîme avec ses longues graminées ; les bois, dépouillés de leurs accidents n'auraient point montré ce touchant désordre d'arbres inclinés sur leurs tiges, de troncs penchés sur le cours des fleuves. Les pensées inspirées, les bruits vénérables, les voix magiques, la sainte horreur des forêts, se fussent évanouis avec les voûtes qui leur servent de retraites, et les solitudes de la terre et du ciel seraient demeurées nues et désenchantées, en perdant ces colonnes de chênes qui les unissent. Le jour même où l'Océan épandit ses premières vagues sur ses rives, il baigna, n'en doutons point, des écueils déjà rongés par les flots, des grèves semées de débris de coquillages, et des caps décharnés qui soutenaient, contre les eaux, les rivages croulants de la terre.

Sans cette vieillesse originaire, il n'y aurait eu ni pompe, ni majesté dans l'ouvrage de l'Éternel ; et, ce qui ne saurait être, la nature, dans son innocence, eût été moins belle qu'elle ne l'est aujourd'hui dans sa corruption. Une insipide enfance de plantes, d'animaux, d'éléments eût couronné une terre sans poésie. Mais Dieu ne fut pas un si méchant dessinateur des bocages d'Éden, que les incrédules le prétendent. L'homme-roi naquit lui-même à trente années, afin de s'accorder par sa majesté avec les antiques grandeurs de son nouvel empire, de même que sa compagne compta sans doute seize printemps, qu'elle n'avait pourtant point vécu, pour être en harmonie avec les fleurs, les oiseaux, l'innocence, les amours, et toute la jeune partie de l'univers.

LIVRE CINQUIÈME

EXISTENCE DE DIEU PROUVÉE PAR LES MERVEILLES
DE LA NATURE

CHAPITRE PREMIER

OBJET DE CE LIVRE

Un des principaux dogmes chrétiens nous reste encore à examiner, *l'état des peines et des récompenses dans l'autre vie*. Mais on ne peut traiter cet important sujet, sans parler d'abord des deux colonnes qui soutiennent l'édifice de toutes les religions, *l'existence de Dieu* et *l'immortalité de l'âme*.

Nous sommes d'ailleurs appelé à cette étude par le développement naturel de notre matière, puisque ce n'est qu'après avoir suivi la Foi ici-bas, qu'on peut l'accompagner à ces tabernacles, où elle s'envole, en quittant la terre. Toujours fidèle à notre plan, nous écarterons des preuves de l'existence de Dieu et de l'immortalité de l'âme, les idées abstraites, pour n'employer que les raisons poétiques et les raisons de sentiment, c'est-à-dire les merveilles de la nature et les évidences morales. Platon et Cicéron, chez les anciens, Clarke et Leibniz, chez les modernes, ont prouvé métaphysiquement et presque géométriquement l'existence du Souverain Etre [1]; les plus grands génies, dans tous les siècles, ont admis ce dogme consolateur. Que s'il est rejeté par quelques sophistes, Dieu peut bien exister sans leur suffrage. La mort seule, à quoi les athées veulent tout réduire, a besoin qu'on écrive en faveur de ses droits, car elle a peu de réalité pour l'homme. Laissons-lui donc ses déplorables partisans, qui d'ailleurs ne s'entendent pas même entre eux : car si les hommes qui croient à la Providence s'accordent sur les chefs principaux de leur doctrine, ceux au contraire qui nient le Créateur, ne cessent de se disputer sur les bases de leur néant. Ils ont devant eux un abîme; pour le combler, il ne leur manque que la

1. *Voyez* la note XI à la fin du volume.

pierre du fond, mais ils ne savent où la prendre. De plus, il y a dans l'erreur un certain vice de nature, qui fait que, quand cette erreur n'est pas la nôtre, elle nous choque et nous révolte à l'instant : de là les querelles interminables des athées.

CHAPITRE II

SPECTACLE GÉNÉRAL DE L'UNIVERS

Il est un Dieu; les herbes de la vallée et les cèdres de la montagne le bénissent, l'insecte bourdonne ses louanges, l'éléphant le salue au lever du jour, l'oiseau le chante dans le feuillage, la foudre fait éclater sa puissance, et l'Océan déclare son immensité. L'homme seul a dit : il n'y a point de Dieu.

Il n'a donc jamais, celui-là, dans ses infortunes, levé les yeux vers le ciel, ou, dans son bonheur, abaissé ses regards vers la terre ? La nature est-elle si loin de lui, qu'il ne l'ait pu contempler, ou la croit-il le simple résultat du hasard ? Mais quel hasard a pu contraindre une matière désordonnée et rebelle à s'arranger dans un ordre si parfait ?

On pourrait dire que l'homme est *la pensée manifestée de Dieu*, et que l'univers est *son imagination rendue sensible*. Ceux qui ont admis la beauté de la nature comme preuve d'une intelligence supérieure, auraient dû faire remarquer une chose qui agrandit prodigieusement la sphère des merveilles : c'est que le mouvement et le repos, les ténèbres et la lumière, les saisons, la marche des astres, qui varient les décorations du monde, ne sont pourtant successifs qu'en apparence, et sont permanents en réalité. La scène qui s'efface pour nous, se colore pour un autre peuple; ce n'est pas le spectacle, c'est le spectateur qui change. Ainsi Dieu a su réunir dans son ouvrage la durée *absolue* et la durée *progressive* : la première est placée dans le *temps*, la seconde dans l'*étendue* : par celle-là, les grâces de l'univers sont unes, infinies, toujours les mêmes; par celle-ci, elles sont multiples, finies et renouvelées : sans l'une, il n'y eût point eu de grandeur dans la création; sans l'autre, il y eût eu monotonie.

Ici le temps se montre à nous sous un rapport nouveau ; la moindre de ses fractions devient un *tout complet*, qui comprend tout, et dans lequel toutes choses se modifient, depuis la mort d'un insecte jusqu'à la naissance d'un monde : chaque minute est en soi une petite éternité. Réunissez donc en un même moment, par la pensée, les plus beaux accidents de la nature ; supposez que vous voyez à la fois toutes les heures du jour et toutes les saisons, un matin de printemps et un matin d'automne, une nuit semée d'étoiles et une nuit couverte de nuages, des prairies émaillées de fleurs, des forêts dépouillées par les frimas, des champs dorés par les moissons : vous aurez alors une idée juste du spectacle de l'univers. Tandis que vous admirez ce soleil, qui se plonge sous les voûtes de l'occident, un autre observateur le regarde sortir des régions de l'aurore. Par quelle inconcevable magie ce vieil astre qui s'endort fatigué et brûlant dans la poudre du soir, est-il, en ce moment même, ce jeune astre qui s'éveille humide de rosée, dans les voiles blanchissants de l'aube ? A chaque moment de la journée, le soleil se lève, brille à son zénith, et se couche sur le monde ; ou plutôt nos sens nous abusent, et il n'y a ni orient, ni midi, ni occident vrai. Tout se réduit à un point fixe, d'où le flambeau du jour fait éclater à la fois trois lumières en une seule substance. Cette triple splendeur est peut-être ce que la nature a de plus beau ; car, en nous donnant l'idée de la perpétuelle magnificence et de la toute-présence de Dieu, elle nous montre aussi une image éclatante de sa glorieuse Trinité.

Conçoit-on bien ce que serait une scène de la nature, si elle était abandonnée au seul mouvement de la matière ? Les nuages, obéissant aux lois de la pesanteur, tomberaient perpendiculairement sur la terre, ou monteraient en pyramides dans les airs ; l'instant d'après, l'atmosphère serait trop épaisse ou trop raréfiée pour les organes de la respiration. La lune, trop près ou trop loin de nous, tour à tour serait invisible, tour à tour se montrerait sanglante, couverte de taches énormes, ou remplissant seule de son orbe démesuré le dôme céleste. Saisie comme d'une étrange folie, elle marcherait d'éclipses en éclipses, ou se roulant d'un flanc sur l'autre, elle découvrirait enfin cette autre face que la terre ne connaît pas. Les étoiles sembleraient frappées du même vertige ; ce ne serait plus qu'une suite de conjonctions effrayantes : tout à coup un signe d'été serait atteint par un signe d'hiver ; le Bouvier conduirait les Pléiades, et le Lion rugirait dans le Verseau; là des astres passeraient avec la rapidité de l'éclair; ici ils pendraient immobiles; quelquefois, se pressant en groupes, ils formeraient une nouvelle voie lactée; puis, disparaissant tous ensemble, et déchirant le rideau des mondes, selon l'expression de Tertullien, ils laisseraient apercevoir les abîmes de l'éternité.

Mais de pareils spectacles n'épouvanteront point les hommes, avant le jour où Dieu, lâchant les rênes de l'univers, n'aura besoin, pour le détruire, que de l'abandonner.

CHAPITRE III

ORGANISATION DES ANIMAUX ET DES PLANTES

Descendons, de ces notions générales, à des idées particulières; voyons si nous pouvons découvrir, dans les parties de l'ouvrage, cette même sagesse si bien exprimée dans le tout. Nous nous servirons d'abord du témoignage d'une classe d'hommes que les sciences et l'humanité réclament également; nous voulons parler des médecins.

Le docteur Nieuwentyt, dans son *Traité de l'Existence de Dieu* [1], s'est attaché à démontrer la réalité des causes finales. Sans le suivre dans toutes ses observations, nous nous contenterons d'en rapporter quelques-unes.

En parlant des quatre éléments qu'il considère dans leurs harmonies avec l'homme et la création en général, il fait voir, par rapport à l'air, comment nos corps sont miraculeusement conservés sous une colonne atmosphérique, égale dans sa pression à un poids de vingt mille livres. Il prouve qu'une seule qualité changée, soit en raréfaction, soit en densité, dans l'élément qu'on respire, suffirait pour détruire les êtres vivants. C'est l'air qui fait monter les fumées, c'est l'air qui retient les liquides dans les vaisseaux; par ses mouvements il épure les cieux, et porte aux continents les nuages de la mer.

---

1. Dans tout ce que nous citons ici du Traité de Nieuwentyt, nous avons pris la liberté de refondre et d'animer un peu son sujet. Le docteur est savant, sage, judicieux, mais sec. Nous avons aussi mêlé quelques observations aux siennes.

Nieuwentyt démontre ensuite la nécessité de l'eau par une foule d'expériences. Qui n'admirerait le prodige de cet élément, en ascension, contre les lois de la pesanteur, dans un élément plus léger que lui, afin de nous donner les pluies et les rosées ? La disposition des montagnes pour faire circuler les fleuves, la topographie de ces montagnes dans les îles et sur les continents, les ouvertures des golfes, des baies, des méditerranées, les innombrables utilités des mers, rien n'échappe à la sagacité de ce bon et savant homme. C'est de la même manière qu'il découvre l'excellence de la terre comme élément, et ses belles lois comme planète. Il décrit les avantages du feu, et les secours qu'en a su tirer l'industrie humaine [1].

Quand il passe aux animaux, il observe que ceux que nous appelons domestiques naissent précisément avec le degré d'instinct nécessaire pour s'apprivoiser, tandis que les animaux inutiles à l'homme retiennent toujours leur naturel sauvage. Est-ce donc le hasard qui inspire aux bêtes douces et utiles la résolution de vivre en société au milieu de nos champs, et aux bêtes malfaisantes celle d'errer solitaires dans les lieux infréquentés ? Pourquoi ne voit-on pas des troupeaux de tigres conduits au son d'une musette par un pasteur ? Et pourquoi les lions ne se jouent-ils pas dans nos parcs parmi *le thym et la rosée*, comme ces légers animaux chantés par Jean La Fontaine ? Ces animaux féroces n'ont jamais pu servir qu'à traîner le char de quelque triomphateur aussi cruel qu'eux, ou à dévorer des chrétiens dans un amphithéâtre [2] : les tigres ne se civilisent pas à l'école des hommes, mais les hommes se font quelquefois sauvages à l'école des tigres.

Les oiseaux ne présentent pas à notre naturaliste un sujet d'observation moins intéressant. Leurs ailes, convexes en dessus et creusées en dessous, sont des rames parfaitement taillées, pour l'élément qu'elles doivent fendre. Le roitelet qui se plaît dans ces haies de ronces et d'arbousiers, qui sont pour lui de grandes solitudes, est pourvu d'une double paupière, afin de préserver ses yeux de tout accident. Mais, admirables fins de la nature ! cette paupière est transparente, et le chantre des chaumières peut abaisser ce voile diaphane, sans être

---

1. La physique moderne pourra relever ici quelques erreurs; mais les progrès de cette science, loin de renverser les causes finales, fournissent de nouvelles preuves de la bonté de la Providence.

2. On connaît ce fameux cri de la populace romaine : *Les chrétiens aux lions! Vid.* Tert. *Apolog.*

privé de la vue. La Providence n'a pas voulu qu'il s'éga-
rât en portant la goutte d'eau ou le grain de mil à son
nid, et qu'il y eût sous le buisson une petite famille qui
se plaignît d'elle.

Et quels ingénieux ressorts font mouvoir les pieds de
l'oiseau! Ce n'est point par un jeu de muscles que détermine sa volonté, qu'il se tient ferme sur la branche :
son pied est construit de sorte que, lorsqu'il vient à
être pressé dans le centre ou le talon, les doigts se
referment naturellement sur le corps qui les presse [1].
Il résulte de ce mécanisme que les serres de l'oiseau se
collent plus ou moins à l'objet sur lequel il repose, en
raison des mouvements plus ou moins rapides de cet
objet; car, dans le balancement du rameau, ou c'est le
rameau qui repousse le pied, ou c'est le pied qui repousse
le rameau : ce qui, dans les deux cas, oblige les doigts du
volatile à se contracter plus fortement. Ainsi, quand nous
voyons à l'entrée de la nuit, pendant l'hiver, des corbeaux perchés sur la cime dépouillée de quelque chêne,
nous supposons que toujours veillant, attentifs, ils ne
se maintiennent qu'avec des fatigues inouïes, au milieu
des tourbillons et des nuages : et cependant, insouciants
du péril et appelant la tempête, tous les vents leur apportent le sommeil; l'aquilon les attache lui-même à la
branche d'où nous croyons qu'il va les précipiter, et
comme de vieux nochers, de qui la couche mobile est
suspendue aux mâts agités d'un vaisseau, plus ils sont
bercés par les orages, plus ils dorment profondément.

Quant à l'organisation des poissons, leur seule existence dans l'élément de l'eau, le changement relatif de
leur pesanteur, changement par lequel ils flottent dans
une eau plus légère comme dans une eau plus pesante,
et descendent de la surface de l'abîme au plus profond
de ses gouffres, sont des miracles perpétuels; vraie
machine hydrostatique, le poisson fait voir mille phénomènes au moyen d'une simple vessie, qu'il vide ou remplit d'air à volonté.

Les prodiges de la floraison dans les plantes, l'usage
des feuilles et des racines sont examinés curieusement par
Nieuwentyt. Il fait cette belle observation, que les
semences des plantes sont tellement disposées par leurs
figures et leurs poids, qu'elles tombent toujours sur le sol
dans la position où elles doivent germer.

1. On en peut faire l'essai sur un oiseau mort.

Or, si tout était le produit du hasard, les causes finales ne seraient-elles pas quelquefois altérées ? Pourquoi n'y aurait-il pas des poissons qui manqueraient de la vessie qui les fait flotter ? Et pourquoi l'aiglon, qui n'a pas encore besoin d'armes, ne briserait-il pas la coquille de son berceau avec le bec d'une colombe ? Jamais une méprise, jamais un accident de cette espèce dans l'*aveugle* nature ? De quelque manière que vous jetiez les dés, ils amèneront toujours les mêmes points ? Voilà une étrange *fortune !* nous soupçonnons qu'avant de tirer les mondes de l'urne de l'éternité, elle a *secrètement* arrangé les SORTS.

Cependant il y a des monstres dans la nature, et ces monstres ne sont que des êtres privés de quelques-unes de leurs causes finales. Il est digne de remarque que ces êtres nous font horreur : tant l'instinct de Dieu est fort chez les hommes! tant ils sont effrayés aussitôt qu'ils n'aperçoivent pas la marque de l'intelligence suprême! On a voulu faire naître de ces désordres une objection contre la Providence; nous les regardons, au contraire, comme une preuve manifeste de cette même Providence. Il nous semble que Dieu a permis ces productions de la matière pour nous apprendre ce que c'est que la création *sans lui :* c'est l'ombre qui fait ressortir la lumière; c'est un échantillon de ces lois du hasard, qui selon les athées, doivent avoir enfanté l'univers.

CHAPITRE IV

INSTINCT DES ANIMAUX

Après avoir reconnu dans l'organisation des êtres un plan régulier, qu'on ne peut attribuer au hasard, et qui suppose un ordonnateur, il nous reste à examiner d'autres causes finales, qui ne sont ni moins fécondes, ni moins merveilleuses que les premières. Ici nous ne suivrons personne. Nous avions consacré à l'histoire naturelle des études que nous n'eussions jamais suspendues, si la Providence ne nous eût appelé à d'autres travaux. Nous voulions opposer une *Histoire Naturelle Religieuse* à ces livres scientifiques modernes, où l'on ne voit que la *matière*. Pour qu'on ne nous reprochât pas dédaigneuse-

ment notre ignorance, nous avions pris le parti de voyager
et de voir tout par nous-même. Nous rapporterons donc
quelques-unes de nos observations sur les instincts des
animaux et des plantes, sur leurs habitudes, leurs migrations, leurs amours, etc. : le champ de la nature ne peut
s'épuiser, et l'on y trouve toujours des moissons nouvelles.
Ce n'est point dans une ménagerie où l'on tient en cage
les secrets de Dieu, qu'on apprend à connaître la Sagesse
divine : il faut l'avoir surprise, cette sagesse, dans les
déserts, pour ne plus douter de son existence; on ne
revient point impie des royaumes de la solitude, *regna
solitudinis :* malheur au voyageur qui aurait fait le tour
du globe, et qui rentrerait athée sous le toit de ses
pères!

Nous l'avons visitée au milieu de la nuit, la vallée
solitaire habitée par des castors, ombragée par des sapins,
et rendue toute silencieuse par la présence d'un astre
aussi paisible que le peuple dont elle éclairait les travaux.
Et je n'aurais vu dans cette vallée aucune trace de l'intelligence divine ? Qui donc aurait mis l'équerre et le niveau
dans l'œil de cet animal qui sait bâtir une digue en talus
du côté des eaux, et perpendiculaire sur le flanc opposé ?
Savez-vous le nom du physicien qui a enseigné à ce
singulier ingénieur les lois de l'hydraulique, qui l'a
rendu si habile avec ses deux dents incisives et sa queue
aplatie ? Réaumur n'a jamais prédit les vicissitudes des
saisons avec l'exactitude de ce castor, dont les magasins,
plus ou moins abondants, indiquent au mois de juin le
plus ou moins de durée des glaces de janvier. A force de
disputer à Dieu ses miracles, on est parvenu à frapper de
stérilité l'œuvre entière du Tout-Puissant : les athées ont
prétendu allumer le feu de la nature à leur haleine glacée,
et ils n'ont fait que l'éteindre; en soufflant sur le flambeau de la création, ils ont versé sur lui les ténèbres de
leur sein.

D'autres instincts plus communs, et que nous pouvons observer chaque jour, n'en sont pas moins merveilleux. La poule si timide, par exemple, devient aussi cou-
rageuse qu'un aigle quand il faut défendre ses poussins.
Rien n'est plus intéressant que ses alarmes, lorsque,
trompée par les trésors d'un autre nid, de petits étrangers
lui échappent et courent se jouer dans une eau voisine.
La mère effrayée rôde autour du bassin, bat des ailes,
rappelle l'imprudente couvée; elle marche précipitam-
ment, s'arrête, tourne la tête avec inquiétude, et ne cesse

de s'agiter qu'elle n'ait recueilli dans son sein la famille boiteuse et mouillée qui va bientôt la désoler encore.

Entre ces divers instincts que le Maître du monde a répartis dans la nature, un des plus étonnants sans doute, c'est celui qui amène chaque année les poissons du pôle aux douces latitudes de nos climats; ils viennent, sans s'égarer dans la solitude de l'Océan, trouver à jour nommé le fleuve où doit se célébrer leur hymen. Le printemps prépare sur nos bords la pompe nuptiale; il couronne les saules de verdure; il étend des lits de mousse dans les grottes, et déploie les feuilles du nénuphar sur les ondes, pour servir de rideaux à ces couches de cristal. A peine ces préparatifs sont-ils achevés, qu'on voit paraître les légions émaillées. Ces navigateurs étrangers animent tous nos rivages : les uns, comme de légères bulles d'air, remontent perpendiculairement du fond des eaux; les autres se balancent mollement sur les vagues, ou divergent d'un centre commun, comme d'innombrables traits d'or : ceux-ci dardent obliquement leurs formes glissantes, à travers l'azur fluide; ceux-là dorment dans un rayon de soleil, qui pénètre la gaze argentée des flots. Tous s'égarent, reviennent, nagent, plongent, circulent, se forment en escadron, se séparent, se réunissent encore; et l'habitant des mers, inspiré par un souffle de vie, suit en bondissant la trace de feu que sa compagne a laissée pour lui dans les ondes.

CHAPITRE V

CHANT DES OISEAUX; QU'IL EST FAIT POUR L'HOMME
LOI RELATIVE AUX CRIS DES ANIMAUX

La nature a ses temps de solennité, pour lesquels elle convoque des musiciens des différentes régions du globe. On voit accourir de savants artistes avec des sonates merveilleuses, de vagabonds troubadours qui ne savent chanter que des ballades à refrain, des pèlerins qui répètent mille fois les couplets de leurs longs cantiques. Le loriot siffle, l'hirondelle gazouille, le ramier gémit : le premier, perché sur la plus haute branche d'un ormeau, défie notre merle, qui ne le cède en rien à cet étranger; la seconde, sous un toit hospitalier, fait entendre son ramage confus ainsi qu'au temps d'Evandre. Le troisième, caché dans le feuillage d'un chêne, prolonge ses roucoulements semblables aux sons onduleux d'un cor dans les bois. Enfin le rouge-gorge répète sa petite chanson sur la porte de la grange, où il a placé son gros nid de mousse; mais le rossignol dédaigne de perdre sa voix au milieu de cette symphonie : il attend l'heure du recueillement et du repos, et se charge de cette partie de la fête qui se doit célébrer dans les ombres.

Lorsque les premiers silences de la nuit et les derniers murmures du jour luttent sur les coteaux, au bord des fleuves, dans les bois et dans les vallées; lorsque les forêts se taisent par degrés, que pas une feuille, pas une mousse ne soupire, que la lune est dans le ciel, que l'oreille de l'homme est attentive, le premier chantre de la création entonne ses hymnes à l'Eternel. D'abord il frappe l'écho des brillants éclats du plaisir : le désordre est dans ses chants; il saute du grave à l'aigu, du doux au fort; il fait des pauses; il est lent, il est vif : c'est un cœur que la joie enivre, un cœur qui palpite sous le poids de l'amour. Mais tout à coup la voix tombe, l'oiseau se tait. Il recommence! Que ses accents sont changés! quelle tendre mélodie! Tantôt ce sont des modulations languissantes, quoique variées; tantôt c'est un air un peu monotone, comme celui de ces vieilles romances françaises, chefs-d'œuvre de simplicité et de mélancolie. Le chant est aussi souvent la marque de la tristesse que de la joie : l'oiseau qui a perdu ses petits, chante encore; c'est encore l'air du temps du bonheur qu'il redit, car il n'en sait qu'un; mais, par un coup de son art, le musicien n'a fait que changer la clef, et la cantate du plaisir est devenue la complainte de la douleur.

Ceux qui cherchent à déshériter l'homme, à lui arracher l'empire de la nature, voudraient bien prouver que rien n'est fait pour nous. Or, le chant des oiseaux, par exemple, est tellement commandé pour notre oreille, qu'on a beau persécuter les hôtes des bois, ravir leurs nids, les poursuivre, les blesser avec des armes ou dans des pièges, on peut les remplir de douleur, mais on ne peut les forcer au silence. En dépit de nous, il faut qu'ils nous charment, il faut qu'ils accomplissent l'ordre de la Providence. Esclaves dans nos maisons, ils multiplient leurs accords : il y a sans doute quelque harmonie cachée dans le malheur, car tous les infortunés sont enclins au chant. Enfin que des oiseleurs, par un raffinement

barbare, crèvent les yeux à un rossignol, sa voix n'en
devient que plus mélodieuse. Cet Homère des oiseaux
gagne sa vie à chanter, et compose ses plus beaux airs
après avoir perdu la vue. « Démodocus, dit le poète de
Chio, en se peignant sous les traits du chantre des
Phéaciens, était le favori de la Muse; mais elle avait
mêlé pour lui le bien et le mal, et l'avait rendu aveugle,
en lui donnant la douceur des chants. »

Τὶν πέρι μοῦσ'ἐφίλησε, δίδου δ' ἀγαθόν τε, κακόντη.
Οφθαλμῶν μὲν ἄμηρσε δίδου δ'ἡδεῖαν ἀοιδήν.

L'oiseau semble le véritable emblème du chrétien ici-
bas : il préfère, comme le fidèle, la solitude au monde, le
ciel à la terre; et sa voix bénit sans cesse les merveilles
du Créateur.

Il y a quelques lois relatives aux cris des animaux, qui,
ce nous semble, n'ont point encore été observées, et qui
mériteraient bien de l'être. Le divers langage des hôtes
du désert nous paraît calculé sur la grandeur ou le charme
du lieu où ils vivent, et sur l'heure du jour à laquelle ils
se montrent. Le rugissement du lion, fort, sec, âpre, est
en harmonie avec les sables embrasés où il se fait entendre,
tandis que le mugissement de nos bœufs charme les échos
champêtres de nos vallées; la chèvre a quelque chose
de tremblant et de sauvage dans la voix, comme les
rochers et les ruines où elle aime à se susprendre; le cheval
belliqueux imite les sons grêles du clairon; et, comme
s'il sentait qu'il n'est pas fait pour les soins rustiques, il
se tait sous l'aiguillon du laboureur, et hennit sous le
frein du guerrier. La nuit, tour à tour charmante ou
sinistre, a le rossignol et le hibou : l'un chante pour le
zéphyr, les bocages, la lune, les amants; l'autre, pour les
vents, les vieilles forêts, les ténèbres et les morts. Enfin,
presque tous les animaux qui vivent de sang ont un cri
particulier, qui ressemble à celui de leurs victimes :
l'épervier glapit comme le lapin, et miaule comme les
jeunes chats; le chat lui-même a une espèce de murmure,
semblable à celui des petits oiseaux de nos jardins; le
loup bêle, mugit ou aboie; le renard glousse ou crie; le
tigre a le mugissement du taureau; et l'ours-marin une
sorte d'affreux râlement tel que le bruit des récifs battus
des vagues où il cherche sa proie. Cette loi est fort étonnante, et cache peut-être un secret terrible. Observons
que les monstres parmi les hommes suivent la loi des

bêtes carnassières; plusieurs tyrans ont eu des traces de
sensibilité sur le visage et dans la voix, et ils affectaient
au-dehors le langage des malheureux qu'ils songeaient
intérieurement à déchirer : néanmoins la Providence n'a
pas voulu qu'on s'y méprît tout à fait; et, pour peu qu'on
examine de près les hommes féroces, on trouve sous leurs
feintes douceurs un air faux et dévorant, mille fois plus
hideux que leur furie.

CHAPITRE VI

NIDS DES OISEAUX

Une admirable Providence se fait remarquer dans les
nids des oiseaux. On ne peut contempler, sans être
attendri, cette bonté divine qui donne l'industrie au
faible, et la prévoyance à l'insouciant.

Aussitôt que les arbres ont développé leurs fleurs,
mille ouvriers commencent leurs travaux. Ceux-ci
portent de longues pailles dans le trou d'un vieux mur,
ceux-là maçonnent des bâtiments aux fenêtres d'une
église; d'autres dérobent un crin à une cavale, ou le brin
de laine que la brebis a laissé suspendu à la ronce. Il y a
des bûcherons qui croisent des branches dans la cime
d'un arbre; il y a des filandières qui recueillent la soie
sur un chardon. Mille palais s'élèvent, et chaque palais
est un nid; chaque nid voit des métamorphoses charmantes : un œuf brillant, ensuite un petit couvert de
duvet. Ce nourrisson prend des plumes; sa mère lui
apprend à se soulever sur sa couche. Bientôt il va jusqu'à
se percher sur le bord de son berceau, d'où il jette un
premier coup d'œil sur la nature. Effrayé et ravi, il se
précipite parmi ses frères, qui n'ont point encore vu ce
spectacle; mais rappelé par la voix de ses parents, il sort
une seconde fois de sa couche, et ce jeune roi des airs,
qui porte encore la couronne de l'enfance autour de sa
tête, ose déjà contempler le vaste ciel, la cime ondoyante
des pins, et les abîmes de verdure au-dessous du chêne
paternel. Et pourtant, tandis que les forêts se réjouissent,
en recevant leur nouvel hôte, un vieil oiseau, qui se sent
abandonné de ses ailes, vient s'abattre auprès d'un courant d'eau; là, résigné et solitaire, il attend tranquille-

ment la mort au bord du même fleuve où il chanta ses amours, et dont les arbres portent encore son nid et sa postérité harmonieuse.

C'est ici le lieu de remarquer une autre loi de la nature. Dans la classe des petits oiseaux, les œufs sont ordinairement peints d'une des couleurs dominantes du mâle. Le bouvreuil niche dans les aubépines, dans les groseilliers et dans les buissons de nos jardins ; ses œufs sont ardoisés comme la chape de son dos. Nous nous rappelons avoir trouvé une fois un de ces nids dans un rosier ; il ressemblait à une conque de nacre, contenant quatre perles bleues : une rose pendait au-dessus, tout humide ; le bouvreuil mâle se tenait immobile sur un arbuste voisin, comme une fleur de pourpre et d'azur. Ces objets étaient répétés dans l'eau d'un étang avec l'ombrage d'un noyer, qui servait de fond à la scène, et derrière lequel on voyait se lever l'aurore. Dieu nous donna, dans ce petit tableau, une idée des grâces dont il a paré la nature.

Parmi les grands volatiles, la loi de la couleur des œufs varie. Nous soupçonnons qu'en général l'œuf est blanc chez les oiseaux où le mâle a plusieurs femelles, ou chez ceux dont le plumage n'a point de couleur fixe pour l'espèce. Dans les classes aquatiques et forestières, qui font leurs nids, les unes sur les mers, les autres dans la cime des arbres, l'œuf est communément d'un vert bleuâtre, et pour ainsi dire teint des éléments dont il est environné. Certains oiseaux qui se cantonnent au haut des tours et dans les clochers, ont des œufs verts comme les lierres [1], ou rougeâtres comme les maçonneries qu'ils habitent [2]. C'est donc une loi qui peut passer pour constante, que l'oiseau étale sur son œuf la livrée de ses amours, et le symbole de ses mœurs et de ses destinées. On peut, au seul aspect de ce monument fragile, dire à peu près quel était le peuple auquel il a appartenu, quel était son costume, ses habitudes, ses goûts ; s'il passait des jours de dangers sur les mers, ou si, plus heureux, il menait une vie pastorale ; s'il était civilisé ou sauvage, habitant de la montagne ou de la vallée. L'antiquaire des forêts s'appuie sur une science moins équivoque que celle de l'antiquaire des cités : un chêne exfolié, ou chargé de mousse, annonce bien mieux celui qui lui donna la croissance, qu'une colonne en ruine ne dit quel fut l'archi-

---

1. Le choucas, etc.
2. La grande chevêche, etc.

tecte qui l'éleva. Les tombeaux, parmi les hommes, sont les feuillets de leur histoire ; la nature, au contraire, n'imprime que sur la vie : il ne lui faut ni granit, ni marbre, pour éterniser ce qu'elle écrit. Le temps a rongé les fastes des rois de Memphis, sur leurs pyramides funèbres ; et il n'a pu effacer une seule lettre de l'histoire que l'ibis égyptien porte gravée sur la coquille de son œuf.

CHAPITRE VII

MIGRATION DES OISEAUX

OISEAUX AQUATIQUES ; LEURS MŒURS. BONTÉ
DE LA PROVIDENCE

On connaît ces vers charmants de Racine le fils, sur les migrations des oiseaux :

> Ceux qui, de nos hivers redoutant le courroux,
> Vont se réfugier dans des climats plus doux,
> Ne laisseront jamais la saison rigoureuse
> Surprendre parmi nous leur troupe paresseuse.
> Dans un sage conseil par les chefs assemblé,
> Du départ général le grand jour est réglé ;
> Il arrive ; tout part : le plus jeune peut-être
> Demande en regardant les lieux qui l'ont vu naître,
> Quand viendra ce printemps par qui tant d'exilés
> Dans les champs paternels se verront rappelés.

Nous avons vu quelques infortunés à qui ce dernier trait faisait venir les larmes aux yeux. Il n'en est pas des exils que la nature prescrit, comme des exils commandés par les hommes. L'oiseau n'est banni un moment que pour son bonheur ; il part avec ses voisins, avec son père et sa mère, avec ses sœurs et ses frères ; il ne laisse rien après lui : il emporte tout son cœur. La solitude lui a préparé le vivre et le couvert ; les bois ne sont point armés contre lui ; il retourne enfin mourir aux bords qui l'ont vu naître : il y retrouve le fleuve, l'arbre, le nid, le soleil paternel. Mais le mortel chassé de ses foyers y rentre-t-il jamais ? Hélas ! l'homme ne peut dire, en naissant, quel coin de l'univers gardera ses cendres, ni de quel côté le souffle de l'adversité les portera. Encore si on le laissait mourir tranquille ! Mais aussitôt qu'il est malheureux, tout le persécute : l'injustice particulière dont il est l'objet devient une injustice générale. Il ne trouve pas, ainsi que l'oiseau, l'hospitalité sur la route : il frappe, et l'on n'ouvre pas; il n'a, pour appuyer ses os fatigués, que la colonne du chemin public, ou la borne de quelque héritage. Souvent même on lui dispute ce lieu de repos qui, placé entre deux champs, semblait n'appartenir à personne; on le force à continuer sa route vers de nouveaux déserts : le ban qui l'a mis hors de son pays semble l'avoir mis hors du monde. Il meurt, et il n'a personne pour l'ensevelir. Son corps gît délaissé sur un grabat, d'où le juge est obligé de le faire enlever, non comme le corps d'un homme, mais comme une immondice dangereuse aux vivants. Ah! plus heureux lorsqu'il expire dans quelque fossé au bord d'une grande route, et que la charité du Samaritain jette en passant un peu de terre étrangère sur ce cadavre! N'espérons donc que dans le ciel, et nous ne craindrons plus l'exil : il y a dans la religion toute une patrie.

Tandis qu'une partie de la création publie chaque jour aux mêmes lieux les louanges du Créateur, une autre partie voyage pour raconter ses merveilles. Des courriers traversent les airs, se glissent dans les eaux, franchissent les monts et les vallées. Ceux-ci arrivent sur les ailes du printemps, et bientôt, disparaissant avec les zéphyrs, suivent de climats en climats leur mobile patrie; ceux-là s'arrêtent à l'habitation de l'homme : voyageurs lointains, ils réclament l'antique hospitalité. Chacun suit son inclination dans le choix d'un hôte : le rouge-gorge s'adresse aux cabanes; l'hirondelle frappe aux palais : cette fille de roi semble encore aimer les grandeurs, mais les grandeurs tristes, comme sa destinée; elle passe l'été aux ruines de Versailles, et l'hiver à celles de Thèbes.

A peine a-t-elle disparu, qu'on voit s'avancer sur les vents du nord, une colonie qui vient remplacer les voyageurs du midi, afin qu'il ne reste aucun vide dans nos campagnes. Par un temps grisâtre d'automne, lorsque la bise souffle sur les champs, que les bois perdent leurs dernières feuilles, une troupe de canards sauvages, tous rangés à la file, traverse en silence un ciel mélancolique. S'ils aperçoivent du haut des airs quelque manoir gothique environné d'étangs et de forêts, c'est là qu'ils se préparent à descendre : ils attendent la nuit, et font des évolutions au-dessus des bois. Aussitôt que la vapeur du soir enveloppe la vallée, le cou tendu et l'aile sifflante,

ils s'abattent tout à coup sur les eaux qui retentissent.
Un cri général, suivi d'un profond silence, s'élève dans
les marais. Guidés par une petite lumière, qui peut-être
brille à l'étroite fenêtre d'une tour, les voyageurs s'approchent des murs, à la faveur des roseaux et des ombres.
Là, battant des ailes et poussant des cris par intervalles,
au milieu du murmure des vents et des pluies, ils saluent
l'habitation de l'homme.

Un des plus jolis habitants de ces retraites, mais dont
les pèlerinages sont moins lointains, c'est la poule d'eau.
Elle se montre au bord des joncs, s'enfonce dans leur
labyrinthe, reparaît et disparaît encore, en poussant un
petit cri sauvage; elle se promène dans les fossés du château ; elle aime à se percher sur les armoiries sculptées
dans les murs. Quand elle s'y tient immobile, on la prendrait avec son plumage noir et le cachet blanc de sa tête,
pour un oiseau en blason, tombé de l'écu d'un ancien
chevalier. Aux approches du printemps, elle se retire à
des sources écartées. Une racine de saule minée par les
eaux lui offre un asile, elle s'y dérobe à tous les yeux. Les
convolvulus, les mousses, les capillaires d'eau, suspendent
devant son nid des draperies de verdure; le cresson et la
lentille lui fournissent une nourriture délicate; l'eau
murmure doucement à son oreille; de beaux insectes
occupent ses regards, et les Naïades du ruisseau, pour
mieux cacher cette jeune mère, plantent autour d'elle
leurs quenouilles de roseaux, chargées d'une laine empour-
prée.

Parmi ces passagers de l'aquilon, il s'en trouve qui
s'habituent à nos mœurs, et refusent de retourner dans
leur patrie : les uns, comme les compagnons d'Ulysse,
sont captivés par la douceur de quelques fruits; les autres,
comme les déserteurs du vaisseau de Cook, sont séduits
par des enchanteresses, qui les retiennent dans leurs
îles. Mais la plupart nous quittent après un séjour de
quelques mois : ils s'attachent aux vents et aux tempêtes
qui ternissent l'éclat des flots, et leur livrent la proie qui
leur échapperait dans des eaux transparentes; ils n'aiment
que les retraites ignorées, et font le tour de la terre par
un cercle de solitudes.

Ce n'est pas toujours en troupes que ces oiseaux
visitent nos demeures. Quelquefois deux beaux étrangers,
aussi blancs que la neige, arrivent avec les frimas : ils
descendent, au milieu des bruyères, dans un lieu découvert, et dont on ne peut approcher sans être aperçu; après

quelques heures de repos, ils remontent sur les nuages.
Vous courez à l'endroit d'où ils sont partis, et vous n'y
trouvez que quelques plumes, seules marques de leur
passage, que le vent a déjà dispersées : heureux le favori
des Muses qui, comme le cygne, a quitté la terre sans y
laisser d'autres débris et d'autres souvenirs que quelques
plumes de ses ailes!

Des convenances pour les scènes de la nature, ou des
rapports d'utilité pour l'homme, déterminent les différentes migrations des animaux. Les oiseaux qui paraissent
dans les mois des tempêtes, ont des voix tristes et des
mœurs sauvages, comme la saison qui les amène; ils ne
viennent point pour se faire entendre, mais pour écouter :
il y a dans le sourd mugissement des bois quelque chose
qui charme leurs oreilles. Les arbres qui balancent tristement leurs cimes dépouillées, ne portent que de noires
légions, qui se sont associées pour passer l'hiver; elles
ont leurs sentinelles et leurs gardes avancées : souvent une
corneille centenaire, antique sibylle du désert, se tient
seule perchée sur un chêne avec lequel elle a vieilli : là,
tandis que ses sœurs font silence, immobile, et comme
pleine de pensées, elle abandonne aux vents des mono-
syllabes prophétiques.

Il est remarquable que les sarcelles, les canards, les
oies, les bécasses, les pluviers, les vanneaux, qui servent
à notre nourriture, arrivent quand la terre est dépouillée,
tandis que les oiseaux étrangers qui nous viennent dans
la saison des fruits, n'ont avec nous que des relations de
plaisirs : ce sont des musiciens envoyés pour charmer nos
banquets. Il en faut excepter quelques-uns, tels que la
caille et le ramier, dont toutefois la chasse n'a lieu qu'après
la récolte, et qui s'engraissent dans nos blés, pour servir
à notre table. Ainsi, les oiseaux du nord sont la manne des
aquilons, comme les rossignols sont les dons des zéphyrs :
de quelque point de l'horizon que le vent souffle, il nous
apporte un présent de la Providence.

CHAPITRE VIII

OISEAUX DES MERS ; COMMENT UTILES A L'HOMME

QUE LES MIGRATIONS DES OISEAUX SERVAIENT DE CALENDRIER
AUX LABOUREURS DANS LES ANCIENS JOURS

Les oies, les sarcelles, les canards, étant de race domestique, habitent partout où il peut y avoir des hommes. Les navigateurs ont trouvé des bataillons innombrables de ces oiseaux jusque sous le pôle antarctique, et sur les côtes de la Nouvelle-Zélande. Nous en avons rencontré nous-même des milliers, depuis le golfe Saint-Laurent jusqu'à la pointe de l'isthme de la Floride. Nous vîmes un jour aux Açores une compagnie de sarcelles bleues, que la lassitude contraignit de s'abattre sur un figuier. Cet arbre n'avait point de feuilles ; mais il portait des fruits rouges enchaînés deux à deux comme des cristaux. Quand il fut couvert de cette nuée d'oiseaux, qui laissaient pendre leurs ailes fatiguées, il offrit un spectacle singulier : les fruits paraissaient d'une pourpre éclatante sur les rameaux ombragés, tandis que l'arbre, par un prodige, semblait avoir poussé tout à coup un feuillage d'azur.

Les oiseaux de mer ont des lieux de rendez-vous, où ils semblent délibérer en commun des affaires de leur république : c'est ordinairement un écueil au milieu des flots. Nous allions souvent nous asseoir, dans l'île Saint-Pierre [1], sur la côte opposée à une petite île que les habitants ont appelée le *Colombier*, parce qu'elle en a la forme et qu'on y vient chercher des œufs au printemps.

La multitude des oiseaux rassemblés sur ce rocher était si grande, que souvent nous distinguions leurs cris, pendant le mugissement des tempêtes. Ces oiseaux avaient des voix extraordinaires, comme celles qui sortaient des mers ; si l'Océan a sa Flore, il a aussi sa Philomèle : lorsque, au coucher du soleil, le courlis siffle sur la pointe d'un rocher, et que le bruit sourd des vagues l'accompagne, c'est une des harmonies les plus plaintives qu'on

1. Ile à l'entrée du golfe Saint-Laurent, sur la côte de Terre-Neuve.

puisse entendre; jamais l'épouse de Céix n'a rempli de tant de douleurs les rivages témoins de ses infortunes.

Une parfaite intelligence régnait dans la république du *Colombier*. Aussitôt qu'un citoyen était né, sa mère le précipitait dans les vagues, comme ces peuples barbares qui plongeaient leurs enfants dans les fleuves, pour les endurcir contre les fatigues de la vie. Des courriers partaient sans cesse de cette Tyr avec des gardes nombreuses qui, par ordre de la Providence, se dispersaient sur les mers, pour secourir les vaisseaux. Les uns se placent à quarante et cinquante lieues d'une terre inconnue, et deviennent un indice certain pour le pilote qui les découvre, flottants sur l'onde comme les bouées d'une ancre; d'autres se cantonnent sur un récif, et, sentinelles vigilantes, élèvent pendant la nuit une voix lugubre, pour écarter les navigateurs; d'autres encore, par la blancheur de leur plumage, sont de véritables phares sur la noirceur des rochers. Nous présumons que c'est pour la même raison que la bonté de Dieu a rendu l'écume des flots phosphorique, et toujours plus éclatante parmi les brisants, en raison de la violence de la tempête : beaucoup de vaisseaux périraient dans les ténèbres, sans ces fanaux miraculeux allumés par la Providence sur les écueils.

Tous les accidents des mers, le flux et le reflux, le calme et l'orage, sont prédits par les oiseaux. La mauve descend sur une grève, retire son cou dans sa plume, cache une patte dans son duvet, et, se tenant immobile sur l'autre, avertit le pêcheur de l'instant où les vagues se lèvent; l'alouette marine, qui court le long du flot, en poussant un cri doux et triste, annonce, au contraire, le moment du reflux : enfin, les procellaria s'établissent au milieu de l'Océan. Compagnes des mariniers, elles suivent la course des navires, et prophétisent la tempête. Le matelot leur attribue quelque chose de sacré, et leur donne religieusement l'hospitalité, quand le vent les jette à bord; c'est de même que le laboureur respecte le rouge-gorge, qui lui prédit les beaux jours, et c'est ainsi qu'il le reçoit sous son toit de chaume, pendant les rigueurs de l'hiver. Ces hommes malheureux, placés dans les deux conditions les plus dures de la vie, ont des amis que leur a préparés la Providence; ils trouvent dans un être faible le conseil ou l'espérance, qu'ils chercheraient souvent en vain chez leurs semblables. Ce commerce de bienfaits entre de petits oiseaux et des hommes infortunés

est un de ces traits touchants qui abondent dans les
œuvres de Dieu. Entre le rouge-gorge et le laboureur,
entre la procellaria et le matelot, il y a une ressemblance
de mœurs et de destinées tout à fait attendrissante. Oh!
que la nature est sèche, expliquée par des sophistes!
mais combien elle paraît pleine et fertile aux cœurs
simples qui n'en recherchent les merveilles que pour
glorifier le Créateur!

Si le temps et le lieu nous le permettaient, nous aurions
bien d'autres migrations à peindre, bien d'autres secrets
de la Providence à révéler. Nous parlerions des grues des
Florides, dont les ailes rendent des sons si harmonieux,
et qui font de si beaux voyages au-dessus des lacs, des
savanes, des cyprières, et des bocages d'orangers et de
palmiers; nous montrerions le pélican des bois, visitant
les morts de la solitude, ne s'arrêtant qu'aux cimetières
indiens, et aux *monts* des tombeaux; nous rapporterions
les raisons de ces migrations toujours relatives à l'homme;
nous dirions les vents, les saisons que les oiseaux choi-
sissent pour changer de climats, les aventures qu'ils
éprouvent, les obstacles qu'ils ont à surmonter, les nau-
frages qu'ils font; comment ils abordent quelquefois,
loin du pays qu'ils cherchent, sur des côtes inconnues;
comment ils périssent en passant sur des forêts embrasées
par la foudre, ou sur des plaines où les Sauvages ont mis
le feu.

Dans les premiers âges du monde, c'était sur la floraison des plantes, sur la chute des feuilles, sur le départ et
l'arrivée des oiseaux, que les laboureurs et les bergers
réglaient leurs travaux. De là, l'art de la divination chez
certains peuples: on supposa que des animaux qui prédi-
saient les saisons et les tempêtes, ne pouvaient être que
les interprètes de la Divinité. Les anciens naturalistes
et les poètes (à qui nous sommes redevables du peu de
simplicité qui reste encore parmi nous), nous montrent
combien était merveilleuse cette manière de compter par
les fastes de la nature, et quel charme elle répandait
sur la vie. Dieu est un profond secret; l'homme, créé
à son image, est pareillement incompréhensible: c'était
donc une ineffable harmonie de voir les périodes de ses
jours réglées par des horloges aussi mystérieuses que
lui-même.

Sous les tentes de Jacob ou de Booz, l'arrivée d'un
oiseau mettait tout en mouvement; le partriarche faisait
le tour de son champ, à la tête de ses serviteurs armés de

faucilles. Si le bruit se répandait que les petits de l'alouette avaient été vus voltigeant, à cette grande nouvelle, tout un peuple, sur la foi de Dieu, commençait avec joie la moisson. Ces aimables signes, en dirigeant les soins de la saison présente, avaient l'avantage de prédire les vicissitudes de la saison prochaine. Les oies et les sarcelles arrivaient-elles en abondance, on savait que l'hiver serait long. La corneille commençait-elle à bâtir son nid au mois de janvier, les pasteurs espéraient en avril les roses de mai. Le mariage d'une jeune fille, au bord d'une fontaine, avait tel rapport avec l'épanouissement d'une plante; et les vieillards, qui meurent ordinairement en automne, tombaient avec les glands et les fruits mûrs. Tandis que le philosophe, tronquant ou allongeant l'année, promenait l'hiver sur le gazon du printemps, le laboureur ne craignait point que l'astronome qui lui venait du ciel, se trompât. Il savait que le rossignol ne prendrait point le mois des frimas pour celui des fleurs, et ne ferait point entendre, au solstice d'hiver, les chansons de l'été. Aussi les soins, les jeux, les plaisirs de l'homme champêtre étaient déterminés, non par le calendrier incertain d'un savant, mais par les calculs infaillibles de Celui qui a tracé la route du soleil. Ce souverain Régulateur voulut lui-même que les fêtes de son culte fussent assujetties aux simples époques empruntées de ses propres ouvrages; et, dans ces jours d'innocence, selon les saisons et les travaux, c'était la voix du zéphyr ou de la tempête, de l'aigle ou de la colombe, qui appelait l'homme au temple du Dieu de la nature.

Nos paysans se servent encore quelquefois de ces tables charmantes, où sont gravés les temps des travaux rustiques. Les peuples de l'Inde en font le même usage, et les Nègres et les Sauvages américains gardent cette manière de compter. Un Siminole de la Floride vous dit : « La fille s'est mariée à l'arrivée du *colibri*. — L'enfant est mort quand la *non-pareille* a mué. — Cette mère a autant de fils, qu'il y a d'œufs dans le nid du *pélican*. »

Les Sauvages du Canada marquent la sixième heure du soir par le moment où les ramiers boivent aux sources, et les Sauvages de la Louisiane par celui où l'*éphémère* sort des eaux. Le passage des divers oiseaux règle la saison des chasses; et le temps des récoltes du maïs, du sucre d'érable, de la folle-avoine, est annoncé par certains animaux qui ne manquent jamais d'accourir à l'heure du banquet.

CHAPITRE IX

QUADRUPÈDES

Les migrations sont plus fréquentes dans la classe des poissons et des oiseaux, que dans celle des quadrupèdes, à cause de la multiplicité des premiers, et de la facilité de leurs voyages, à travers deux éléments qui enveloppent la terre; il n'y a d'étonnant que la manière dont ils abordent, sans s'égarer, aux rivages qu'ils cherchent. On conçoit qu'un animal, chassé par la faim, abandonne le pays qu'il habite, en quête de nourriture et d'abri; mais conçoit-on que la *matière* le fasse aller *ici* plutôt que *là*, et le conduise, avec une exactitude miraculeuse, précisément au lieu où se trouvent cette nourriture et cet abri ? Pourquoi connaît-il les vents et les marées, les équinoxes et les solstices ? Nous ne doutons point que si les races voyageuses étaient un seul moment abandonnées à leur *propre instinct*, elles ne périssent presque toutes. Celles-ci, en voulant passer dans les latitudes froides, arriveraient sous les tropiques; celles-là, en comptant se rendre à la ligne, se trouveraient sous le pôle. Nos rouges-gorges, au lieu de traverser l'Alsace et la Germanie, en cherchant de petits insectes, deviendraient eux-mêmes en Afrique la proie de quelque énorme scarabée; le Groenlandais entendrait une plainte sortir des rochers, et verrait un oiseau grisâtre chanter et mourir : ce serait la pauvre Philomèle.

Dieu ne permet pas de telles méprises. Tout a ses convenances et ses rapports dans la nature : aux fleurs les zéphyrs, aux hivers les tempêtes, au cœur de l'homme la douleur. Les plus habiles pilotes manqueront longtemps le port désiré, avant que le poisson se trompe sur la longitude du moindre des écueils de l'abîme : la Providence est son étoile polaire; et, quelque part qu'il se dirige, il aperçoit toujours cet astre qui ne se couche jamais.

L'univers est comme une immense hôtellerie, où tout est sans cesse en mouvement. On en voit sortir, on y voit entrer une multitude de voyageurs. Il n'y a peut-être

rien de plus beau, dans les migrations des quadrupèdes,
que les voyages des bisons, à travers les savanes de la
Louisiane et du Nouveau-Mexique. Quand le temps de
changer de climat est venu, pour aller porter l'abondance
à des peuples sauvages, quelque buffle, conducteur des
troupeaux du désert, appelle autour de lui ses fils et ses
filles. Le rendez-vous est au bord du Meschacébé;
l'instant de la marche est fixé vers la fin du jour. La troupe
s'assemble, le moment arrive. Le chef, secouant sa cri-
nière, qui pend de toutes parts sur ses yeux et ses cornes
recourbées, salue le soleil couchant en baissant la tête,
et en élevant son dos comme une montagne; un bruit
sourd, signal du départ, sort en même temps de sa profonde poitrine, et tout à coup il plonge dans les vagues
écumantes, suivi de la multitude des génisses et des
taureaux qui mugissent d'amour après lui.

Tandis que cette puissante famille de quadrupèdes
traverse à grand bruit les fleuves et les forêts, une flotte
paisible, sur un lac solitaire, vogue en silence à la faveur
des zéphyrs, et à la clarté des étoiles. De petits écureuils
noirs, après avoir dépouillé les noyers du voisinage,
se sont résolus à chercher fortune, et à s'embarquer
pour une autre forêt. Aussitôt, élevant leurs queues, et
déployant au vent cette voile de soie, la race hardie tente
fièrement l'inconstance des ondes, pirates imprudents,
que l'amour des richesses transporte. La tempête se lève,
la flotte va périr. Elle essaie de gagner le havre prochain;
mais quelquefois une armée de castors s'oppose à la
descente, dans la crainte que ces étrangers ne viennent
piller les moissons. En vain les légers escadrons débar-
qués sur la rive, se sauvent en montant sur les arbres, et
insultent du haut de ces remparts à la marche pesante des
ennemis. Le génie l'emporte sur la ruse : des sapeurs
s'avancent, minent le chêne, et le font tomber, avec tous
ses écureuils, comme une tour chargée de soldats, abattue
par le bélier antique.

Il arrive bien d'autres malheurs à nos aventuriers, qui
s'en consolent avec quelques fruits et quelques jeux :
Athènes, prise par les Lacédémoniens, n'en fut ni moins
aimable, ni moins frivole. En remontant la rivière du
Nord, sur le paquebot de New York à Albany, nous
vîmes un de ces infortunés qui essayait inutilement de
traverser le fleuve. On le retira de l'eau demi-noyé; il
était charmant, d'un noir d'ébène, et sa queue avait deux
fois la longueur de son corps; il fut rendu à la vie, mais il

perdit la liberté : une jeune passagère en fit son esclave.

Les rennes du nord de l'Europe, les caribous et les orignaux de l'Amérique septentrionale ont leur temps de migrations, toujours correspondant aux besoins de l'homme. Il n'y a pas jusqu'aux ours blancs de Terre-Neuve, dont la fourrure est si nécessaire aux Esquimaux, qui ne soient envoyés à ces Sauvages par une providence miraculeuse. Ces monstres marins abordent aux côtes du Labrador, sur des glaces flottantes, ou sur des débris de navires où ils se tiennent comme de forts matelots sauvés du naufrage.

Les éléphants voyagent aussi en Asie; la terre tremble sous leurs pas; et cependant il n'y a rien à craindre : chaste, intelligent, sensible, Behmot est doux parce qu'il est fort, paisible parce qu'il est puissant. Premier serviteur de l'homme, et non son esclave, il tient le second rang dans l'ordre de la création : après la chute originelle, les animaux s'éloignèrent du toit de l'homme; mais on pourrait croire que les éléphants, naturellement généreux, se retirèrent avec le plus de regret, car ils sont toujours restés aux environs du berceau du monde. Ils sortent de temps en temps de leur désert, et s'avancent vers un pays habité, afin de remplacer leurs compagnons, morts sans se reproduire, au service des fils d'Adam [1].

1. Les plumes éloquentes qui ont décrit les mœurs de ces animaux, nous dispensent de nous étendre sur ce sujet. Nous dirons seulement que les éléphants ne nous paraissent d'une structure si étrange, que parce que nous les voyons séparés des végétaux, des sites, des eaux, des montagnes, des couleurs, de la lumière, des ombres et des cieux qui leur sont propres. Les productions de nos latitudes, mesurées sur une petite échelle, les formes généralement rondes des objets, la finesse de nos herbes, la dentelure légère de nos feuillages, l'élégance du port de nos arbres, nos jours trop pâles, nos nuits trop fraîches, les teintes trop fuyardes de nos verdures, enfin la couleur même, le vêtement, l'architecture de l'Européen n'ont aucune concordance avec l'éléphant. Si les voyageurs observaient plus exactement, nous saurions comment ce quadrupède se marie à la nature qui le produit. Pour nous, nous croyons entrevoir quelques-unes de ces relations. La trompe de l'éléphant, par exemple, a des rapports marqués avec les cierges, les aloès, les lianes, les rotins, et dans le règne animal, avec les longs serpents des Indes; ses oreilles sont taillées comme les feuilles du figuier oriental; sa peau est écailleuse, molle, et pourtant rigide, comme la bourre qui enveloppe une partie du tronc du palmier, ou plutôt comme la filasse ligneuse du coco; beaucoup de plantes grasses des tropiques s'appuient sur la terre comme ses pieds, et en ont la forme lourde et carrée; son cri est à la fois grêle et fort, comme celui du Cafre, ou comme le cri de guerre du Cipaye. Lorsque couvert de riches tapis, chargé d'une tour, semblable aux minarets d'une pagode, l'éléphant apporte quelque pieux monarque aux débris de ces temples

CHAPITRE X

AMPHIBIES ET REPTILES

On trouve au pied des monts Apalaches, dans les Florides, des fontaines qu'on appelle *puits naturels*. Chaque puits est creusé au centre d'un monticule planté d'orangers, de chênes-verts et de catalpas. Ce monticule s'ouvre en forme de croissant, du côté de la savane, et un courant d'eau sort du puits par cette ouverture. Les arbres, en s'inclinant sur la fontaine, rendent sa surface toute noire au-dessous : mais à l'endroit où le courant d'eau s'échappe de la base du cône, un rayon du jour, pénétrant par le lit du canal, tombe sur un seul point du miroir de la fontaine, qui imite l'effet de la glace dans la *chambre obscure* du peintre. Cette charmante retraite est ordinairement habitée par un énorme crocodile qui se tient immobile au milieu du bassin [1] : à son écaille verdoyante, à ses larges naseaux qui lancent les ondes en deux ellipses colorées, vous le prendriez pour un dragon de bronze, dans quelque grotte des bosquets de Versailles.

Les crocodiles ou caïmans des Florides ne vivent pas toujours solitaires. Dans certain temps de l'année, ils s'assemblent en troupes et se mettent en embuscade, pour attaquer des voyageurs qui doivent arriver de l'Océan. Lorsque ceux-ci ont remonté les fleuves, que l'eau manque à leur multitude, qu'ils meurent échoués sur les rivages, et menacent de répandre la peste dans l'air, la Providence les livre tout à coup à une armée de quatre ou cinq mille crocodiles. Les monstres, poussant un cri, et faisant claquer leurs mâchoires, fondent sur les étrangers. Bondissant de toutes parts, les combattants se joignent, se saisissent, s'entrelacent. Ils se plongent au fond des gouffres, se roulent dans les limons, remontent à la surface de l'eau. Le fleuve taché de sang se couvre de corps mutilés et d'entrailles fumantes. Rien ne peut don-

qu'on trouve dans la presqu'île des Indes, sa masse, les colonnes de ses pieds, sa figure irrégulière, sa pompe barbare, s'allient avec cette architecture colossale, formée de quartiers de roches entassés les uns sur les autres : la bête et le monument en ruine semblent être deux restes du temps des géants.

1. *Voyez* Bartram, *Voyage dans les Carolines et dans les Florides.*

ner une idée de ces scènes extraordinaires, décrites par
les voyageurs, et que le lecteur est toujours tenté de
prendre pour de vaines exagérations [1].

Rompues, dispersées, pleines d'épouvante, les légions
étrangères, poursuivies jusqu'à l'Océan, sont forcées de
rentrer dans ses abîmes, afin que, désormais utiles à nos
besoins, elles nous servent sans nous nuire [2].

Ces espèces de monstres ont quelquefois révolté la
sagesse de l'athée; ils sont pourtant nécessaires dans le
plan général. Ils n'habitent que les déserts où l'absence
de l'homme commande leur présence; ils y sont placés
pour détruire, jusqu'à l'arrivée du grand destructeur.
Aussitôt que nous apparaissons sur une côte, ils nous
cèdent l'empire : certains qu'un seul de nous fera plus
de ravages que dix mille d'entre eux [3].

Et pourquoi Dieu fait-il des êtres superflus qui obligent
ensuite à des destructions ? Par la raison que Dieu n'agit
pas comme nous d'une manière bornée; il se contente
de dire : *Croissez et multipliez ;* et l'infini est dans ces
deux mots. Dorénavant, pour être sage, il faudra peut-
être que la Divinité soit médiocre; l'infini sera un attribut que nous lui retrancherons : tout ce qui sera immense
sera rejeté. Nous dirons : « Cela est de trop dans la
nature », parce que notre esprit ne pourra le comprendre.
Et que si Dieu s'avise de placer plus d'un certain nombre
de soleils dans la voûte céleste, nous tiendrons l'excé-
dent comme non avenu; et, en conséquence de cette
prodigalité d'univers, nous déclarerons le Créateur
convaincu de folie et d'impuissance.

Considérés en eux-mêmes, quelle que soit la diffor-
mité de ces êtres que nous appelons des monstres, on
peut encore reconnaître, sous leurs horribles traits,
quelques marques de la bonté divine. Un crocodile, un
serpent ne sont pas moins tendres pour leurs petits
qu'un rossignol, une colombe. C'est d'abord un contraste
miraculeux et touchant de voir un crocodile bâtir un nid
et pondre un œuf comme une poule, et un petit monstre
sortir d'une coquille comme un poussin. La femelle du

---

1. *Voyez* Bartram, *au Voyage cité.*
2. Les immenses avantages que l'homme tire des migrations des
poissons, sont si connus, que nous ne nous y arrêtons pas.
3. On a observé que dans les Carolines, où les caïmans ont été
détruits, les rivières sont souvent infectées par la multitude des
poissons qui remontent de l'Océan, et qui meurent, faute d'eau,
pendant les jours caniculaires.

crocodile montre ensuite pour sa famille la plus tendre sollicitude. Elle se promène entre les nids de ses sœurs, qui forment des cônes d'œufs et d'argile, et qui sont rangés comme les tentes d'un camp au bord d'un fleuve. L'amazone fait une garde vigilante, et laisse agir les feux du jour : car si la délicate affection de la mère est comme représentée par l'œuf du crocodile, la force et les mœurs de ce puissant animal se peignent, pour ainsi dire, dans le soleil qui couve cet œuf, et dans le limon qui lui sert de levain. Aussitôt qu'une des meules a germé, la femelle prend sous sa protection les monstres naissants : ce ne sont pas toujours ses propres fils; mais elle fait, par ce moyen, l'apprentissage de la maternité, et rend son habileté égale à ce que sera sa tendresse. Quand enfin sa famille vient à éclore, elle la conduit au fleuve, la lave dans une eau pure, lui apprend à nager, pêche pour elle de petits poissons, et la protège contre les mâles qui veulent souvent la dévorer.

Un Espagnol des Florides nous a conté qu'ayant enlevé la couvée d'un crocodile, et la faisant emporter dans un panier par des Nègres, la femelle le suivit avec des cris pitoyables. On posa deux des petits à terre : la mère aussitôt se mit à les pousser avec ses mains et son museau; tantôt se tenant derrière eux pour les défendre, tantôt marchant à leur tête pour leur montrer le chemin. Les petits se traînaient, en gémissant, sur les traces de leur mère, et ce reptile énorme, qui naguère ébranlait le rivage de ses rugissements, faisait alors entendre une sorte de bêlement aussi doux que celui d'une chèvre qui allaite ses chevreaux.

Le serpent à sonnettes le dispute au crocodile en affection maternelle; ce reptile, qui donne aux hommes des leçons de générosité [1], leur en donne encore de tendresse. Quand sa famille est poursuivie, il la reçoit dans sa gueule [2] : peu content des lieux où il la pourrait cacher, il la fait rentrer en lui, ne trouvant point pour des enfants d'asile plus sûr que le sein d'une mère. Exemple d'un dévouement sublime, il ne survit point à la perte de ses petits; car, pour les lui ravir, il faut les arracher de ses entrailles.

Parlerons-nous du poison de ce serpent, toujours plus violent au temps où il a une famille ? Raconterons-nous

---

1. Il n'attaque jamais le premier.
2. *Voyez* les *Voyages de Carver (Carver's Travels)* dans le Canada.

la tendresse de l'ours qui, semblable à la femme sauvage, pousse l'amour maternel jusqu'à allaiter ses enfants après leur mort [1] ? Qu'on suive ces prétendus monstres dans leurs instincts; qu'on étudie leurs formes, leurs armures; qu'on fasse attention à l'anneau qu'ils occupent dans la chaîne de la création; qu'on les examine dans leurs propres rapports, et dans ceux qu'ils ont avec l'homme, nous osons assurer que les causes finales sont peut-être plus visibles dans cette classe d'êtres, qu'elles ne le sont dans les espèces plus favorisées de la nature : de même que dans un ouvrage barbare, les traits de génie brillent davantage au milieu des ombres qui les environnent.

L'objection que l'on fait contre les lieux que ces monstres habitent, ne nous paraît pas mieux fondée. Les marais, tout nuisibles qu'ils semblent, ont cependant de grandes utilités. Ce sont les urnes des fleuves dans les pays de plaines, et les réservoirs des pluies dans les contrées éloignées de la mer. Leur limon et les cendres de leurs herbes fournissent des engrais aux laboureurs; leurs roseaux donnent le feu et le toit à de pauvres familles; frêle couverture, en harmonie avec la vie de l'homme, et qui ne dure pas plus que nos jours.

Ces lieux ont même une certaine beauté qui leur est propre : frontière de la terre et de l'eau, ils ont des végétaux, des sites et des habitants particuliers : tout y participe du mélange des deux éléments. Les glaïeuls tiennent le milieu entre l'herbe et l'arbuste, entre le poireau des mers et la plante terrestre; quelques-uns des insectes fluviatiles ressemblent à de petits oiseaux : quand la *demoiselle*, avec son corsage bleu et ses ailes transparentes, se repose sur la fleur du nénuphar blanc, on croirait voir l'oiseau-mouche des Florides sur une rose de magnolia. En automne, ces marais sont plantés de joncs desséchés, qui donnent à la stérilité même l'air des plus opulentes moissons; au printemps, ils présentent des bataillons de lances verdoyantes. Un bouleau, un saule isolé où la brise a suspendu quelques flocons de plumes, domine ces mouvantes campagnes; le vent glissant sur ces roseaux, incline tour à tour leurs cimes : l'une s'abaisse, tandis que l'autre se relève; puis soudain, toute la forêt venant à se courber à la fois, on découvre ou le butor doré, ou le héron blanc, qui se tient immobile sur une longue patte, comme sur un épieu.

1. *Voyez* les *Voyages de Cook.*

CHAPITRE XI

DES PLANTES ET DE LEURS MIGRATIONS

Nous entrons à présent dans ce règne où les merveilles de la nature prennent un caractère plus riant et plus doux. En s'élevant dans les airs et sur le sommet des monts, on dirait que les plantes empruntent quelque chose du ciel, dont elles se rapprochent. On voit souvent par un profond calme, au lever de l'aurore, les fleurs d'une vallée, immobiles sur leurs tiges; elles se penchent de diverses manières, et regardent tous les points de l'horizon. Dans ce moment même où il semble que tout est tranquille, un mystère s'accomplit : la nature conçoit; et ces plantes sont autant de jeunes mères tournées vers la région mystérieuse d'où leur doit venir la fécondité. Les sylphes ont des sympathies moins aériennes, des communications moins invisibles : le narcisse livre aux ruisseaux sa race virginale, la violette confie aux zéphyrs sa modeste postérité, une abeille cueille du miel de fleurs en fleurs, et, sans le savoir, féconde toute une prairie : un papillon porte un peuple entier sur son aile. Cependant les amours des plantes ne sont pas également tranquilles; il en est d'orageuses, comme celles des hommes : il faut des tempêtes pour marier sur des hauteurs inaccessibles le cèdre du Liban au cèdre du Sinaï, tandis qu'au bas de la montagne, le plus doux vent suffit pour établir entre les fleurs un commerce de volupté. N'est-ce pas ainsi que le souffle des passions agite les rois de la terre sur leurs trônes, tandis que les bergers vivent heureux à leurs pieds ?

La fleur donne le miel : elle est la fille du matin, le charme du printemps, la source des parfums, la grâce des vierges, l'amour des poètes : elle passe vite comme l'homme, mais elle rend doucement ses feuilles à la terre. Chez les anciens, elle couronnait la coupe du banquet, et les cheveux blancs du sage; les premiers chrétiens en couvraient les martyrs, et l'autel des catacombes; aujourd'hui, et en mémoire de ces antiques jours, nous la mettons dans nos temples. Dans le monde, nous attribuons nos affections à ses couleurs : l'espérance à sa verdure, l'innocence à sa blancheur, la pudeur à ses teintes de rose ; il y a des nations entières où elle est l'interprète des sentiments : livre charmant qui ne renferme aucune erreur dangereuse, et ne garde que l'histoire fugitive des révolutions du cœur !

En mettant les sexes sur des individus différents dans plusieurs familles de plantes, la Providence a multiplié les mystères et les beautés de la nature. Par là, la loi des migrations se reproduit dans un règne qui semblait dépourvu de toute faculté de se mouvoir. Tantôt c'est la graine ou le fruit, tantôt c'est une portion de la plante, ou même la plante entière qui voyage. Les cocotiers croissent souvent sur des rochers, au milieu de la mer : quand la tempête survient, leurs fruits tombent, et les flots les roulent à des côtes habitées, où ils se transforment en beaux arbres ; symbole de la vertu qui s'élève sur des écueils exposés aux orages : plus elle est battue des vents, plus elle prodigue de trésors aux hommes.

On nous a montré au bord de l'*Yar*, petite rivière du comté de Suffolk en Angleterre, une espèce de cresson fort curieux : il change de place, et s'avance comme par bonds et par sauts. Il porte plusieurs chevelus dans ses cimes ; lorsque ceux qui se trouvent à l'une des extrémités de la masse sont assez longs pour atteindre au fond de l'eau, ils y prennent racine. Tirées par l'action de la plante qui s'abaisse sur son nouveau pied, les griffes du côté opposé lâchent prise, et la cressonnière, tournant sur son pivot, se déplace de toute la longueur de son banc. Le lendemain, on cherche la plante dans l'endroit où on l'a laissée la veille, et on l'aperçoit plus haut ou plus bas sur le cours de l'onde, formant, avec le reste des familles fluviatiles de nouveaux effets et de nouvelles harmonies. Nous n'avons vu ni la floraison, ni la fructification de ce cresson singulier, que nous avons nommé MIGRATOR, *voyageur*, à cause de nos propres destinées.

Les plantes marines sont sujettes à changer de climat ; elles semblent partager l'esprit d'aventure de ces peuples insulaires, que leur position géographique a rendus commerçants. Le *fucus giganteus* sort des antres du Nord, avec les tempêtes ; il s'avance sur la mer, en enfermant dans ses bras des espaces immenses. Comme un filet tendu de l'un à l'autre rivage de l'Océan, il entraîne avec lui les moules, les phoques, les raies, les tortues qu'il prend sur sa route. Quelquefois, fatigué de nager sur les vagues, il allonge un pied au fond de l'abîme, et s'arrête debout ; puis, recommençant sa navigation avec un vent favorable, après avoir flotté sous mille latitudes diverses, il vient tapisser les côtes du Canada, des guirlandes enlevées aux rochers de la Norvège.

Les migrations des plantes marines, qui, au premier coup d'œil, ne paraissent que de simples jeux du hasard, ont cependant des relations touchantes avec l'homme.

En nous promenant un soir à Brest, au bord de la mer, nous aperçûmes une pauvre femme qui marchait courbée entre des rochers ; elle considérait attentivement les débris d'un naufrage, et surtout les plantes attachées à ces débris, comme si elle eût cherché à deviner, par leur plus ou moins de vieillesse, l'époque certaine de son malheur. Elle découvrit sous des galets une de ces boîtes de matelot, qui servent à mettre des flacons. Peut-être l'avait-elle remplie elle-même autrefois pour son époux, de cordiaux achetés du fruit de ses épargnes : du moins nous le jugeâmes ainsi, car elle se prit à essuyer ses larmes avec le coin de son tablier. Des mousserons de mer remplaçaient maintenant ces présents de sa tendresse. Ainsi, tandis que le bruit du canon apprend aux grands le naufrage des grands du monde, la Providence, annonçant aux mêmes bords quelque deuil aux petits et aux faibles, leur dépêche secrètement quelques brins d'herbe et un débris.

CHAPITRE XII

DEUX PERSPECTIVES DE LA NATURE

Ce que nous venons de dire des animaux et des plantes, nous mène à considérer les tableaux de la nature sous un rapport plus général. Tâchons de faire parler ensemble ces merveilles qui, prises séparément, nous ont déjà dit tant de choses de la Providence.

Nous présenterons aux lecteurs deux perspectives de la nature, l'une marine et l'autre terrestre ; l'une, au milieu des mers Atlantiques ; l'autre, dans les forêts du Nouveau-Monde, afin qu'on ne puisse attribuer la majesté de ces scènes aux monuments des hommes.

Le vaisseau sur lequel nous passions en Amérique, s'étant élevé au-dessus du gisement des terres, bientôt l'espace ne fut plus tendu que du double azur de la mer et du ciel, comme une toile préparée pour recevoir les futures créations de quelque grand peintre. La couleur des eaux devint semblable à celle du verre liquide. Une grosse houle venait du couchant, bien que le vent soufflât de l'est; d'énormes ondulations s'étendaient du nord au midi, et ouvraient dans leurs vallées de longues échappées de vue sur les déserts de l'Océan. Ces mobiles paysages changeaient d'aspect à toute minute : tantôt une multitude de tertres verdoyants représentaient des sillons de tombeaux dans un cimetière immense; tantôt les lames, en faisant moutonner leurs cimes, imitaient des troupeaux blancs répandus sur des bruyères : souvent l'espace semblait borné, faute de point de comparaison : mais si une vague venait à se lever, un flot à se courber comme une côte lointaine, un escadron de chiens de mer à passer à l'horizon, l'espace s'ouvrait subitement devant nous. On avait surtout l'idée de l'étendue, lorsqu'une brume légère rampait à la surface de la mer, et semblait accroître l'immensité même. Oh! qu'alors les aspects de l'Océan sont grands et tristes! Dans quelles rêveries ils vous plongent, soit que l'imagination s'enfonce sur les mers du Nord au milieu des frimas et des tempêtes, soit qu'elle aborde sur les mers du Midi, à des îles de repos et de bonheur!

Il nous arrivait souvent de nous lever au milieu de la nuit, et d'aller nous asseoir sur le pont, où nous ne trouvions que l'officier de quart, et quelques matelots, qui fumaient leurs pipes en silence. Pour tout bruit on entendait le froissement de la proue sur les flots, tandis que des étincelles de feu couraient avec une blanche écume le long des flancs du navire. Dieu des chrétiens! c'est surtout dans les eaux de l'abîme, et dans les profondeurs des cieux, que tu as gravé bien fortement les traits de ta toute-puissance! Des millions d'étoiles rayonnant dans le sombre azur du dôme céleste, la lune au milieu du firmament, une mer sans rivage, l'infini dans le ciel et sur les flots! Jamais tu ne m'as plus troublé de ta grandeur, que dans ces nuits où, suspendu entre les astres et l'Océan, j'avais l'immensité sur ma tête, et l'immensité sous mes pieds!

Je ne suis rien; je ne suis qu'un simple solitaire; j'ai souvent entendu les savants disputer sur le premier Être, et je ne les ai point compris : mais j'ai toujours remarqué que c'est à la vue des grandes scènes de la nature, que cet Être inconnu se manifeste au cœur de l'homme. Un soir (il faisait un profond calme), nous nous trouvions dans ces belles mers qui baignent les rivages de la Virginie : toutes les voiles étaient pliées : j'étais occupé sous le pont, lorsque j'entendis la cloche qui appelait l'équipage à la prière ; je me hâtai d'aller mêler mes vœux à ceux de mes compagnons de voyage. Les officiers étaient sur le château de poupe avec les passagers ; l'aumônier, un livre à la main, se tenait un peu en avant d'eux, les matelots, étaient répandus pêle-mêle sur le tillac : nous étions tous debout, le visage tourné vers la proue du vaisseau, qui regardait l'occident.

Le globe du soleil, prêt à se plonger dans les flots, apparaissait entre les cordages du navire, au milieu des espaces sans bornes. On eût dit, par les balancements de la poupe, que l'astre radieux changeait à chaque instant d'horizon. Quelques nuages étaient jetés sans ordre dans l'orient, où la lune montait avec lenteur ; le reste du ciel était pur : vers le nord, formant un glorieux triangle avec l'astre du jour et celui de la nuit, une trombe, brillante des couleurs du prisme, s'élevait de la mer comme un pilier de cristal, supportant la voûte du ciel.

Il eût été bien à plaindre celui qui, dans ce spectacle, n'eût point reconnu la beauté de Dieu. Des larmes coulèrent malgré moi de mes paupières, lorsque mes compagnons, ôtant leurs chapeaux goudronnés, vinrent à entonner d'une voix rauque leur simple cantique à *Notre-Dame-de-Bon-Secours*, patronne des mariniers. Qu'elle était touchante la prière de ces hommes qui, sur une planche fragile, au milieu de l'Océan, contemplaient le soleil couchant sur les flots ! Comme elle allait à l'âme, cette invocation du pauvre matelot à la Mère de Douleur ! La conscience de notre petitesse à la vue de l'infini, nos chants s'étendant au loin sur les vagues, la nuit s'approchant avec ses embûches, la merveille de notre vaisseau au milieu de tant de merveilles, un équipage religieux saisi d'admiration et de crainte, un prêtre auguste en prières, Dieu penché sur l'abîme, d'une main retenant le soleil aux portes de l'occident, de l'autre élevant la lune dans l'orient, et prêtant à travers l'immensité, une oreille attentive à la voix de sa créature : voilà ce qu'on ne saurait peindre, et ce que tout le cœur de l'homme suffit à peine pour sentir.

Passons à la scène terrestre.

Un soir je m'étais égaré dans une forêt, à quelque distance de la cataracte de Niagara ; bientôt je vis le jour s'éteindre autour de moi, et je goûtai, dans toute sa solitude, le beau spectacle d'une nuit dans les déserts du Nouveau-Monde.

Une heure après le coucher du soleil, la lune se montra au-dessus des arbres, à l'horizon opposé. Une brise embaumée, que cette reine des nuits amenait de l'orient avec elle, semblait la précéder dans les forêts comme sa fraîche haleine. L'astre solitaire monta peu à peu dans le ciel : tantôt il suivait paisiblement sa course azurée ; tantôt il reposait sur des groupes de nues qui ressemblaient à la cime de hautes montagnes couronnées de neige. Ces nues, ployant et déployant leurs voiles, se déroulaient en zones diaphanes de satin blanc, se dispersaient en légers flocons d'écume, ou formaient dans les cieux des bancs d'une ouate éblouissante, si doux à l'œil, qu'on croyait ressentir leur mollesse et leur élasticité.

La scène sur la terre n'était pas moins ravissante : le jour bleuâtre et velouté de la lune descendait dans les intervalles des arbres, et poussait des gerbes de lumière jusque dans l'épaisseur des plus profondes ténèbres. La rivière qui coulait à mes pieds, tour à tour se perdait dans le bois, tour à tour reparaissait brillante des constellations de la nuit, qu'elle répétait dans son sein. Dans une savane, de l'autre côté de la rivière, la clarté de la lune dormait sans mouvement sur les gazons : des bouleaux agités par les brises, et dispersés çà et là, formaient des îles d'ombres flottantes sur cette mer immobile de lumière. Auprès, tout aurait été silence et repos, sans la chute de quelques feuilles, le passage d'un vent subit, le gémissement de la hulotte ; au loin par intervalles, on entendait les sourds mugissements de la cataracte de Niagara, qui, dans le calme de la nuit, se prolongeaient de désert en désert, et expiraient à travers les forêts solitaires.

La grandeur, l'étonnante mélancolie de ce tableau ne sauraient s'exprimer dans les langues humaines ; les plus belles nuits en Europe ne peuvent en donner une idée. En vain, dans nos champs cultivés, l'imagination cherche à s'étendre ; elle rencontre de toutes parts les habitations des hommes : mais dans ces régions sauvages, l'âme se plaît à s'enfoncer dans un océan de forêts, à planer sur le gouffre des cataractes, à méditer au bord des lacs et des fleuves, et, pour ainsi dire, à se trouver seule devant Dieu.

CHAPITRE XIII

L'HOMME PHYSIQUE

Pour achever ces vues des causes finales, ou des preuves de l'existence de Dieu, tirées des merveilles de la nature, il ne nous reste plus qu'à considérer l'homme *physique*. Nous laisserons parler les maîtres qui ont approfondi cette matière.

Cicéron décrit ainsi le corps de l'homme :

« A l'égard des sens [1] par qui les objets extérieurs viennent à la connaissance de l'âme, leur structure répond merveilleusement à leur destination, et ils ont leur siège dans la tête, comme dans un lieu fortifié. Les yeux, ainsi que des sentinelles, occupent la place la plus élevée, d'où ils peuvent, en découvrant les objets, faire leur charge. Un lieu éminent convenait aux oreilles, parce qu'elles sont destinées à recevoir le son qui monte naturellement. Les narines devaient être dans la même situation, parce que l'odeur monte aussi ; et il les fallait près de la bouche, parce qu'elles nous aident beaucoup à juger du boire et du manger. Le goût, qui doit nous faire sentir la qualité de ce que nous prenons, réside dans cette partie de la bouche, par où la nature donne passage au solide et au liquide. Pour le tact, il est généralement répandu dans tout le corps, afin que nous ne puissions recevoir aucune impression, ni être attaqués du froid ou du chaud, sans le sentir. Et comme un architecte ne mettra point sous les yeux ni sous le nez du maître les égouts d'une maison, de même la nature a éloigné de nos sens ce qu'il y a de semblable à cela dans le corps humain.

» Mais quel autre ouvrier que la nature, dont l'adresse est incomparable, pourrait avoir si artistement formé nos sens ? Elle a entouré les yeux de tuniques fort minces, transparentes au-devant, afin que l'on pût voir à travers ; fermes dans leur tissure, afin de tenir les yeux en état. Elle les a faits glissants et mobiles, pour leur donner moyen d'éviter ce qui pourrait les offenser, et de porter aisément leurs regards où ils veulent. La prunelle, où se réunit ce qui fait la force de la vision, est si petite, qu'elle se dérobe sans peine à ce qui serait capable de lui faire mal. Les paupières, qui sont les couvertures des yeux, ont une sur-

---

1. *De Nat. Deor.* II, 56, 57 et 58, trad. de d'Olivet.

face polie et douce pour ne point les blesser. Soit que la peur de quelque accident oblige à les fermer, soit qu'on veuille les ouvrir, les paupières sont faites pour s'y prêter, et l'un ou l'autre de ces mouvements ne leur coûte qu'un instant; elles sont, pour ainsi dire, fortifiées d'une palissade de poils, qui leur sert à repousser ce qui viendrait attaquer les yeux, quand ils sont ouverts, et à les envelopper, afin qu'ils reposent paisiblement, quand le sommeil les ferme, et nous les rend inutiles. Nos yeux ont de plus l'avantage d'être cachés et défendus par des éminences; car, d'un côté, pour arrêter la sueur qui coule de la tête et du front, ils ont le haut des sourcils; et de l'autre, pour se garantir par le bas, ils ont les joues qui avancent un peu. Le nez est placé entre les deux comme un mur de séparation.

» Quant à l'ouïe, elle demeure toujours ouverte, parce que nous en avons toujours besoin, même en dormant. Si quelque son la frappe alors, nous en sommes réveillés. Elle a des conduits tortueux, de peur que, s'ils étaient droits et unis, quelque chose ne s'y glissât...

» Mais nos mains, de quelle commodité ne sont-elles pas, et de quelle utilité dans les arts ? Les doigts s'allongent ou se plient sans la moindre difficulté, tant leurs jointures sont flexibles. Avec leur secours, les mains usent du pinceau et du ciseau; elles jouent de la lyre, de la flûte : voilà pour l'agréable. Pour le nécessaire, elles cultivent les champs, bâtissent des maisons, font des étoffes, des habits, travaillent en cuivre, en fer. L'esprit invente, les sens examinent, la main exécute. Tellement que si nous sommes logés, si nous sommes vêtus et à couvert, si nous avons des villes, des murs, des habitations, des temples, c'est aux mains que nous les devons, etc. »

Il faut convenir que la matière seule n'a pas plus fait le corps de l'homme pour tant de fins admirables, que ce beau discours de l'Orateur romain n'a été composé par un écrivain sans éloquence et sans art[1].

Plusieurs auteurs ont prouvé, et en particulier le médecin Nieuwentyt[2], que les bornes dans lesquelles nos sens sont renfermés, sont les véritables limites qui leur conviennent, et que nous serions exposés à une foule

---

1. Cicéron a pris dans Aristote ce qu'il dit du service de la main. En combattant la philosophie d'Anaxagore, le Stagyrite observe, avec sa sagacité accoutumée, que l'homme n'est pas supérieur aux animaux, parce qu'il a une main, mais qu'il a une main parce qu'il est supérieur aux animaux. (*De Part. Anim.* lib. III, c. 10). Platon cite aussi la structure du corps humain comme une preuve de l'intelligence divine (*in Tim*), et Job a quelques versets sublimes sur le même sujet.
2. *Exist. de Dieu*, liv. I, ch. 13, p. 131.

d'inconvénients et de dangers, si ces sens avaient plus ou moins d'étendue [1]. Galien, saisi d'admiration au milieu d'une analyse anatomique du corps humain, laisse échapper le scalpel, et s'écrie :

« O toi qui nous as faits ! en composant un discours si saint, je crois chanter un véritable hymne à ta gloire. Je t'honore plus en découvrant la beauté de tes ouvrages, qu'en te sacrifiant des hécatombes entières de taureaux, ou en faisant fumer tes temples de l'encens le plus précieux. La véritable piété consiste à me connaître moi-même, ensuite à enseigner aux autres quelle est la grandeur de ta bonté, de ton pouvoir, de ta sagesse. Ta bonté se montre dans l'égale distribution de tes présents, ayant réparti à chaque homme les organes qui lui sont nécessaires ; ta sagesse se voit dans l'excellence de tes dons ; et ta puissance dans l'exécution de tes desseins [2]. »

CHAPITRE XIV

INSTINCT DE LA PATRIE

De même que nous avons considéré les instincts des animaux, il nous faut dire quelque chose de ceux de l'homme *physique ;* mais comme il réunit en lui les sentiments des diverses races de la création, tels que la tendresse paternelle, etc., il faut en choisir un qui lui soit particulier.

Or, cet instinct affecté à l'homme, le plus beau, le plus moral des instincts, c'est l'*amour de la patrie.* Si cette loi n'était soutenue par un miracle toujours subsistant, et auquel, comme à tant d'autres, nous ne faisons aucune attention, les hommes se précipiteraient dans les zones tempérées, en laissant le reste du globe désert. On peut se figurer quelles calamités résulteraient de cette réunion du genre humain sur un seul point de la terre. Afin d'éviter ces malheurs, la Providence a, pour ainsi dire, attaché les pieds de chaque homme à son sol natal par un aimant invincible : les glaces de l'Islande et les sables embrasés de l'Afrique ne manquent point d'habitants.

1. *Voyez* la note XII à la fin du volume.
2. Gal. *de Usu part.* lib. III, c. 10.

Il est même digne de remarque, que plus le sol d'un pays est ingrat, plus le climat en est rude, ou, ce qui revient au même, plus on a souffert de persécutions dans ce pays, plus il a de charmes pour nous. Chose étrange et sublime, qu'on s'attache par le malheur, et que l'homme qui n'a perdu qu'une chaumière, soit celui-là même qui regrette davantage le toit paternel! La raison de ce phénomène, c'est que la prodigalité d'une terre trop fertile détruit, en nous enrichissant, la simplicité des liens naturels qui se forment de nos besoins; quand on cesse d'aimer ses parents, parce qu'ils ne nous sont plus nécessaires, on cesse en effet d'aimer sa patrie.

Tout confirme la vérité de cette remarque. Un Sauvage tient plus à sa hutte, qu'un prince à son palais, et le montagnard trouve plus de charme à sa montagne, que l'habitant de la plaine à son sillon. Demandez à un berger écossais s'il voudrait changer son sort contre le premier potentat de la terre ? Loin de sa tribu chérie, il en garde partout le souvenir; partout il redemande ses troupeaux, ses torrents, ses nuages. Il n'aspire qu'à manger le pain d'orge, à boire le lait de la chèvre, à chanter dans la vallée ces ballades que chantaient aussi ses aïeux. Il dépérit, s'il ne retourne au lieu natal. C'est une plante de la montagne, il faut que sa racine soit dans le rocher; elle ne peut prospérer, si elle n'est battue des vents et des pluies : la terre, les abris, et le soleil de la plaine, la font mourir.

Avec quelle joie il reverra son toit de bruyère! comme il visitera les saintes reliques de son indigence!

> Doux trésors! se dit-il : chers gages, qui jamais
> N'attirâtes sur vous l'envie et le mensonge,
> Je vous reprends : sortons des riches palais,
>   Comme l'on sortirait d'un songe.

Qu'y a-t-il de plus heureux que l'Esquimau dans son épouvantable patrie ? que lui font les fleurs de nos climats auprès des neiges du Labrador, nos palais auprès de son trou enfumé ? Il s'embarque au printemps avec son épouse, sur quelque glace flottante [1]. Entraîné par les courants, il s'avance en pleine mer sur ce trône du Dieu des tempêtes. La montagne balance sur les flots ses sommets lumineux et ses arbres de neige; les loups marins se livrent à l'amour dans ses vallées, et les baleines

---

1. Voyez Charlevoix, *Hist. de la Nouv.-Fr.*

accompagnent ses pas sur l'Océan. Le hardi Sauvage, dans les abris de son écueil mobile, presse sur son cœur la femme que Dieu lui a donnée, et trouve avec elle des joies inconnues, dans ce mélange de voluptés et de périls.

Ce Barbare a d'ailleurs de fort bonnes raisons pour préférer son pays et son état aux nôtres. Toute dégradée que nous paraisse sa nature, on reconnaît, soit en lui, soit dans les arts qu'il pratique, quelque chose qui décèle encore la dignité de l'homme. L'Européen se perd tous les jours sur un vaisseau, chef-d'œuvre de l'industrie humaine, au même bord où l'Esquimau, flottant dans une peau de veau marin, se rit de tous les dangers. Tantôt il entend gronder l'Océan qui le couvre, à cent pieds au-dessus de sa tête; tantôt il assiège les cieux sur la cime des vagues : il se joue dans son outre au milieu des flots, comme un enfant se balance sur des branches unies, dans les paisibles profondeurs d'une forêt. En plaçant cet homme dans la région des orages, Dieu lui a mis une marque de royauté : « Va, lui a-t-il crié du milieu du tourbillon, je te jette nu sur la terre; mais afin que, tout misérable que tu es, on ne puisse méconnaître tes destinées, tu dompteras les monstres de la mer avec un roseau, et tu mettras les tempêtes sous tes pieds. »

Ainsi, en nous attachant à la patrie, la Providence justifie toujours ses voies, et nous avons pour notre pays mille raisons d'amour. L'Arabe n'oublie point le puits du chameau, la gazelle, et surtout le cheval, compagnon de ses courses; le Nègre se rappelle toujours sa case, sa sagaie, son bananier, et le sentier du zèbre et de l'éléphant.

On raconte qu'un mousse anglais avait conçu un tel attachement pour un vaisseau à bord duquel il était né, qu'il ne pouvait souffrir d'en être séparé un moment. Quand on voulait le punir, on le menaçait de l'envoyer à terre; il courait alors se cacher à fond de cale, en poussant des cris. Qu'est-ce qui avait donné à ce matelot cette tendresse pour une planche battue des vents ? Certes, ce n'était pas des convenances purement locales et physiques. Etait-ce quelques conformités morales entre les destinées de l'homme et celles du vaisseau ? ou plutôt trouvait-il un charme à concentrer ses joies et ses peines, pour ainsi dire, dans son berceau ? Le cœur aime naturellement à se resserrer; moins il se montre au-dehors, moins il offre de surface aux blessures : c'est pourquoi les hommes très sensibles, comme le sont en général les

infortunés, se complaisent à habiter de petites retraites.
Ce que le sentiment gagne en force, il le perd en étendue :
quand la République romaine finissait au mont Aventin,
ses enfants mouraient avec joie pour elle; ils cessèrent de
l'aimer, lorsque ses limites atteignirent les Alpes et le
Taurus. C'était sans doute quelque raison de cette
espèce qui nourrissait chez le mousse anglais cette pré-
dilection pour son vaisseau paternel. Passager inconnu
sur l'océan de la vie, il voyait s'élever les mers entre lui
et nos douleurs : heureux de n'apercevoir que de loin
les tristes rivages du monde!

Chez les peuples civilisés, l'amour de la patrie a fait des
prodiges. Dans les desseins de Dieu, il y a toujours une
suite; il a fondé sur la nature l'affection pour le lieu natal,
et l'animal partage en quelque degré cet instinct avec
l'homme; mais l'homme le pousse plus loin, et transforme en vertu ce qui n'était qu'un sentiment de conve-
nance universelle : ainsi, les lois physiques et morales de
l'univers se tiennent par une chaîne admirable. Nous
doutons qu'il soit possible d'avoir une seule vraie vertu,
un seul véritable talent, sans amour de la patrie. A la
guerre, cette passion fait des prodiges : dans les lettres,
elle a formé Homère et Virgile. Le Poète aveugle peint
de préférence les mœurs de l'Ionie où il reçut le jour, et
le Cygne de Mantoue ne s'entretient que des souvenirs
de son lieu natal. Né dans une cabane, et chassé de l'héritage de ses aïeux, ces deux circonstances semblent avoir
singulièrement influé sur son génie : elles lui ont donné
cette teinte de tristesse qui en fait un des principaux
charmes; il rappelle sans cesse ces événements, et l'on
voit qu'*il se souvient toujours de cet Argos*, où il passa sa
jeunesse;

Et dulces moriens reminiscitur Argos [1].

Mais la religion chrétienne est encore venue rendre à
l'amour de la patrie sa véritable mesure. Ce sentiment
a produit des crimes chez les anciens, parce qu'il était
poussé à l'excès. Le christianisme en a fait un amour
principal, et non pas un amour *exclusif* : avant tout, il
nous ordonne d'être justes; il veut que nous chérissions
la famille d'Adam, puisqu'elle est la nôtre, quoique nos
concitoyens aient le premier droit à notre attachement.
Cette morale était inconnue avant la mission du Légis-

1. *Æn.* lib. x, v. 782.

lateur des chrétiens; c'est à tort qu'on a prétendu qu'il voulait anéantir les passions : Dieu ne détruit point son ouvrage. L'Evangile n'est point la mort du cœur; il en est la règle. Il est à nos sentiments ce que le goût est aux arts; il en retranche ce qu'ils peuvent avoir d'exagéré, de faux, de commun, de trivial : il leur laisse ce qu'ils ont de beau, de vrai, de sage. La religion chrétienne, bien entendue, n'est que la nature primitive lavée de la tache originelle.

C'est lorsque nous sommes éloignés de notre pays, que nous sentons surtout l'instinct qui nous y attache. Au défaut de réalité, on cherche à se repaître de songes; le cœur est expert en tromperies; quiconque a été nourri au sein de la femme, a bu à la coupe des illusions. Tantôt c'est une cabane qu'on aura disposée comme le toit paternel; tantôt c'est un bois, un vallon, un coteau, à qui l'on fera porter quelques-unes de ces douces appellations de la patrie. Andromaque donne le nom du *Simoïs* à un *ruisseau*. Et quelle touchante vérité dans *ce petit ruisseau*, qui retrace un *grand fleuve* de la terre natale! Loin des bords qui nous ont vus naître, la nature est comme diminuée, et ne nous paraît plus que l'ombre de celle que nous avons perdue.

Une autre ruse de l'instinct de la patrie, c'est de mettre un grand prix à un objet en lui-même de peu de valeur, mais qui vient de notre pays, et que nous avons emporté dans l'exil. L'âme semble se répandre jusque sur les choses inanimées qui ont partagé nos destins : une partie de notre vie reste attachée à la couche où reposa notre bonheur, et surtout à celle où veilla notre infortune.

Pour peindre cette langueur d'âme qu'on éprouve hors de sa patrie, le peuple dit : *Cet homme a le mal du pays.* C'est véritablement un mal, et qui ne peut se guérir que par le retour. Mais pour peu que l'absence ait été de quelques années, que retrouve-t-on aux lieux qui nous ont vus naître? Combien existe-t-il d'hommes, de ceux que nous y avons laissés pleins de vie? Là, sont des tombeaux où étaient des palais; là, des palais où étaient des tombeaux; le champ paternel est livré aux ronces ou à une charrue étrangère : et l'arbre sous lequel on fut nourri, est abattu.

Il y avait à la Louisiane une Négresse et une Sauvage, esclaves chez deux colons voisins. Ces deux femmes avaient chacune un enfant : la Négresse une fille de deux ans, et l'Indienne un garçon du même âge; celui-ci vint à mourir. Les deux mères étant convenues d'un endroit au désert, s'y rendirent pendant trois nuits de suite. L'une apportait son enfant mort, l'autre son enfant vivant; l'une son *Manitou*, l'autre sa *Fétiche*; elles ne s'étonnaient point de se trouver ainsi la même religion, étant toutes deux misérables. L'Indienne faisait les honneurs de la solitude : « C'est l'arbre de mon pays, disait-elle à son amie; assieds-toi pour pleurer. » Ensuite, selon l'usage des funérailles chez les Sauvages, elles suspendaient leurs enfants aux branches d'un érable ou d'un sassafras, et les balançaient en chantant des airs de leurs pays.

Ces jeux maternels, qui souvent endormaient l'innocence, ne pouvaient réveiller la mort! Ainsi se consolaient ces deux femmes, dont l'une avait perdu son enfant et sa liberté, l'autre sa liberté et sa patrie : on se console par les larmes.

On dit qu'un Français, obligé de fuir pendant la terreur, avait acheté de quelques deniers qui lui restaient, une barque sur le Rhin; il s'y était logé avec sa femme et ses deux enfants. N'ayant point d'argent, il n'y avait point pour lui d'hospitalité. Quand on le chassait d'un rivage, il passait, sans se plaindre, à l'autre bord; souvent poursuivi sur les deux rives, il était obligé de jeter l'ancre au milieu du fleuve. Il pêchait pour nourrir sa famille, mais les hommes lui disputaient encore le secours de la Providence. La nuit, il allait cueillir des herbes sèches, pour faire un peu de feu, et sa femme demeurait dans de mortelles angoisses jusqu'à son retour. Obligée de se faire sauvage entre quatre nations civilisées, cette famille n'avait pas sur le globe un seul coin de terre où elle osât mettre le pied : toute sa consolation était, en errant dans le voisinage de la France, de respirer quelquefois un air qui avait passé sur son pays.

Si l'on nous demandait quelles sont donc ces fortes attaches par qui nous sommes enchaînés au lieu natal, nous aurions de la peine à répondre. C'est peut-être le souris d'une mère, d'un père, d'une sœur; c'est peut-être le souvenir du vieux précepteur qui nous éleva, des jeunes compagnons de notre enfance; c'est peut-être les soins que nous avons reçus d'une nourrice, d'un *domestique* âgé, partie si essentielle de la maison *(domûs)* ; enfin ce sont les circonstances les plus simples, si l'on veut même, les plus triviales : un chien qui aboyait la nuit dans la campagne, un rossignol qui revenait tous les ans dans le verger, le nid de l'hirondelle à la fenêtre, le clocher de l'église qu'on voyait au-dessus des arbres, l'if du cimetière, le tombeau gothique : voilà tout; mais ces petits moyens démontrent d'autant mieux la réalité d'une Providence, qu'ils ne pourraient être la source de l'amour de la patrie et des grandes vertus que cet amour fait naître, si une volonté suprême ne l'avait ordonné ainsi.

LIVRE SIXIÈME

IMMORTALITÉ DE L'AME, PROUVÉE PAR LA MORALE ET LE SENTIMENT

CHAPITRE PREMIER

DÉSIR DE BONHEUR DANS L'HOMME

Quand il n'y aurait d'autres preuves de l'existence de Dieu que les merveilles de la nature, ces preuves sont si fortes, qu'elles suffiraient pour convaincre tout homme qui ne cherche que la vérité. Mais si ceux qui nient la Providence ne peuvent expliquer sans elle les miracles de la création, ils sont encore plus embarrassés pour répondre aux objections de leur propre cœur. En renonçant à l'Etre Suprême, ils sont obligés de renoncer à une autre vie, et cependant leur âme les agite, elle se présente, pour ainsi dire, devant eux, et les force, en dépit des sophistes, à confesser son existence et son immortalité.

Qu'on nous dise d'abord, si l'âme s'éteint au tombeau, d'où nous vient ce désir de bonheur qui nous tourmente ? Nos passions ici-bas se peuvent aisément rassasier : l'amour, l'ambition, la colère ont une plénitude assurée de jouissance; le besoin de félicité est le seul qui manque de satisfaction comme d'objet, car on ne sait ce que c'est que cette félicité qu'on désire. Il faut convenir que si tout est *matière*, la *nature* s'est ici étrangement trompée : elle a fait un sentiment qui ne s'applique à rien.

Il est certain que notre âme demande éternellement; à peine a-t-elle obtenu l'objet de sa convoitise, qu'elle demande encore : l'univers entier ne la satisfait point. L'infini est le seul champ qui lui convienne; elle aime à se perdre dans les nombres, à concevoir les plus grandes comme les plus petites dimensions. Enfin gonflée, et non rassasiée de ce qu'elle a dévoré, elle se précipite dans le sein de Dieu, où viennent se réunir les idées de l'infini, en perfection, en temps et en espace; mais elle ne se plonge dans la Divinité, que parce que cette Divinité est pleine de ténèbres, *Deus absconditus* [1]. Si elle en obtenait une vue distincte, elle la dédaignerait, comme tous les objets qu'elle mesure. On pourrait même dire que ce serait avec quelque raison; car si l'âme s'expliquait bien le principe éternel, elle serait ou supérieure à ce principe, ou du moins son égale. Il n'en est pas de l'ordre des choses divines comme de l'ordre des choses humaines : un homme peut comprendre la puissance d'un roi, sans être un roi; mais un homme qui comprendrait Dieu serait Dieu.

Or, les animaux ne sont point troublés par cette espérance que manifeste le cœur de l'homme; ils atteignent sur-le-champ à leur suprême bonheur : un peu d'herbe satisfait l'agneau, un peu de sang rassasie le tigre. Si l'on soutenait, d'après quelques philosophes, que la diverse conformation des organes fait la seule différence entre nous et la brute, on pourrait tout au plus admettre ce raisonnement pour les actes purement matériels; mais qu'importe ma main à ma pensée, lorsque, dans le calme de la nuit, je m'élance dans les espaces, pour y trouver l'Ordonnateur de tant de mondes ? Pourquoi le bœuf ne fait-il pas comme moi ? Ses yeux lui suffisent; et quand il aurait mes pieds ou mes bras, ils lui seraient pour cela fort inutiles. Il peut se coucher sur la verdure, lever la tête vers les cieux, et appeler par ses mugissements l'Etre inconnu qui remplit cette immensité. Mais non : préférant le gazon qu'il foule, il n'interroge point, au haut du firmament, ces soleils qui sont la grande évidence de l'existence de Dieu. Il est insensible au spectacle de la nature, sans se douter qu'il est jeté lui-même sous l'arbre où il repose, comme une petite preuve de l'intelligence divine.

Donc la seule créature qui cherche au-dehors, et qui n'est pas à soi-même son tout, c'est l'homme. On dit que le peuple n'a point cette inquiétude : il est sans doute moins malheureux que nous; car il est distrait de ses désirs par ses travaux, il éteint dans ses sueurs sa soif de félicité. Mais quand vous le voyez se consumer six jours de la semaine, pour jouir de quelques plaisirs le septième; quand toujours espérant le repos et ne le trouvant jamais, il arrive à la mort sans cesser de désirer, direz-vous qu'il ne partage pas la secrète aspiration de tous les hommes à un bien-être inconnu ? Que si l'on prétend que ce

1. Is. XLV, 15.

souhait est du moins borné pour lui aux choses de la terre, cela n'est rien moins que certain : donnez à l'homme le plus pauvre les trésors du monde, suspendez ses travaux, satisfaites ses besoins ; avant que quelques mois se soient écoulés, il en sera encore aux ennuis et à l'espérance.

D'ailleurs est-il vrai que le peuple, même dans son état de misère, ne connaisse pas ce désir de bonheur qui s'étend au-delà de la vie ? D'où vient cet instinct mélancolique qu'on remarque dans l'homme champêtre ? Souvent le dimanche et les jours de fêtes, lorsque le village était allé prier ce Moissonneur qui sépare *le bon grain de l'ivraie*, nous avons vu quelque paysan resté seul à la porte de sa chaumière : il prêtait l'oreille au son de la cloche ; son attitude était pensive ; il n'était distrait ni par les passereaux de l'aire voisine, ni par les insectes qui bourdonnaient autour de lui. Cette noble figure de l'homme, plantée comme la statue d'un dieu sur le seuil d'une chaumière ; ce front sublime, bien que chargé de soucis ; ces épaules ombragées d'une noire chevelure, et qui semblaient encore s'élever comme pour soutenir le ciel, quoique courbées sous le fardeau de la vie, tout cet être si majestueux, bien que misérable, ne pensait-il à rien, ou songeait-il seulement aux choses d'ici-bas ? Ce n'était pas l'expression de ces lèvres entrouvertes, de ce corps immobile, de ce regard attaché à la terre : le souvenir de Dieu était là avec le son de la cloche religieuse.

S'il est impossible de nier que l'homme espère jusqu'au tombeau ; s'il est certain que les biens de la terre, loin de combler nos souhaits, ne font que creuser l'âme et en augmenter le vide, il faut en conclure qu'il y a quelque chose au-delà du temps. *Vincula hujus mundi*, dit saint Augustin, *asperitatem habent veram, jucunditatem falsam ; certum dolorem, incertam voluptatem ; durum laborem, timidam quietem ; rem plenam miseriæ, spem beatitudinis inanem.* « Le monde a des liens pleins d'une véritable âpreté et d'une fausse douceur ; des douleurs certaines, des plaisirs incertains ; un travail dur, un repos inquiet ; des choses pleines de misère, et une espérance vide de bonheur [1]. » Loin de nous plaindre que le désir de félicité ait été placé dans ce monde, et son but dans l'autre, admirons en cela la bonté de Dieu. Puisqu'il faut tôt

1. *Epist.* 30.

ou tard sortir de la vie, la Providence a mis au-delà du terme un charme qui nous attire, afin de diminuer nos terreurs du tombeau : quand une mère veut faire franchir une barrière à son enfant, elle lui tend de l'autre côté un objet agréable, pour l'engager à passer.

CHAPITRE II

DU REMORDS ET DE LA CONSCIENCE

La conscience fournit une seconde preuve de l'immortalité de notre âme. Chaque homme a au milieu du cœur un tribunal où il commence par se juger soi-même, en attendant que l'Arbitre souverain confirme la sentence. Si le vice n'est qu'une conséquence physique de notre organisation, d'où vient cette frayeur qui trouble les jours d'une prospérité coupable ? Pourquoi le remords est-il si terrible, qu'on préfère de se soumettre à la pauvreté et à toute la rigueur de la vertu, plutôt que d'acquérir des biens illégitimes ? Pourquoi y a-t-il une voix dans le sang, une parole dans la pierre ? Le tigre déchire sa proie, et dort; l'homme devient homicide, et veille. Il cherche les lieux déserts, et cependant la solitude l'effraie; il se traîne autour des tombeaux, et cependant il a peur des tombeaux. Son regard est mobile et inquiet, il n'ose regarder le mur de la salle du festin, dans la crainte d'y lire des caractères funestes. Ses sens semblent devenir meilleurs pour le tourmenter : il voit, au milieu de la nuit, des lueurs menaçantes; il est toujours environné de l'odeur du carnage, il découvre le goût du poison dans le mets qu'il a lui-même apprêté; son oreille, d'une étrange subtilité trouve le bruit où tout le monde trouve le silence; et, sous les vêtements de son ami, lorsqu'il l'embrasse, il croit sentir un poignard caché.

O conscience! ne serais-tu qu'un fantôme de l'imagination, ou la peur des châtiments des hommes ? je m'interroge; je me fais cette question : « Si tu pouvais par un seul désir, tuer un homme à la Chine, et hériter de sa fortune en Europe, avec la conviction surnaturelle qu'on n'en saurait jamais rien, consentirais-tu à former ce désir ? » J'ai beau m'exagérer mon indigence; j'ai beau vouloir atténuer cet homicide, en supposant que, par mon souhait, le Chinois meurt tout à coup sans douleur, qu'il n'a point d'héritier, que même à sa mort ses biens seront perdus pour l'Etat ; j'ai beau me figurer cet étranger comme accablé de maladies et de chagrins ; j'ai beau me dire que la mort est un bien pour lui, qu'il l'appelle lui-même, qu'il n'a plus qu'un instant à vivre : malgré mes vains subterfuges, j'entends au fond de mon cœur une voix qui crie si fortement contre la seule pensée d'une telle supposition, que je ne puis douter un instant de la réalité de la conscience.

C'est donc une triste nécessité que d'être obligé de nier le remords, pour nier l'immortalité de l'âme et l'existence d'un Dieu vengeur. Toutefois nous n'ignorons pas que l'athéisme, poussé à bout, a recours à cette dénégation honteuse. Le sophiste, dans le paroxysme de la goutte, s'écriait : « O douleur ! je n'avouerai jamais que tu sois un mal ! » Et quand il serait vrai qu'il se trouvât des hommes assez infortunés pour étouffer le cri du remords, qu'en résulterait-il ? Ne jugeons point celui qui a l'usage de ses membres, par le paralytique, qui ne se sert plus des siens ; le crime, à son dernier degré, est un poison qui cautérise la conscience : en renversant la religion, on a détruit le seul remède qui pouvait rétablir la sensibilité dans les parties mortes du cœur. Cette étonnante religion du Christ était une sorte de supplément à ce qui manquait aux hommes. Devenait-on coupable *par excès*, par trop de prospérité, par violence de caractère, elle était là pour nous avertir de l'inconstance de la fortune et du danger des emportements. Etait-ce, au contraire, *par défaut* qu'on était exposé, par indigence de biens, par indifférence d'âme, elle nous apprenait à mépriser les richesses, en même temps qu'elle réchauffait nos glaces, et nous donnait, pour ainsi dire, des passions. Avec le criminel surtout, sa charité était inépuisable : il n'y avait point d'homme si souillé qu'elle n'admît à repentir ; point de lépreux si dégoûtant qu'elle ne touchât de ses mains pures. Pour le passé, elle ne demandait qu'un remords ; pour l'avenir, qu'une vertu : *Ubi autem abundavit delictum*, disait-elle, *superabundavit gratia*. « La grâce a surabondé où avait abondé le crime [1]. » Toujours prêt à avertir le pécheur, le Fils de Dieu avait établi sa religion comme une seconde conscience, pour le coupable qui aurait eu le malheur de

1. *Rom.* Cap. v, v. 20.

perdre la conscience naturelle, conscience évangélique, pleine de pitié et de douceur, et à laquelle Jésus-Christ avait accordé le droit de faire grâce, que n'a pas la première.

Après avoir parlé du remords qui suit le crime, il serait inutile de parler de la satisfaction qui accompagne la vertu. Le contentement intérieur qu'on éprouve en faisant une bonne œuvre, n'est pas plus une combinaison de la matière, que le reproche de la conscience, lorsqu'on commet une méchante action, n'est la crainte des lois.

Si des sophistes soutiennent que la vertu n'est qu'un amour-propre déguisé, et que la pitié n'est qu'un amour de soi-même, ne leur demandons point s'ils n'ont jamais rien senti dans leurs entrailles, après avoir soulagé un malheureux, ou si c'est la crainte de retomber en enfance qui les attendrit sur l'innocence du nouveau-né. La vertu et les larmes sont pour les hommes la source de l'espérance et la base de la foi : or, comment croirait-il en Dieu, celui qui ne croit ni à la réalité de la vertu, ni à la vérité des larmes ?

Nous penserions faire injure aux lecteurs, en nous arrêtant à montrer comment l'immortalité de l'âme et l'existence de Dieu se prouvent par cette voix intérieure appelée conscience. « Il y a dans l'homme, dit Cicéron [1], une puissance qui porte au bien et détourne du mal, non seulement antérieure à la naissance des peuples et des villes, mais aussi ancienne que ce Dieu par qui le ciel et la terre subsistent et sont gouvernés : car la raison est un attribut essentiel de l'intelligence divine; et cette raison, qui est en Dieu, détermine nécessairement ce qui est vice ou vertu. »

_____

1. *Ad Attic.* XII, 28. *Trad. de d'Olivet.*

CHAPITRE III

QU'IL N'Y A POINT DE MORALE, S'IL N'Y A POINT D'AUTRE VIE

PRÉSOMPTION EN FAVEUR DE L'AME, TIRÉE DU RESPECT DE L'HOMME POUR LES TOMBEAUX

La morale est la base de la société; mais si tout est matière en nous, il n'y a réellement ni vice ni vertu, et conséquemment plus de morale. Nos lois, toujours *relatives* et *changeantes*, ne peuvent servir de point d'appui à la morale, toujours *absolue* et *inaltérable ;* il faut donc qu'elle ait sa source dans un monde plus stable que celui-ci, et des garants plus sûrs que des récompenses précaires, ou des châtiments passagers. Quelques philosophes ont cru que la religion avait été *inventée* pour la soutenir; ils ne se sont pas aperçus qu'ils prenaient l'effet pour la cause. Ce n'est pas la religion qui découle de la morale, c'est la morale qui naît de la religion, puisqu'il est certain, comme nous venons de le dire, que la morale ne peut avoir son principe dans l'homme *physique* ou la *simple matière ;* puisqu'il est certain que, quand les hommes perdent l'idée de Dieu, ils se précipitent dans tous les crimes en dépit des lois et des bourreaux.

Une religion qui a voulu s'élever sur les ruines du christianisme, et qui a cru mieux faire que l'Evangile, a déroulé dans nos églises ce précepte du Décalogue : *Enfants, honorez vos pères et mères.* Pourquoi les *théophilanthropes* ont-ils retranché la dernière partie du précepte, *afin de vivre longuement?* C'est qu'une misère secrète leur a appris que l'homme qui n'a rien ne peut rien donner. Comment aurait-il promis des années, celui qui n'est pas assuré de vivre deux moments ? Tu me fais présent de la vie, lui aurait-on dit, et tu ne vois pas que tu tombes en poussière! Comme Jéhovah, tu m'assures une longue existence, et as-tu comme lui l'éternité pour y puiser des jours ? Imprudent ? l'heure où tu vis n'est pas même à toi : tu ne possèdes en propre que la mort; que tireras-tu donc du fond de ton sépulcre, hors le néant, pour récompenser ma vertu ?

Enfin, il y a une autre preuve morale de l'immortalité de l'âme, sur laquelle il faut insister, c'est la vénération des hommes pour les tombeaux. Là, par un charme invincible, la vie est attachée à la mort; là, la nature humaine se montre supérieure au reste de la création et déclare ses hautes destinées. La bête connaît-elle le cercueil, et s'inquiète-t-elle de ses cendres ? Que lui font les ossements de son père ? ou plutôt sait-elle quel est son père, après que les besoins de l'enfance sont passés ? D'où nous vient donc la puissante idée que nous avons du trépas ? Quelques grains de poussière mériteraient-ils nos hommages ? Non sans doute : nous respectons les cendres de nos ancêtres, parce qu'une voix nous dit que tout n'est pas éteint en eux. Et c'est cette voix qui consacre le culte funèbre chez tous les peuples de la terre : tous sont également persuadés que le sommeil n'est pas durable, même au tombeau, et que la mort n'est qu'une transfiguration glorieuse.

CHAPITRE IV

DE QUELQUES OBJECTIONS

Sans entrer trop avant dans les preuves métaphysiques que nous avons pris soin d'écarter, nous tâcherons pourtant de répondre à quelques objections qu'on reproduit éternellement.

Cicéron ayant avancé, d'après Platon, qu'il n'y a point de peuples chez lesquels on n'ait trouvé quelque notion de la Divinité, ce consentement universel des nations, que les anciens philosophes regardaient comme une loi de nature, a été nié par les incrédules modernes; ils ont soutenu que certains Sauvages n'ont aucune connaissance de Dieu.

Les athées se tourmentent en vain pour couvrir la faiblesse de leur cause; il résulte de leurs arguments que leur système n'est fondé que sur des *exceptions*, tandis que le déisme suit la *règle générale*. Si l'on dit que le genre humain croit en Dieu, l'incrédule vous oppose d'abord tels Sauvages, ensuite telle personne, et quelquefois lui-même. Soutient-on que le hasard n'a pu former le monde, parce qu'il n'y aurait eu qu'une seule chance favorable contre d'incalculables impossibilités ? l'incrédule en convient; mais il répond que *cette chance existait :* c'est en tout la même manière de raisonner. De sorte que, d'après l'athée, la nature est un livre où la vérité se trouve toujours dans la note, et jamais dans le texte, une langue dont les barbarismes forment seuls l'essence et le génie.

Quand on vient d'ailleurs à examiner ces prétendues exceptions, on découvre, ou qu'elles tiennent à des causes locales, ou qu'elles rentrent même dans la loi établie. Ici, par exemple, il est faux qu'il y ait des Sauvages qui n'aient aucune notion de la Divinité. Les voyageurs qui avaient avancé ce fait ont été démentis par d'autres voyageurs mieux instruits. Parmi les incrédules *des bois,* on avait cité les hordes canadiennes : eh bien! nous les avons vus ces sophistes *de la hutte,* qui devaient avoir appris dans le livre de la nature, comme nos philosophes dans les leurs, qu'il n'y a ni Dieu ni avenir pour l'homme; ces Indiens sont d'absurdes barbares, qui voient l'âme d'un enfant dans une colombe, ou dans une touffe de sensitive. Les mères, chez eux, sont assez insensées pour épancher leur lait sur le tombeau de leurs fils, et elles donnent à l'homme, au sépulcre, la même attitude qu'il avait dans le sein maternel. Elles prétendent enseigner ainsi que la mort n'est qu'une seconde mère qui nous enfante à une autre vie. L'athéisme ne fera jamais rien de ces peuples qui doivent à la Providence le logement, l'habit et la nourriture; et nous conseillons aux incrédules de se défier de ces alliés corrompus, qui reçoivent secrètement des présents de l'ennemi.

Autre objection.

« Puisque l'esprit croît et décroît avec l'âge, puisqu'il suit les altérations de la matière, il est donc lui-même de nature matérielle, conséquemment divisible, et sujet à périr. »

Ou l'esprit et le corps sont deux êtres différents, ou ils ne sont que le même être. S'ils sont *deux,* il vous faut convenir que l'esprit est renfermé dans le corps; il en résulte qu'aussi longtemps que durera cette union, l'esprit sera en quelques degrés soumis aux liens qui le pressent. Il paraîtra s'élever ou s'abaisser dans les proportions de son enveloppe. L'objection ne subsiste donc plus, dans l'hypothèse où l'esprit et le corps sont considérés comme *deux substances distinctes.*

Dans celle où vous supposez qu'ils ne sont qu'*un* et

tout, partageant même vie et même mort, *vous êtes tenus à prouver l'assertion*. Or, il est depuis longtemps démontré que l'esprit est essentiellement différent du *mouvement* et des autres propriétés de la matière, n'étant ni *étendu*, ni *divisible*.

Ainsi l'objection se renverse de fond en comble, puisque tout se réduit à savoir si la matière et la pensée sont *une et même chose ;* ce qui ne se peut soutenir sans absurdité.

Au surplus, il ne faut pas s'imaginer qu'en employant la prescription pour écarter cette difficulté, il soit impossible de l'attaquer par le fond. On peut prouver qu'alors même que l'esprit semble suivre les accidents du corps, il conserve les caractères distinctifs de son essence. Les athées, par exemple, produisent en triomphe la folie, les blessures au cerveau, les fièvres délirantes : afin d'étayer leur système, ces hommes sont obligés d'enrôler, pour auxiliaires dans leur cause, les malheurs de l'humanité. Eh bien donc ces fièvres, cette folie (que l'athéisme, c'est-à-dire le génie du mal, a raison d'appeler en preuve de sa réalité), que démontrent-elles après tout ? je vois une *imagination* déréglée, mais un *entendement réglé*. Le fou et le malade aperçoivent des objets qui *n'existent pas ;* mais raisonnent-ils *faux* sur ces objets ? Ils tirent d'une cause infirme des conséquences saines.

Pareille chose arrive à l'homme attaqué de la fièvre : son âme est offusquée dans la partie où se réfléchissent les images, parce que l'imbécillité des sens ne lui transmet que des notions trompeuses ; mais la région des idées reste entière et inaltérable. Et de même qu'un feu allumé dans une vile matière n'en est pas moins un feu pur, quoique nourri d'impurs aliments, ainsi la pensée, flamme céleste, s'élance incorruptible et immortelle, du milieu de la corruption et de la mort.

Quant à l'influence des climats sur l'esprit, qui a été alléguée comme une preuve de la matérialité de la pensée, nous prions les lecteurs de faire quelque attention à notre réponse ; car, au lieu de résoudre une objection, nous allons tirer de la chose même qu'on nous oppose une preuve de l'immortalité de l'âme.

On a remarqué que la nature se montre plus forte au septentrion et au midi : c'est entre les tropiques que se trouvent les plus grands quadrupèdes, les plus grands reptiles, les plus grands oiseaux, les plus grands fleuves, les plus hautes montagnes ; c'est dans les régions du nord que vivent les puissants cétacés, qu'on rencontre l'énorme fucus et le *pin gigantesque*. Si tout est effet de matière, combinaisons d'éléments, force de soleil, résultat du froid et du chaud, du sec et de l'humide, pourquoi l'homme seul est-il excepté de la loi générale ? Pourquoi sa capacité physique et morale ne se dilate-t-elle pas avec celle de l'éléphant sous la ligne, et de la baleine sous le pôle ? Dira-t-on qu'il est comme le bœuf un animal de tous les pays ? Mais le bœuf conserve son *instinct* en tout climat, et nous voyons par rapport à l'homme une chose bien différente.

Loin de suivre la loi générale des êtres, loin de se fortifier là où la matière est supposée plus active, l'homme, au contraire, s'affaiblit en raison de l'accroissement de la création animale autour de lui. L'Indien, le Péruvien, le Nègre au midi ; l'Esquimau, le Lapon au nord, en sont la preuve. Il y a plus : l'Amérique, où le mélange des limons et des eaux donne à la végétation la vigueur d'une terre primitive, l'Amérique est pernicieuse aux races d'hommes quoiqu'elle le devienne moins chaque jour, en raison de l'affaiblissement du principe matériel. L'homme n'a toute son énergie que dans les régions où les éléments moins vifs laissent un plus libre cours à la pensée ; où cette pensée, pour ainsi dire dépouillée de son vêtement terrestre, n'est gênée dans aucun de ses mouvements, dans aucune de ses facultés.

Il faut donc reconnaître ici quelque chose, en opposition directe avec la nature passive : or, cette chose est notre âme immortelle. Elle répugne aux opérations de la matière ; elle est malade, elle languit quand elle en est trop touchée. Cet état de langueur de l'âme produit à son tour la débilité du corps ; le corps, qui, s'il eût été seul, eût profité sous les feux du soleil, est contrarié par l'abattement de l'esprit. Que si l'on disait que c'est, au contraire, le corps qui, ne pouvant supporter les extrémités du froid et du chaud, fait dégénérer l'âme, en dégénérant lui-même, ce serait une seconde fois prendre l'effet pour la cause. Ce n'est pas le vase qui agit sur la liqueur, c'est la liqueur qui tourmente le vase, et ces prétendus effets du corps sur l'âme sont les effets de l'âme sur le corps.

La double débilité mentale et physique des peuples du nord et du midi, la mélancolie dont ils semblent frappés, ne peuvent donc, selon nous, être attribuées à une fibre trop relâchée ou trop tendue, puisque les mêmes accidents ne produisent pas le même effet dans les zones tempérées. Cette affection plaintive des habitants du pôle et des tropiques est une véritable tristesse intellectuelle, produite par la position de l'âme, et par ses combats contre les forces de la matière. Ainsi, non seulement Dieu a marqué sa sagesse par les avantages que le globe retire de la diversité des latitudes, mais, en plaçant l'homme sur cette échelle, il nous a démontré presque mathématiquement l'immortalité de notre essence, puisque l'âme se fait le plus sentir là où la matière agit le moins, et que l'homme diminue où la brute augmente.

Touchons une dernière objection.

« Si l'idée de Dieu est naturellement empreinte dans nos âmes, elle doit devancer l'éducation, prévenir le raisonnement, se montrer dès l'enfance : or, les enfants n'ont point l'idée de Dieu; donc, etc. »

Dieu étant *esprit*, et ne pouvant être entendu que par l'*esprit*, un enfant chez qui la pensée n'est pas encore développée ne saurait concevoir le souverain Etre. Ne demandons point au cœur sa fonction la plus noble, lorsqu'il n'est pas achevé, lorsque le merveilleux ouvrage est encore entre les mains de l'ouvrier.

Mais d'ailleurs on peut soutenir que l'enfant a du moins l'*instinct* de son Créateur. Nous en prenons à témoin ses petites rêveries, ses inquiétudes, ses craintes dans la nuit, son penchant à lever les yeux vers le ciel. Un enfant joint ses deux mains innocentes, et répète après sa mère une prière au *bon Dieu :* pourquoi ce jeune ange de la terre balbutie-t-il avec tant d'amour et de pureté le nom de ce souverain Etre qu'il ne connaît pas ?

Voyez ce nouveau-né qu'une nourrice porte dans ses bras. Qu'a-t-il dit pour donner tant de joie à ce vieillard, à cet homme fait, à cette femme ? deux ou trois syllabes à demi formées, que personne n'a comprises : et voilà des êtres raisonnables transportés d'allégresse, depuis l'aïeul, qui sait toutes les choses de la vie, jusqu'à la jeune mère qui les ignore encore! Qui donc a mis cette puissance dans le verbe de l'homme ? Pourquoi le son d'une voix humaine vous remue-t-il si impérieusement ? Ce qui vous subjugue ici est un mystère, qui tient à des causes plus relevées qu'à l'intérêt qu'on peut prendre en l'âge de cet enfant : quelque chose vous dit que ces paroles inarticulées sont les premiers bégaiements d'une pensée immortelle.

CHAPITRE V

DANGER ET INUTILITÉ DE L'ATHÉISME

Il y a deux sortes d'athées, bien distinctes : les premiers, conséquents dans leurs principes, déclarent, sans hésiter, qu'il n'y a point de Dieu, par conséquent point de différence essentielle entre le bien et le mal; que le monde appartient aux plus forts et aux plus habiles, etc. Les seconds sont les honnêtes gens de l'athéisme, les hypocrites de l'incrédulité. Absurdes personnages, qui, avec une douceur feinte, se porteraient à tous les excès pour soutenir leur système; ils vous appelleraient *mon frère* en vous égorgeant; les mots de morale et d'humanité sont incessamment dans leurs bouches : ils sont triplement méchants; car ils joignent aux vices de l'athée l'intolérance du sectaire, et l'amour-propre de l'auteur.

Ces hommes prétendent que l'athéisme ne détruit ni le bonheur ni la vertu, et qu'il n'y a point de condition où il ne soit aussi profitable d'être incrédule que d'être religieux : c'est ce qu'il convient d'examiner.

Si une chose doit être estimée en raison de son plus ou moins d'utilité, l'athéisme est bien méprisable, car il n'est bon à personne.

Parcourons la vie humaine; commençons par les pauvres et les infortunés, puisqu'ils font la majorité sur la terre. Eh bien, innombrable famille des misérables! est-ce à vous que l'athéisme est utile ? Répondez. Quoi! pas une voix! pas une seule voix! J'entends un cantique d'espérance, et des soupirs qui montent vers le Seigneur! Ceux-ci croient : passons aux heureux.

Il nous semble que l'homme heureux n'a aucun intérêt à être athée. Il est si doux pour lui de songer que ses jours se prolongeront au-delà de la vie! Avec quel désespoir ne quitterait-il pas ce monde, s'il croyait se séparer pour toujours du bonheur! En vain tous les biens du siècle s'accumuleraient sur sa tête; ils ne serviraient qu'à lui rendre le néant plus affreux. Le riche peut aussi se tenir assuré que la religion augmentera ses plaisirs, en y mêlant une tendresse ineffable; son cœur ne s'endurcira point, il ne sera point rassasié par la jouissance, inévitable écueil des longues prospérités : la religion prévient la sécheresse de l'âme; c'est ce que voulait dire cette huile sainte, avec laquelle le christianisme consacrait la royauté, la jeunesse et la mort, pour les empêcher d'être stériles.

Le guerrier s'avance au combat : sera-t-il athée, cet enfant de la gloire ? Celui qui cherche une vie sans fin, consentira-t-il à finir ? Paraissez sur vos nues tonnantes, innombrables soldats, antiques légions de la patrie! Fameuses milices de la France, et maintenant milices du ciel, paraissez! Dites aux héros de notre âge, du haut de la Cité sainte, que le brave n'est pas tout entier au tombeau, et qu'il reste après lui quelque chose de plus qu'une vaine renommée.

Les grands capitaines de l'antiquité ont été remarquables par leur religion : Epaminondas, libérateur de sa patrie, passait pour le plus religieux des hommes; Xénophon, ce guerrier philosophe, était le modèle de la piété; Alexandre, éternel exemple des conquérants, se disait fils de Jupiter; chez les Romains, les anciens consuls de la République, Cincinnatus, Fabius, Papirius Cursor, Paul Emile, Scipion, ne mettaient leur espérance que dans la divinité du Capitole; Pompée marchait aux combats, en invoquant l'assistance divine; César voulait descendre d'une race céleste; Caton, son rival, était convaincu de l'immortalité de l'âme; Brutus, son assassin, croyait aux puissances surnaturelles, et Auguste, son successeur, ne régna qu'au nom des dieux.

Parmi les nations modernes, était-ce un incrédule que ce fier Sicambre, vainqueur de Rome et des Gaules, qui, tombant aux pieds d'un prêtre, jetait les fondements de l'empire français! Etait-ce un incrédule que ce saint Louis, arbitre des rois, et révéré même des Infidèles ? Du Guesclin, dont le cercueil prenait des villes, Bayard, chevalier sans peur et sans reproche, le vieux connétable de Montmorency, qui disait son chapelet au milieu des camps, étaient-ils des hommes sans foi ? O temps plus merveilleux encore, où un Bossuet ramenait un Turenne dans le sein de l'Eglise!

Il n'est point de caractère plus admirable que celui du héros chrétien : le peuple qu'il défend le regarde comme son père; il protège le laboureur et les moissons; il écarte les injustices : c'est une espèce d'ange de la guerre, que Dieu envoie pour adoucir ce fléau. Les villes ouvrent leurs portes au seul bruit de sa justice; les remparts tombent devant ses vertus; il est l'amour du soldat et l'idole des nations; il mêle au courage du guerrier la charité évangélique; sa conversation touche et instruit, ses paroles ont une grâce de simplicité parfaite; on est étonné de trouver tant de douceur dans un homme accoutumé à vivre au milieu des périls : ainsi le miel se cache sous l'écorce d'un chêne qui a bravé les orages.

Concluons que, sous aucun rapport, l'athéisme n'est bon au guerrier.

Nous ne voyons pas qu'il soit plus utile dans les états de la nature, que dans les conditions de la société. Si la morale porte tout entière sur le dogme de l'existence de Dieu et de l'immortalité de l'âme, un père, un fils, des époux, n'ont aucun intérêt à être incrédules. Eh! comment, par exemple, concevoir qu'une femme puisse être athée? Qui appuiera ce roseau, si la religion n'en soutient la fragilité? Etre le plus faible de la nature, toujours à la veille de la mort ou de la perte de ses charmes, qui le soutiendra, cet être qui sourit et qui meurt, si son espoir n'est point au-delà d'une existence éphémère? Par le seul intérêt de sa beauté, la femme doit être pieuse. Douceur, soumission, aménité, tendresse, sont une partie des charmes que le Créateur prodigua à notre première mère, et la philosophie est mortelle à cette sorte d'attraits.

La femme qui a naturellement l'instinct du mystère, qui prend plaisir à se voiler, qui ne découvre jamais qu'une moitié de ses grâces et de sa pensée, qui peut être devinée, mais non connue, qui, comme mère et comme vierge, est pleine de secrets, qui séduit surtout par son ignorance, qui fut formée pour la vertu et le sentiment le plus mystérieux, la pudeur et l'amour; cette femme, renonçant au doux instinct de son sexe, ira d'une main faible et téméraire chercher à soulever l'épais rideau qui couvre la Divinité! A qui pense-t-elle plaire par cet effort sacrilège? Croit-elle, en joignant ses ridicules blasphèmes et sa frivole métaphysique aux imprécations des Spinosa et aux sophismes des Bayle, nous donner une grande idée de son génie? Sans doute elle n'a pas dessein de se choisir un époux : quel homme de bon sens voudrait s'associer une compagne impie?

L'épouse incrédule a rarement l'idée de ses devoirs; elle passe ses jours ou à raisonner sur la vertu sans la pratiquer, ou à suivre ses plaisirs dans le tourbillon du monde. Sa tête est vide, son âme creuse; l'ennui la dévore; elle n'a ni Dieu, ni soins domestiques, pour remplir l'abîme de ses moments.

Le jour vengeur approche; le Temps arrive, menant la Vieillesse par la main. Le spectre aux cheveux blancs, aux épaules voûtées, aux mains de glace, s'assied sur le seuil du logis de la femme incrédule; elle l'aperçoit et pousse un cri. Mais qui peut entendre sa voix ? Est-ce un époux ? il n'y en a plus pour elle : depuis longtemps il s'est éloigné du théâtre de son déshonneur. Sont-ce des enfants ? perdus par une éducation impie et par l'exemple maternel, se soucient-ils de leur mère ? Si elle regarde dans le passé, elle n'aperçoit qu'un désert où ses vertus n'ont point laissé de traces. Pour la première fois, sa triste pensée se tourne vers le ciel; elle commence à croire qu'il eût été plus doux d'avoir une religion. Regret inutile! la dernière punition de l'athéisme dans ce monde est de désirer la foi sans pouvoir l'obtenir. Quand, au bout de sa carrière, on reconnaît les mensonges d'une fausse philosophie; quand le néant, comme un astre funeste, commence à se lever sur l'horizon de la mort, on voudrait revenir à Dieu, et il n'est plus temps : l'esprit abruti par l'incrédulité rejette toute conviction. Oh! qu'alors la solitude est profonde, lorsque la Divinité et les hommes se retirent à la fois! Elle meurt cette femme, elle expire entre les bras d'une garde payée, ou d'un homme dégoûté par ses souffrances, qui trouve qu'elle a résisté au mal bien des jours. Un chétif cercueil renferme toute l'infortunée : on ne voit à ses funérailles ni une fille échevelée, ni des gendres et des petits-fils en pleurs; digne cortège qui, avec la bénédiction du peuple et le chant des prêtres, accompagne au tombeau la mère de famille. Peut-être seulement un fils inconnu, qui ignore le honteux secret de sa naissance, rencontre par hasard le convoi; il s'étonne de l'abandon de cette bière, et demande le nom du mort à ceux qui vont jeter aux vers le cadavre qui leur fut promis par la femme athée.

Que différent est le sort de la femme religieuse! ses jours sont environnés de joie, sa vie est pleine d'amour : son époux, ses enfants, ses domestiques la respectent et la chérissent : tous reposent en elle une aveugle confiance, parce qu'ils croient fermement à la fidélité de celle qui est fidèle à son Dieu. La foi de cette chrétienne se fortifie par son bonheur, et son bonheur par sa foi; elle croit en Dieu parce qu'elle est heureuse, et elle est heureuse, parce qu'elle croit en Dieu.

Il suffit qu'une mère voie sourire son enfant, pour être convaincue de la réalité d'une félicité suprême. La bonté de la Providence se montre tout entière dans le berceau de l'homme. Quels accords touchants! ne seraient-ils que les effets d'une insensible matière? L'enfant naît, la mamelle est pleine; la bouche du jeune convive n'est point armée, de peur de blesser la coupe du banquet maternel; il croît, le lait devient plus nourrissant; on le sèvre, la merveilleuse fontaine tarit. Cette femme si faible a tout à coup acquis des forces qui lui font surmonter des fatigues que ne pourrait supporter l'homme le plus robuste. Qu'est-ce qui la réveille au milieu de la nuit, au moment même où son fils va demander le repas accoutumé? D'où lui vient cette adresse qu'elle n'avait jamais eue? Comme elle touche cette tendre fleur sans la briser! Ses soins semblent être le fruit de l'expérience de toute sa vie, et cependant c'est là son premier-né! Le moindre bruit épouvantait la vierge: où sont les armées, les foudres, les périls, qui feront pâlir la mère? Jadis, il fallait à cette femme une nourriture délicate, une robe fine, une couche molle; le moindre souffle de l'air l'incommodait: à présent un pain grossier, un vêtement de bure, une poignée de paille, la pluie et les vents ne lui importent guère, tandis qu'elle a dans sa mamelle une goutte de lait pour nourrir son fils, et dans ses haillons un coin de manteau pour l'envelopper.

Tout étant ainsi, il faudrait être bien obstiné pour ne pas embrasser le parti où non seulement la raison trouve le plus grand nombre de preuves, mais où la morale, le bonheur, l'espérance, l'instinct même et les désirs de l'âme nous portent naturellement; car s'il était vrai, comme il est faux, que l'esprit tînt la balance égale entre Dieu et l'athéisme, encore est-il certain qu'elle pencherait beaucoup du côté du premier: outre la moitié de sa raison, l'homme met de plus dans le bassin de Dieu tout le poids de son cœur.

On sera convaincu de cette vérité, si l'on examine la manière dont l'athéisme et la religion procèdent dans leurs démonstrations.

La religion ne se sert que de preuves générales; elle ne juge que sur l'ordonnance des cieux, sur les lois de l'univers; elle ne voit que les grâces de la nature, les instincts charmants des animaux, et leurs convenances avec l'homme.

L'athéisme ne vous apporte que de honteuses exceptions; il n'aperçoit que des désordres, des marais, des volcans, des bêtes nuisibles; et, comme s'il cherchait à se cacher dans la boue, il interroge les reptiles et les insectes, pour lui fournir des preuves contre Dieu.

La religion ne parle que de la grandeur et de la beauté de l'homme.

L'athéisme a toujours la lèpre et la peste à vous offrir.

La religion tire ses raisons de la sensibilité de l'âme, des plus doux attachements de la vie, de la piété filiale, de l'amour conjugal, de la tendresse maternelle.

L'athéisme réduit tout à l'instinct de la bête; et, pour premier argument de son système, il vous étale un cœur que rien ne peut toucher.

Enfin, dans le culte du chrétien, on nous assure que nos maux auront un terme; on nous console, on essuie nos pleurs, on nous promet une autre vie.

Dans le culte de l'athée, les Douleurs humaines font fumer l'encens, la Mort est le sacrificateur, l'autel un Cercueil, et le Néant la divinité.

CHAPITRE VI

FIN DES DOGMES DU CHRISTIANISME

ÉTAT DES PEINES ET DES RÉCOMPENSES DANS UNE
AUTRE VIE. ÉLYSÉE ANTIQUE, ETC.

L'existence d'un Etre Suprême une fois reconnue, et l'immortalité de l'âme accordée, il n'y a plus, quant au fond, de difficulté à admettre un état de récompenses et de châtiments après cette vie : les deux premiers dogmes entraînent de nécessité le troisième. Il ne s'agit donc que de faire voir combien celui-ci est moral et poétique dans les opinions chrétiennes, et combien la religion évangélique se montre encore ici supérieure à tous les cultes de la terre.

Dans l'Elysée des anciens, on ne trouve que des héros et des hommes qui avaient été heureux ou éclatants dans le monde; les enfants, et apparemment les esclaves et les hommes obscurs (c'est-à-dire l'infortune et l'innocence), étaient relégués aux enfers. Et quelles récompenses pour la vertu, que ces banquets et ces danses dont l'éternelle durée suffirait pour en faire un des tourments du Tartare ?

Mahomet promet d'autres jouissances. Son paradis est une terre de musc et de la plus pure farine de froment, qu'arrosent le fleuve de vie, et l'Acawtar, rivière qui prend sa source sous les racines du *Tuba*, ou l'arbre du bonheur. Des fontaines dont les grottes sont d'ambre gris, et les bords d'aloès, murmurent sous des palmiers d'or. Sur les rives d'un lac quadrangulaire, reposent mille coupes faites d'étoiles, dont les âmes prédestinées se servent pour puiser l'onde. Les élus assis sur des tapis de soie, à l'entrée de leurs tentes, mangent le globe de la terre, transformé par Allah en un merveilleux gâteau. Des eunuques et soixante-douze filles aux yeux noirs leur servent dans trois cents plats d'or le poisson Nun, et les côtes du buffle Bâlam. L'ange Israfil chante de beaux cantiques ; les houris mêlent leurs voix à ses concerts ; et les âmes des poètes vertueux, retirées dans la *glotte* de certains oiseaux qui voltigent sur l'*arbre du bonheur*, accompagnent le chœur céleste. Cependant des cloches de cristal, suspendues aux palmiers d'or, sont mélodieusement agitées par un vent sorti du trône de Dieu [1].

Les joies du ciel des Scandinaves étaient sanglantes ; mais il y avait de la grandeur dans les plaisirs attribués aux ombres guerrières ; elles assemblaient les orages et dirigeaient les tourbillons : ce paradis était le résultat du genre de vie que menait le Barbare du Nord. Errant sur des grèves sauvages, et prêtant l'oreille à cette voix qui sort de l'Océan, il tombait peu à peu dans la rêverie ; égaré de pensée en pensée, comme les flots de murmure en murmure, dans le vague de ses désirs, il se mêlait aux éléments, montait sur les nues fugitives, balançait les forêts dépouillées, et volait sur les mers avec les tempêtes.

Les enfers des nations infidèles sont aussi capricieux que leur ciel : nous parlerons du Tartare dans la partie littéraire de notre ouvrage, où nous allons entrer à l'instant. Quoi qu'il en soit, les récompenses que le christianisme promet à la vertu, et les châtiments qu'il annonce au crime, se font reconnaître au premier coup d'œil pour les véritables. Le ciel et l'enfer des chrétiens ne sont point imaginés d'après les mœurs particulières d'un peuple, mais ils sont fondés sur des idées générales

---

1. Le *Coran* et les poètes arabes.

qui conviennent à toutes les nations et à toutes les classes
de la société. Ecoutez ce qu'il y a de plus simple et de
plus sublime en quelques mots : — Le bonheur du juste
consistera, dans l'autre vie, à posséder Dieu avec plénitude; — le malheur de l'impie sera de connaître les perfections de Dieu, et d'en être à jamais privé.

On dira peut-être que le christianisme ne fait que répéter ici les leçons des écoles de Platon et de Pythagore.
On convient donc au moins que la religion chrétienne
n'est pas la religion des *petits esprits*, puisqu'on avoue
que ses dogmes sont ceux des *sages?*

En effet, les Gentils reprochaient aux premiers fidèles
de n'être qu'une secte de philosophes; mais, fût-il certain, ce qui n'est pas prouvé, que l'antiquité eût,
touchant un état futur, les mêmes notions que le christianisme, autre est toutefois une vérité renfermée dans un
petit cercle de disciples choisis, autre une vérité qui est
devenue la manne commune du peuple. Ce que les beaux
génies de la Grèce ont trouvé par un dernier effort de
raison, s'enseigne publiquement aux carrefours de nos
cités; et le manœuvre peut acheter pour quelques deniers,
dans le catéchisme de ses enfants, les secrets les plus
sublimes des sectes antiques.

Nous ne dirons rien à présent du purgatoire, parce
que nous le considérons ailleurs sous ses rapports moraux
et poétiques. Quant au principe qui établit ce lieu d'expia-
tion, il est fondé sur la raison même, puisqu'il y a un
état de tiédeur entre le vice et la vertu, qui ne mérite ni
les peines de l'enfer, ni les récompenses du ciel.

CHAPITRE VII

JUGEMENT DERNIER

Les Pères ont été de différentes opinions sur l'état
immédiat de l'âme du juste, après sa séparation d'avec
le corps. Saint Augustin pense qu'elle va dans un séjour
de paix, en attendant qu'elle se réunisse à sa chair incorruptible [1]. Saint Bernard croit qu'elle est reçue dans le
ciel, où elle contemple l'humanité de Jésus-Christ, mais

---

1. *De Trinit.* lib. xv, cap. 25.

non sa divinité, dont elle ne jouira qu'après la résurrection[1]; dans quelques autres endroits de ses sermons, il assure qu'elle entre immédiatement dans la plénitude du bonheur céleste[2] : c'est le sentiment que l'Eglise paraît avoir adopté.

Mais comme il est juste que le corps et l'âme qui ont commis ou pratiqué ensemble, ou la faute, ou la vertu, souffrent ou soient récompensés ensemble, la religion nous enseigne que celui qui nous tira de la poussière nous en rappellera une seconde fois pour comparaître à son tribunal. L'école stoïque croyait, ainsi que les chrétiens, à l'enfer, au paradis, au purgatoire, et à la résurrection des corps[3], et l'idée confuse de ce dernier dogme était répandue chez les mages[4]. Les Egyptiens espéraient revivre après avoir passé mille ans dans la tombe[5]; les vers Sibyllins parlent de la résurrection, du jugement dernier[6], etc.

Pline, en se moquant de Démocrite, nous apprend quelle était l'opinion de ce philosophe, touchant une résurrection : *Similis et de asservandis corporibus hominum, ac reviviscendi promissa à Democrito vanitas, qui non vixit ipse*[7].

La résurrection est clairement exprimée dans ces vers de Phocylide, sur la cendre des morts :

> Οὐ ἁαλὸν ἁρμονίην ἀναλυέμεν ἀνθρώποιο.
> Καὶ τάχα δ' ἐκ γαίης ἐλπίζομεν ἐν φάος ἐλθεῖν
> Λείψαν' ἀποιχομένων ὀπίσω δὲ θεοὶ τελέθονται.

« Il est impie de disperser les restes de l'homme; car la cendre et les ossements des morts retourneront à la lumière, et deviendront semblables aux Dieux. »

Virgile parle obscurément du dogme de la résurrection, dans le sixième livre de *l'Enéide*.

Mais comment des atomes dispersés dans les éléments pourront-ils se réunir pour former les mêmes corps ? Il y a longtemps que cette objection a été faite, et la plu-

---

1. *Serm. in Sanct. omn.* 1-2-3. *De Considerat.* lib. v, cap. 4.
2. *Serm.* II *de S. Malac.* n. 5. *Serm. de S. Vict.* n. 4.
3. Senec. *Epist.* 90 id. *ad Marc.* Laert. lib. VII; Plut. *in resig. stoic. et in fac. lun.*
4. Hyde. *relig. Pers.* Plut. *de Is. et Osir.*
5. Diod. et Hérod.
6. Bocchus *in Solin.* cap. 8. Lact. lib. VII, cap. 29; lib. IV, cap. 15, 18 et 19.
7. Lib. VII, cap. 55.

part des Pères y ont répondu [1]. « Explique-moi comment tu es, dit Tertullien, et je te dirai comment tu seras [2]. »

Rien n'est plus frappant et plus formidable que ce moment de la fin des siècles, annoncé par le christianisme.

En ce temps-là, des signes se manifesteront dans les cieux : le puits de l'abîme s'ouvrira; les sept anges verseront les sept coupes pleines de la colère; les peuples s'entretueront; les mères entendront leurs fruits se plaindre dans leur sein, et la Mort parcourra les royaumes sur son cheval pâle [3].

Cependant la terre chancelle sur ses bases; la lune se couvre d'un voile sanglant, les astres pendent à demi détachés de leur voûte : l'agonie du monde commence. Tout à coup l'heure fatale vient à frapper; Dieu suspend les flots de la création, et le monde a passé comme un fleuve tari.

Alors se fait entendre la trompette de l'ange du jugement; il crie : *Morts, levez-vous !* SURGITE, MORTUI! Les sépulcres se fendent, le genre humain sort du tombeau, et les races s'assemblent dans Josaphat.

Le Fils de l'homme apparaît sur les nuées; les puissances de l'enfer remontent du fond de l'abîme, pour assister au dernier arrêt prononcé sur les siècles; les boucs et les brebis sont séparés, les méchants s'enfoncent dans le gouffre, les justes montent dans les cieux; Dieu rentre dans son repos, et partout règne l'éternité.

CHAPITRE VIII

BONHEUR DES JUSTES

On demande quelle est cette plénitude de bonheur céleste promise à la vertu par le christianisme; on se plaint de sa trop grande mysticité : « Du moins dans le système mythologique, dit-on, on pouvait se former une

---

1. S. Cyrille, évêque de Jérusalem, *Catech.* XVIII. S. Greg. Nic. *Orat. pro Res. carn.* S. August. *de Civ. Dei*, lib. XX. S. Chrys. *Homel. in Resur. carn.* S. Greg. pap. *dial.* IV. S. Amb. *Serm. in Fid. res.* S. Epiph. Ancyrot. p. 38.

2. In *Apologet.*

3. *Apoc.* Cap. VI, v. 8.

image des plaisirs des ombres heureuses; mais comment comprendre la félicité des élus ? »

Fénelon l'a cependant devinée, cette félicité, lorsqu'il fait descendre Télémaque au séjour des mânes : son élysée est visiblement un paradis chrétien. Comparez sa description à l'élysée de *l'Énéide*, et vous verrez quels progrès le christianisme a fait faire à la raison et au cœur de l'homme.

« Une lumière pure et douce se répand autour des corps de ces hommes justes, et les environne de ses rayons comme d'un vêtement : cette lumière n'est point semblable à la lumière sombre qui éclaire les yeux des misérables mortels, et qui n'est que ténèbres; c'est plutôt une gloire céleste qu'une lumière : elle pénètre plus subtilement les corps les plus épais, que les rayons du soleil ne pénètrent le plus pur cristal : elle n'éblouit jamais; au contraire, elle fortifie les yeux, et porte dans le fond de l'âme je ne sais quelle sérénité : c'est d'elle seule que les hommes bienheureux sont nourris; elle sort d'eux, et elle y entre : elle les pénètre, et s'incorpore à eux, comme les aliments s'incorporent à nous. Ils la voient, ils la sentent, ils la respirent; elle fait naître en eux une source intarissable de paix et de joie : ils sont plongés dans cet abîme de délices, comme les poissons dans la mer; ils ne veulent plus rien; ils ont tout, sans rien avoir : car ce goût de lumière pure apaise la faim de leur cœur. . .

. . . .
Une jeunesse éternelle, une félicité sans fin, une gloire toute divine est peinte sur leur visage, mais leur joie n'a rien de folâtre ni d'indécent : c'est une joie douce, noble, pleine de majesté; c'est un goût sublime de la vérité et de la vertu qui les transporte : ils sont sans interruption, à chaque moment, dans le même saisissement de cœur où est une mère qui revoit son cher fils qu'elle avait cru mort; et cette joie, qui échappe bientôt à la mère, ne s'enfuit jamais du cœur de ces hommes [1]. »

Les plus belles pages du Phédon sont moins divines que cette peinture; et cependant Fénelon, resserré dans les bornes de sa fiction, n'a pu attribuer aux ombres tout le bonheur qu'il eût retracé dans les véritables élus [2].

Le plus pur de nos sentiments dans ce monde, c'est l'admiration; mais cette admiration terrestre est toujours

1. Liv. XIX.
2. *Voyez* aussi le sermon sur le Ciel, par l'abbé Poulle.

mêlée de faiblesse, soit dans l'objet qui admire, soit dans l'objet admiré. Qu'on imagine donc un être parfait; source de tous les êtres, en qui se voit clairement et saintement tout ce qui fut, est et sera; que l'on suppose en même temps une âme exempte d'envie et de besoins, incorruptible, inaltérable, infatigable, capable d'une attention sans fin; qu'on se la figure contemplant le Tout-Puissant, découvrant sans cesse en lui de nouvelles connaissances et de nouvelles perfections, passant d'admiration en admiration, et ne s'apercevant de son existence que par le sentiment prolongé de cette admiration même; concevez de plus Dieu comme souveraine beauté, comme principe universel d'amour; représentez-vous toutes les amitiés de la terre, venant se perdre ou se réunir dans cet abîme de sentiments, ainsi que des gouttes d'eau dans la mer, de sorte que l'âme fortunée aime Dieu uniquement; sans pourtant cesser d'aimer les amis qu'elle eut ici-bas; persuadez-vous enfin que le prédestiné a la conviction intime que son bonheur ne finira point[1] : alors vous aurez une idée, à la vérité très imparfaite, de la félicité des justes; alors vous comprendrez que tout ce que le chœur des bienheureux peut faire entendre, c'est ce cri : *Saint ! Saint ! Saint !* qui meurt et renaît éternellement dans l'extase éternelle des cieux.

---

1. Saint Augustin.

SECONDE PARTIE

POÉTIQUE DU CHRISTIANISME

LIVRE PREMIER

VUE GÉNÉRALE DES ÉPOPÉES CHRÉTIENNES

CHAPITRE PREMIER

QUE LA POÉTIQUE DU CHRISTIANISME SE DIVISE EN TROIS
BRANCHES : POÉSIE, BEAUX-ARTS, LITTÉRATURE ; QUE LES
SIX LIVRES DE CETTE SECONDE PARTIE TRAITENT SPÉCIA-
LEMENT DE LA POÉSIE.

Le bonheur des élus, chanté par l'Homère chrétien,
nous mène naturellement à parler des effets du christianisme dans la poésie. En traitant du génie de cette religion, comment pourrions-nous oublier son influence
sur les lettres et sur les arts ? influence qui a, pour ainsi
dire, changé l'esprit humain, et créé, dans l'Europe
moderne, des peuples tout différents des peuples antiques.

Les lecteurs aimeront peut-être à s'égarer sur Oreb
et Sinaï, sur les sommets de l'Ida et du Taygète, parmi
les fils de Jacob et de Priam, au milieu des dieux et des
bergers. Une voix poétique s'élève des ruines qui couvrent
la Grèce et l'Idumée, et crie de loin au voyageur : « Il
n'est que deux belles sortes de noms et de souvenirs
dans l'histoire, ceux des Israélites et des Pélasges. »

Les douze livres que nous avons consacrés à ces
recherches littéraires, composent, comme nous l'avons
dit, la seconde et la troisième partie de notre ouvrage, et
séparent les six livres du *dogme* des six livres du *culte*.

Nous jetterons d'abord un coup d'œil sur les poèmes
où la religion chrétienne tient la place de la mythologie,
parce que l'Epopée est la première des compositions
poétiques. Aristote, il est vrai, a prétendu que le poème
épique est tout entier dans la tragédie ; mais ne pourrait-
on pas croire, au contraire, que c'est le drame qui est
tout entier dans l'Epopée ? Les adieux d'Hector et
d'Andromaque, Priam dans la tente d'Achille, Didon à
Carthage, Enée chez Evandre, ou renvoyant le corps
du jeune Pallas, Tancrède et Herminie, Adam et Eve,
sont de véritables tragédies, où il ne manque que la
division des scènes et le nom des interlocuteurs. D'ailleurs
la tragédie même n'est-elle pas née de *l'Iliade*, comme la
comédie est sortie du *Margitès* ? Mais si Calliope emprunte

les ornements de Melpomène, la première a des charmes que la seconde ne peut imiter : le *merveilleux*, les *descriptions*, les *épisodes*, ne sont point du ressort dramatique. Toute espèce de ton, même le ton comique, toute harmonie poétique, depuis la lyre jusqu'à la trompette, peuvent se faire entendre dans l'Épopée. L'Épopée a donc des parties qui manquent au drame ; elle demande donc un talent plus universel : elle est donc une œuvre plus complète que la tragédie. En effet, on peut avancer, avec quelque vraisemblance, qu'il est moins difficile de faire les cinq actes d'un *Œdipe-Roi*, que de créer les vingt-quatre livres d'une *Iliade*. Autre chose est de produire un ouvrage de quelques mois de travail, autre chose est d'élever un monument qui demande les labeurs de toute une vie. Sophocle et Euripide étaient sans doute de beaux génies ; mais ont-ils obtenu dans les siècles cette admiration, cette hauteur de renommée, dont jouissent si justement Homère et Virgile ? Enfin, si le drame est la première des compositions, et que l'Épopée ne soit que la seconde, comment se fait-il que, depuis les Grecs jusqu'à nous, on ne compte que cinq ou six poèmes épiques, tandis qu'il n'y a pas de nations qui ne se vantent de posséder plusieurs bonnes tragédies ?

CHAPITRE II

VUE GÉNÉRALE DES POÈMES OU LE MERVEILLEUX DU CHRISTIANISME REMPLACE LA MYTHOLOGIE. « L'ENFER » DU DANTE, LA « JÉRUSALEM DÉLIVRÉE ».

Posons d'abord quelques principes.

Dans toute Epopée, les hommes et leurs passions sont faits pour occuper la première et la plus grande place.

Ainsi, tout poème où une religion est employée comme *sujet* et non comme *accessoire*, où le *merveilleux* est le *fond* et non l'*accident* du tableau, pèche essentiellement par la base.

Si Homère et Virgile avaient établi leurs scènes dans l'Olympe, il est douteux, malgré leur génie, qu'ils eussent pu soutenir jusqu'au bout l'intérêt dramatique. D'après

cette remarque, il ne faut plus attribuer au christianisme
la langueur qui règne dans les poèmes dont les principaux personnages sont des êtres surnaturels : cette
langueur tient au vice même de la composition. Nous
verrons, à l'appui de cette vérité, que plus le poète, dans
l'Epopée, garde un juste milieu entre les choses divines
et les choses humaines, plus il devient *divertissant*, pour
parler comme Despréaux. *Divertir*, afin d'*enseigner*, est
la première qualité requise en poésie.

Sans rechercher quelques poèmes écrits dans un latin
barbare, le premier ouvrage qui s'offre à nous est la
Divina Comedia du Dante. Les beautés de cette produc-
tion bizarre découlent presque entièrement du christianisme; ses défauts tiennent au siècle et au mauvais goût
de l'auteur. Dans le pathétique et dans le terrible, le
Dante a peut-être égalé les plus grands poètes. Nous
reviendrons sur les détails.

Il n'y a dans les temps modernes que deux beaux sujets
de poème épique, les *Croisades* et la *Découverte du Nouveau-Monde :* Malfilâtre se proposait de chanter la dernière; les Muses regrettent encore que ce jeune poète
ait été surpris par la mort avant d'avoir exécuté son dessein. Toutefois ce sujet a, pour un Français, le défaut
d'être étranger. Or, c'est un autre principe de toute
vérité, qu'il faut travailler sur un fonds antique, ou, si
l'on choisit une histoire moderne, qu'il faut chanter sa
nation.

Les Croisades rappellent la *Jérusalem délivrée :* ce
poème est un modèle parfait de composition. C'est là
qu'on peut apprendre à mêler les sujets sans les confondre :
l'art avec lequel le Tasse vous transporte d'une bataille
à une scène d'amour, d'une scène d'amour à un conseil,
d'une procession à un palais magique, d'un palais
magique à un camp, d'un assaut à la grotte d'un solitaire, du tumulte d'une cité assiégée à la cabane d'un pasteur; cet art, disons-nous, est admirable. Le dessin des
caractères n'est pas moins savant : la férocité d'Argant
est opposée à la générosité de Tancrède, la grandeur de
Soliman à l'éclat de Renaud, la sagesse de Godefroi à
la ruse d'Aladin; il n'y a pas jusqu'à l'ermite Pierre,
comme l'a remarqué Voltaire, qui ne fasse un beau
contraste avec l'enchanteur Ismen. Quant aux femmes,
la coquetterie est peinte dans Armide, la sensibilité dans
Herminie, l'indifférence dans Clorinde. Le Tasse eût
parcouru le cercle entier des caractères de femmes, s'il

eût représenté *la mère*. Il faut peut-être chercher la raison de cette omission dans la nature de son talent, qui avait plus d'enchantement que de vérité, et plus d'éclat que de tendresse.

Homère semble avoir été particulièrement doué de génie, Virgile de sentiment, le Tasse d'imagination. On ne balancerait pas sur la place que le poète italien doit occuper, s'il faisait quelquefois rêver sa Muse, en imitant les soupirs du Cygne de Mantoue. Mais le Tasse est presque toujours faux quand il fait parler le cœur; et comme les traits de l'âme sont les véritables beautés, il demeure nécessairement au-dessous de Virgile.

Au reste, si la *Jérusalem* a une fleur de poésie exquise, si l'on y respire l'âge tendre, l'amour et les déplaisirs du grand homme infortuné qui composa ce chef-d'œuvre dans sa jeunesse, on y sent aussi les défauts d'un âge qui n'était pas assez mûr pour la haute entreprise d'une Epopée. L'octave du Tasse n'est presque jamais pleine; et son vers, trop vite fait, ne peut être comparé au vers de Virgile, cent fois retrempé au feu des Muses. Il faut encore remarquer que les idées du Tasse ne sont pas d'une aussi belle *famille* que celle du poète latin. Les ouvrages des anciens se font reconnaître, nous dirions presque à leur *sang*. C'est moins chez eux, ainsi que parmi nous, quelques pensées éclatantes, au milieu de beaucoup de choses communes, qu'une belle troupe de pensées qui se conviennent, et qui ont toutes comme un air de parenté : c'est le groupe des enfants de Niobé, nus, simples, pudiques, rougissants, se tenant par la main avec un doux sourire, et portant, pour seul ornement, dans leurs cheveux, une couronne de fleurs.

D'après la *Jérusalem*, on sera du moins obligé de convenir qu'on peut faire quelque chose d'excellent sur un sujet chrétien. Et que serait-ce donc, si le Tasse eût osé employer les grandes machines du christianisme ? Mais on voit qu'il a manqué de hardiesse. Cette timidité l'a forcé d'user des petits ressorts de la magie, tandis qu'il pouvait tirer un parti immense du tombeau de Jésus-Christ qu'il nomme à peine, et d'une terre consacrée par tant de prodiges. La même timidité l'a fait échouer dans son *Ciel*. Son *Enfer* a plusieurs traits de mauvais goût. Ajoutons qu'il ne s'est pas assez servi du mahométisme, dont les rites sont d'autant plus curieux qu'ils sont peu connus. Enfin, il aurait pu jeter un regard sur l'ancienne Asie, sur cette Egypte si fameuse, sur cette grande Babylone, sur cette superbe Tyr, sur les temps de Salomon et d'Isaïe. On s'étonne que sa Muse ait oublié la harpe de David, en parcourant Israël. N'entend-on plus sur le sommet du Liban la voix des prophètes ? Leurs ombres n'apparaissent-elles pas quelquefois sous les cèdres et parmi les pins ? Les anges ne chantent-ils plus sur Golgotha, et le torrent de Cédron a-t-il cessé de gémir ? On est fâché que le Tasse n'ait pas donné quelque souvenir aux Patriarches : le berceau du monde, dans un petit coin de la *Jérusalem*, ferait un assez bel effet.

CHAPITRE III

PARADIS PERDU

On peut reprocher au *Paradis perdu* de Milton, ainsi qu'à l'*Enfer* du Dante, le défaut dont nous avons parlé : le *merveilleux* est le *sujet* et non la *machine* de l'ouvrage; mais on y trouve des beautés supérieures, qui tiennent essentiellement à notre religion.

L'ouverture du poème se fait aux enfers, et pourtant ce début n'a rien qui choque la règle de simplicité prescrite par Aristote. Pour un édifice si étonnant, il fallait un portique extraordinaire, afin d'introduire le lecteur dans ce monde inconnu, dont il ne devait plus sortir.

Milton est le premier poète qui ait conclu l'Epopée par le malheur du principal personnage, contre la règle généralement adoptée. Qu'on nous permette de penser qu'il y a quelque chose de plus intéressant, de plus grave, de plus semblable à la condition humaine, dans un poème qui aboutit à l'infortune, que dans celui qui se termine au bonheur. On pourrait même soutenir que la catastrophe de l'*Iliade* est tragique. Car si le fils de Pélée atteint le but de ses désirs, toutefois la conclusion du poème laisse un sentiment profond de tristesse [1] : on

---

1. Ce sentiment vient peut-être de l'intérêt qu'on prend à Hector. Hector est autant le héros du poème qu'Achille; c'est le défaut de *l'Iliade*. Il est certain que l'amour du lecteur se porte sur les Troyens, contre l'intention du poète, parce que les scènes dramatiques se passent toutes dans les murs d'Ilion. Ce vieux monarque, dont le seul crime est d'aimer trop un fils coupable; ce généreux Hector, qui connaît la faute de son frère, et qui cependant défend son frère;

vient de voir les funérailles de Patrocle, Priam rachetant le corps d'Hector, la douleur d'Hécube et d'Andromaque, et l'on aperçoit dans le lointain la mort d'Achille et la chute de Troie.

Le berceau de Rome chanté par Virgile est un grand sujet, sans doute; mais que dire du sujet d'un poème qui peint une catastrophe dont nous sommes nous-mêmes les victimes, qui ne nous montre pas le fondateur de telle ou telle société, mais le père du genre humain ? Milton ne vous entretient ni de batailles, ni de jeux funèbres, ni de camps, ni de villes assiégées; il retrace la première pensée de Dieu, manifestée dans la création du monde, et les premières pensées de l'homme au sortir des mains du Créateur.

Rien de plus auguste et de plus intéressant que cette étude des premiers mouvements du cœur de l'homme. Adam s'éveille à la vie; ses yeux s'ouvrent : il ne sait d'où il sort. Il regarde le firmament; par un mouvement de désir, il veut s'élancer vers cette voûte, et il se trouve debout, la tête levée vers le ciel. Il touche ses membres; il court, il s'arrête; il veut parler, et il parle. Il nomme naturellement ce qu'il voit, il s'écrie : « O toi, soleil, et vous, arbres, forêts, collines, vallées, animaux divers ! » et les noms qu'il donne sont les vrais noms des êtres. Et pourquoi Adam s'adresse-t-il au soleil, aux arbres ? « Soleil, arbres, dit-il, savez-vous le nom de celui qui m'a créé ? » Ainsi le premier sentiment que l'homme éprouve est le sentiment de l'existence d'un Être suprême; le premier besoin qu'il manifeste est le besoin de Dieu! Que Milton est sublime dans ce passage! mais se fût-il élevé à ces pensées, s'il n'eût connu la religion de Jésus-Christ ?

Dieu se manifeste à Adam; la créature et le Créateur s'entretiennent ensemble : *ils parlent de la solitude*. Nous supprimons les réflexions. La solitude ne *vaut rien à l'homme*. Adam s'endort; Dieu tire du sein même de notre premier père une nouvelle créature, et la lui présente à son réveil : « La grâce est dans sa démarche, le ciel dans ses yeux, et la dignité et l'amour dans tous ses mouvements. Elle s'appelle la *femme ;* elle est née de l'homme.

cette Andromaque, cet Astyanax, cette Hécube, attendrissent le cœur, tandis que le camp des Grecs n'offre qu'avarice, perfidie et férocité : peut-être aussi le souvenir de *l'Enéide* agit-il secrètement sur le lecteur moderne, et l'on se range sans le vouloir du côté des héros chantés par Virgile.

L'homme quittera pour elle son père et sa mère. »
Malheur à celui qui ne sentirait pas là-dedans la divinité!

Le poète continue à développer ces grandes vues de la
nature humaine, cette sublime raison du christianisme.
Le caractère de la femme est admirablement tracé dans
la fatale chute. Eve tombe par amour-propre : elle se vante
d'être assez forte pour s'exposer seule; elle ne veut pas
qu'Adam l'accompagne dans le lieu où elle cultive des
fleurs. Cette belle créature qui se croit invincible, en
raison même de sa faiblesse, ne sait pas qu'un seul mot
peut la subjuguer. L'Ecriture nous peint toujours la
femme esclave de sa vanité. Quand Isaïe menace les
filles de Jérusalem : « Vous perdrez, leur dit-il, vos boucles
d'oreilles, vos bagues, vos bracelets, vos voiles. » On a
remarqué, de nos jours, un exemple frappant de ce caractère. Telles femmes, pendant la révolution, ont donné
des preuves multipliées d'héroïsme; et leur vertu est
venue depuis échouer contre un bal, une parure, une
fête. Ainsi s'explique une de ces mystérieuses vérités
cachées dans les Ecritures : en condamnant la femme à
enfanter avec douleur, Dieu lui a donné une très grande
force contre la peine; mais en même temps, et en punition de sa faute, il l'a laissée faible contre le plaisir. Aussi
Milton appelle-t-il la femme, *fair defect of nature ;*
« beau défaut de la nature ».

La manière dont le poète anglais a conduit la chute de
nos premiers pères mérite d'être examinée. Un esprit
ordinaire n'aurait pas manqué de renverser le monde,
au moment où Eve porte à sa bouche le fruit fatal;
Milton s'est contenté de faire pousser un soupir à la
terre qui vient d'enfanter la mort : on est beaucoup plus
surpris, parce que cela est beaucoup moins surprenant.
Quelles calamités cette tranquillité présente de la nature
ne fait-elle point entrevoir dans l'avenir! Tertullien,
cherchant pourquoi l'univers n'est point dérangé par les
crimes des hommes, en apporte une raison sublime :
cette raison, c'est la PATIENCE de Dieu.

Lorsque la mère du genre humain présente le fruit
de science à son époux, notre premier père ne se roule
point dans la poudre, ne s'arrache point les cheveux, ne
jette point de cris. Un tremblement le saisit, il reste
muet, la bouche entrouverte, et les yeux attachés sur
son épouse. Il aperçoit l'énormité du crime : d'un côté,
s'il désobéit, il devient sujet à la mort; de l'autre, s'il

reste fidèle, il garde son immortalité, mais il perd sa compagne, désormais condamnée au tombeau. Il peut refuser le fruit; mais peut-il vivre sans Eve ? Le combat n'est pas long : tout un monde est sacrifié à l'amour. Au lieu d'accabler son épouse de reproches, Adam la console, et prend de sa main la pomme fatale. A cette consommation du crime, rien ne s'altère encore dans la nature : les passions seulement font gronder leurs premiers orages dans le cœur du couple malheureux.

Adam et Eve s'endorment; mais ils n'ont plus cette innocence qui rend les songes légers. Bientôt ils sortent de ce sommeil agité, comme on sortirait d'une pénible insomnie *(as from unrest)*. C'est alors que leur péché se présente à eux. « *Qu'avons-nous fait ?* s'écrie Adam; *pourquoi es-tu nue ? Couvrons-nous, de peur qu'on ne nous voie dans cet état.* » Le vêtement ne cache point une nudité dont on s'est aperçu.

Cependant la faute est connue au ciel, une sainte tristesse saisit les anges; mais *that sadness mixt with pity, did not alter their bliss ;* « cette tristesse, mêlée *à la pitié*, n'altéra point leur bonheur »; mot chrétien et d'une tendresse sublime. Dieu envoie son Fils pour juger les coupables : le juge descend; il appelle Adam : « Où es-tu ? » lui dit-il. Adam se cache. — « Seigneur, je n'ose me montrer à vous, parce que je suis nu. » — « Comment sais-tu que tu es nu ? Aurais-tu mangé du fruit de science ? » Quel dialogue! cela n'est point d'invention humaine. Adam confesse son crime; Dieu prononce la sentence : « Homme! tu mangeras ton pain à la sueur de ton front; tu déchireras péniblement le sein de la terre; sorti de la poudre, tu retourneras en poudre. — Femme, tu enfanteras avec douleur. » Voilà l'histoire du genre humain en quelques mots. Nous ne savons pas si le lecteur est frappé comme nous; mais nous trouvons dans cette scène de la Genèse quelque chose de si extraordinaire et de si grand, qu'elle se dérobe à toutes les explications du critique; l'admiration manque de termes, et l'art rentre dans le néant.

Le Fils de Dieu remonte au ciel, après avoir laissé des vêtements aux coupables. Alors commence ce fameux drame entre Adam et Eve, dans lequel on prétend que Milton a consacré un événement de sa vie, un raccommodement entre lui et sa première femme. Nous sommes persuadés que les grands écrivains ont mis leur histoire dans leurs ouvrages. On ne peint bien que son propre

cœur, en l'attribuant à un autre; et la meilleure partie
du génie se compose de souvenirs.

Adam s'est retiré seul pendant la nuit sous un ombrage :
la nature de l'air est changée; des vapeurs froides, des
nuages épais obscurcissent les cieux; la foudre a embrasé
les arbres; les animaux fuient à la vue de l'homme;
le loup commence à poursuivre l'agneau, le vautour à
déchirer la colombe. Adam tombe dans le désespoir; il
désire de rentrer dans le sein de la terre. Mais un doute
le saisit... s'il avait en lui quelque chose d'immortel ?
si ce souffle de vie qu'il a reçu de Dieu ne pouvait périr ?
si la mort ne lui était d'aucune ressource ? s'il était
condamné à être éternellement malheureux ? La philosophie ne peut demander un genre de beautés plus élevées
et plus graves. Non seulement les poètes antiques n'ont
jamais fondé un désespoir sur de pareilles bases, mais les
moralistes eux-mêmes n'ont rien d'aussi grand.

Eve a entendu les gémissements de son époux : elle
s'avance vers lui; Adam la repousse; Eve se jette à ses
pieds, les baigne de larmes. Adam est touché; il relève
la mère des hommes. Eve lui propose de vivre dans la
continence, ou de se donner la mort, pour sauver sa postérité. Ce désespoir, si bien attribué à une femme, tant
par son excès que par sa générosité, frappe notre premier
père. Que va-t-il répondre à son épouse ? « Eve, l'espoir
» que tu fondes sur le tombeau, et ton mépris pour la mort,
» me prouvent que tu portes en toi quelque chose qui
» n'est pas soumis au néant. »

Le couple infortuné se décide à prier Dieu, et à se
recommander à la miséricorde éternelle. Il se prosterne
et élève un cœur et une voix humiliés vers celui qui pardonne. Ces accents montent au séjour céleste, et le Fils
se charge lui-même de les présenter à son Père. On admire
avec raison dans l'*Iliade* les *Prières boiteuses*, qui suivent
l'*Injure* pour réparer les maux qu'elle a faits. Cependant
Milton lutte ici sans trop de désavantage contre cette
fameuse allégorie : ces premiers soupirs d'un cœur
contrit, qui trouvent la route que tous les soupirs du
monde doivent bientôt suivre; ces humbles vœux qui
viennent se mêler à l'encens qui fume devant le Saint
des saints; ces larmes pénitentes qui réjouissent les esprits
célestes, ces larmes qui sont offertes à l'Eternel par le
Rédempteur du genre humain, ces larmes qui touchent
Dieu lui-même (tant a de puissance la première prière de
l'homme repentant et malheureux!), toutes ces beautés

réunies ont en soi quelque chose de si moral, de si solen-
nel, de si attendrissant, qu'elles ne sont peut-être point
effacées par les *Prières* du chantre d'Ilion.

Le Très-Haut se laisse fléchir, et accorde le salut final
de l'homme. Milton s'est emparé, avec beaucoup d'art,
de ce premier mystère des Ecritures ; il a mêlé partout
l'histoire d'un Dieu qui, dès le commencement des
siècles, se dévoue à la mort pour racheter l'homme de la
mort. La chute d'Adam devient plus puissante et plus
tragique, quand on la voit envelopper dans ses conséquences jusqu'au Fils de l'Eternel.

Nonobstant ces beautés, qui appartiennent au fond du
Paradis perdu, il y a une foule de beautés de détail dont
il serait trop long de rendre compte. Milton a surtout le
mérite de l'expression. On connaît *les ténèbres visibles*,
le silence ravi, etc. Ces hardiesses, lorsqu'elles sont bien
sauvées, comme les dissonances en musique, font un
effet très brillant ; elles ont un faux air de génie : mais il
faut prendre garde d'en abuser ; quand on les recherche,
elles ne deviennent plus qu'un jeu de mots puéril, pernicieux à la langue et au goût.

Nous observerons encore que le chantre d'Eden, à
l'exemple du chantre de l'Ausonie, est devenu original
en s'appropriant des richesses étrangères : l'écrivain original n'est pas celui qui n'imite personne, mais celui que
personne ne peut imiter.

Cet art de s'emparer des beautés d'un autre temps
pour les accommoder aux mœurs du siècle où l'on vit
a surtout été connu du poète de Mantoue. Voyez, par
exemple, comme il a transporté à la mère d'Euryale
les plaintes d'Andromaque sur la mort d'Hector. Homère,
dans ce morceau, a quelque chose de plus naïf que Virgile auquel il a fourni d'ailleurs tous les traits frappants,
tels que l'ouvrage échappant des mains d'Andromaque,
l'évanouissement, etc. (et il en a quelques autres qui ne
sont point dans *l'Enéide*, comme le pressentiment du
malheur, et cette tête qu'Andromaque échevelée avance
à travers les créneaux). Mais aussi l'épisode d'Euryale
est plus pathétique et plus tendre. Cette mère qui, seule
de toutes les Troyennes, a voulu suivre les destinées d'un
fils ; ces habits devenus inutiles, dont elle occupait son
amour maternel, son exil, sa vieillesse et sa solitude, au
moment même où l'on promenait la tête du jeune homme
sous les remparts du camp, ce *femineo ululatu*, sont des
choses qui n'appartiennent qu'à l'âme de Virgile. Les

plaintes d'Andromaque, plus étendues, perdent de leur force; celles de la mère d'Euryale, plus resserrées, tombent, avec tout leur poids, sur le cœur. Cela prouve qu'une grande différence existait déjà entre les temps de Virgile et ceux d'Homère, et qu'au siècle du premier tous les arts, même celui d'aimer, avaient acquis plus de perfection.

CHAPITRE IV

DE QUELQUES POÈMES FRANÇAIS ET ÉTRANGERS

Quand le christianisme n'aurait donné à la poésie que le *Paradis perdu ;* quand son génie n'aurait inspiré ni la *Jérusalem délivrée*, ni *Polyeucte*, ni *Esther*, ni *Athalie*, ni *Zaïre*, ni *Alzire*, on pourrait encore soutenir qu'il est favorable aux Muses. Nous placerons dans ce chapitre, entre le *Paradis perdu* et *la Henriade*, quelques poèmes français et étrangers dont nous n'avons qu'un mot à dire.

Les morceaux remarquables répandus dans le *Saint Louis* du Père Lemoine ont été si souvent cités, que nous ne les répéterons point ici. Ce poème informe a pourtant quelques beautés qu'on chercherait en vain dans la *Jérusalem*. Il y règne une sombre imagination, très propre à la peinture de cette Egypte pleine de souvenirs et de tombeaux, et qui vit passer tour à tour les Pharaon, les Ptolémée, les Solitaires de *la Thébaïde*, et les Soudans des *Barbares*.

La *Pucelle* de Chapelain, le *Moïse sauvé* de Saint-Amand, et le *David* de Coras, ne sont plus connus que par les vers de Boileau. On peut cependant tirer quelque fruit de la lecture de ces ouvrages : le *David* surtout mérite d'être parcouru.

Le prophète Samuel raconte à David l'histoire des rois d'Israël :

> Jamais, dit le grand saint, la fière tyrannie
> Devant le Roi des rois ne demeure impunie :
> Et de nos derniers chefs le juste châtiment
> En fournit à toute heure un triste monument.
> . . . .
> Contemple donc Héli, le chef du tabernacle,
> Que Dieu fit de son peuple et le juge et l'oracle;

> Son zèle à sa patrie eût pu servir d'appui,
> S'il n'eût produit deux fils trop peu dignes de lui.
> . . . .
> Mais Dieu fait sur ces fils, dans le vice obstinés,
> Tonner l'arrêt des coups qui leur sont destinés;
> Et par un saint héros, dont la voix les menace,
> Leur annonce leur perte et celle de leur race.
> O ciel! quand tu lanças ce terrible décret,
> Quel ne fut point d'Héli le deuil et le regret!
> Mes yeux furent témoins de toutes ses alarmes,
> Et mon front, bien souvent, fut mouillé de ses larmes.

Ces vers sont remarquables parce qu'ils sont assez beaux comme *vers*. Le mouvement qui les termine pourrait être avoué d'un grand poète.

L'épisode de Ruth, raconté dans la grotte sépulcrale où sont ensevelis les anciens patriarches, a de la simplicité.

> On ne sait qui des deux, ou l'épouse, ou l'époux,
> Eut l'âme la plus pure et le sort le plus doux, etc.
> . . . .

Enfin Coras réussit quelquefois dans le vers *descriptif*. Cette image du soleil à son midi est pittoresque :

> Cependant le soleil, couronné de splendeur,
> Amoindrissant sa forme, augmentait son ardeur.

Saint-Amand, presque vanté par Boileau, qui lui accorde du génie, est néanmoins inférieur à Coras. La composition du *Moïse sauvé* est languissante, le vers lâche et prosaïque, le style plein d'antithèses et de mauvais goût. Cependant on y remarque quelques morceaux d'un sentiment vrai, et c'est sans doute ce qui avait adouci l'humeur du chantre de l'*Art poétique*.

Il serait inutile de nous arrêter à l'*Araucana*, avec ses trois parties et ses trente-cinq chants originaux, sans oublier les chants supplémentaires de *Don Diégo de Santistevan Ojozio* Il n'y a point de *merveilleux chrétien* dans cet ouvrage; c'est une narration historique de quelques faits arrivés dans les montagnes du Chili. La chose la plus intéressante du poème, est d'y voir figurer Ercilla lui-même, qui se bat et qui écrit. L'*Araucana* est mesuré en octaves, comme l'*Orlando* et la *Jérusalem*. La littérature italienne donnait alors le ton aux diverses littératures de l'Europe. Ercilla chez les Espagnols, et Spencer chez les Anglais, ont fait des stances et imité l'Arioste, jusque dans son exposition. Ercilla dit :

> No las damas, amor, no gentilezas,
> De cavalleros canto enamorados,
> Ni las muestras, regalos y ternezas
> De amorosos afectos y cuydados :
> Mas el valor, los hechos, las proezas
> De aquelos Españoles esforçados,
> Que a la cerviz de Arauco no domada
> Pusieron duro yugo por la espada.

C'était encore un bien riche sujet d'Epopée que celui de la *Lusiade*. On a de la peine à concevoir comment un homme du génie du Camoëns n'en a pas su tirer un plus grand parti. Mais enfin il faut se rappeler que ce poète fut le premier poète épique moderne, qu'il vivait dans un siècle barbare, qu'il y a des choses touchantes [1], et quelquefois sublimes dans ses vers, et qu'après tout, il fut le plus infortuné des mortels. C'est un sophisme digne de la dureté de notre siècle, d'avoir avancé que les bons ouvrages se font dans le malheur : il n'est pas vrai qu'on puisse bien écrire quand on souffre. Les hommes qui se consacrent au culte des Muses se laissent plus vite submerger à la douleur que les esprits vulgaires : un génie puissant use bientôt le corps qui le renferme : les grandes âmes, comme les grands fleuves, sont sujettes à dévaster leurs rivages.

Le mélange que le Camoëns a fait de la fable et du christianisme nous dispense de parler du *merveilleux* de son poème.

Klopstock est tombé dans le défaut d'avoir pris le *merveilleux* du christianisme pour *sujet* de son poème. Son premier personnage est un Dieu; cela seul suffirait pour détruire l'intérêt tragique. Toutefois il y a de beaux traits dans le *Messie*. Les deux amants ressuscités par le Christ offrent un épisode charmant que n'auraient pu fournir les fables mythologiques. Nous ne nous rappelons point de personnages arrachés au tombeau, chez les anciens, si ce n'est Alceste, Hippolyte et Hérès de Pamphylie [2].

---

1. Néanmoins nous différons encore ici des critiques; l'épisode d'Inès nous semble pur, touchant, mais bien loin d'avoir les développements dont il était susceptible.
2. Dans le dixième livre de la *République* de Platon.
   Voilà ce que portait la première édition. Depuis ce temps, l'un de nos meilleurs philologues, aussi savant que poli, M. Boissonade, m'a

L'abondance et la grandeur caractérisent le merveilleux du *Messie*. Ces globes habités par des êtres différents de l'homme, cette profusion d'anges, d'esprits de ténèbres, d'âmes à naître, ou d'âmes qui ont déjà passé sur la terre, jettent l'esprit dans l'immensité. Le caractère d'Abbadona, l'ange repentant, est une conception heureuse. Klopstock a aussi créé une sorte de séraphins mystiques inconnus avant lui.

Gessner nous a laissé dans *la Mort d'Abel* un ouvrage plein d'une tendre majesté. Malheureusement il est gâté par cette teinte doucereuse de l'idylle, que les Allemands répandent presque toujours sur les sujets tirés de l'Ecriture. Leurs poètes pèchent contre une des plus grandes lois de l'Epopée, *la vraisemblance des mœurs*, et transforment en innocents bergers d'Arcadie les rois pasteurs de l'Orient.

Quant à l'auteur du poème de *Noé*, il a succombé sous la richesse de son sujet. Pour une imagination vigoureuse, c'était pourtant une belle carrière à parcourir, qu'un monde antédiluvien. On n'était pas même obligé de créer toutes les merveilles : en fouillant le Critias, les chronologies d'Eusèbe, quelques traités de Lucien et de Plutarque, on eût trouvé une ample moisson. Scaliger cite un fragment de Polyhistor, touchant certaines tables écrites avant le déluge, et conservées à *Sippary*, la même vraisemblablement que la *Sipphara* de Ptolémée [1]. Les Muses parlent et entendent toutes les langues ; que de choses ne pouvaient-elles pas lire sur ces tables !

---

envoyé la note suivante des hommes ressuscités dans l'antiquité païenne par le secours des dieux ou de l'art d'Esculape.

« Esculape, qui ressuscita Hippolyte, avait fait d'autres miracles. » Apollodore (Bibl. III, 10, 3) dit, sur le témoignage de différents » auteurs, qu'il rendit la vie à Capanée, à Lycurgue, à Tyndare, à » Hyménéus, à Glaucus. Télésarque, cité par le Scoliaste d'Euripide » (Alc. 2), parle encore de la résurrection d'Orion tentée par Esculape. » Voyez les notes de MM. Heyne et Clavier sur le passage d'Apollo- » dore, et celles de M. Walckenaer sur l'Hippolyte d'Euripide, p. 318. »

1. A moins qu'on ne fasse venir *Sippary* du mot hébreu *Sepher*, qui signifie bibliothèque. Josèphe, liv. I, ch. II, *de Antiq. Jud.*, parle de deux colonnes, l'une de brique et l'autre de pierre, sur lesquelles les enfants de Seth avaient gravé les sciences humaines, afin qu'elles ne périssent point au déluge qui avait été prédit par Adam. Ces deux colonnes subsistèrent longtemps après Noé.

CHAPITRE V

« LA HENRIADE »

Si un plan sage, une narration vive et pressée, de beaux vers, une diction élégante, un goût pur, un style correct, sont les seules qualités nécessaires à l'Epopée, *la Henriade* est un poème achevé; mais cela ne suffit pas : il faut encore une action héroïque et surnaturelle. Et comment Voltaire eût-il fait un usage heureux du *merveilleux* du christianisme, lui dont les efforts tendaient sans cesse à détruire ce merveilleux? Telle est néanmoins la puissance des idées religieuses que l'auteur de *la Henriade* doit au culte même qu'il a persécuté les morceaux les plus frappants de son poème épique, comme il lui doit les plus belles scènes de ses tragédies.

Une philosophie modérée, une morale froide et sérieuse conviennent à la Muse de l'histoire; mais cet esprit de sévérité, transporté à l'Epopée, est peut-être un contresens. Ainsi, lorsque Voltaire s'écrie, dans l'invocation de son poème :

> Descends du haut des cieux, auguste *Vérité!*

il est tombé, ce nous semble, dans une méprise. La poésie épique

> Se soutient par la fable, et vit de fiction.

Le Tasse, qui traitait un sujet chrétien, a fait ces vers charmants, d'après Platon et Lucrèce [1].

> Sai, che la torre in mondo, ove piu versi
> Di sue dolcezze il luzinghier Parnasso, etc.

Là il n'y a point de poésie où *il n'y a point de menterie*, dit Plutarque [2].

---

[1]. « Comme le médecin qui, pour sauver le malade, mêle à des breuvages flatteurs les remèdes propres à le guérir, et jette au contraire des drogues amères dans les aliments qui lui sont nuisibles, etc. » Platon, *de Leg.*, lib. I. *Ac veluti pueris absinthia tetra medentes*, etc. Lucret., lib. V.

[2]. Si l'on disait que le Tasse a aussi invoqué la Vérité, nous répondrions qu'il ne l'a pas fait comme Voltaire. La Vérité du Tasse est

Est-ce que cette France à demi barbare n'était plus assez couverte de forêts, pour qu'on n'y rencontrât pas quelques-uns de ces châteaux du vieux temps, avec des mâchicoulis, des souterrains, des tours verdies par le lierre, et pleines d'histoires merveilleuses ? Ne pouvait-on trouver quelque temple gothique dans une vallée, au milieu des bois ? Les montagnes de la Navarre n'avaient-elles point encore quelque Druide, qui, sous le chêne, au bord du torrent, au murmure de la tempête, chantait les souvenirs des Gaules, et pleurait sur la tombe des héros ? Je m'assure qu'il y avait quelque chevalier du règne de François Ier qui regrettait dans son manoir les tournois de la vieille Cour, et ces temps où la France s'en allait en guerre contre les mécréants et les Infidèles. Que de choses à tirer de cette révolution des Bataves, voisine, et, pour ainsi dire, sœur de la Ligue! Les Hollandais s'établissaient aux Indes, et Philippe recueillait les premiers trésors du Pérou : Coligny même avait envoyé une colonie dans la Caroline; le chevalier de Gourgue offrait à l'auteur de *la Henriade* l'épisode le plus touchant : une Epopée doit renfermer l'univers.

L'Europe, par le plus heureux des contrastes, présentait au poète le peuple pasteur en Suisse, le peuple commerçant en Angleterre, et le peuple des arts en Italie : la France se trouvait à son tour à l'époque la plus favorable pour la poésie épique; époque qu'il faut toujours choisir, comme Voltaire l'avait fait, à la fin d'un âge, et à la naissance d'un autre âge, entre les anciennes mœurs et les mœurs nouvelles. La barbarie expirait, l'aurore du siècle de Louis commençait à poindre; Malherbe était venu, et ce héros, à la fois barde et chevalier, pouvait conduire les Français au combat en chantant des hymnes à la victoire.

On convient que les *caractères* dans *la Henriade* ne sont que des *portraits*, et l'on a peut-être trop vanté cet art de peindre dont Rome en décadence a donné les premiers modèles. Le *portrait* n'est point épique; il ne fournit que des beautés sans action et sans mouvement.

Quelques personnes doutent aussi que la *vraisemblance des mœurs* soit poussée assez loin dans *la Henriade.*

---

une Muse, un Ange, je ne sais quoi jeté dans le vague, quelque chose qui n'a pas de nom, *un être chrétien,* et non pas la *Vérité directement personnifiée,* comme celle de *la Henriade.*

Les héros de ce poème débitent de beaux vers qui
servent à développer les principes philosophiques de
Voltaire; mais représentent-ils bien les guerriers tels
qu'ils étaient au seizième siècle ? Si les discours des
Ligueurs respirent l'esprit du temps, ne pourrait-on pas
se permettre de penser que c'étaient les actions des personnages, encore plus que leurs paroles, qui devaient
déceler cet esprit ? Du moins, le chantre d'Achille n'a
pas mis l'*Iliade* en harangues.

Quant au *merveilleux*, il est, sauf erreur, à peu près
nul dans *la Henriade*. Si l'on ne connaissait le malheureux système qui glaçait le génie poétique de Voltaire,
on ne comprendrait pas comment il a préféré des divinités allégoriques au *merveilleux* du christianisme. Il n'a
répandu quelque chaleur dans ses inventions qu'aux
endroits mêmes où il cesse d'être philosophe pour devenir chrétien : aussitôt qu'il a touché à la religion, source
de toute poésie, la source a abondamment coulé.

Le serment des Seize dans le souterrain, l'apparition
du fantôme de Guise qui vient armer Clément d'un poignard, sont des machines fort épiques, et puisées dans
les superstitions mêmes d'un siècle ignorant et malheureux.

Le poète ne s'est-il pas encore un peu trompé lorsqu'il
a transporté la philosophie dans le ciel ? Son *Eternel* est
sans doute un dieu fort équitable, qui juge avec impartialité le bonze et le derviche, le juif et le mahométan;
mais était-ce bien cela qu'on attendait de sa Muse ? Ne
lui demandait-on pas de la *poésie*, un *ciel chrétien*, des
cantiques, Jéhovah, enfin le *mens divinior*, la religion ?

Voltaire a donc brisé lui-même la corde la plus harmonieuse de sa lyre, en refusant de chanter cette milice
sacrée, cette armée des Martyrs et des Anges, dont ses
talents auraient pu tirer un parti admirable. Il eût
trouvé parmi nos saintes des puissances aussi grandes
que celles des déesses antiques, et des noms aussi doux
que ceux des Grâces. Quel dommage qu'il n'ait rien
voulu dire de ces bergères transformées par leurs vertus
en bienfaisantes divinités; de ces Geneviève qui, du haut
du ciel, protègent, avec une houlette, l'empire de Clovis
et de Charlemagne! Il nous semble qu'il y a quelque
enchantement pour les Muses à voir le peuple le plus
spirituel et le plus brave consacré par la religion à la
Fille de la simplicité et de la paix. De qui la *Gaule*
tiendrait-elle ses troubadours, son esprit naïf et son

penchant aux grâces, si ce n'était du chant pastoral, de l'innocence et de la beauté de sa patronne ?

Des critiques judicieux ont observé qu'il y a deux hommes dans Voltaire : l'un plein de goût, de savoir, de raison ; l'autre qui pèche par les défauts contraires à ces qualités. On peut douter que l'auteur de *la Henriade* ait eu autant de génie que Racine ; mais il avait peut-être un esprit plus varié et une imagination plus flexible. Malheureusement la mesure de ce que nous pouvons n'est pas toujours la mesure de ce que nous faisons. Si Voltaire eût été animé par la religion comme l'auteur d'*Athalie ;* s'il eût étudié comme lui les Pères et l'antiquité ; s'il n'eût pas voulu embrasser tous les genres et tous les sujets, sa poésie fût devenue plus nerveuse, et sa prose eût acquis une décence et une gravité qui lui manquent trop souvent. Ce grand homme eut le malheur de passer sa vie au milieu d'un cercle de littérateurs médiocres, qui, toujours prêts à l'applaudir, ne pouvaient l'avertir de ses écarts. On aime à se le représenter dans la compagnie des Pascal, des Arnauld, des Nicole, des Boileau, des Racine : c'est alors qu'il eût été forcé de changer de ton. On aurait été indigné, à Port-Royal, des plaisanteries et des blasphèmes de Ferney ; on y détestait les ouvrages faits à la hâte ; on y travaillait avec loyauté, et l'on n'eût pas voulu, pour tout au monde, tromper le public, en lui donnant un poème qui n'eût pas coûté au moins douze bonnes années de labeur. Et ce qu'il y avait de très merveilleux, c'est qu'au milieu de tant d'occupations, ces excellents hommes trouvaient encore le secret de remplir les plus petits devoirs de leur religion, et de porter dans la société l'urbanité de leur grand siècle.

C'était une telle école qu'il fallait à Voltaire. Il est bien à plaindre d'avoir eu ce double génie qui force à la fois à l'admirer et à le haïr. Il édifie et renverse ; il donne les exemples et les préceptes les plus contraires ; il élève aux nues le siècle de Louis XIV, et attaque ensuite en détail la réputation des grands hommes de ce siècle : tour à tour il encense et dénigre l'antiquité ; il poursuit, à travers soixante-dix volumes, ce qu'il appelle l'*infâme ;* et les morceaux les plus beaux de ses écrits sont inspirés par la *religion.* Tandis que son imagination vous ravit, il fait luire une fausse raison qui détruit le merveilleux, rapetisse l'âme et borne la vue. Excepté dans quelques-uns de ses chefs-d'œuvre, il n'aperçoit que le côté ridicule des choses et des temps, et montre, sous un

jour hideusement gai, l'homme à l'homme. Il charme et
fatigue par sa mobilité; il vous enchante et vous dégoûte;
on ne sait quelle est la forme qui lui est propre : il serait
insensé s'il n'était si sage, et méchant si sa vie n'était
remplie de traits de bienfaisance. Au milieu de ses impié-
tés, on peut remarquer qu'il haïssait les sophistes [1]. Il
aimait naturellement les beaux-arts, les lettres et la
grandeur, et il n'est pas rare de le surprendre dans une
sorte d'admiration pour la cour de Rome. Son amour-
propre lui fit jouer toute sa vie un rôle pour lequel il
n'était point fait, et auquel il était fort supérieur. Il
n'avait rien, en effet, de commun avec MM. Diderot,
Raynal et d'Alembert. L'élégance de ses mœurs, ses belles
manières, son goût pour la société, et surtout son humanité, l'auraient vraisemblablement rendu un des plus
grands ennemis du régime révolutionnaire. Il est très
décidé en faveur de l'ordre social, sans s'apercevoir qu'il
le sape par les fondements, en attaquant l'ordre religieux.
Ce qu'on peut dire sur lui de plus raisonnable, c'est que
son incrédulité l'a empêché d'atteindre à la hauteur où
l'appelait la nature, et que ses ouvrages, excepté ses
poésies fugitives, sont demeurés au-dessous de son véritable talent : exemple qui doit à jamais effrayer quiconque
suit la carrière des lettres. Voltaire n'a flotté parmi tant
d'erreurs, tant d'inégalités de style et de jugement, que
parce qu'il a manqué du grand contrepoids de la religion : il a prouvé que des mœurs graves et une pensée
pieuse sont encore plus nécessaires dans le commerce
des Muses qu'un beau génie.

LIVRE SECOND

POÉSIE DANS SES RAPPORTS AVEC LES HOMMES.

CARACTÈRES

CHAPITRE PREMIER

CARACTÈRES NATURELS

Passons de cette vue générale des Epopées aux détails des compositions poétiques. Avant d'examiner les caractères *sociaux*, tels que ceux du prêtre et du guerrier, considérons les caractères *naturels*, tels que ceux de l'époux, du père, de la mère, etc., et partons d'abord d'un principe incontestable.

Le christianisme est une religion pour ainsi dire double : s'il s'occupe de la nature de l'être intellectuel, il s'occupe aussi de notre propre nature : il fait marcher de front les mystères de la Divinité et les mystères du cœur humain : en dévoilant le véritable Dieu, il dévoile le véritable homme.

Une telle religion doit être plus favorable à la peinture des *caractères*, qu'un culte qui n'entre point dans le secret des passions. La plus belle moitié de la poésie, la moitié dramatique, ne recevait aucun secours du polythéisme; la morale était séparée de la mythologie [1]. Un Dieu montait sur son char, un prêtre offrait un sacrifice; mais ni le Dieu ni le prêtre n'enseignaient ce que c'est que l'homme, d'où il vient, où il va, quels sont ses penchants, ses vices, ses fins dans cette vie, ses fins dans l'autre.

Dans le christianisme, au contraire, la religion et la morale sont une seule et même chose. L'Ecriture nous apprend notre origine, nous instruit de notre nature; les mystères chrétiens nous regardent : c'est nous qu'on voit de toutes parts; c'est pour nous que le Fils de Dieu s'est immolé. Depuis Moïse jusqu'à Jésus-Christ, depuis les Apôtres jusqu'aux derniers Pères de l'Eglise, tout offre le tableau de l'homme intérieur, tout tend à dissiper

1. *Voyez* la note XIV à la fin du volume.

la nuit qui le couvre : et c'est un des caractères distinctifs
du christianisme, d'avoir toujours mêlé l'homme à Dieu,
tandis que les fausses religions ont séparé le Créateur de
la créature.

Voilà donc un avantage incalculable que les poètes
auraient dû remarquer dans la religion chrétienne, au
lieu de s'obstiner à la décrier. Car si elle est aussi belle
que le polythéisme dans le *merveilleux*, ou dans les rapports des *choses surnaturelles*, comme nous essaierons de
le montrer dans la suite, elle a de plus une partie dramatique et morale, que le polythéisme n'avait pas.

Appuyons cette vérité sur des exemples; faisons des
rapprochements qui servent à nous attacher à la religion
de nos pères, par les charmes du plus divin de tous les
arts.

Nous commencerons l'étude des *caractères naturels* par
celui des *époux*, et nous opposerons à l'amour conjugal
d'Eve et d'Adam l'amour conjugal d'Ulysse et de Pénélope. On ne nous accusera pas de choisir exprès des sujets
médiocres dans l'antiquité, pour faire briller les sujets
chrétiens.

CHAPITRE II

SUITE DES ÉPOUX — ULYSSE ET PÉNÉLOPE

Les princes ayant été tués par Ulysse, Euryclée va
réveiller Pénélope, qui refuse longtemps de croire les
merveilles que sa nourrice lui raconte. Cependant elle se
lève; et, *descendant les degrés, elle franchit le seuil de
pierre, et va s'asseoir à la lueur du feu, en face d'Ulysse,
qui était lui-même assis au pied d'une colonne, les yeux
baissés, attendant ce que lui dirait son épouse. Mais elle
demeurait muette, et l'étonnement avait saisi son cœur* [1].

Télémaque accuse sa mère de froideur; Ulysse sourit,
et excuse Pénélope. La princesse doute encore; et, pour
éprouver son époux, elle ordonne de préparer la couche
d'Ulysse hors de la chambre nuptiale. Aussitôt le héros
s'écrie : « *Qui donc a déplacé ma couche ?... N'est-elle plus
attachée au tronc de l'olivier autour duquel j'avais moi-
même bâti une salle dans ma cour, etc.* »

[1]. Odyss. lib. XXIII, v. 88.

Ω φάτο· τῆς δ' · · · · · · · · · · · ·
· · · · · · · · · · · · · · · ·
· · · · · · · · · · μελεδήματα θυμοῦ [1].

Il dit, et soudain le cœur et les genoux de Pénélope lui manquent à la fois; elle reconnaît Ulysse à cette marque certaine. Bientôt, courant à lui tout en larmes, elle suspend ses bras au cou de son époux; elle baise sa tête sacrée, elle s'écrie : « Ne sois point irrité, toi qui fus toujours le plus prudent des hommes!. · · · · · · · · · · · · · · · · Ne sois point irrité, ne t'indigne point, si j'ai hésité à me jeter dans tes bras. Mon cœur frémissait de crainte qu'un étranger ne vînt surprendre ma foi par des paroles trompeuses · Mais à présent j'ai une preuve manifeste de toi-même, par ce que tu viens de dire de notre couche : aucun autre homme que toi ne l'a visitée : elle n'est connue que de nous deux et d'une seule esclave, Actoris, que mon père me donna lorsque je vins en Ithaque, et qui garde les portes de notre chambre nuptiale. Tu rends la confiance à ce cœur devenu défiant par le chagrin. »

Elle dit; et Ulysse, pressé du besoin de verser des larmes, pleure sur cette chaste et prudente épouse, en la serrant contre son cœur. Comme des matelots contemplent la terre désirée, lorsque Neptune a brisé leur rapide vaisseau, jouet des vents et des vagues immenses; un petit nombre, flottant sur l'antique mer, gagne la terre à la nage, et, tout couvert d'une écume salée, aborde plein de joie sur les grèves, en échappant à la mort : ainsi Pénélope attache ses regards charmés sur Ulysse. Elle ne peut arracher ses beaux bras du cou du héros; et l'Aurore aux doigts de rose aurait vu les larmes de ces époux, si Minerve n'eût retenu le soleil dans la mer, etc. · · · · · · · · · · · · · · ·

Cependant Eurynome, un flambeau à la main, précédant les pas d'Ulysse et de Pénélope, les conduit à la chambre nuptiale. · · · · · · · · · · · · · · · · Les deux époux, après s'être livrés aux premiers transports de leur tendresse, s'enchantèrent par le récit mutuel de leurs peines. · · · · · · · · · · · · · · · · · · · Ulysse achevait à peine les derniers mots de son histoire, qu'un sommeil bienfaisant se glissa dans ses membres fatigués, et vint suspendre les soucis de son âme [2].

---

1. Odyss. lib. XXIII.
2. Madame Dacier a trop altéré ce morceau. Elle paraphrase des vers tels que ceux-ci :

Ὡς φάτο; τὴν δ' αὐτοῦ λύτο γούνατα χαὶ φίλον ἦτορ, etc.

A ces mots la reine tomba presque évanouie; les genoux et le cœur lui manquent à la fois; elle ne doute plus que ce ne soit son cher Ulysse.

Cette reconnaissance d'Ulysse et de Pénélope est peut-être une des plus belles compositions du génie antique. Pénélope assise en silence, Ulysse immobile au pied d'une colonne, la scène éclairée à la flamme du foyer : voilà d'abord un tableau tout fait pour un peintre, et où la grandeur égale la simplicité du dessin. Et comment se fera la reconnaissance ? par une circonstance rappelée du lit nuptial! C'est encore une autre merveille que ce lit fait de la main d'un *roi* sur le tronc d'un olivier, arbre de paix et de sagesse, digne d'être le fondement de cette couche qu'aucun *autre homme qu'Ulysse n'a visitée*. Les transports qui suivent la reconnaissance des deux époux; cette comparaison si touchante d'une veuve qui retrouve son époux, à un matelot qui découvre la terre au moment du naufrage; le couple conduit au flambeau dans son appartement; les plaisirs de l'amour, suivis des *joies de la douleur* ou de la confidence des peines passées; la double volupté du bonheur présent, et du malheur en souvenir; le sommeil qui vient par degrés fermer les yeux et la bouche d'Ulysse, tandis qu'il raconte ses aventures à Pénélope attentive, ce sont autant de traits du grand maître; on ne les saurait trop admirer.

Enfin, revenue de sa faiblesse, elle court à lui le visage baigné de pleurs, et l'embrassant avec toutes les marques d'une véritable tendresse, etc. Elle ajoute des choses dont il n'y a pas un mot dans le texte; enfin elle supprime quelquefois les idées d'Homère, et les remplace par ses propres idées, et c'est ainsi qu'elle change ces vers charmants :

Τὼ δ' ἐπεὶ οὖν φιλότητος ἐταρπήτην ἐρατεινῆς,
Τερπέσθην μύθοισι πρὸς ἀλλήλους ἐνέποντε.

Elle dit : *Ulysse et Pénélope, à qui le plaisir de se retrouver ensemble après une si longue absence, tenait lieu de sommeil, se racontèrent réciproquement leurs peines.* Mais ces fautes, si ce sont des fautes, ne conduisent qu'à des réflexions qui nous remplissent de plus en plus d'une profonde estime pour ces laborieux hellénistes du siècle des Lefebvre et des Pétau. Madame Dacier a tant de peur de faire injure à Homère, que si le vers implique plusieurs sens, renfermés dans le sens principal, elle retourne, commente, paraphrase, jusqu'à ce qu'elle ait épuisé le mot grec, à peu près comme dans un dictionnaire on donne toutes les acceptions dans lesquelles un mot peut être pris. Les autres défauts de la traduction de cette savante dame tiennent pareillement à une loyauté d'esprit, à une candeur de mœurs, à une sorte de simplicité particulière à ces temps de notre littérature. Ainsi, trouvant qu'Ulysse reçoit trop froidement les caresses de Pénélope, elle ajoute, avec une grande naïveté, qu'*il répondait à ces marques d'amour avec toutes les marques de la plus grande tendresse.* Il faut admirer de telles infidélités. S'il fut jamais un siècle propre à fournir des traducteurs d'Homère, c'était sans doute celui-là, où non seulement l'esprit et le goût, mais encore le cœur, étaient *antiques,* et où les mœurs de l'âge d'or ne s'altéraient point en passant par l'âme de leurs interprètes.

Il y aurait une étude intéressante à faire : ce serait de tâcher de découvrir comment un auteur moderne aurait rendu tel morceau des ouvrages d'un auteur ancien. Dans le tableau précédent, par exemple, on peut soupçonner que la scène, au lieu de se passer en action entre Ulysse et Pénélope, eût été racontée par le poète. Il n'aurait pas manqué de semer son récit de réflexions philosophiques, de vers frappants, de mots heureux. Au lieu de cette manière brillante et laborieuse, Homère vous présente deux époux, qui se retrouvent après vingt ans d'absence, et qui, sans jeter de grands cris, ont l'air de s'être à peine quittés de la veille. Où est donc la beauté de la peinture ? dans la vérité.

Les modernes sont en général plus savants, plus délicats, plus déliés, souvent même plus intéressants dans leurs compositions que les anciens; mais ceux-ci sont plus simples, plus augustes, plus tragiques, plus abondants, et surtout plus vrais que les modernes. Ils ont un goût plus sûr, une imagination plus noble : ils ne savent travailler que l'ensemble, et négligent les ornements; un berger qui se plaint, un vieillard qui raconte, un héros qui combat, voilà pour eux tout un poème; et l'on ne sait comment il arrive que ce poème, où il n'y a rien, est cependant mieux rempli que nos romans chargés d'incidents et de personnages. L'art d'écrire semble avoir suivi l'art de la peinture : la palette du poète moderne se couvre d'une variété infinie de teintes et de nuances; le poète antique compose ses tableaux avec les trois couleurs de Polygnote. Les Latins, placés entre la Grèce et nous, tiennent à la fois des deux manières : à la Grèce, par la simplicité des fonds; à nous, par l'art des détails. C'est peut-être cette heureuse harmonie des deux goûts qui fait la perfection de Virgile.

Voyons maintenant le tableau des amours de nos premiers pères : Eve et Adam, par l'aveugle d'Albion, feront un assez beau pendant à Ulysse et Pénélope, par l'aveugle de Smyrne.

CHAPITRE III

SUITE DES ÉPOUX — ADAM ET ÈVE

Satan a pénétré dans le paradis terrestre. Au milieu
des animaux de la création,

> *He saw*
> Two of far nobler aspect erect and tall
> . . . .
> . . . . of her daughters, Eve [1].

Il aperçoit deux êtres d'une forme plus noble, d'une
stature droite et élevée, comme celle des esprits immortels.
Dans tout l'honneur primitif de leur naissance, une majestueuse nudité les couvre : on les prendrait pour les sou-
verains de ce nouvel univers, et ils semblent dignes de
l'être. A travers leurs regards divins, brillent les attributs
de leur glorieux Créateur : la vérité, la sagesse, la sainteté
rigide et pure, vertu dont émane l'autorité réelle de
l'homme. Toutefois, ces créatures célestes diffèrent entre
elles, ainsi que leurs sexes le déclarent : IL est créé pour la
contemplation et la valeur; ELLE est formée pour la mollesse
et les grâces : Lui pour Dieu seulement; Elle pour Dieu, en
Lui. Le front ouvert, l'œil sublime du premier annoncent
la puissance absolue : ses cheveux d'hyacinthe, se partageant sur son front, pendent noblement en boucles des
deux côtés, mais sans flotter au-dessous de ses larges épaules. Sa compagne, au contraire, laisse descendre, comme
un voile d'or, ses belles tresses sur sa ceinture, où elles
forment de capricieux anneaux : ainsi la vigne courbe
ses tendres ceps autour d'un fragile appui; symbole de
la sujétion où est née notre mère; sujétion à un sceptre
bien léger; obéissance accordée par Elle, et reçue par Lui,
plutôt qu'exigée; empire cédé volontairement, et pourtant
à regret, cédé avec un modeste orgueil, et je ne sais
quels amoureux délais, pleins de craintes et de charmes!
Ni vous non plus, mystérieux ouvrages de la nature, vous
n'étiez point cachés alors; alors toute honte coupable,
toute honte criminelle était inconnue. Fille du Péché,
Pudeur impudique, combien n'avez-vous point troublé les
jours de l'homme par une vaine apparence de pureté!
Ah! vous avez banni de notre vie ce qui seul est la véritable vie, la simplicité et l'innocence. Ainsi marchent nus
ces deux grands époux dans Eden solitaire. Ils n'évitent

---

1. *Par*. Lost. Book IV, v. 288, 314, un vers de passé, Glasc. édit. 1776.

ni l'œil de Dieu, ni les regards des Anges, car ils n'ont point la pensée du mal. Ainsi passe, en se tenant par la main, le plus superbe couple qui s'unit jamais dans les embrassements de l'amour : Adam, le meilleur de tous les hommes qui furent sa postérité; Eve, la plus belle de toutes les femmes entre celles qui naquirent ses filles.

Nos premiers pères se retirent sous l'ombrage, au bord d'une fontaine. Ils prennent leur repas du soir, au milieu des animaux de la création, qui se jouent autour de leur roi et de leur reine. Satan, caché sous la forme d'une de ces bêtes, contemple les deux époux, et se sent presque attendri par leur beauté, leur innocence, et par la pensée des maux qu'il va faire succéder à tant de bonheur : trait admirable. Cependant Adam et Eve conversent doucement auprès de la fontaine, et Eve parle ainsi à son époux :

> That day I often remember, when from sleep
> . . . . . . her silver mantle threw [1].

Je me rappelle souvent ce jour, où, sortant du premier sommeil, je me trouvai couchée parmi des fleurs, sous l'ombrage; ne sachant où j'étais, qui j'étais, quand et comment j'avais été amenée en ces lieux. Non loin de là, une onde murmurait dans le creux d'une roche. Cette onde, se déployant en nappe humide, fixait bientôt ses flots, purs comme les espaces du firmament. Je m'avançai vers ce lieu, avec une pensée timide; je m'assis sur la rive verdoyante, pour regarder dans le lac transparent, qui semblait un autre ciel. A l'instant où je m'inclinais sur l'onde, une ombre parut dans la glace humide, se penchant vers moi, comme moi vers elle. Je tressaillis, elle tressaillit; j'avançai la tête de nouveau, et la douce apparition revint aussi vite, avec des regards de sympathie et d'amour. Mes yeux seraient encore attachés sur cette image, je m'y serais consumée d'un vain désir, si une voix dans le désert : « L'objet que tu vois, belle créature, est toi-même; avec toi il fuit, et revient. Suis-moi, je te conduirai où une ombre vaine ne trompera point tes embrassements, où tu trouveras celui dont tu es l'image; à toi il sera pour toujours, tu lui donneras une multitude d'enfants semblables à toi-même, et tu seras appelée *la Mère du genre humain*. »

Que pouvais-je faire après ces paroles ? Obéir et marcher, invisiblement conduite! Bientôt je t'entrevis sous un platane. Oh! que tu me parus grand et beau! et pourtant je trouvai je ne sais quoi de moins beau, de moins tendre,

---

1. *Par*. Lost. Book IV, vers 449, 502, inclusivement; ensuite depuis le 591e vers jusqu'au 609e.

que le gracieux fantôme enchaîné dans le repli de l'onde.
Je voulus fuir ; tu me suivis, et élevant la voix, tu t'écrias :
« Retourne, belle Eve ! sais-tu qui tu fuis ? tu es la chair et
les os de celui que tu évites. Pour te donner l'être, j'ai puisé
dans mon flanc la vie la plus près de mon cœur, afin de
t'avoir ensuite éternellement à mon côté. O moitié de mon
âme, je te cherche ! ton autre moitié te réclame. » En parlant ainsi, ta douce main saisit la mienne : je cédai, et
depuis ce temps j'ai connu combien la grâce est surpassée
par une mâle beauté, et par la sagesse qui seule est véritablement belle.

Ainsi parla la Mère des hommes. Avec des regards
pleins d'amour, et dans un tendre abandon, elle se penche,
embrassant à demi notre premier père. La moitié de son
sein qui se gonfle, vient mystérieusement, sous l'or de ses
tresses flottantes, toucher de sa voluptueuse nudité, la
nudité du sein de son époux. Adam, ravi de sa beauté et de
ses grâces soumises, sourit avec un supérieur amour : tel
est le sourire que le ciel laisse au printemps tomber sur les
nuées, et qui fait couler la vie dans ces nuées grosses de la
semence des fleurs. Adam presse ensuite d'un baiser pur les
lèvres fécondes de la Mère des hommes. . . . .
. . . .
Cependant le soleil était tombé au-dessous des Açores ;
soit que ce premier orbe du ciel, dans son incroyable
vitesse, eût roulé vers ces rivages ; soit que la terre, moins
rapide, se retirant dans l'orient, par un plus court chemin,
eût laissé l'astre du jour à la gauche du monde. Il avait
déjà revêtu de pourpre et d'or les nuages qui flottent autour
de son trône occidental ; le soir s'avançait tranquille, et par
degrés un doux crépuscule enveloppait les objets de son
ombre uniforme. Les oiseaux du ciel reposaient dans leurs
nids, les animaux de la terre sur leur couche ; tout se taisait,
hors le rossignol, amant des veilles : il remplissait de nuit
de ses plaintes amoureuses, et le Silence était ravi. Bientôt
le firmament étincela de vivants saphirs : l'étoile du soir,
à la tête de l'armée des astres, se montra longtemps la
plus brillante ; mais enfin la reine des nuits, se levant avec
majesté à travers les nuages, répandit sa tendre lumière, et
jeta son manteau d'argent sur le dos des ombres [1].

Adam et Eve se retirent au berceau nuptial, après
avoir offert leur prière à l'Eternel. Ils pénètrent dans

1. Ceux qui savent l'anglais sentiront combien la traduction de ce
morceau est difficile. On nous pardonnera la hardiesse des tours dont
nous nous sommes servi, en faveur de la lutte contre le texte. Nous
avons fait aussi disparaître quelques traits de mauvais goût, en particulier la comparaison *allégorique* du sourire de Jupiter, que nous
avons remplacée par son sens *propre*.

l'obscurité du bocage, et se couchent sur un lit de fleurs. Alors le poète, resté comme à la porte du berceau, entonne, à la face du firmament et du pôle chargé d'étoiles, un cantique à l'Hymen. Il commence ce magnifique épithalame, sans préparation et par un mouvement inspiré, à la manière antique :

> Hail wedded love, mysterious law, true source
> Of human offspring...

« Salut, amour conjugal, loi mystérieuse, source de la postérité ! » C'est ainsi que l'armée des Grecs chante tout à coup, après la mort d'Hector :

> Ἡάρμεθα μέγα κῦδος, ἐπέφνομεν Ἑκτορα δῖον, etc.

Nous avons remporté une gloire signalée ! Nous avons tué le divin Hector ; c'est de même que les Saliens, célébrant la fête d'Hercule, s'écrient brusquement dans Virgile : *Tu nubigenas, invicte, bimembres,* etc. *C'est toi qui domptas les deux centaures, fils d'une nuée,* etc. Cet hymne met le dernier trait au tableau de Milton, et achève la peinture des amours de nos premiers pères [1].

Nous ne craignons pas qu'on nous reproche la longueur de cette citation. « Dans tous les autres poèmes, dit Voltaire, l'amour est regardé comme une faiblesse ; dans Milton seul il est une vertu. Le poète a su lever d'une main chaste le voile qui couvre ailleurs les plaisirs de cette passion. Il transporte le lecteur dans le jardin des délices. Il semble lui faire goûter les voluptés pures dont Adam et Eve sont remplis. Il ne s'élève pas au-dessus de la nature humaine, mais au-dessus de la nature humaine corrompue ; et comme il n'y a pas d'exemple d'un pareil amour, il n'y en a point d'une pareille poésie [2].

Si l'on compare les amours d'Ulysse et de Pénélope à celles d'Adam et d'Eve, on trouve que la simplicité d'Homère est plus ingénue, celle de Milton plus magnifique. Ulysse, bien que roi et héros, a toutefois quelque chose de rustique ; ses ruses, ses attitudes, ses paroles

---

1. Il y a encore un autre passage où ces amours sont décrites : c'est au VIIIe livre, lorsque Adam raconte à Raphaël les premières sensations de sa vie, ses conversations avec Dieu sur la solitude, la formation d'Eve, et sa première entrevue avec elle. Ce morceau n'est point inférieur à celui que nous venons de citer, et doit aussi sa beauté à une religion sainte et pure.
2. *Essai sur la Poésie épique,* chap. 9.

ont un caractère agreste et naïf. Adam, quoique à peine
né et sans expérience, est déjà le parfait modèle de
l'homme : on sent qu'il n'est point sorti des entrailles
infirmes d'une femme, mais des mains vivantes de Dieu.
Il est noble, majestueux, et tout à la fois plein d'innocence et de génie; il est tel que le peignent les livres
saints, digne d'être respecté par les anges, et de se promener dans la solitude avec son Créateur.

Quant aux deux épouses, si Pénélope est plus réser-
vée, et ensuite plus tendre que notre première mère,
c'est qu'elle a été éprouvée par le malheur, et que le malheur rend défiant et sensible. Eve, au contraire, s'abandonne; elle est communicative et séduisante; elle a même
un léger degré de coquetterie. Et pourquoi serait-elle
sérieuse et prudente comme Pénélope ? Tout ne lui
sourit-il pas ? Si le chagrin ferme l'âme, la félicité la
dilate : dans le premier cas, on n'a pas assez de déserts
où cacher ses peines; dans le second, pas assez de cœurs
à qui raconter ses plaisirs. Cependant Milton n'a pas
voulu peindre son Eve parfaite; il l'a représentée irré-
sistible par les charmes, mais un peu indiscrète et amante
de paroles, afin qu'on prévît le malheur où ce défaut
va l'entraîner. Au reste, les amours de Pénélope et
d'Ulysse sont pures et sévères, comme doivent l'être
celles de deux époux.

C'est ici le lieu de remarquer que, dans la peinture des
voluptés, la plupart des poètes antiques ont à la fois une
nudité et une chasteté qui étonnent. Rien de plus pudique
que leur pensée, rien de plus libre que leur expression :
nous, au contraire, nous bouleversons les sens, en ména-
geant les yeux et les oreilles. D'où naît cette magie des
anciens, et pourquoi une Vénus de Praxitèle toute nue
charme-t-elle plus notre esprit que nos regards ? C'est
qu'il y a un beau idéal qui touche plus à l'âme qu'à la
matière. Alors le génie seul, et non le corps, devient
amoureux; c'est lui qui brûle de s'unir étroitement au
chef-d'œuvre. Toute ardeur terrestre s'éteint, et est remplacée par une tendresse divine : l'âme échauffée se replie
autour de l'objet aimé, et spiritualise jusqu'aux termes
grossiers dont elle est obligée de se servir pour exprimer
sa flamme.

Mais ni l'amour de Pénélope et d'Ulysse, ni celui de
Didon pour Enée, ni celui d'Alceste pour Admète, ne
peut être comparé au sentiment qu'éprouvent l'un pour
l'autre les deux nobles personnages de Milton : la vraie

religion a pu seule donner le caractère d'une tendresse aussi sainte, aussi sublime. Quelle association d'idées! l'univers naissant, les mers s'épouvantant pour ainsi dire de leur propre immensité, les soleils hésitant comme effrayés dans leurs nouvelles carrières, les anges attirés par ces merveilles, Dieu regardant encore son récent ouvrage, et deux Etres, moitié esprit, moitié argile, étonnés de leurs corps, plus étonnés de leurs âmes, faisant à la fois l'essai de leurs premières pensées, et l'essai de leurs premières amours.

Pour rendre le tableau parfait, Milton a eu l'art d'y placer l'esprit de ténèbres comme une grande ombre. L'ange rebelle épie les deux époux : il apprend de leurs bouches le fatal secret, il se réjouit de leur malheur à venir; et toute cette peinture de la félicité de nos pères n'est réellement que le premier pas vers d'affreuses calamités. Pénélope et Ulysse rappellent un malheur passé; Eve et Adam annoncent des maux près d'éclore. Tout drame pèche essentiellement par la base, s'il offre des joies sans mélange de chagrins évanouis, ou de chagrins à naître. Un bonheur absolu nous ennuie; un malheur absolu nous repousse : le premier est dépouillé de souvenirs et de pleurs; le second, d'espérance et de sourires. Si vous remontez de la douleur au plaisir, comme dans la scène d'Homère, vous serez plus touchant, plus mélancolique, parce que l'âme ne fait que rêver au passé, et se repose dans le présent; si vous descendez au contraire de la prospérité aux larmes, comme dans la peinture de Milton, vous serez plus triste, plus poignant, parce que le cœur s'arrête à peine dans le présent, et anticipe les maux qui le menacent. Il faut donc toujours, dans nos tableaux, unir le bonheur à l'infortune, et faire la somme des maux un peu plus forte que celle des biens, comme dans la nature. Deux liqueurs sont mêlées dans la coupe de la vie, l'une douce et l'autre amère : mais outre l'amertume de la seconde, il y a encore la lie, que les deux liqueurs déposent également au fond du vase.

CHAPITRE IV

LE PÈRE — PRIAM

Du caractère de l'*époux*, passons à celui du *père ;*
considérons la paternité dans les deux positions les plus
sublimes et les plus touchantes de la vie, la vieillesse et le
malheur. Priam, ce monarque tombé du sommet de la
gloire, et dont les grands de la terre avaient recherché les
faveurs, *dùm fortuna fuit ;* Priam, les cheveux souillés
de cendres, le visage baigné de pleurs, seul au milieu de
la nuit, a pénétré dans le camp des Grecs. Humilié aux
genoux de l'impitoyable Achille, baisant les mains terribles, les mains dévorantes (ἀνδροφόνους, *qui dévorent
les hommes*) qui fumèrent tant de fois du sang de ses fils,
il redemande le corps de son Hector :

Μνῆσαι πατρὸς σεῖο, ...
. . . . ποτὶ στόμα χεῖρ ὀρέγεσται.

« Souvenez-vous de votre père, ô Achille, semblable aux
dieux ! il est courbé comme moi sous le poids des années,
et comme moi il touche au dernier terme de la vieillesse.
Peut-être en ce moment même est-il accablé par de puissants voisins, sans avoir auprès de lui personne pour le
défendre. Et cependant lorsqu'il apprend que vous vivez,
il se réjouit dans son cœur; chaque jour il espère revoir son
fils de retour de Troie. Mais moi, le plus infortuné des
pères, de tant de fils que je comptais dans la grande Ilion,
je ne crois pas qu'un seul me soit resté. J'en avais cinquante,
quand les Grecs descendirent sur ces rivages. Dix-neuf
étaient sortis des mêmes entrailles; différentes captives
m'avaient donné les autres : la plupart ont fléchi sous le
cruel Mars. Il y en avait un qui, seul, défendait ses frères
et Troie. Vous venez de le tuer, combattant pour sa patrie...
Hector. C'est pour lui que je viens à la flotte des Grecs ;
je viens racheter son corps, et je vous apporte une immense
rançon. Respectez les dieux, ô Achille! ayez pitié de moi;
souvenez-vous de votre père. Oh, combien je suis malheureux ! nul infortuné n'a jamais été réduit à cet excès de
misère : je baise les mains qui ont tué mes fils ! »

Que de beautés dans cette prière! quelle scène étalée
aux yeux du lecteur! la nuit, la tente d'Achille, ce héros

pleurant Patrocle auprès du fidèle Automédon, Priam apparaissant au milieu des ombres, et se précipitant aux pieds du fils de Pélée! Là sont arrêtés, dans les ténèbres, les chars qui apportent les présents du souverain de Troie; et à quelque distance, les restes défigurés du généreux Hector sont abandonnés, sans honneur, sur le rivage de l'Hellespont.

Etudiez le discours de Priam : vous verrez que le second mot prononcé par l'infortuné monarque est celui de *père*, πατρὸς; la seconde pensée, dans le même vers, est un éloge pour l'orgueilleux Achille, θεοῖς ἐπιείκελ' Ἀχιλλεῦ, *Achille semblable aux dieux*. Priam doit se faire une grande violence pour parler ainsi au meurtrier d'Hector : il y a une profonde connaissance du cœur humain dans tout cela.

Le souvenir le plus tendre que l'on pût offrir au fils de Pélée, après lui avoir rappelé son père, était sans doute l'âge de ce même père. Jusque-là, Priam n'a pas encore osé dire un mot de lui-même; mais soudain se présente un rapport qu'il saisit avec une simplicité touchante : *Comme moi*, dit-il, *il touche au dernier terme de la vieillesse*. Ainsi Priam ne parle encore de lui qu'en se confondant avec Pélée; il force Achille à ne voir que son propre père dans un roi suppliant et malheureux. L'image du délaissement du vieux monarque, *peut-être accablé par de puissants voisins* pendant l'absence de son fils; la peinture de ses chagrins soudainement oubliés, lorsqu'il apprend que ce fils est *plein de vie ;* enfin, cette comparaison des peines passagères de Pélée, avec les maux irréparables de Priam, offre un mélange admirable de douleur, d'adresse, de bienséance et de dignité.

Avec quelle respectable et sainte habileté, le vieillard d'Ilion n'amène-t-il pas ensuite le superbe Achille jusqu'à écouter paisiblement l'éloge même d'Hector! D'abord, il se garde bien de nommer le héros troyen : il dit seulement, *il y en avait un*, et il ne nomme Hector à son vainqueur, qu'après lui avoir dit qu'il *l'a tué*, *combattant pour la patrie ;*

Τὸν σὺ πρώην κτεῖνα; ἀμυνόμενον περὶ πάτρης :

il ajoute alors le simple mot *Hector*, Ἑκτορα. Il est remarquable que ce nom isolé n'est pas même compris dans la période poétique; il est rejeté au commencement d'un vers, où il coupe la mesure, surprend l'esprit et

l'oreille, forme un sens complet; il ne tient en rien à ce
qui suit :

> Τὸν σὺ πρώην κτεῖνας ἀμυνόμενον περὶ πάτρης
> Εκτορα.

Ainsi le fils de Pélée se souvient de sa vengeance, avant
de se rappeler son ennemi. Si Priam eût d'abord nommé
Hector, Achille eût songé à Patrocle; mais ce n'est plus
Hector qu'on lui présente, c'est un cadavre déchiré, ce
sont de misérables restes livrés aux chiens et aux vau-
tours : encore ne les lui montre-t-on qu'avec une excuse :
Il combattait pour la patrie, ἀμυνόμενον περὶ πάτρης.
L'orgueil d'Achille est satisfait d'avoir triomphé d'un
héros, qui seul défendait *ses frères et les murs de Troie*.

Enfin Priam, après avoir parlé des hommes au fils de
Thétis, lui rappelle les *justes* dieux, et il le ramène une
dernière fois au souvenir de Pélée. Le trait qui termine
la prière du monarque d'Ilion est du plus haut sublime
dans le genre pathétique.

CHAPITRE V

SUITE DU PÈRE — LUSIGNAN

Nous trouverons dans *Zaïre* un père à opposer à
Priam. A la vérité, les deux scènes ne se peuvent comparer, ni pour la composition, ni pour la force du dessin,
ni pour la beauté de la poésie; mais le triomphe du christianisme n'en sera que plus grand, puisque lui seul, par
le charme de ses souvenirs, peut lutter contre tout le
génie d'Homère. Voltaire lui-même ne se défend pas
d'avoir cherché son succès dans la puissance de ce
charme, puisqu'il écrit, en parlant de Zaïre : « *Je tâcherai
de jeter dans cet ouvrage tout ce que la religion chrétienne
semble avoir de plus pathétique et de plus intéressant* [1]. »
Un antique Croisé, chargé de malheur et de gloire, le
vieux Lusignan, resté fidèle à sa religion au fond des
cachots, supplie une jeune fille amoureuse d'écouter la
voix du Dieu de ses pères : scène merveilleuse, dont le

---

1. Œuv. complètes de Volt., tom. 78. *Corresp. gén.*, tit. 57, p. 119.
Edit. 1785.

ressort gît tout entier dans la morale évangélique, et dans les sentiments chrétiens :

> Mon Dieu! j'ai combattu soixante ans pour ta gloire;
> J'ai vu tomber ton temple, et périr ta mémoire;
> Dans un cachot affreux abandonné vingt ans,
> Mes larmes t'imploraient pour mes tristes enfants :
> Et lorsque ma famille est par toi réunie,
> Quand je trouve une fille, elle est ton ennemie!
> Je suis bien malheureux! — C'est ton père, c'est moi,
> C'est ma seule prison qui t'a ravi ta foi...
> Ma fille, tendre objet de mes dernières peines,
> Songe au moins, songe au sang qui coule dans tes veines :
> C'est le sang de vingt rois, tous chrétiens comme moi;
> C'est le sang des héros, défenseurs de ma loi,
> C'est le sang des martyrs. — O fille encor trop chère!
> Connais-tu ton destin ? Sais-tu quelle est ta mère ?
> Sais-tu bien qu'à l'instant que son flanc mit au jour
> Ce triste et dernier fruit d'un malheureux amour,
> Je la vis massacrer par la main forcenée,
> Par la main des brigands à qui tu t'es donnée ?
> Tes frères, ces martyrs égorgés à mes yeux,
> T'ouvrent leurs bras sanglants, tendus du haut des cieux.
> Ton Dieu que tu trahis, ton Dieu que tu blasphèmes,
> Pour toi, pour l'univers, est mort en ces lieux mêmes,
> En ces lieux où mon bras le servit tant de fois,
> En ces lieux où son sang te parle par ma voix,
> Vois ces murs, vois ce temple envahi par tes maîtres :
> Tout annonce le Dieu qu'ont vengé tes ancêtres.
> Tourne les yeux : sa tombe est près de ce palais;
> C'est ici la montagne où, lavant nos forfaits,
> Il voulut expirer sous les coups de l'impie;
> C'est là que de sa tombe il rappela sa vie.
> Tu ne saurais marcher dans cet auguste lieu,
> Tu n'y peux faire un pas sans y trouver ton Dieu;
> Et tu n'y peux rester sans renier ton père...

Une religion qui fournit de pareilles beautés à son ennemi mériterait pourtant d'être entendue avant d'être condamnée. L'antiquité ne présente rien de cet intérêt, parce qu'elle n'avait pas un pareil culte. Le polythéisme, ne s'opposant point aux passions, ne pouvait amener ces combats intérieurs de l'âme, si communs sous la loi évangélique, et d'où naissent les situations les plus touchantes. Le caractère pathétique du christianisme accroît encore puissamment le charme de la tragédie de Zaïre. Si Lusignan ne rappelait à sa fille que des dieux heureux, les banquets et les joies de l'Olympe, cela serait d'un faible intérêt pour elle, et ne formerait qu'un dur contresens, avec les tendres émotions que le poète cherche à exciter. Mais les malheurs de Lusignan, mais son sang, mais ses souffrances se mêlent aux malheurs, au sang et aux souffrances de Jésus-Christ. Zaïre pourrait-elle renier son Rédempteur au lieu même où il s'est sacrifié pour elle ? La cause d'un père et celle d'un Dieu se confondent; les vieux ans de Lusignan, les tourments des martyrs, deviennent une partie même de l'autorité de la religion : la Montagne et le Tombeau crient; ici tout est tragique : les lieux, l'homme et la Divinité.

CHAPITRE VI

LA MÈRE — ANDROMAQUE

Vox in Rama audita est, dit Jérémie [1], *ploratus et ululatus multus ; Rachel plorans filios suos, et noluit consolari, quia non sunt.* « Une voix a été entendue sur la montagne, avec des pleurs et beaucoup de gémissements : c'est Rachel pleurant ses fils, et elle n'a pas voulu être consolée, *parce qu'ils ne sont plus.* » Comme ce *quia non sunt* est beau [2]! Une religion qui a consacré un pareil mot connaît bien le cœur maternel.

Le culte de la Vierge et l'amour de Jésus-Christ pour les enfants prouvent assez que l'esprit du christianisme a une tendre sympathie avec le génie des mères. Ici nous proposons d'ouvrir un nouveau sentier à la critique; nous chercherons dans les sentiments d'une mère *païenne*, peinte par un auteur *moderne*, les traits *chrétiens* que cet auteur a pu répandre dans son tableau, sans s'en apercevoir lui-même. Pour démontrer l'influence d'une institution morale ou religieuse sur le cœur de l'homme, il n'est pas nécessaire que l'exemple rapporté soit pris à la racine même de cette institution; il suffit qu'il en décèle le génie : c'est ainsi que l'*Elysée*, dans le *Télémaque*, est visiblement un *paradis chrétien*.

Or, les sentiments les plus touchants de l'*Andromaque* de Racine émanent pour la plupart d'un poète *chrétien*. L'Andromaque de l'*Iliade* est plus épouse que mère; celle

---

1. Cap. XXXI, v. 15.
2. Nous avons suivi le latin de l'Evangile de saint Matthieu. (Cap. II, v. 18). Nous ne voyons pas pourquoi Sacy a traduit *Rama* par *Rama*, une ville. *Rama* hébreu (d'où le mot ραδαμνος des Grecs), se dit d'une branche d'arbre, d'un bras de mer, d'une chaîne de montagnes. Ce dernier sens est celui de l'hébreu, et la Vulgate le dit dans Jérémie : *vox in excelso*.

d'Euripide a un caractère à la fois rampant et ambitieux, qui détruit le caractère maternel; celle de Virgile est tendre et triste, mais c'est moins encore la mère que l'épouse : la veuve d'Hector ne dit pas : *Astyanax ubi est*, mais : *Hector ubi est*.

L'Andromaque de Racine est plus sensible, plus intéressante que l'Andromaque antique. Ce vers si simple et si aimable :

> Je ne l'ai point encor embrassé d'aujourd'hui,

est le mot d'une femme chrétienne : cela n'est point dans le goût des Grecs, et encore moins des Romains. L'Andromaque d'Homère gémit sur les malheurs futurs d'Astyanax, mais elle songe à peine à lui dans le présent; la mère, sous notre culte, plus tendre, sans être moins prévoyante, oublie quelquefois ses chagrins, en donnant un baiser à son fils. Les anciens n'arrêtaient pas longtemps les yeux sur l'enfance; il semble qu'ils trouvaient quelque chose de trop naïf dans le langage du berceau. Il n'y a que le Dieu de l'Évangile qui ait osé nommer sans rougir les *petits enfants* [1] *(parvuli)*, et qui les ait offerts en exemple aux hommes.

« Et accipiens puerum, statuit eum in medio eorum : quem cùm complexus esset, ait illis :
» Quisquis unum ex hujusmodi pueris receperit in nomine meo, me recipit. »
Et ayant pris un petit enfant, il l'assit au milieu d'eux, et, l'ayant embrassé, il leur dit :
Quiconque reçoit en mon nom un petit enfant, me reçoit [2].

Lorsque la veuve d'Hector dit à Céphise, dans Racine :

> Qu'il ait de ses aïeux un souvenir modeste;
> Il est du sang d'Hector, mais il en est le reste,

qui ne reconnaît la chrétienne ? C'est le *deposuit potentes de sede*. L'antiquité ne parle pas de la sorte, car elle n'imite que les sentiments *naturels ;* or, les sentiments exprimés dans ces vers de Racine *ne sont point purement dans la nature ;* ils contredisent au contraire la voix du cœur. Hector ne conseille point à son fils d'avoir *de ses*

---

1. Matth., c. XVIII, v. 3.
2. Marc, c. IX, v. 35, 36.

aïeux un souvenir modeste ; en élevant Astyanax vers le
Ciel, il s'écrie :

> Ζεῦ, ἄλλοι τε θεοί, δότε δὴ καὶ τόνδε γενέσθαι,
> Παῖδ' ἐμὸν, ὡς καὶ ἐγώ περ' ἀριπρεπέα Τρώεσσιν,
> Ωδε βίην τ' ἀγαθὸν, καὶ Ἰλίου Ἶφι ἀνάσσειν.
> Καὶ ποτέ τις εἴπησι, πατρὸς δ' ὅγε πολλὸν ἀμείνων,
> Εκ πολέμου ἀνιόντα etc. [1]

« O Jupiter, et vous tous, dieux de l'Olympe, que mon
fils règne, comme moi, sur Ilion! faites qu'il obtienne
l'empire entre les guerriers; qu'en le voyant revenir
chargé des dépouilles de l'ennemi, on s'écrie : Celui-ci
est encore plus vaillant que son père! »

Enée dit à Ascagne :

> . . . . . . Et te, animo repetentem exempla tuorum,
> Et pater Æneas, et avunculus excitet Hector [2].

A la vérité, l'Andromaque moderne s'exprime à peu
près comme Virgile sur les aïeux d'Astyanax. Mais après
ce vers :

> Dis-lui par quels exploits leurs noms ont éclaté,

elle ajoute :

> Plutôt ce qu'ils ont fait, que ce qu'ils ont été.

Or, de tels préceptes sont directement opposés au cri
de l'orgueil : on y voit la nature corrigée, la nature plus
belle, la nature évangélique. Cette humilité que le christianisme a répandue dans les sentiments, et qui a changé
pour nous le rapport des passions, comme nous le dirons
bientôt, perce à travers tout le rôle de la moderne Andromaque. Quand la veuve d'Hector, dans *l'Iliade*, se représente la destinée qui attend son fils, la peinture qu'elle
fait de la future misère d'Astyanax a quelque chose de
bas et de honteux; l'humilité, dans notre religion, est
bien loin d'avoir un pareil langage : elle est aussi noble
qu'elle est touchante. Le chrétien se soumet aux conditions les plus dures de la vie : mais on sent qu'il ne cède
que par un principe de vertu; qu'il ne s'abaisse que sous la
main de Dieu, et non sous celle des hommes; il conserve
sa dignité dans les fers : fidèle à son maître sans lâcheté,

---

1. *Iliad*, lib. VI, v. 476.
2. *Æn.* lib. XII, v. 439, 440.

il méprise des chaînes qu'il ne doit porter qu'un moment, et dont la mort viendra bientôt le délivrer; il n'estime les choses de la vie que comme des songes, et supporte sa condition sans se plaindre, parce que la liberté et la servitude, la prospérité et le malheur, le diadème et le bonnet de l'esclave, sont peu différents à ses yeux.

CHAPITRE VII

LE FILS — GUSMAN

Voltaire va nous fournir encore le modèle d'un autre caractère chrétien, le caractère du *fils*. Ce n'est ni le docile Télémaque avec Ulysse, ni le fougueux Achille avec Pélée : c'est un jeune homme passionné, dont la religion combat et subjugue les penchants.

Alzire, malgré le peu de vraisemblance des mœurs, est une tragédie fort attachante; on y plane au milieu de ces régions de la morale chrétienne qui, s'élevant au-dessus de la morale vulgaire, est d'elle-même une divine poésie. La paix qui règne dans l'âme d'Alvarez n'est point la seule paix de la nature. Supposez que Nestor cherche à modérer les passions d'Antiloque, il citera d'abord des exemples de jeunes gens qui se sont perdus pour n'avoir pas voulu écouter leurs pères; puis, joignant à ces exemples quelques maximes connues sur l'indocilité de la jeunesse et sur l'expérience des vieillards, il couronnera ses remontrances par son propre éloge, et par un regret sur les jours du vieux temps.

L'autorité qu'emploie Alvarez est d'une autre espèce : il met en oubli son âge et son pouvoir paternel, pour ne parler qu'au nom de la religion. Il ne cherche pas à détourner Gusman d'un crime *particulier ;* il lui conseille une vertu *générale*, la *charité*, sorte d'humanité céleste, que le Fils de l'Homme a fait descendre sur la terre, et qui n'y habitait point avant l'établissement du christianisme [1].

---

1. Les anciens eux-mêmes devaient à leur culte le peu d'humanité qu'on remarque chez eux : l'hospitalité, le respect pour les suppliants et pour les malheureux, tenaient à des idées religieuses. Pour que le misérable trouvât quelque pitié sur la terre, il fallait que Jupiter s'en déclarât le protecteur : tant l'homme est féroce sans la religion!

Enfin Alvarez, commandant à son fils comme *père*, et lui obéissant comme *sujet*, est un de ces traits de haute morale aussi supérieure à la morale des anciens, que les Evangiles surpassent les dialogues de Platon, pour l'enseignement des vertus.

Achille mutile son ennemi, et l'insulte après l'avoir abattu. Gusman est aussi fier que le fils de Pélée : percé de coups par la main de Zamore, expirant à la fleur de l'âge, perdant à la fois une épouse adorée et le commandement d'un vaste empire, voici l'arrêt qu'il prononce sur son rival et son meurtrier; triomphe éclatant de la religion et de l'exemple paternel sur un *fils chrétien* :

(A Alvarez.)

Le ciel qui veut ma mort, et qui l'a suspendue,
Mon père, en ce moment, m'amène à votre vue.
Mon âme fugitive et prête à me quitter
S'arrête devant vous... mais pour vous imiter.
Je meurs; le voile tombe, un nouveau jour m'éclaire :
Je ne me suis connu qu'au bout de ma carrière.
J'ai fait, jusqu'au moment qui me plonge au cercueil,
Gémir l'humanité du poids de mon orgueil.
Le ciel venge la terre; il est juste, et ma vie
Ne peut payer le sang dont ma main s'est rougie.
Le bonheur m'aveugla, la mort m'a détrompé;
Je pardonne à la main par qui Dieu m'a frappé :
J'étais maître en ces lieux, seul j'y commande encore,
Seul je puis faire grâce, et la fais à Zamore.
Vis, superbe ennemi; sois libre, et te souvien
Quel fut, et le devoir, et la mort d'un chrétien.

(A Montèze, qui se jette à ses pieds.)

Montèze, Américains, qui fûtes mes victimes,
Songez que ma clémence a surpassé mes crimes;
Instruisez l'Amérique, apprenez à ses rois
Que les chrétiens sont nés pour leur donner des lois.

(A Zamore.)

Des dieux que nous servons connais la différence :
Les tiens t'ont commandé le meurtre et la vengeance,
Et le mien, quand ton bras vient de m'assassiner,
M'ordonne de te plaindre et de te pardonner.

A quelle religion appartiennent cette morale et cette mort ? Il règne ici un *idéal de vérité* au-dessus de tout *idéal poétique*. Quand nous disons un *idéal de vérité*, ce n'est point une exagération; on sait que ces vers :

Des dieux que nous servons connais la différence, etc.,

sont les paroles mêmes de François de Guise [1]. Quant
au reste de la tirade, c'est la substance de la morale évangélique :

> Je ne me suis connu qu'au bout de ma carrière.
>
> . . . .
>
> J'ai fait, jusqu'au moment qui me plonge au cercueil,
> Gémir l'humanité du poids de mon orgueil.

Un trait seul n'est pas chrétien dans ce morceau :

> Instruisez l'Amérique, apprenez à ses rois
> Que les chrétiens sont nés pour leur donner des lois.

Le poëte a voulu faire reparaître ici la nature et le caractère orgueilleux de Gusman : l'intention dramatique est
heureuse; mais prise comme beauté *absolue*, le sentiment
exprimé dans ce vers est bien petit, au milieu des hauts
sentiments dont il est environné! Telle se montre toujours
la *pure nature*, auprès de la *nature chrétienne*. Voltaire est
bien ingrat d'avoir calomnié un culte qui lui a fourni ses
plus beaux titres à l'immortalité. Il aurait toujours dû
se rappeler ce vers, qu'il avait fait sans doute par un mouvement involontaire d'admiration :

> Quoi donc! les vrais chrétiens auraient tant de vertu!

Ajoutons tant de *génie*.

CHAPITRE VIII

LA FILLE — IPHIGÉNIE

Iphigénie et Zaïre offrent, pour le caractère de la *fille*,
un parallèle intéressant. L'une et l'autre, sous le joug de
l'autorité paternelle, se dévouent à la religion de leur pays.
Agamemnon, il est vrai, exige d'Iphigénie le double sacrifice de son amour et de sa vie, et Lusignan ne demande à

---

1. On ignore assez généralement que Voltaire ne s'est servi des
paroles de François de Guise qu'en les empruntant d'un autre poète;
Rowe en avait fait usage avant lui dans son *Tamerlan*, et l'auteur
d'*Alzire* s'est contenté de traduire, mot pour mot, le tragique anglais :

> Now learn the difference, 'wixt thy faith and mine...
> Thine bids thee lift thy dagger to my throat;
> Mine can forgive the wrong, and bid thee live.

Zaïre que d'oublier son amour ; mais pour une femme passionnée, vivre, et renoncer à l'objet de ses vœux, c'est peut-être une condition plus douloureuse que la mort. Les deux situations peuvent donc se balancer quant à l'intérêt *naturel* : voyons s'il en est ainsi de l'intérêt *religieux*.

Agamemnon, en obéissant aux dieux, ne fait, après tout, qu'immoler sa fille à son ambition. Pourquoi la jeune Grecque se dévouerait-elle à Neptune ? N'est-ce pas un tyran qu'elle doit détester ? Le spectateur prend parti pour Iphigénie contre le Ciel. La pitié et la terreur s'appuient donc uniquement, dans cette situation, sur l'intérêt *naturel ;* et si vous pouviez retrancher la religion de la pièce, il est évident que l'effet théâtral resterait le même.

Mais dans *Zaïre,* si vous touchez à la religion, tout est détruit. Jésus-Christ n'a pas soif de sang ; il ne veut que le sacrifice d'une passion. A-t-il le droit de le demander ce sacrifice ? Hé ! qui pourrait en douter ? N'est-ce pas pour racheter Zaïre qu'il a été attaché à une croix, qu'il a supporté l'insulte, les dédains et les injustices des hommes, qu'il a bu jusqu'à la lie le calice d'amertume ? Et Zaïre irait donner son cœur et sa main à ceux qui ont persécuté ce Dieu charitable! à ceux qui tous les jours immolent des chrétiens! à ceux qui retiennent dans les fers ce successeur de Bouillon, ce défenseur de la foi, ce *père* de Zaïre! Certes, la religion n'est pas inutile ici ; et qui la supprimerait, anéantirait la pièce.

Au reste, il nous semble que *Zaïre,* comme *tragédie,* est encore plus intéressante qu'*Iphigénie,* pour une raison que nous essaierons de développer : ceci nous oblige de remonter au principe de l'art.

Il est certain qu'on ne doit élever sur le cothurne que des personnages pris dans les hauts rangs de la société. Cela tient à de certaines convenances, que les beaux-arts, d'accord avec le cœur humain, savent découvrir. Le tableau des infortunes que nous éprouvons nous-mêmes nous afflige sans nous instruire. Nous n'avons pas besoin d'aller au spectacle pour y apprendre les secrets de notre famille ; la fiction ne peut nous plaire, quand la triste réalité habite sous notre toit. Aucune morale ne se rattache d'ailleurs à une pareille imitation : bien au contraire ; car, en voyant le tableau de notre état, ou nous tombons dans le désespoir, ou nous envions un état qui n'est pas le nôtre. Conduisez le peuple au théâtre : ce ne sont pas des hommes sous le chaume, et des représentations de sa propre indigence qu'il lui faut; il vous demande des grands sur la pourpre; son oreille veut être remplie de noms éclatants, et son œil occupé de malheurs de rois.

La morale, la curiosité, la noblesse de l'art, la pureté du goût, et peut-être la nature envieuse de l'homme, obligent donc de prendre les acteurs de la tragédie dans une condition élevée. Mais si la personne doit être *distinguée*, sa douleur doit être *commune*, c'est-à-dire d'une nature à être sentie de *tous*. Or, c'est en ceci que Zaïre nous paraît plus touchante qu'Iphigénie.

Que la fille d'Agamemnon meure pour faire partir une flotte, le spectateur ne peut guère s'intéresser à ce motif. Mais la raison presse dans *Zaïre*, et chacun peut éprouver le combat d'une passion contre un devoir. De là dérive cette règle dramatique : qu'il faut, autant que possible, fonder l'intérêt de la tragédie, non sur une *chose*, mais sur un *sentiment*, et que le personnage doit être *éloigné* du spectateur par *son rang*, mais *près* de lui par *son malheur*.

Nous pourrions maintenant chercher dans le sujet d'*Iphigénie*, traité par Racine, les traits du pinceau chrétien; mais le lecteur est sur la voie de ces études, et il peut la suivre : nous ne nous arrêterons plus que pour faire une observation.

Le Père Brumoy a remarqué qu'Euripide, en donnant à Iphigénie la frayeur de la mort et le désir de se sauver, a mieux parlé, selon la nature, que Racine, dont l'Iphigénie semble trop résignée. L'observation est bonne en soi; mais ce que le Père Brumoy n'a pas vu, c'est que l'Iphigénie moderne est la *fille chrétienne*. Son père et le Ciel ont parlé, il ne reste plus qu'à obéir. Racine n'a donné ce courage à son héroïne que par l'impulsion secrète d'une institution religieuse qui a changé le fond des idées et de la morale. Ici le christianisme va plus loin que la nature, et par conséquent est plus d'accord avec la belle poésie, qui agrandit les objets et aime un peu l'exagération. La fille d'Agamemnon, étouffant sa passion et l'amour de la vie, intéresse bien davantage qu'Iphigénie pleurant son trépas. Ce ne sont pas toujours les choses purement naturelles qui touchent : il est naturel de craindre la mort, et cependant une victime qui se lamente sèche les pleurs qu'on versait pour elle. Le cœur humain veut plus qu'il ne peut; il veut surtout admirer : il a en soi-même un élan vers une beauté inconnue, pour laquelle il fut créé dans son origine.

La religion chrétienne est si heureusement formée, qu'elle est elle-même une sorte de poésie, puisqu'elle place les caractères dans le beau idéal : c'est ce que prouvent les martyrs chez nos peintres, les chevaliers chez nos poètes, etc. Quant à la peinture du vice, elle peut avoir dans le christianisme la même vigueur que celle de la vertu, puisqu'il est vrai que le crime augmente, en raison du plus grand nombre de liens que le coupable a rompus. Ainsi les Muses, qui haïssent le genre médiocre et tempéré, doivent s'accommoder infiniment d'une religion qui montre toujours ses personnages au-dessus ou au-dessous de l'homme.

Pour achever le cercle des caractères *naturels*, il faudrait parler de l'amitié fraternelle; mais ce que nous avons dit du *fils* et de la *fille* s'applique également à deux *frères*, ou à un *frère* et à une *sœur*. Au reste, c'est dans l'Ecriture qu'on trouve l'histoire de Caïn et d'Abel, cette grande et première tragédie qu'ait vue le monde; nous parlerons ailleurs de Joseph et de ses frères.

En un mot le christianisme n'enlève rien au poète des caractères *naturels*, tels que pouvait les représenter l'antiquité, et il lui offre de plus son *influence* sur ces mêmes caractères. Il augmente donc nécessairement la *puissance*, puisqu'il augmente le *moyen*, et multiplie les *beautés* dramatiques, en multipliant les *sources* dont elles émanent.

CHAPITRE IX

CARACTÈRES SOCIAUX — LE PRÊTRE

Ces caractères, que nous avons nommés *sociaux*, se réduisent à deux pour le poète, ceux du *prêtre* et du *guerrier*.

Si nous n'avions pas consacré à l'histoire du clergé et de ses bienfaits la quatrième partie de notre ouvrage, il nous serait aisé de faire voir à présent combien le caractère du prêtre, dans notre religion, offre plus de variété et de grandeur que le même caractère dans le polythéisme. Que de tableaux à tracer depuis le pasteur du hameau, jusqu'au pontife qui ceint la triple couronne pastorale; depuis le curé de ville, jusqu'à l'anachorète du rocher;

depuis le Chartreux et le Trappiste, jusqu'au docte Bénédictin; depuis le missionnaire et cette foule de religieux
consacrés aux maux de l'humanité, jusqu'au prophète
de l'antique Sion! L'ordre des vierges n'est ni moins
varié ni moins nombreux : ces filles hospitalières qui
consument leur jeunesse et leurs grâces au service de
nos douleurs; ces habitantes du cloître, qui élèvent à
l'abri des autels les épouses futures des hommes, en se
félicitant de porter elles-mêmes les chaînes du plus doux
des époux, toute cette innocente famille sourit agréablement aux Neuf Sœurs de la Fable. Un grand prêtre, un
devin, une vestale, une sibylle, voilà tout ce que l'antiquité fournissait au poète; encore ces personnages
n'étaient-ils mêlés qu'accidentellement au sujet, tandis
que le prêtre chrétien peut jouer un des rôles les plus
importants de l'Epopée.

M. de La Harpe a montré, dans sa *Mélanie*, ce que
peut devenir le caractère d'un simple curé, traité par un
habile écrivain. Shakespeare, Richardson, Goldsmith,
ont mis le prêtre en scène avec plus ou moins de bonheur.
Quant aux pompes extérieures, nulle religion n'en offrit
jamais de plus magnifiques que les nôtres. La Fête-Dieu,
Noël, Pâques, la Semaine-Sainte, la fête des Morts, les
Funérailles, la Messe, et mille autres cérémonies, fournissent un sujet inépuisable de descriptions [1]. Certes, les
Muses modernes qui se plaignent du christianisme n'en
connaissent pas les richesses. Le Tasse a décrit une
procession dans la *Jérusalem*, et c'est un des plus beaux
tableaux de son poème. Enfin, le sacrifice antique n'est
pas même banni du sujet chrétien; car il n'y a rien de
plus facile, au moyen d'un épisode, d'une comparaison ou
d'un souvenir, de rappeler un sacrifice de l'ancienne loi.

CHAPITRE X

SUITE DU PRÊTRE — LA SIBYLLE — JOAD

PARALLÈLE DE VIRGILE ET DE RACINE.

Enée va consulter la Sibylle : arrêté au soupirail de
l'antre, il attend les paroles de la prophétesse.

---

[1]. Nous parlerons de toutes ces fêtes dans la partie *du culte*.

. . . . Cùm virgo : Poscere fata, etc.

« Alors la vierge : Il est temps d'interroger le destin. Le
dieu! voilà le dieu! Elle dit, etc. »

Enée adresse sa prière à Apollon; la Sibylle lutte
encore; enfin le dieu la dompte; les cent portes de
l'antre s'ouvrent en mugissant, et ces paroles se répandent
dans les airs : *Ferunt responsa per auras :*

O tandem magnis pelagi defuncte periclis!

« Ils ne sont plus les périls de la mer, mais quel danger
sur la terre! etc. »

Remarquez la rapidité de ces mouvements : *Deus, ecce
deus !* La Sibylle touche, saisit l'Esprit, elle en est surprise : *Le dieu! voilà le dieu!* c'est son cri. Ces expressions : *Non vultus, non color unus,* peignent excellemment
le trouble de la prophétesse. Les tours *négatifs* sont particuliers à Virgile, et l'on peut remarquer, en général,
qu'ils sont fort multipliés chez les écrivains d'un génie
mélancolique. Ne serait-ce point que les âmes tendres et
tristes sont naturellement portées à se plaindre, à désirer, à douter, à s'exprimer avec une sorte de timidité, et
que la plainte, le désir, le doute et la timidité, sont des
privations de quelque chose ? L'homme que l'adversité
a rendu sensible aux peines d'autrui ne dit pas avec
assurance : *Je connais les maux,* mais il dit, comme
Didon : *Non ignara mali.* Enfin, les images favorites des
poètes enclins à la rêverie sont presque toutes empruntées
d'objets *négatifs,* tels que le silence des nuits, l'ombre des
bois, la solitude des montagnes, la paix des tombeaux,
qui ne sont que l'absence du bruit, de la lumière, des
hommes, et des inquiétudes de la vie [1].

1. Ainsi Euryale, en parlant de sa mère, dit :

. . . . Genitrix . . . .
. . . . quam miseram tenuit *non* Ilia tellus
Mecum excedentem, *non* mœnia regis Acestæ.

« Ma mère infortunée qui a suivi mes pas, et que n'ont pu retenir
ni les rivages de la patrie, *ni* les murs du roi Aceste. »

Il ajoute un instant après :

. . . . *Nequeam* lacrymas perferre parentis.

« Je ne pourrais résister aux larmes de ma mère. »

Quelle que soit la beauté des vers de Virgile, la poésie
chrétienne nous offre encore quelque chose de supérieur.
Le grand-prêtre des Hébreux, prêt à couronner Joas,
est saisi de l'esprit divin dans le temple de Jérusalem :

> Voilà donc quels vengeurs s'arment pour ta querelle !
> Des prêtres, des enfants, ô sagesse éternelle !
> Mais si tu les soutiens, qui peut les ébranler ?
> Du tombeau, quand tu veux, tu sais nous rappeler ;
> Tu frappes et guéris, tu perds et ressuscites.
> Ils ne s'assurent point en leurs propres mérites,
> Mais en ton nom, sur eux invoqué tant de fois,
> En tes serments jurés au plus saint de leurs rois,
> En ce temple où tu fais ta demeure sacrée,
> Et qui doit du soleil égaler la durée.
> Mais d'où vient que mon cœur frémit d'un saint effroi ?
> Est-ce l'esprit divin qui s'empare de moi ?
> C'est lui-même : il m'échauffe ; il parle ; mes yeux s'ouvrent,
> Et les siècles obscurs devant moi se découvrent.
>
> . . . .
> Cieux, écoutez ma voix ; Terre, prête l'oreille :
> Ne dis plus, ô Jacob, que ton Seigneur sommeille.
> Pécheurs, disparaissez ; le Seigneur se réveille.
>
> . . . .
> Comment en un plomb vil l'or pur s'est-il changé ?
> Quel est dans le lieu saint ce pontife égorgé ?...
> Pleure, Jérusalem, pleure, cité perfide,
> Des prophètes divins malheureuse homicide,
> De son amour pour toi ton Dieu s'est dépouillé ;
> Ton encens à ses yeux est un encens souillé...
> . . . . . . .Où menez-vous ces enfants et ces femmes ?
> Le Seigneur a détruit la reine des cités ;
> Ses prêtres sont captifs, ses rois sont rejetés :
> Dieu ne veut plus qu'on vienne à ses solennités.
> Temple, renverse-toi ; cèdres, jetez des flammes.
> Jérusalem, objet de ma douleur,
> Quelle main en un jour t'a ravi tous tes charmes ?
> Qui changera mes yeux en deux sources de larmes,
>   Pour pleurer ton malheur ?

Il n'est pas besoin de commentaire.

Puisque Virgile et Racine reviennent si souvent dans
notre critique, tâchons de nous faire une idée juste de
leur talent et de leur génie. Ces deux grands poètes ont
tant de ressemblance, qu'ils pourraient tromper jusqu'aux yeux de la Muse, comme ces jumeaux de *l'Enéide*,
qui causaient de douces méprises à leur mère.

> Volcens va percer Euryale ; Nisus s'écrie :
>
> Me, me : adsum qui feci : . . . .
> . . . . . .mea fraus omnis : *nihil* iste *nec* ausus,
> *Nec* potuit . . . .

Le mouvement qui termine cet admirable épisode est aussi de
nature négative.

Tous deux polissent leurs ouvrages avec le même soin, tous deux sont pleins de goût, tous deux hardis, et pourtant naturels dans l'expression, tous deux sublimes dans la peinture de l'amour; et comme s'ils s'étaient suivis pas à pas, Racine a fait entendre dans *Esther* je ne sais quelle suave mélodie, dont Virgile a pareillement rempli sa seconde églogue, mais toutefois avec la différence qui se trouve entre la voix de la jeune fille et celle de l'adolescent, entre les soupirs de l'innocence et ceux d'une passion criminelle.

Voilà peut-être en quoi Virgile et Racine se ressemblent; voici peut-être en quoi ils diffèrent.

Le second est en général supérieur au premier dans l'invention des caractères : Agamemnon, Achille, Oreste, Mithridate, Acomat, sont fort au-dessus des héros de *l'Enéide*. Enée et Turnus ne sont beaux que dans deux ou trois moments; Mézence seul est fièrement dessiné.

Cependant, dans les peintures douces et tendres, Virgile retrouve son génie : Evandre, ce vieux roi d'Arcadie, qui vit sous le chaume, et que défendent deux chiens de berger, au même lieu où les Césars, entourés des prétoriens, habiteront un jour leurs palais; le jeune Pallas, le beau Lausus, Nisus et Euryale, sont des personnages divins.

Dans les caractères de femmes, Racine reprend la supériorité : Agrippine est plus ambitieuse qu'Amate, Phèdre plus passionnée que Didon.

Nous ne parlons point d'*Athalie*, parce que Racine, dans cette pièce, ne peut être comparé à personne : c'est l'œuvre le plus parfait du génie inspiré par la religion.

Mais, d'un autre côté, Virgile a pour certains lecteurs un avantage sur Racine : sa voix, si nous osons nous exprimer ainsi, est plus gémissante et sa lyre plus plaintive. Ce n'est pas que l'auteur de *Phèdre* n'eût été capable de trouver cette sorte de mélodie des soupirs; le rôle d'Andromaque, *Bérénice* tout entière, quelques stances des cantiques imités de l'Ecriture, plusieurs strophes des chœurs d'*Esther* et d'*Athalie*, montrent ce qu'il aurait pu faire dans ce genre; mais il vécut trop à la ville, pas assez dans la solitude. La cour de Louis XIV, en lui donnant la majesté des formes et en épurant son langage, lui fut peut-être nuisible sous d'autres rapports; elle l'éloigna trop des champs et de la nature.

Nous avons déjà remarqué[1] qu'une des premières causes
de la mélancolie de Virgile fut sans doute le sentiment
des malheurs qu'il éprouva dans sa jeunesse. Chassé du
toit paternel, il garda toujours le souvenir de sa Mantoue;
mais ce n'était plus le Romain de la république, aimant
son pays à la manière dure et âpre des Brutus : c'était
le Romain de la monarchie d'Auguste, le rival d'Homère,
et le nourrisson des Muses.

Virgile cultiva ce germe de tristesse en vivant seul au
milieu des bois. Peut-être faut-il encore ajouter à cela
des accidents particuliers. Nos défauts moraux ou physiques influent beaucoup sur notre humeur, et sont souvent la cause du tour particulier que prend notre caractère. Virgile avait une difficulté de prononciation[2]; il
était faible de corps, rustique d'apparence. Il semble
avoir eu dans sa jeunesse des passions vives, auxquelles
ces imperfections naturelles purent mettre des obstacles.
Ainsi, des chagrins de famille, le goût des champs, un
amour-propre en souffrance, et des passions non satisfaites, s'unirent pour lui donner cette rêverie qui nous
charme dans ses écrits.

On ne trouve point dans Racine le *Diis aliter visum*, le
Dulces moriens reminiscitur Argos, le *Disce puer virtutem
ex me — fortunam ex aliis*, le *Lyrnessi domus alta : solâ
Laurente sepulcrum*. Il n'est peut-être pas inutile d'observer que ces mots attendrissants se trouvent presque tous
dans les six derniers livres de *l'Enéide*, ainsi que les
épisodes d'Evandre et de Pallas, de Mézence et de Lausus,
de Nisus et d'Euryale. Il semble qu'en approchant du
tombeau, le Cygne de Mantoue mit dans ses accents
quelque chose de plus céleste, comme les cygnes de
l'Eurotas, consacrés aux Muses, qui, avant d'expirer,
avaient, selon Pythagore, une vision de l'Olympe, et
témoignaient leur ravissement par des chants harmonieux.

Virgile est l'ami du solitaire, le compagnon des heures
secrètes de la vie. Racine est peut-être au-dessus du poète
latin, parce qu'il a fait *Athalie*; mais le dernier a quelque
chose qui remue plus doucement le cœur. On admire plus
l'un, on aime plus l'autre; le premier a des douleurs trop
royales, le second parle davantage à tous les rangs de la
société. En parcourant les tableaux des vicissitudes

---

1. Part. Ire, liv. v, avant-dernier chapitre.
2. *Sermone tardissimum, ac pené indocto similem... Facie rusticanâ*, etc.
Donat, *de P. Virgilii Maronis vitâ.*

humaines, tracés par Racine, on croit errer dans les parcs
abandonnés de Versailles : ils sont vastes et tristes; mais,
à travers leur solitude, on distingue la main régulière
des arts, et les vestiges des grandeurs :

> Je ne vois que des tours que la cendre a couvertes,
> Un fleuve teint de sang, des campagnes désertes.

Les tableaux de Virgile, sans être moins nobles, ne
sont pas bornés à de certaines perspectives de la vie; ils
représentent toute la nature : ce sont les profondeurs des
forêts, l'aspect des montagnes, les rivages de la mer, où
des femmes exilées *regardent, en pleurant, l'immensité
des flots* :

> Cunctæque profundum
> Pontum adspectabant flentes.

CHAPITRE XI

LE GUERRIER — DÉFINITION DU BEAU IDÉAL

Les siècles héroïques sont favorables à la poésie,
parce qu'ils ont cette vieillesse et cette incertitude de
tradition que demandent les Muses, naturellement un
peu menteuses. Nous voyons chaque jour se passer sous
nos yeux des choses extraordinaires sans y prendre
aucun intérêt; mais nous aimons à entendre raconter des
faits obscurs qui sont déjà loin de nous. C'est qu'au fond
les plus grands événements de la terre sont petits en eux-
mêmes : notre âme, qui sent ce vice des affaires humaines,
et qui tend sans cesse à l'immensité, tâche de ne les voir
que dans le vague, pour les agrandir.

Or, l'esprit des siècles héroïques se forme du mélange
d'un état civil encore grossier, et d'un état religieux porté
à son plus haut point d'influence. La barbarie et le polythéisme ont produit les héros d'Homère; la barbarie et
le christianisme ont enfanté les chevaliers du Tasse.

Qui, des *héros* ou des *chevaliers*, méritent la préférence,
soit en morale, soit en poésie ? C'est ce qu'il convient
d'examiner.

En faisant abstraction du génie particulier des deux
poètes, et ne comparant qu'homme à homme, il nous

semble que les personnages de la *Jérusalem* sont supérieurs à ceux de l'*Iliade*.

Quelle différence, en effet, entre des chevaliers si francs, si désintéressés, si humains, et des guerriers perfides, avares, cruels, insultant aux cadavres de leurs ennemis, poétiques, enfin, par leurs vices, comme les premiers le sont par leurs vertus!

Si, par héroïsme, on entend un effort contre les passions, en faveur de la vertu, c'est sans doute Godefroi, et non pas Agamemnon, qui est le véritable héros. Or, nous demandons pourquoi le Tasse, en peignant les chevaliers, a tracé le modèle du parfait guerrier, tandis qu'Homère, en représentant les hommes des temps héroïques, n'a fait que des espèces de monstres ? C'est que le christianisme a fourni, dès sa naissance, le *beau idéal moral*, ou le *beau idéal des caractères*, et que le polythéisme n'a pu donner cet avantage au chantre d'Ilion. Nous arrêterons un peu le lecteur sur ce sujet; il importe trop au fond de notre ouvrage, pour hésiter à le mettre dans tout son jour.

Il y a deux sortes de *beau idéal*, le beau idéal *moral*, et le beau idéal *physique :* l'un et l'autre sont nés de la société.

L'homme très près de la nature, tel que le Sauvage, ne les connaît pas; il se contente, dans ses chansons, de rendre fidèlement ce qu'il voit. Comme il vit au milieu des déserts, ses tableaux sont nobles et simples; on n'y trouve point de mauvais goût, mais aussi ils sont monotones, et les actions qu'ils expriment ne vont pas jusqu'à l'héroïsme.

Le siècle d'Homère s'éloignait déjà de ces premiers temps. Qu'un Canadien perce un chevreuil de ses flèches; qu'il le dépouille au milieu des forêts; qu'il étende la victime sur les charbons d'un chêne embrasé : tout est poétique dans ces mœurs. Mais, dans la tente d'Achille, il y a déjà des *bassins*, des *broches*, des *vases ;* quelques détails de plus, et Homère tombait dans la bassesse des descriptions, ou bien il entrait dans la route du beau idéal, en commençant à *cacher* quelque chose.

Ainsi, à mesure que la société multiplia les besoins de la vie, les poètes apprirent qu'il ne fallait plus, comme par le passé, peindre tout aux yeux, mais voiler certaines parties du tableau.

Ce premier pas fait, ils virent encore qu'il fallait *choisir ;* ensuite que la chose choisie était susceptible d'une forme plus belle, ou d'un plus bel effet dans telle ou telle position.

Toujours *cachant* et *choisissant*, *retranchant* ou *ajoutant*, ils se trouvèrent peu à peu dans des formes qui n'étaient plus naturelles, mais qui étaient plus parfaites que la nature : les artistes appelèrent ces formes *le beau idéal*.

On peut donc définir *le beau idéal*, l'art *de choisir et de cacher*.

Cette définition s'applique également au beau idéal *moral* et au beau idéal *physique*. Celui-ci se forme en cachant avec adresse la partie infirme des objets ; l'autre, en dérobant à la vue certains côtés faibles de l'âme : *l'âme* a ses besoins honteux et ses bassesses comme le corps.

Et nous ne pouvons nous empêcher de remarquer qu'il n'y a que l'homme qui soit susceptible d'être représenté plus parfait que nature, et comme approchant de la Divinité. On ne s'avise pas de peindre le *beau idéal* d'un cheval, d'un aigle, d'un lion. Ceci nous fait entrevoir une preuve merveilleuse de la grandeur de nos fins et de l'immortalité de notre âme.

La société où la morale parvint le plus tôt à son développement, dut atteindre le plus vite au *beau idéal moral*, ou, ce qui revient au même, au *beau idéal des caractères* : or, c'est ce qui distingue éminemment les sociétés formées dans la religion chrétienne. Il est étrange, et cependant rigoureusement vrai que tandis que nos pères étaient des barbares pour tout le reste, la morale, au moyen de l'Evangile, s'était élevée chez eux à son dernier point de perfection : de sorte que l'on vit des hommes, si nous osons parler ainsi, à la fois sauvages par le corps, et civilisés par l'âme.

C'est ce qui fait la beauté des temps chevaleresques, et ce qui leur donne la supériorité, tant sur les siècles héroïques que sur les siècles tout à fait modernes.

Car si vous entreprenez de peindre les premiers âges de la Grèce, autant la simplicité des mœurs vous offrira des choses agréables, autant la barbarie des caractères vous choquera : le polythéisme ne fournit rien pour corriger la nature sauvage et l'insuffisance des vertus primitives.

Si au contraire vous chantez l'âge moderne, vous serez obligé de bannir la vérité de votre ouvrage, et de vous jeter à la fois dans le beau idéal *moral* et dans le beau idéal *physique*. Trop loin de la nature et de la religion sous tous les rapports, on ne peut représenter fidèlement l'intérieur de nos ménages, et moins encore le fond de nos cœurs.

La chevalerie seule offre le beau mélange de la *vérité* et de la *fiction*.

D'une part, vous pouvez offrir le tableau des mœurs dans toute sa naïveté : un vieux château, un large foyer, des tournois, des joutes, des chasses, le son du cor, le bruit des armes, n'ont rien qui heurte le goût, rien qu'on doive ou *choisir* ou *cacher*.

Et d'un autre côté, le poète chrétien, plus heureux qu'Homère, n'est point forcé de ternir sa peinture en y plaçant l'homme barbare ou l'homme *naturel ;* le christianisme lui donne le parfait héros.

Ainsi, tandis que le Tasse est dans la nature relativement aux objets physiques, il est au-dessus de cette nature par rapport aux objets moraux.

Or, le *vrai* et l'*idéal* sont les deux sources de l'intérêt poétique : le *touchant* et le *merveilleux*.

CHAPITRE XII

SUITE DU GUERRIER

Montrons à présent que ces vertus du chevalier, qui élèvent son caractère jusqu'au *beau idéal*, sont des vertus véritablement chrétiennes.

Si elles n'étaient que de simples vertus morales, imaginées par le poète, elles seraient sans mouvement et sans ressort. On en peut juger par Enée, dont Virgile a fait un héros philosophe.

Les vertus purement morales sont froides par essence : ce n'est pas quelque chose d'ajouté à l'âme, c'est quelque chose de retranché de la nature; c'est l'absence du vice, plutôt que la présence de la vertu.

Les vertus religieuses ont des ailes, elles sont passionnées. Non contentes de s'abstenir du mal, elles veulent faire le bien : elles ont l'activité de l'amour, et se tiennent dans une région supérieure, et un peu exagérée. Telles étaient les vertus des chevaliers.

La foi ou la fidélité était leur première vertu; la fidélité est pareillement la première vertu du christianisme.

Le chevalier ne mentait jamais. — Voilà le chrétien.

Le chevalier était pauvre, et le plus désintéressé des hommes. — Voilà le disciple de l'Evangile.

Le chevalier s'en allait à travers le monde, secourant la veuve et l'orphelin. — Voilà la charité de Jésus-Christ.

Le chevalier était tendre et délicat. Qui lui aurait donné cette douceur, si ce n'était une religion humaine, qui porte toujours au respect pour la faiblesse ? Avec quelle bénignité Jésus-Christ lui-même ne parle-t-il pas aux femmes dans l'Evangile!

Agamemnon déclare brutalement qu'il aime autant Briséis que son épouse, parce qu'elle fait d'aussi beaux ouvrages.

Un chevalier ne parle pas ainsi.

Enfin le christianisme a produit l'honneur ou la bravoure des héros modernes, si supérieure à celle des héros antiques.

La véritable religion nous enseigne que ce n'est pas par la force du corps que l'homme se doit mesurer, mais par la grandeur de l'âme. D'où il résulte que le plus faible des chevaliers ne tremble jamais devant un ennemi; et, fût-il certain de recevoir la mort, il n'a pas même la pensée de la fuite.

Cette haute valeur est devenue si commune, que le moindre de nos fantassins est plus courageux que les Ajax, qui fuyaient devant Hector, qui fuyait à son tour devant Achille. Quant à la clémence du chevalier chrétien envers les vaincus, qui peut nier qu'elle découle du christianisme ?

Les poètes modernes ont tiré une foule de traits nouveaux du caractère chevaleresque. Dans la *tragédie* il suffit de nommer Bayard, Tancrède, Nemours, Couci : Nérestan apporte la rançon de ses frères d'armes, et se vient rendre prisonnier, parce qu'il ne peut satisfaire à la somme nécessaire pour se racheter lui-même. Les belles mœurs chrétiennes! Et qu'on ne dise pas que c'est une pure invention poétique; il y a cent exemples de chrétiens qui se sont remis entre les mains des Infidèles, ou pour délivrer d'autres chrétiens, ou parce qu'ils ne pouvaient compter l'argent qu'ils avaient promis.

On sait combien le caractère chevaleresque est favorable à l'Epopée. Qu'ils sont aimables tous ces chevaliers de la *Jérusalem*, ce Renaud si brillant, ce Tancrède si généreux, ce vieux Raymond de Toulouse, toujours abattu et toujours relevé! On est avec eux sous les murs de Solyme; on croit entendre le jeune Bouillon s'écrier, au sujet d'Armide : « Que dira-t-on à la cour de France, quand on saura que nous avons refusé notre bras à la beauté ? » Pour juger de la différence qui se trouve entre les héros d'Homère et ceux du Tasse, il suffit de jeter les yeux sur le camp de Godefroi et sur les remparts de Sion. D'un côté sont les *chevaliers*, et de l'autre les *héros antiques*. Soliman même n'a tant d'éclat, que parce que le poëte lui a donné quelques traits de la générosité du chevalier : ainsi le principal héros infidèle emprunte lui-même sa majesté du christianisme.

Mais c'est dans Godefroi qu'il faut admirer le chef-d'œuvre du caractère héroïque. Si Enée veut échapper à la séduction d'une femme, il tient les yeux baissés : *Immota tenebat lumina ;* il cache son trouble; il répond des choses vagues : « Reine, je ne nie point tes bontés, je me souviendrai d'Elise », *Meminisse Elisæ*.

Ce n'est pas de cet air que le capitaine chrétien repousse les adresses d'Armide : il résiste, car il connaît les fragiles appas du monde; il continue son vol vers le ciel, *comme l'oiseau rassasié qui ne s'abat point où une nourriture trompeuse l'appelle.*

> Qual saturo augel, che non si cali,
> Ove il cibo mostrando, altri l'invita.

Faut-il combattre, délibérer, apaiser une sédition, Bouillon est partout grand, partout auguste. Ulysse frappe Thersite de son sceptre (σκήπτρῳ δὲ μετάφρενον, ἠδὲ καὶ ὤμω πλῆξεν) et arrête les Grecs prêts à rentrer dans leurs vaisseaux : ces mœurs sont naïves et pittoresques. Mais voyez Godefroi se montrant seul à un camp furieux qui l'accuse d'avoir fait assassiner un héros. Quelle beauté noble et touchante dans la prière de ce capitaine, plein de la conscience de sa vertu! comme cette prière fait ensuite éclater l'intrépidité du général, qui, désarmé et tête nue, se présente à une soldatesque effrénée!

Au combat, une sainte et majestueuse valeur, inconnue aux guerriers d'Homère et de Virgile, anime le guerrier chrétien. Enée, couvert de ses armes divines, et debout sur la poupe de sa galère, qui approche du rivage Rutule, est dans une attitude héroïque; Agamemnon, semblable au Jupiter foudroyant, présente une image pleine de grandeur : cependant Godefroi n'est inférieur ni au père des Césars, ni au chef des Atrides, dans le dernier chant de la *Jérusalem*.

Le soleil vient de se lever : les armées sont en présence ; les bannières se déroulent aux vents ; les plumes flottent sur les casques ; les habits, les franges, les harnois, les armes, les couleurs, l'or et le fer, étincellent aux premiers feux du jour. Monté sur un coursier rapide, Godefroi parcourt les rangs de son armée ; il parle, et son discours est un modèle d'éloquence guerrière. Sa tête rayonne, son visage brille d'un éclat inconnu, l'ange de la victoire le couvre invisiblement de ses ailes. Bientôt il se fait un profond silence ; les légions se prosternent, en adorant celui qui fit tomber Goliath par la main d'un jeune berger. Soudain la trompette sonne, les soldats chrétiens se relèvent, et, pleins de la fureur du Dieu des armées, ils se précipitent sur les bataillons ennemis.

LIVRE TROISIÈME

SUITE DE LA POÉSIE DANS SES RAPPORTS AVEC LES HOMMES.

PASSIONS

CHAPITRE PREMIER

De l'examen des *caractères*, nous venons à celui des *passions*. On sent qu'en traitant des premiers, il nous a été impossible de ne pas toucher un peu aux secondes; mais ici nous nous proposons d'en parler plus amplement.

S'il existait une religion qui s'occupât sans cesse de mettre un frein aux passions de l'homme, cette religion augmenterait nécessairement le jeu des passions dans le drame et dans l'Epopée; elle serait plus favorable à la peinture des sentiments que toute institution religieuse qui, ne connaissant point des délits du cœur, n'agirait sur nous que par des scènes extérieures. Or, c'est ici le grand avantage de notre culte sur les cultes de l'antiquité : la religion chrétienne est un vent céleste qui enfle les voiles de la vertu, et multiplie les orages de la conscience autour du vice.

Les bases de la morale ont changé parmi les hommes, du moins parmi les hommes chrétiens, depuis la prédication de l'Evangile. Chez les anciens, par exemple, l'humilité passait pour bassesse, et l'orgueil pour grandeur : chez les chrétiens, au contraire, l'orgueil est le premier des vices, et l'humilité une des premières vertus. Cette seule transmutation de principes montre la nature humaine sous un jour nouveau, et nous devons découvrir dans les passions des rapports que les anciens n'y voyaient pas.

Donc, pour nous, la racine du mal est la *vanité*, et la racine du bien la *charité;* de sorte que les passions vicieuses sont toujours un composé d'orgueil, et les passions vertueuses un composé d'amour.

Faites l'application de ce principe, vous en reconnaîtrez la justesse. Pourquoi les passions qui tiennent au courage sont-elles plus belles chez les modernes que chez les

anciens ? pourquoi avons-nous donné d'autres proportions à la valeur, et transformé un mouvement brutal en
une vertu ? C'est par le mélange de la vertu chrétienne,
directement opposée à ce mouvement, l'*humilité*. De ce
mélange est née la *magnanimité* ou la *générosité poétique*,
sorte de passion (car les chevaliers l'ont poussée jusque-
là) totalement inconnue des anciens.

Un de nos plus doux sentiments, et peut-être le seul
qui appartienne absolument à l'âme (les autres ont quelque mélange des sens dans leur nature ou dans leur
but), c'est l'amitié. Et combien le christianisme n'a-t-il
point encore augmenté les charmes de cette passion
céleste, en lui donnant pour fondement la *charité* ? Jésus-
Christ dormit dans le sein de Jean ; et, sur la croix, avant
d'expirer, l'amitié l'entendit prononcer ce mot digne d'un
Dieu : *Mater, ecce Filius tuus ; discipule, ecce mater tua* [1].
« Mère, voilà ton fils ; disciple, voilà ta mère. »

Le christianisme, qui a révélé notre double nature, et
montré les contradictions de notre être, qui a fait voir
le haut et le bas de notre cœur, qui lui-même est plein
de contrastes comme nous, puisqu'il nous présente un
Homme-Dieu, un Enfant maître des mondes, le créateur
de l'univers sortant du sein d'une créature ; le christianisme, disons-nous, vu sous ce jour des contrastes, est
encore, par excellence, la religion de l'amitié. Ce sentiment se fortifie autant par les oppositions que par les
ressemblances. Pour que deux hommes soient parfaits
amis, ils doivent s'attirer et se repousser sans cesse par
quelque endroit ; il faut qu'ils aient des génies d'une
même force, mais d'une différente espèce ; des opinions
opposées, des principes semblables ; des haines et des
amours diverses, mais au fond la même sensibilité ; des
humeurs tranchantes, et pourtant des goûts pareils ; en
un mot, de grands contrastes de caractères et de grandes
harmonies du cœur.

Cette chaleur, que la *charité* répand dans les passions
vertueuses, leur donne un caractère divin. Chez les
hommes de l'antiquité, l'avenir des sentiments ne passait pas le tombeau, où il venait faire naufrage. Amis,
frères, époux, se quittaient aux portes de la mort, et
sentaient que leur séparation était éternelle ; le comble de
la félicité pour les Grecs et pour les Romains, se réduisait
à mêler leurs cendres ensemble : mais combien elle

1. Joan. Evang., cap. 19, v. 26 et 27.

devait être douloureuse, une urne qui ne renfermait que des souvenirs! Le polythéisme avait établi l'homme dans les régions du passé; le christianisme l'a placé dans les champs de l'espérance. La jouissance des sentiments honnêtes sur la terre n'est que l'avant-goût des délices dont nous serons comblés. Le principe de nos amitiés n'est point dans ce monde : deux êtres qui s'aiment ici-bas sont seulement dans la route du Ciel, où ils arriveront ensemble, si la vertu les dirige : de manière que cette forte expression des poètes, *exhaler son âme dans celle de son ami*, est littéralement vraie pour deux chrétiens. En se dépouillant de leurs corps, ils ne font que se dégager d'un obstacle qui s'opposait à leur union intime, et leurs âmes vont se confondre dans le sein de l'Eternel.

Ne croyons pas toutefois qu'en nous découvrant les bases sur lesquelles reposent les passions, le christianisme ait désenchanté la vie. Loin de flétrir l'imagination, en lui faisant tout toucher et tout connaître, il a répandu le doute et les ombres sur les choses inutiles à nos fins; supérieur en cela à cette imprudente philosophie, qui cherche trop à pénétrer la nature de l'homme et à trouver le fond partout. Il ne faut pas toujours laisser tomber la sonde dans les abîmes du cœur : les vérités qu'il contient sont du nombre de celles qui demandent le demi-jour et la perspective. C'est une imprudence que d'appliquer sans cesse son jugement à la partie aimante de son être, de porter l'esprit raisonneur dans les passions. Cette curiosité conduit peu à peu à douter des choses généreuses; elle dessèche la sensibilité, et tue pour ainsi dire l'âme : les mystères du cœur sont comme ceux de l'antique Egypte; le profane qui cherchait à les découvrir sans y être initié par la religion, était subitement frappé de mort.

CHAPITRE II

AMOUR PASSIONNÉ — DIDON

Ce que nous appelons proprement amour parmi nous, est un sentiment dont l'antiquité a ignoré jusqu'au nom. Ce n'est que dans les siècles modernes qu'on a vu se former ce mélange des sens et de l'âme, cette espèce d'amour, dont l'amitié est la partie morale. C'est encore au christianisme que l'on doit ce sentiment perfectionné; c'est lui qui, tendant sans cesse à épurer le cœur, est parvenu à jeter de la spiritualité jusque dans le penchant qui en paraissait le moins susceptible. Voilà donc un nouveau moyen de situations poétiques, que cette religion si dénigrée a fourni aux auteurs mêmes qui l'insultent : on peut voir, dans une foule de romans, les beautés qu'on a tirées de cette passion demi-chrétienne. Le caractère de Clémentine [1], par exemple, est un chef-d'œuvre dont la Grèce n'offre point de modèle. Mais pénétrons dans ce sujet : et, avant de parler de l'*amour champêtre*, considérons l'*amour passionné*.

Cet amour n'est ni aussi saint que la piété conjugale, ni aussi gracieux que le sentiment des bergers; mais, plus poignant que l'un et l'autre, il dévaste les âmes où il règne. Ne s'appuyant point sur la gravité du mariage, ou sur l'innocence des mœurs champêtres, ne mêlant aucun autre prestige au sien, il est à soi-même sa propre illusion, sa propre folie, sa propre substance. Ignorée de l'artisan trop occupé, et du laboureur trop simple, cette passion n'existe que dans ces rangs de la société où l'oisiveté nous laisse surchargés du poids de notre cœur, avec son immense amour-propre et ses éternelles inquiétudes.

Il est si vrai que le christianisme jette une éclatante lumière dans l'abîme de nos passions, que ce sont les orateurs de l'Eglise qui ont peint les désordres du cœur humain avec le plus de force et de vivacité. Quel tableau Bourdaloue ne fait-il point de l'ambition! Comme Massillon a pénétré dans les replis de nos âmes, et exposé au jour nos penchants et nos vices! « C'est le caractère de cette passion, dit cet homme éloquent, en parlant de l'amour, de remplir le cœur tout entier, etc. : on ne peut plus s'occuper que d'elle; on en est possédé, enivré : on la retrouve partout; tout en retrace les funestes images; tout en réveille les injustes désirs : le monde, la solitude, la présence, l'éloignement, les objets les plus indifférents, les occupations les plus sérieuses, le temple saint lui-même, les autels sacrés, les mystères terribles en rappellent le souvenir [2]. »

« C'est un désordre, s'écrie le même orateur, dans *la*

1. Richardson.
2. Massillon, *l'Enfant prodigue*, Ire partie, tome II.

Pécheresse [1], d'aimer pour lui-même ce qui ne peut être ni notre bonheur, ni notre perfection, ni par conséquent notre repos : car aimer, c'est chercher la félicité dans ce qu'on aime; c'est vouloir trouver dans l'objet aimé tout ce qui manque à notre cœur; c'est l'appeler au secours de ce vide affreux que nous sentons en nous-mêmes, et nous flatter qu'il sera capable de le remplir; c'est le regarder comme la ressource de tous nos besoins, le remède de tous nos maux, l'auteur de tous nos biens... [2]. Mais cet amour des créatures est suivi des plus cruelles incertitudes : on doute toujours si l'on est aimé comme l'on aime; on est ingénieux à se rendre malheureux, et à former à soi-même des craintes, des soupçons, des jalousies; plus on est de bonne foi, plus on souffre; on est le martyr de ses propres défiances : vous le savez, et ce n'est pas à moi à venir vous parler ici le langage de vos passions insensées [3]. »

Cette maladie de l'âme se déclare avec fureur, aussitôt que paraît l'objet qui doit en développer le germe. Didon s'occupe encore des travaux de sa cité naissante : la tempête s'élève et apporte un héros. La reine se trouble, un *feu secret* coule dans ses veines : les imprudences commencent; les plaisirs suivent; le désenchantement et le remords viennent après eux. Bientôt Didon est abandonnée; elle regarde avec horreur autour d'elle, et ne voit que des abîmes. Comment s'est-il évanoui cet édifice de bonheur, dont une imagination exaltée avait été l'amoureux architecte ? palais de nuages que dore quelques instants un soleil prêt à s'éteindre! Didon vole, cherche, appelle Enée :

> Dissimulare etiam sperasti ? etc. [4].

Perfide! espérais-tu me cacher tes desseins et t'échapper clandestinement de cette terre ? Ni notre amour, ni cette main que je t'ai donnée, ni Didon prête à étaler de cruelles funérailles, ne peuvent arrêter tes pas ? etc. etc.

Quel trouble, quelle passion, quelle vérité dans l'éloquence de cette femme trahie! Les sentiments se pressent tellement dans son cœur, qu'elle les produit en désordre, incohérents et séparés, tels qu'ils s'accumulent

---

1. Première partie.
2. *Id. Ibid.*, seconde partie.
3. Massillon, *l'Enfant prodigue*, 2e partie, tome II.
4. *Æneid.* lib. IV, v. 305.

sur ses lèvres. Remarquez les autorités qu'elle emploie
dans ses prières. Est-ce au nom des dieux, au nom d'un
sceptre qu'elle parle ? Non : elle ne fait pas même valoir
Didon dédaignée ; mais plus humble et plus amante, elle
n'implore le fils de Vénus que par les larmes, que par
la propre main du perfide. Si elle y joint le souvenir
de l'amour, ce n'est encore qu'en l'étendant sur Enée :
par notre hymen, par notre union commencée, dit-elle,

Per connubia nostra, per inceptos hymenæos [1].

Elle atteste aussi les lieux témoins de son bonheur, car
c'est une coutume des malheureux, d'associer à leurs
sentiments les objets qui les environnent; abandonnés
des hommes, ils cherchent à se créer des appuis, en ani-
mant de leur douleur les êtres insensibles autour d'eux.
Ce toit, ce foyer hospitalier, où naguère elle accueillit
l'ingrat, sont donc les vrais dieux pour Didon. Ensuite,
avec l'adresse d'une femme, et d'une femme amoureuse,
elle rappelle tour à tour le souvenir de Pygmalion et
celui de Iarbe, afin de réveiller ou la générosité, ou la
jalousie du héros troyen. Bientôt, pour dernier trait de
passion et de misère, la superbe souveraine de Carthage
va jusqu'à souhaiter qu'un *petit Enée, parvulus Æneas* [2],
reste au moins auprès d'elle pour consoler sa douleur,
même en portant témoignage à sa honte. Elle s'imagine
que tant de larmes, tant d'imprécations, tant de prières,
sont des raisons auxquelles Enée ne pourra résister :
dans ces moments de folie, les passions, incapables de
plaider leur cause avec succès, croient faire usage de tous
leurs moyens, lorsqu'elles ne font entendre que tous leurs
accents.

---

1. *Æneid.*, lib. IV, v. 316.
2. *Æneid.*, lib. IV, v. 328 et 329. Le vieux *Loïs des Masures, Tour-*
nisien, qui nous a laissé les quatre premiers livres de *l'Enéide* en
carmes françois, a traduit ainsi ce morceau :

. . . . . Si d'un petit Enée,
Avec ses yeux, m'était faveur donnée,
Qui seulement ressemblât de vis,
Point ne serais du tout, à mon avis,
Prinse, et de toi laissée entièrement.

CHAPITRE III

SUITE DU PRÉCÉDENT — LA PHÈDRE DE RACINE

Nous pourrions nous contenter d'opposer à Didon la Phèdre de Racine, plus passionnée que la reine de Carthage : elle n'est en effet qu'une *épouse chrétienne*. La crainte des flammes vengeresses et de l'éternité formidable de notre Enfer, perce à travers le rôle de cette femme criminelle [1], et surtout dans la scène de jalousie, qui, comme on le sait, est de l'invention du poète moderne. L'inceste n'était pas une chose si rare et si monstrueuse chez les anciens, pour exciter de pareilles frayeurs dans le cœur du coupable. Sophocle fait mourir Jocaste, il est vrai, au moment où elle apprend son crime, mais Euripide la fait vivre longtemps après. Si nous en croyons Tertullien, les malheurs d'Œdipe [2] n'excitaient chez les Macédoniens que les plaisanteries des spectateurs. Virgile ne place pas Phèdre aux Enfers, mais seulement dans ces bocages de myrtes, dans ces *champs des pleurs, lugentes campi*, où vont errant ces amantes, *qui, même dans la mort, n'ont pas perdu leurs soucis.*

Curæ non ipsâ in morte relinquunt [3].

Aussi la Phèdre d'Euripide, comme celle de Sénèque, craint-elle plus Thésée que le Tartare. Ni l'une ni l'autre ne parle comme la Phèdre de Racine :

> Moi jalouse ! et Thésée est celui que j'implore !
> Mon époux est vivant ; et moi je brûle encore !
> Pour qui ? quel est le cœur où prétendent mes vœux ?
> Chaque mot, sur mon front, fait dresser mes cheveux.
> Mes crimes désormais ont comblé la mesure :
> Je respire à la fois l'inceste et l'imposture ;
> Mes homicides mains, promptes à me venger,
> Dans le sang innocent brûlent de se plonger.
> Misérable ! et je vis ! et je soutiens la vue
> De ce sacré soleil dont je suis descendue !
> J'ai pour aïeul le père et le maître des dieux ;
> Le ciel, tout l'univers est plein de mes aïeux :

---

1. Cette crainte du Tartare est faiblement indiquée dans Euripide.
2. Tertull. *Apolog.*
3. *Æneid.* lib. VI, v. 444.

> Où me cacher ? Fuyons dans la nuit infernale.
> Mais que dis-je! mon père y tient l'urne fatale;
> Le sort, dit-on, l'a mise en ses sévères mains :
> Minos juge aux Enfers tous les pâles humains.
> Ah! combien frémira son ombre épouvantée,
> Lorsqu'il verra sa fille à ses yeux présentée,
> Contrainte d'avouer tant de forfaits divers,
> Et des crimes, peut-être inconnus aux Enfers!
> Que diras-tu, mon père, à ce spectacle horrible ?
> Je crois voir de ta main tomber l'urne terrible;
> Je crois te voir cherchant un supplice nouveau,
> Toi-même de ton sang devenir le bourreau.
> Pardonne. Un dieu cruel a perdu ta famille :
> Reconnais sa vengeance aux fureurs de ta fille.
> Hélas! du crime affreux dont la honte me suit,
> Jamais mon triste cœur n'a recueilli le fruit.

Cet incomparable morceau offre une gradation de sentiments, une science de la tristesse, des angoisses et des transports de l'âme, que les anciens n'ont jamais connues. Chez eux, on trouve pour ainsi dire des ébauches de sentiments, mais rarement un sentiment achevé; ici, c'est tout le cœur :

> C'est Vénus tout entière à sa proie attachée!

et le cri le plus énergique que la passion ait jamais fait entendre, est peut-être celui-ci :

> Hélas! du crime affreux dont la honte me suit,
> Jamais mon triste cœur n'a recueilli le fruit.

Il y a là-dedans un mélange des sens et de l'âme, de désespoir et de fureur amoureuse, qui passe toute expression. Cette femme, qui se *consolerait d'une éternité de souffrance*, si elle avait joui *d'un instant de bonheur*, cette femme n'est pas dans le *caractère antique ;* c'est la *chrétienne réprouvée*, c'est la pécheresse tombée vivante entre les mains de Dieu : son mot est le mot du damné.

CHAPITRE IV

SUITE DES PRÉCÉDENTS — JULIE D'ÉTANGE. CLÉMENTINE

Nous changeons de couleurs : l'amour passionné, terrible dans la Phèdre *chrétienne*, ne fait plus entendre chez la *dévote* Julie que de mélodieux soupirs : c'est une voix troublée, qui sort d'un sanctuaire de paix, un cri d'amour que prolonge, en l'adoucissant, l'écho religieux des tabernacles.

Le pays des chimères est en ce monde le seul digne d'être habité : et tel est le néant des choses humaines, que, hors l'être existant par lui-même, il n'y a rien de beau que ce qui n'est pas. . . . .

Une langueur secrète s'insinue au fond de mon cœur; je le sens vide et gonflé, comme vous disiez autrefois du vôtre; l'attachement que j'ai pour ce qui m'est cher ne suffit pas pour l'occuper : il lui reste une force inutile dont il ne sait que faire. Cette peine est bizarre, j'en conviens; mais elle n'est pas moins réelle. Mon ami, je suis trop heureuse, le bonheur m'ennuie. . . . .

. . Ne trouvant donc rien ici-bas qui lui suffise, mon âme avide cherche ailleurs de quoi la remplir; en s'élevant à la source du sentiment et de l'être, elle y perd sa sécheresse et sa langueur : elle y renaît, elle s'y ranime, elle y trouve un nouveau ressort, elle y puise une nouvelle vie; elle y prend une autre existence qui ne tient point aux passions du corps, ou plutôt elle n'est plus en moi-même, elle est toute dans l'être immense qu'elle contemple; et, dégagée un moment de ces entraves, elle se console d'y rentrer, par cet essai d'un état plus sublime qu'elle espère être un jour le sien. . . . .

. . . .
En songeant à tous les bienfaits de la Providence, j'ai honte d'être sensible à de si faibles chagrins, et d'oublier de si grandes grâces. . . . .
Quand la tristesse m'y suit malgré moi (*dans son oratoire*), quelques pleurs versés devant celui qui console, soulagent mon cœur à l'instant. Mes réflexions ne sont jamais amères ni douloureuses, mon repentir même est exempt d'alarmes; mes fautes me donnent moins d'effroi que de honte. J'ai des regrets et non des remords.
Le Dieu que je sers est un Dieu clément, un père : ce qui me touche, c'est sa bonté; elle efface à mes yeux tous ses autres attributs; elle est le seul que je conçois. Sa puissance m'étonne, son immensité me confond, sa justice... Il a fait l'homme faible; puisqu'il est juste, il est clément. Le Dieu vengeur est le Dieu des méchants. Je ne puis ni le craindre pour moi, ni l'implorer contre un autre. O Dieu de paix, Dieu de bonté! c'est toi que j'adore : c'est de toi, je le sens, que je suis l'ouvrage; et j'espère te retrouver au jugement dernier tel que tu parles à mon cœur durant ma vie.

Comme l'amour et la religion sont heureusement mêlés dans ce tableau! Ce style, ces sentiments n'ont point de modèle dans l'antiquité [1]. Il faudrait être insensé pour repousser un culte qui fait sortir du cœur des accents si tendres, et qui a, pour ainsi dire, ajouté de nouvelles cordes à l'âme.

Voulez-vous un autre exemple de ce nouveau langage des passions, inconnu sous le polythéisme? Écoutez parler Clémentine : ses expressions sont peut-être encore plus naturelles, plus touchantes et plus sublimement naïves que celles de Julie :

Je consens, monsieur, du fond de mon cœur (c'est très sérieusement, comme vous voyez), que vous n'ayez que de la haine, du mépris, de l'horreur pour la malheureuse Clémentine; mais je vous conjure, pour l'intérêt de votre âme immortelle, de vous attacher à la véritable Église. Hé bien! monsieur, que me répondez-vous (en suivant de son charmant visage, le mien que je tenais encore tourné; car je ne me sentais pas la force de le regarder)? Dites, monsieur, que vous y consentez; je vous ai toujours cru le cœur honnête et sensible. Dites qu'il se rend à la vérité; ce n'est pas pour moi que je vous sollicite, je vous ai déclaré que je prends le mépris pour mon partage. Il ne sera pas dit que vous vous serez rendu aux instances d'une femme. Non, monsieur, votre seule conscience en aura l'honneur. Je ne vous cacherai point ce que je médite pour moi-même. Je demeurerai dans une paix profonde (elle se leva ici avec un air de dignité, que l'esprit de religion semblait encore augmenter); et lorsque l'ange de la mort paraîtra, je lui tendrai la main. Approche, lui dirai-je, ô toi, ministre de paix! je te suis au rivage où je brûle d'arriver; et j'y vais retenir une place pour l'homme à qui je ne la souhaite pas de longtemps, mais auprès duquel je veux être éternellement assise.

Ah! le christianisme est surtout un baume pour nos blessures, quand les passions, d'abord soulevées dans notre sein, commencent à s'apaiser, ou par l'infortune, ou par la durée. Il endort la douleur, il fortifie la résolution chancelante, il prévient les rechutes, en combattant, dans une âme à peine guérie, le dangereux pouvoir des souvenirs : il nous environne de paix et de lumière; il rétablit pour nous cette harmonie des choses célestes,

---

1. Il y a toutefois dans ce morceau un mélange vicieux d'expressions métaphysiques, et de langage naturel. *Dieu*, le *Tout-Puissant*, le *Seigneur*, vaudraient beaucoup mieux que la *source de l'être*, etc.

que Pythagore entendait dans le silence de ses passions. Comme il promet toujours une récompense pour un sacrifice, on croit ne rien lui céder en lui cédant tout; comme il offre à chaque pas un objet plus beau à nos désirs, il satisfait à l'inconstance naturelle de nos cœurs : on est toujours avec lui dans le ravissement d'un amour qui commence, et cet amour a cela d'ineffable, que ses mystères sont ceux de l'innocence et de la pureté.

CHAPITRE V

SUITE DES PRÉCÉDENTS — HÉLOISE ET ABÉLARD

Julie a été ramenée à la religion par des malheurs ordinaires : elle est restée dans le monde; et, contrainte de lui cacher sa passion, elle se réfugie en secret auprès de Dieu, sûre qu'elle est de trouver dans ce père indulgent une pitié que lui refuseraient les hommes. Elle se plaît à se confesser au tribunal suprême, parce que lui seul la peut absoudre, et peut-être aussi (reste involontaire de faiblesse!) parce que c'est toujours parler de son amour. Si nous trouvons tant de charmes à révéler nos peines à quelque homme supérieur, à quelque conscience tranquille qui nous fortifie, et nous fasse participer au calme dont elle jouit, quelles délices n'est-ce pas de parler de passions à l'Etre impassible que nos confidences ne peuvent troubler, de faiblesse à l'Etre tout-puissant qui peut nous donner un peu de sa force ? On conçoit les transports de ces hommes saints, qui, retirés sur le sommet des montagnes, mettaient toute leur vie aux pieds de Dieu, perçaient à force d'amour les voûtes de l'éternité, et parvenaient à contempler la lumière primitive. Julie, sans le savoir, approche de sa fin, et les ombres du tombeau, qui commencent à s'entrouvrir pour elle, laissent éclater à ses yeux un rayon de l'Excellence divine. La voix de cette femme mourante est douce et triste; ce sont les derniers bruits du vent qui va quitter la forêt, les derniers murmures d'une mer qui déserte ses rivages.

La voix d'Héloïse a plus de force. Femme d'Abélard, elle vit, et elle vit pour Dieu. Ses malheurs ont été aussi imprévus que terribles. Précipitée du monde au désert, elle est entrée soudaine, et avec tous ses feux, dans les glaces monastiques. La religion et l'amour exercent à la fois leur empire sur son cœur : c'est la nature rebelle, saisie toute vivante par la grâce, et qui se débat vainement dans les embrassements du ciel. Donnez Racine pour interprète à Héloïse, et le tableau de ses souffrances va mille fois effacer celui des malheurs de Didon, par l'effet tragique, le lieu de la scène, et je ne sais quoi de formidable que le christianisme imprime aux objets où il mêle sa grandeur.

> Hélas! tels sont les lieux où, captive, enchaînée,
> Je traîne dans les pleurs ma vie infortunée;
> Cependant, Abélard, dans cet affreux séjour,
> Mon cœur s'enivre encor du poison de l'amour.
> Je n'y dois mes vertus qu'à ta funeste absence;
> Et j'ai maudit cent fois ma pénible innocence.
> . . . .
> O funeste ascendant! ô joug impérieux!
> Quels sont donc mes devoirs, et qui suis-je en ces lieux ?
> Perfide! de quel nom veux-tu que l'on te nomme ?
> Toi, l'épouse d'un Dieu, tu brûles pour un homme ?
> Dieu cruel! prends pitié du trouble où tu me vois,
> A mes sens mutinés ose imposer tes lois.
> . . . .
> Le pourras-tu, grand Dieu! mon désespoir, mes larmes,
> Contre un cher ennemi te demandent des armes;
> Et cependant, livrée à de contraires vœux,
> Je crains plus tes bienfaits que l'excès de mes feux [1].

Il était impossible que l'antiquité fournît une pareille scène, parce qu'elle n'avait pas une pareille religion. On aura beau prendre pour héroïne une vestale grecque ou romaine, jamais on n'établira ce combat entre la chair et l'esprit qui fait le merveilleux de la position d'Héloïse, et qui appartient au dogme et à la morale du christianisme. Souvenez-vous que vous voyez ici réunies la plus fougueuse des passions, et une religion menaçante qui n'entre jamais en traité avec nos penchants. Héloïse aime, Héloïse brûle, mais là s'élèvent des murs glacés; là tout s'éteint sous des marbres insensibles; là des flammes éternelles, ou des récompenses sans fin, attendent sa chute ou son triomphe. Il n'y a point d'accommodement à espérer; la créature et le Créateur ne peuvent habiter ensemble dans la même âme. Didon ne perd qu'un amant ingrat. Oh! qu'Héloïse est travaillée d'un tout autre soin! Il faut qu'elle choisisse entre Dieu et un amant fidèle, dont elle a causé les malheurs! Et qu'elle ne croie

---

1. Colard., *Ep. d'Hél.*

pas pouvoir détourner secrètement, au profit d'Abélard,
la moindre partie de son cœur : le Dieu de Sinaï est un
Dieu jaloux, un Dieu qui veut être aimé de préférence;
il punit jusqu'à l'ombre d'une pensée, jusqu'au songe
qui s'adresse à d'autres qu'à lui.

Nous nous permettrons de relever ici une erreur de
Colardeau, parce qu'elle tient à l'esprit de son siècle, et
qu'elle peut jeter quelque lumière sur le sujet que nous
traitons. Son Epître d'Héloïse a une teinte philosophique
qui n'est point dans l'original de Pope. Après le morceau
que nous avons cité, on lit ces vers :

> Chères sœurs, de mes fers compagnes innocentes,
> Sous ces portiques saints, colombes gémissantes,
> Vous qui ne connaissez que ces *faibles* vertus
> Que la religion donne... et que je n'ai plus;
> Vous qui, dans les *langueurs d'un esprit monastique*,
> Ignorez de l'amour l'empire tyrannique;
> Vous enfin, qui, n'ayant que Dieu seul pour amant,
> Aimez par *habitude*, et non par sentiment,
> Que vos cœurs sont heureux, puisqu'ils sont insensibles!
> Tous vos jours sont sereins, toutes vos nuits paisibles.
> Le cri des passions n'en trouble point le cours.
> Ah! qu'Héloïse envie et vos nuits et vos jours!

Ces vers, qui d'ailleurs ne manquent pas d'abandon et
de mollesse, ne sont point de l'auteur anglais. On en
découvre à peine quelques traces dans ce passage que
nous traduisons mot à mot :

« Heureuse la vierge sans taches qui oublie le monde, et
que le monde oublie! L'éternelle joie de son âme est de
sentir que toutes ses prières sont exaucées, tous ses vœux
résignés. Le travail et le repos partagent également ses
jours; son sommeil facile cède sans effort aux pleurs et aux
veilles. Ses désirs sont réglés, ses goûts toujours les mêmes;
elle s'enchante par ses larmes, et ses soupirs sont pour le
Ciel. La grâce répand autour d'elle ses rayons les plus
sereins : des anges lui *soufflent* [1] tout bas les plus beaux
songes. Pour elle, l'époux prépare l'anneau nuptial; pour
elle, de blanches vestales entonnent des chants d'hyménée :
c'est pour elle que fleurit la rose d'Eden, qui ne se fane
jamais, et que les séraphins répandent les parfums de leurs
ailes. Elle meurt enfin au son des harpes célestes, et
s'évanouit dans les visions d'un jour éternel.

Nous sommes encore à comprendre comment un poète
a pu se tromper au point de substituer à cette descrip-

---

1. *L'anglais*, PROMPT.

tion un lieu commun sur les *langueurs monastiques*. Qui ne sent combien elle est belle et dramatique, cette opposition que Pope a voulu faire entre les chagrins et l'amour d'Héloïse, et le calme et la chasteté de la vie religieuse ? Qui ne sent combien cette transition repose agréablement l'âme agitée par les passions, et quel nouveau prix elle donne ensuite aux mouvements renaissants de ces mêmes passions ? Si la philosophie est bonne à quelque chose, ce n'est sûrement pas au tableau des troubles du cœur, puisqu'elle est directement inventée pour les apaiser. Héloïse, philosophant sur les *faibles* vertus de la religion, ne parle ni comme la vérité, ni comme son siècle, ni comme la femme, ni comme l'amour : on ne voit que le poète, et, ce qui est pis encore, l'âge des sophistes et de la déclamation.

C'est ainsi que l'esprit irréligieux détruit la vérité, et gâte les mouvements de la nature. Pope, qui touchait à de meilleurs temps, n'est pas tombé dans la faute de Colardeau. Il conservait la bonne tradition du siècle de Louis XIV, dont le siècle de la reine Anne ne fut qu'une espèce de prolongement ou de reflet. Revenons aux idées religieuses, si nous attachons quelque prix aux œuvres du génie : la religion est la vraie philosophie des beaux-arts, parce qu'elle ne sépare point, comme la sagesse humaine, la poésie de la morale, et la tendresse de la vertu.

Au reste, il y aurait d'autres observations intéressantes à faire sur Héloïse, par rapport à la maison solitaire où la scène se trouve placée. Ces cloîtres, ces voûtes, ces tombeaux, ces mœurs austères en contraste avec l'amour, en doivent augmenter la force et la tristesse. Autre chose est de consumer promptement sa vie sur un bûcher, comme la reine de Carthage; autre chose, de se brûler avec lenteur, comme Héloïse, sur l'autel de la religion. Mais comme dans la suite nous parlerons beaucoup des monastères, nous sommes forcé, pour éviter les répétitions, de nous arrêter ici.

CHAPITRE VI

AMOUR CHAMPÊTRE — LE CYCLOPE ET GALATÉE

Nous prendrons pour objet de comparaison chez les anciens, dans les amours champêtres, l'idylle du Cyclope et de Galatée. Ce poème est un des chefs-d'œuvre de Théocrite; celui de la *Magicienne* lui est peut-être supérieur par l'ardeur de la passion, mais il est moins pastoral.

Le Cyclope, assis sur un rocher, au bord des mers de Sicile, chante ainsi ses déplaisirs, en promenant ses yeux sur les flots :

Ω λευχὰ Γαλάτεια, etc. [1] . . . .

Charmante Galatée, pourquoi repousser les soins d'un amant, toi dont le visage est blanc comme le lait pressé dans mes corbeilles de jonc; toi qui es plus tendre que l'agneau, plus voluptueuse que la génisse, plus fraîche que la grappe non encore amollie par les feux du jour ? Tu te glisses sur ces rivages, lorsque le doux sommeil m'enchaîne; tu fuis, lorsque le doux sommeil me fuit : tu me redoutes, comme l'agneau craint le loup blanchi par les ans. Je n'ai cessé de t'adorer, depuis le jour que tu vins avec ma mère ravir les jeunes hyacinthes à la montagne : c'était moi qui te traçais le chemin. Depuis ce moment, après ce moment, et encore aujourd'hui, vivre sans toi m'est impossible. Et cependant te soucies-tu de ma peine ? au nom de Jupiter, te soucies-tu de ma peine ?... Mais tout hideux que je suis, j'ai pourtant mille brebis dont ma main presse les riches mamelles, et dont je bois le lait écumant. L'été, l'automne et l'hiver trouvent toujours des fromages dans ma grotte; mes réseaux en sont toujours pleins. Nul Cyclope ne pourrait aussi bien que moi te chanter sur la flûte, ô vierge nouvelle! Nul ne saurait avec autant d'art, la nuit, durant les orages, célébrer tous tes attraits.

Pour toi je nourris onze biches, qui sont prêtes à donner leurs faons. J'élève aussi quatre oursins, enlevés à leurs mères sauvages : viens, tu posséderas ces richesses. Laisse la mer se briser follement sur ses grèves; tes nuits seront plus heureuses, si tu les passes à mes côtés, dans mon antre. Des lauriers et des cyprès allongés y murmurent; le lierre noir et la vigne chargée de grappes, en tapissent l'enfon-

1. Theocr. idyl. XI, v. 19 et seq.

cement obscur : tout auprès coule une onde fraîche, source
que l'Etna blanchi verse de ses sommets de neiges et de ses
flancs couverts de brunes forêts. Quoi! préférerais-tu encore les mers et leurs mille vagues ? Si ma poitrine hérissée
blesse ta vue, j'ai du bois de chêne, et des restes de feux
épandus sous la cendre ; brûle même (tout me sera doux de
ta main), brûle, si tu le veux, mon œil unique, cet œil qui
m'est plus cher que la vie. Hélas! que ma mère ne m'a-t-elle
donné, comme au poisson, des rames légères pour fendre
les ondes! Oh, comme je descendrais vers ma Galatée!
comme je baiserais sa main, si elle me refusait ses lèvres!
Oui, je te porterais ou des lis blancs, ou de tendres pavots
à feuilles de pourpre : les premiers croissent en été, et les
autres fleurissent en hiver; ainsi je ne pourrais te les offrir
en même temps...

   C'était de la sorte que Polyphème appliquait sur la blessure de son cœur le dictame immortel des Muses, soula-
geant ainsi plus doucement sa vie, que par tout ce qui
s'achète au poids de l'or.

Cette idylle respire la passion. Le poëte ne pouvait
faire un choix de mots plus délicats ni plus harmonieux.
Le dialecte dorique ajoute encore à ces vers un ton de
simplicité qu'on ne peut faire passer dans notre langue.
Par le jeu d'une multitude d'*A*, et d'une prononciation
large et ouverte, on croirait sentir le calme des tableaux
de la nature, et entendre le parler naïf d'un pasteur [1].

---

1. On peut remarquer que la première voyelle de l'alphabet se
trouve dans presque tous les mots qui peignent les scènes de la campagne, comme dans *charrue, vache, cheval, labourage, vallée, montagne,
arbre, pâturage, laitage*, etc., et dans les épithètes qui ordinairement
accompagnent ces noms, telles que *pesante, champêtre, laborieux,
grasse, agreste, frais, délectable*, etc. Cette observation tombe avec la
même justesse sur tous les idiomes connus. La lettre *A* ayant été
découverte la première, comme étant la première émission naturelle
de la voix, les hommes, alors pasteurs, l'ont employée dans les mots
qui composaient le simple dictionnaire de leur vie. L'égalité de leurs
mœurs, et le peu de variété de leurs idées nécessairement teintes des
images des champs, devaient aussi rappeler le retour des mêmes sons
dans le langage. Le son de l'*A* convient au calme d'un cœur champêtre et à la paix des tableaux rustiques. L'accent d'une âme passionnée est aigu, sifflant, précipité; l'*A* est trop long pour elle : il faut une
bouche pastorale, qui puisse prendre le temps de le prononcer avec
lenteur. Mais toutefois il entre fort bien encore dans les plaintes,
dans les larmes amoureuses, et dans les naïfs *hélas* d'un chevrier.
Enfin, la nature fait entendre cette lettre rurale dans ses bruits, et
une oreille attentive peut la reconnaître diversement accentuée, dans
les murmures de certains ombrages, comme dans celui du tremble et
du lierre, dans la première voix, ou dans la finale du bêlement des
troupeaux, et, la nuit, dans les aboiements du chien rustique.

Observez ensuite le naturel des plaintes du Cyclope. Polyphème parle du cœur, et l'on ne se doute pas un moment que ses soupirs ne sont que l'imitation d'un poète. Avec quelle naïveté passionnée le malheureux amant ne fait-il point la peinture de sa propre laideur ? Il n'y a pas jusqu'à cet œil effroyable dont Théocrite n'ait su tirer un trait touchant : tant est vraie la remarque d'Aristote, si bien rendue par ce Despréaux, qui eut du génie à force d'avoir de la raison :

> D'un pinceau délicat l'artifice agréable
> Du plus affreux objet fait un objet aimable.

On sait que les modernes, et surtout les Français, ont peu réussi dans le genre pastoral [1]. Cependant Bernardin de Saint-Pierre nous semble avoir surpassé les bucoliastes de l'Italie et de la Grèce. Son roman, ou plutôt son poème de *Paul et Virginie*, est du petit nombre de ces livres qui deviennent assez antiques en peu d'années pour qu'on ose les citer sans craindre de compromettre son jugement.

CHAPITRE VII

SUITE DU PRÉCÉDENT — PAUL ET VIRGINIE [2]

Le vieillard, assis sur la montagne, fait l'histoire des deux familles exilées ; il raconte les travaux, les amours, les jeux, les soucis de leur vie :

Paul et Virginie n'avaient ni horloges, ni almanachs, ni livres de chronologie, d'histoire et de philosophie. Les périodes de leur vie se réglaient sur celles de la nature. Ils connaissaient les heures du jour par l'ombre des arbres ; les

---

1. La Révolution nous a enlevé un homme qui promettait un rare talent dans l'églogue, c'était M. André Chénier *. Nous avons vu de lui un recueil d'idylles manuscrites, où l'on trouve des choses dignes de Théocrite. Cela explique le mot de cet infortuné jeune homme sur l'échafaud ; il disait, en se frappant le front : *Mourir ! j'avais quelque chose là !* C'était la Muse qui lui révélait son talent au moment de la mort.
   * *Voyez* la note XV à la fin du volume.

2. Il eût peut-être été plus exact de comparer *Daphnis et Chloé* à *Paul et Virginie* ; mais ce roman est trop libre pour être cité.

saisons, par les temps où elles donnent leurs fleurs ou leurs
fruits; et les années, par le nombre de leurs récoltes. Ces
douces images répandaient les plus grands charmes dans
leurs conversations. « Il est temps de dîner, disait Virginie
à la famille, les ombres des bananiers sont à leurs pieds »,
ou bien : « La nuit s'approche, les tamarins ferment leurs
feuilles. — Quand viendrez-vous nous voir ? lui disaient
quelques amies du voisinage. — Aux cannes de sucre,
répondait Virginie. — Votre visite nous sera encore plus
douce et plus agréable, reprenaient ces jeunes filles. » Quand
on l'interrogeait sur son âge et sur celui de Paul : « Mon
frère, disait-elle, est de l'âge du grand cocotier de la
fontaine, et moi de celui du plus petit. Les manguiers ont
donné douze fois leurs fruits, et les orangers vingt-quatre
fois leurs fleurs, depuis que je suis au monde. » Leur vie
semblait attachée à celle des arbres, comme celle des
faunes et des dryades. Ils ne connaissaient d'autres époques
historiques que celles de la vie de leurs mères, d'autre
chronologie que celle de leurs vergers, et d'autre philosophie que de faire du bien à tout le monde, et de se résigner
à la volonté de Dieu.

. . . .
Quelquefois seul avec elle (*Virginie*), il (*Paul*) lui disait au
retour de ses travaux : « Lorsque je suis fatigué, ta vue me
délasse. Quand, du haut de la montagne, je t'aperçois au
fond de ce vallon, tu me parais, au milieu de nos vergers,
comme un bouton de rose. . . . .
Quoique je te perde de vue à travers les arbres, je n'ai pas
besoin de te voir pour te retrouver : quelque chose de toi
que je ne puis dire, reste pour moi dans l'air où tu passes,
sur l'herbe où tu t'assieds. . . . .
Dis-moi par quel charme tu as pu m'enchanter. Est-ce par
ton esprit ? Mais nos mères en ont plus que nous deux. Est-
ce par tes caresses ? Mais elles m'embrassent plus souvent
que toi. Je crois que c'est par ta bonté. Tiens, ma bien-
aimée, prends cette branche fleurie de citronnier, que j'ai
cueillie dans la forêt. Tu la mettras la nuit près de ton lit.
Mange ce rayon de miel, je l'ai pris pour toi au haut d'un
rocher; mais auparavant repose-toi sur mon sein, et je serai
délassé. »
Virginie lui répondait : « O mon frère! les rayons du
soleil au matin, au haut de ces rochers, me donnent moins
de joie que ta présence. . . . .

. . . .
Tu me demandes pourquoi tu m'aimes. Mais tout ce qui a
été élevé ensemble s'aime. Vois nos oiseaux : élevés dans
les mêmes nids, ils s'aiment comme nous; ils sont toujours
ensemble comme nous. Ecoute comme ils s'appellent et se
répondent d'un arbre à un autre. De même, quand l'écho
me fait entendre les airs que tu joues sur ta flûte, j'en répète
les paroles au fond de ce vallon. . . . .

. . . .
Je prie Dieu tous les jours pour ma mère, pour la tienne,
pour toi, pour nos pauvres serviteurs; mais quand je prononce ton nom, il me semble que ma dévotion augmente.
Je demande si instamment à Dieu qu'il ne t'arrive pas de
mal! Pourquoi vas-tu si loin et si haut me chercher des
fruits et des fleurs ? N'en avons-nous pas assez dans le
jardin! Comme te voilà fatigué! tu es tout en nage. » Et
avec son petit mouchoir blanc elle lui essuyait le front et
les joues, et elle lui donnait plusieurs baisers.

Ce qu'il nous importe d'examiner dans cette peinture,
ce n'est pas pourquoi elle est supérieure au tableau de
Galatée (supériorité trop évidente pour n'être pas reconnue de tout le monde), mais pourquoi elle doit son excellence à la religion, et, en un mot, comment elle est chrétienne.
    Il est certain que le charme de *Paul et Virginie* consiste
en une certaine morale mélancolique, qui brille dans
l'ouvrage, et qu'on pourrait comparer à cet éclat uniforme
que la lune répand sur une solitude parée de fleurs. Or,
quiconque a médité l'Evangile, doit convenir que ses
préceptes divins ont précisément ce caractère triste et
tendre. Bernardin de Saint-Pierre, qui, dans ses *Etudes
de la Nature*, cherche à justifier les voies de Dieu, et à
prouver la beauté de la religion, a dû nourrir son génie de
la lecture des livres saints. Son églogue n'est si touchante,
que parce qu'elle représente deux familles chrétiennes
exilées, vivant sous les yeux du Seigneur, entre sa parole
dans la Bible, et ses ouvrages dans le désert. Joignez-y
l'indigence et ses infortunes de l'âme dont la religion
est le seul remède, et vous aurez tout le sujet du poème.
Les personnages sont aussi simples que l'intrigue : ce
sont deux beaux enfants dont on aperçoit le berceau et la
tombe, deux fidèles esclaves et deux pieuses maîtresses.
Ces honnêtes gens ont un historien digne de leur vie :
un vieillard demeuré seul dans la montagne, et qui survit à ce qu'il aima, raconte à un voyageur les malheurs
de ses amis, sur les débris de leurs cabanes.
    Ajoutons que ces bucoliques australes sont pleines du
souvenir des Ecritures. Là c'est Ruth, là Séphora, ici
Eden, et nos premiers pères : ces sacrées réminiscences
vieillissent pour ainsi dire les mœurs du tableau, en y
mêlant les mœurs de l'antique Orient. La messe, les
prières, les sacrements, les cérémonies de l'Eglise, que
l'auteur rappelle à tous moments, augmentent aussi les

beautés religieuses de l'ouvrage. Le songe de madame de Latour n'est-il pas essentiellement lié à ce que nos dogmes ont de plus grand et de plus attendrissant ? On reconnaît encore le chrétien dans ces préceptes de résignation à la volonté de Dieu, d'obéissance à ses parents, de charité envers les pauvres ; en un mot, dans cette douce théologie que respire le poème de Bernardin de Saint-Pierre. Il y a plus ; c'est en effet la religion qui détermine la catastrophe : Virginie meurt pour conserver une des premières vertus recommandées par l'Evangile. Il eût été absurde de faire mourir une Grecque, pour ne vouloir pas dépouiller ses vêtements. Mais l'amante de Paul est une vierge *chrétienne*, et le dénouement, ridicule sous une croyance moins pure, devient ici sublime.

Enfin, cette pastorale ne ressemble ni aux idylles de Théocrite, ni aux églogues de Virgile, ni tout à fait aux grandes scènes rustiques d'Hésiode, d'Homère et de la Bible : mais elle rappelle quelque chose d'ineffable, comme la parabole du *bon Pasteur*, et l'on sent qu'il n'y a qu'un chrétien qui ait pu soupirer les évangéliques amours de Paul et de Virginie.

On nous fera peut-être une objection : on dira que ce n'est pas le charme emprunté des livres saints qui donne à Bernardin de Saint-Pierre la supériorité sur Théocrite, mais son talent pour peindre la nature. Eh bien ! nous répondons qu'il doit encore ce talent, ou du moins le développement de ce talent, au christianisme ; car cette religion, chassant de petites divinités des bois et des eaux, a seule rendu au poète la liberté de représenter les déserts dans leur majesté primitive. C'est ce que nous essaierons de prouver quand nous traiterons de la Mythologie ; à présent nous allons continuer notre examen des passions.

CHAPITRE VIII

LA RELIGION CHRÉTIENNE CONSIDÉRÉE ELLE-MÊME COMME PASSION

Non contente d'augmenter le jeu des passions dans le drame et dans l'épopée, la religion chrétienne est elle-même une sorte de passion qui a ses transports, ses

ardeurs, ses soupirs, ses joies, ses larmes, ses amours du
monde et du désert. Nous savons que le siècle appelle
cela le *fanatisme ;* nous pourrions lui répondre par ces
paroles de Rousseau : « Le fanatisme, quoique *sangui-
naire et cruel* [1], est pourtant une passion grande et forte,
qui élève le cœur de l'homme, et qui lui fait mépriser la
mort; qui lui donne un ressort prodigieux, et qu'il ne
faut que mieux diriger pour en tirer les plus sublimes vertus; au lieu que l'*irréligion*, et en général l'esprit *raisonneur
et philosophique*, attache à la vie, effémine, avilit les âmes,
concentre toutes les passions dans la bassesse de l'intérêt particulier, dans l'abjection du moi humain, et sape
ainsi à petit bruit les vrais fondements de toute société :
car ce que les intérêts particuliers ont de commun est si
peu de chose, qu'il ne balancera jamais ce qu'ils ont
d'opposé [2]. »

Mais ce n'est pas encore là la question : il ne s'agit
à présent que d'effets dramatiques. Or, le christianisme,
considéré lui-même comme passion, fournit des trésors
immenses au poète. Cette passion religieuse est d'autant
plus énergique, qu'elle est en contradiction avec toutes
les autres, et que, pour subsister, il faut qu'elle les dévore.
Comme toutes les grandes affections, elle a quelque chose
de sérieux et de triste; elle nous traîne à l'ombre des
cloîtres et sur les montagnes. La beauté que le chrétien
adore n'est pas une beauté périssable : c'est cette éternelle
beauté, pour qui les disciples de Platon se hâtaient de
quitter la terre. Elle ne se montre à ses amants ici-bas
que voilée; elle s'enveloppe dans les replis de l'univers,
comme dans un manteau; car, si un seul de ses regards
tombait directement sur le cœur de l'homme, il ne pourrait le soutenir : il se fendrait de délices.

Pour arriver à la jouissance de cette beauté suprême,
les chrétiens prennent une autre route que les philosophes d'Athènes : ils restent dans ce monde afin de
multiplier les sacrifices, et de se rendre plus dignes, par
une longue purification, de l'objet de leurs désirs.

Quiconque, selon l'expression des Pères, n'eut avec
son corps que le moins de commerce possible, et descendit vierge au tombeau; celui-là, délivré de ses craintes
et de ses doutes, s'envole au *Lieu de vie*, où il contemple
à jamais ce qui est vrai, toujours le même, et au-dessus

1. La *philosophie* l'est-elle moins ?
2. *Emile*, tome III, p. 193, liv. IV, note.

de l'opinion. Que de martyrs cette espérance de posséder
Dieu n'a-t-elle point faits! Quelle solitude n'a point
entendu les soupirs de ces rivaux qui se disputaient
entre eux l'objet des adorations des Séraphins et des
Anges! Ici, c'est un Antoine qui élève un autel au désert,
et qui, pendant quarante ans, s'immole, inconnu des
hommes; là, c'est un saint Jérôme, qui quitte Rome,
traverse les mers, et va, comme Elie, chercher une
retraite au bord du Jourdain. L'Enfer ne l'y laisse pas
tranquille, et la figure de Rome, avec tous ses charmes,
lui apparaît pour le tourmenter. Il soutient des assauts
terribles, il combat corps à corps avec ses passions. Ses
armes sont les pleurs, les jeûnes, l'étude, la pénitence,
et surtout l'amour. Il se précipite aux pieds de la beauté
divine; il lui demande de le secourir. Quelquefois, comme
un forçat, il charge ses épaules d'un lourd fardeau, pour
dompter une chair révoltée, et éteindre dans les sueurs
les infidèles désirs qui s'adressent à la créature.

Massillon, peignant cet amour, s'écrie : « Le Seigneur
tout seul [1] lui paraît bon, véritable, fidèle, constant dans
ses promesses, aimable dans ses ménagements, magnifique dans ses dons, réel dans sa tendresse, indulgent
même dans sa colère; seul assez grand pour remplir
toute l'immensité de notre cœur; seul assez puissant
pour en satisfaire tous les désirs; seul assez généreux
pour en adoucir toutes les peines; seul immortel, et
qu'on aimera toujours; enfin le seul qu'on ne se repent
jamais que d'avoir aimé trop tard. »

L'auteur de l'*Imitation de Jésus-Christ* a recueilli chez
saint Augustin, et dans les autres Pères, ce que le langage de l'amour divin a de plus mystique et de plus
brûlant [2].

« Certes, l'amour est une grande chose, l'amour est un
bien admirable, puisque lui seul rend léger ce qui est
pesant, et qu'il souffre avec une égale tranquillité les
divers accidents de cette vie : il porte sans peine ce qui
est pénible, et il rend doux et agréable ce qui est amer.

» L'amour de Dieu est généreux; il pousse les âmes à
de grandes actions, et les excite à désirer ce qu'il y a de
plus parfait.

» L'amour tend toujours en haut, et il ne souffre point
d'être retenu par les choses basses.

---

1. Le jeudi de la Passion, *la Pécheresse*, première partie.
2. *Imitation de Jésus-Christ*, liv. III, ch. V.

» L'amour veut être libre et dégagé des affections de la terre, de peur que sa lumière intérieure ne se trouve offusquée, et qu'il ne se trouve ou embarrassé dans les biens, ou abattu par les maux du monde.

» Il n'y a rien, ni dans le ciel ni sur la terre, qui soit ou plus doux, ou plus fort, ou plus élevé, ou plus étendu, ou plus agréable, ou plus plein, ou meilleur que l'amour; parce que l'amour est né de Dieu, et que, s'élevant au-dessus de toutes les créatures, il ne se peut reposer qu'en Dieu.

» Celui qui aime est toujours dans la joie : il court, il vole, il est libre, et rien ne le retient; il donne tout pour tous, et possède tout en tous, parce qu'il se repose dans ce bien unique et souverain, qui est au-dessus de tout, et d'où découlent et procèdent tous les biens.

» Il ne s'arrête jamais aux dons qu'on lui fait; mais il s'élève de tout son cœur vers celui qui les lui donne.

» Il n'y a que celui qui aime qui puisse comprendre les cris de l'amour, et ces paroles de feu, qu'une âme vivement touchée de Dieu lui adresse, lorsqu'elle lui dit : Vous êtes mon Dieu; vous êtes mon amour; vous êtes tout à moi, et je suis toute à vous.

» Etendez mon cœur, afin qu'il vous aime davantage, et que j'apprenne, par un goût intérieur et spirituel, combien il est doux de vous aimer, de nager et de se perdre, pour ainsi dire, dans cet océan de votre amour.

» Celui qui aime généreusement, ajoute l'auteur de l'*Imitation*, demeure ferme dans les tentations, et ne se laisse point surprendre aux persuasions artificieuses de son ennemi. »

Et c'est cette passion chrétienne, c'est cette querelle immense entre les amours de la terre et les amours du ciel, que Corneille a peinte dans cette scène de *Polyeucte* [1] (car ce grand homme, moins délicat que les esprits du jour, n'a pas trouvé le christianisme au-dessous de son génie).

POLYEUCTE

. . . .
. . . .
Si mourir pour son prince est un illustre sort,
Quand on meurt pour son Dieu, quelle sera la mort!

PAULINE

Quel Dieu ?

1. Acte IV, scène III.

POLYEUCTE

Tout beau, Pauline, il entend vos paroles;
Et ce n'est pas un Dieu comme vos dieux frivoles,
Insensibles et sourds, impuissants, mutilés,
De bois, de marbre ou d'or, comme vous le voulez;
C'est le Dieu des chrétiens, c'est le mien, c'est le vôtre;
Et la terre et le ciel n'en connaissent point d'autre.

PAULINE

Adorez-le dans l'âme, et n'en témoignez rien.

POLYEUCTE

Que je sois tout ensemble idolâtre et chrétien!

PAULINE

Ne feignez qu'un moment, laissez partir Sévère,
Et donnez lieu d'agir aux bontés de mon père.

POLYEUCTE

Les bontés de mon Dieu sont bien plus à chérir.
Il m'ôte des dangers que j'aurais pu courir;
Et sans me laisser lieu de tourner en arrière,
Sa faveur me couronne, entrant dans la carrière;
Du premier coup de vent il me conduit au port,
Et sortant du baptême, il m'envoie à la mort.
Si vous pouviez comprendre et le peu qu'est la vie,
Et de quelles douceurs cette mort est suivie!
. . . .
Seigneur! de vos bontés il faut que je l'obtienne,
Elle a trop de vertus pour n'être pas chrétienne;
Avec trop de mérite il vous plut la former
Pour ne vous pas connaître et ne vous pas aimer,
Pour vivre des enfers esclave infortunée,
Et sous leur triste joug mourir comme elle est née!

PAULINE

Que dis-tu, malheureux! qu'oses-tu souhaiter?

POLYEUCTE

Ce que de tout mon sang je voudrais acheter.

PAULINE

Que plutôt!...

POLYEUCTE

C'est en vain qu'on se met en défense;
Ce Dieu touche les cœurs, lorsque moins on y pense.
Ce bienheureux moment n'est pas encor venu,
Il viendra; mais le temps ne m'en est pas connu.

PAULINE

Quittez cette chimère, et m'aimez.

POLYEUCTE

Je vous aime,
Beaucoup moins que mon Dieu, mais bien plus que moi-même.

PAULINE

Au nom de cet amour, ne m'abandonnez pas.

POLYEUCTE

Au nom de cet amour, daignez suivre mes pas.

PAULINE

C'est peu de me quitter, tu veux donc me séduire?

POLYEUCTE

C'est peu d'aller au ciel, je veux vous y conduire.

PAULINE

Imaginations !

POLYEUCTE

Célestes vérités !

PAULINE

Etrange aveuglement !

POLYEUCTE

Eternelles clartés !

PAULINE

Tu préfères la mort à l'amour de Pauline !

POLYEUCTE

Vous préférez le monde à la bonté divine, etc., etc.

Voilà ces admirables dialogues, à la manière de Corneille, où la franchise de la repartie, la rapidité du tour, et la hauteur des sentiments ne manquent jamais de ravir le spectateur. Que Polyeucte est sublime dans cette scène ! Quelle grandeur d'âme, quel divin enthousiasme, quelle dignité ! La gravité et la noblesse du caractère chrétien sont marquées jusque dans ces *vous* opposés aux *tu* de la fille de Félix : cela seul met déjà tout un monde entre le martyr Polyeucte et la païenne Pauline.

Enfin, Corneille a déployé la puissance de la passion chrétienne, dans ce *dialogue admirable et toujours applaudi*, comme parle Voltaire :

Félix propose à Polyeucte de sacrifier aux faux dieux; Polyeucte le refuse.

FÉLIX

Enfin ma bonté cède à ma juste fureur :
Adore-les, ou meurs.

POLYEUCTE

Je suis chrétien.

FÉLIX

Impie !

Adore-les, te dis-je, ou renonce à la vie.

POLYEUCTE

Je suis chrétien.

FÉLIX

Tu l'es ? O cœur trop obstiné !
Soldat, exécutez l'ordre que j'ai donné.

PAULINE

Où le conduisez-vous ?

FÉLIX

A la mort.

POLYEUCTE

A la gloire [1].

1. Acte v, scène III.

Ce mot, *je suis chrétien*, deux fois répété, égale les plus beaux mots des *Horaces*. Corneille, qui se connaissait si bien en sublime, a senti que l'amour pour la religion pouvait s'élever au dernier degré d'enthousiasme, puisque le chrétien aime Dieu comme la souveraine beauté, et le Ciel comme sa patrie.

Qu'on essaie maintenant de donner à un idolâtre quelque chose de l'ardeur de Polyeucte. Sera-ce pour une déesse impudique qu'il se passionnera, ou pour un dieu abominable qu'il courra à la mort ? Les religions qui peuvent échauffer les âmes, sont celles qui se rapprochent plus ou moins du dogme de l'unité d'un Dieu; autrement, le cœur et l'esprit, partagés entre une multitude de divinités, ne peuvent aimer fortement ni les unes ni les autres. Il ne peut, en outre, y avoir d'amour durable que pour la vertu : la passion dominante de l'homme sera toujours la vérité; quand il aime l'erreur, c'est que cette erreur, au moment qu'il y croit, est pour lui comme une chose vraie. Nous ne chérissons pas le mensonge, bien que nous y tombions sans cesse; cette faiblesse ne nous vient que de notre dégradation originelle : nous avons perdu la puissance en conservant le désir, et notre cœur cherche encore la lumière que nos yeux n'ont plus la force de supporter.

La religion chrétienne, en nous rouvrant, par les mérites du Fils de l'Homme, les routes éclatantes que la mort avait couvertes de ses ombres, nous a rappelés à nos primitives amours. Héritier des bénédictions de Jacob, le chrétien brûle d'entrer dans cette Sion céleste, vers qui montent ses soupirs. Et c'est cette passion que nos poètes peuvent chanter, à l'exemple de Corneille; source de beautés, que les anciens temps n'ont point connue, et que n'auraient pas négligée les Sophocle et les Euripide.

CHAPITRE IX

DU VAGUE DES PASSIONS

Il reste à parler d'un état de l'âme, qui, ce nous semble, n'a pas encore été bien observé; c'est celui qui précède le développement des passions, lorsque nos facultés, jeunes, actives, entières mais renfermées, ne se sont exercées que sur elles-mêmes, sans but et sans objet. Plus les peuples avancent en civilisation, plus cet état du *vague* des passions augmente; car il arrive alors une chose fort triste : le grand nombre d'exemples qu'on a sous les yeux, la multitude de livres qui traitent de l'homme et de ses sentiments, rendent habile sans expérience. On est détrompé sans avoir joui; il reste encore des désirs, et l'on n'a plus d'illusions. L'imagination est riche, abondante et merveilleuse; l'existence pauvre, sèche et désenchantée. On habite, avec un cœur plein, un monde vide; et, sans avoir usé de rien, on est désabusé de tout.

L'amertume que cet état de l'âme répand sur la vie est incroyable; le cœur se retourne et se replie en cent manières, pour employer des forces qu'il sent lui être inutiles. Les anciens ont peu connu cette inquiétude secrète, cette aigreur des passions étouffées qui fermentent toutes ensemble : une grande existence politique, les jeux du gymnase et du champ de Mars, les affaires du Forum et de la place publique, remplissaient leurs moments, et ne laissaient aucune place aux ennuis du cœur.

D'une autre part, ils n'étaient pas enclins aux exagérations, aux espérances, aux craintes sans objet, à la mobilité des idées et des sentiments, à la perpétuelle inconstance, qui n'est qu'un dégoût constant; dispositions que nous acquérons dans la société des femmes. Les femmes, indépendamment de la passion directe qu'elles font naître chez les peuples modernes, influent encore sur les autres sentiments. Elles ont dans leur existence un certain abandon qu'elles font passer dans la nôtre; elles rendent notre caractère d'homme moins décidé; et nos passions, amollies par le mélange des leurs, prennent à la fois quelque chose d'incertain et de tendre.

Enfin, les Grecs et les Romains, n'étendant guère leurs regards au-delà de la vie, et ne soupçonnant point des plaisirs plus parfaits que ceux de ce monde, n'étaient point portés, comme nous, aux méditations et aux désirs par le caractère de leur culte. Formée pour nos misères et pour nos besoins, la religion chrétienne nous offre sans cesse le double tableau des chagrins de la terre et des joies célestes; et, par ce moyen, elle fait dans le cœur une source de maux présents et d'espérances lointaines, d'où découlent d'inépuisables rêveries. Le chrétien se regarde toujours comme un voyageur qui passe ici-bas dans une vallée de larmes, et qui ne se repose qu'au tombeau. Le monde n'est point l'objet de ses vœux, car il sait que l'*homme vit peu de jours*, et que cet objet lui échapperait vite.

Les persécutions qu'éprouvèrent les premiers fidèles augmentèrent en eux ce dégoût des choses de la vie. L'invasion des Barbares y mit le comble, et l'esprit humain en reçut une impression de tristesse, et peut-être même une teinte de misanthropie qui ne s'est jamais bien effacée. De toutes parts s'élevèrent des couvents, où se retirèrent des malheureux trompés par le monde, et des âmes qui aimaient mieux ignorer certains sentiments de la vie, que de s'exposer à les voir cruellement trahis. Mais, de nos jours, quand les monastères, ou la vertu qui y conduit, ont manqué à ces âmes ardentes, elles se sont trouvées étrangères au milieu des hommes. Dégoûtées par leur siècle, effrayées par leur religion, elles sont restées dans le monde, sans se livrer au monde : alors elles sont devenues la proie de mille chimères; alors on a vu naître cette coupable mélancolie qui s'engendre au milieu des passions, lorsque ces passions, sans objet, se consument d'elles-mêmes dans un cœur solitaire [1].

---

1. Ici se trouvait l'épisode de *René* formant le quatrième livre de la seconde partie du *Génie du christianisme*. Cet épisode est maintenant placé, avec *Atala* et *les Abencérages*, dans le tome XVI de cette édition des Œuvres complètes. [*Il s'agit comme précédemment de l'édition Ladvocat. Note des éditeurs.*]

LIVRE QUATRIÈME

DU MERVEILLEUX, OU DE LA POÉSIE DANS SES RAPPORTS AVEC LES ÊTRES SURNATURELS

CHAPITRE PREMIER

QUE LA MYTHOLOGIE RAPETISSAIT LA NATURE ; QUE LES ANCIENS N'AVAIENT POINT DE POÉSIE PROPREMENT DITE DESCRIPTIVE

Nous avons fait voir, dans les livres précédents, que le christianisme, en se mêlant aux affections de l'âme, a multiplié les ressorts dramatiques. Encore une fois, le polythéisme ne s'occupait point des vices et des vertus ; il était totalement séparé de la morale. Or, voilà un côté immense que la religion chrétienne embrasse de plus que l'idolâtrie. Voyons si dans ce qu'on appelle le *merveilleux* elle ne le dispute point en beauté à la mythologie même.

Nous ne nous dissimulons pas que nous avons à combattre ici un des plus anciens préjugés de l'école. Les autorités sont contre nous, et l'on peut nous citer vingt vers de *l'Art poétique* qui nous condamnent :

> Et quel objet enfin à présenter aux yeux, etc.
> C'est donc bien vainement que nos auteurs déçus, etc.

Quoi qu'il en soit, il n'est pas impossible de soutenir que la mythologie si vantée, loin d'embellir la nature, en détruit les véritables charmes, et nous croyons que plusieurs littérateurs distingués sont à présent de cet avis.

Le plus grand et le premier vice de la mythologie était d'abord de rapetisser la nature, et d'en bannir la vérité. Une preuve incontestable de ce fait, c'est que la poésie que nous appelons *descriptive* a été inconnue de l'antiquité [1]; les poètes même qui ont chanté la nature, comme Hésiode, Théocrite et Virgile, n'en ont point fait de *description*, dans le sens que nous attachons à ce mot. Ils nous ont sans doute laissé d'admirables peintures des travaux, des mœurs et du bonheur de la vie rustique ;

---

1. *Voyez* la note XVI à la fin du volume.

mais, quant à ces tableaux des campagnes, des saisons, des accidents du ciel, qui ont enrichi la muse moderne, on en trouve à peine quelques traits dans leurs écrits.

Il est vrai que ce peu de traits est excellent comme le reste de leurs ouvrages. Quand Homère a décrit la grotte du Cyclope, il ne l'a pas tapissée de *lilas* et de *roses ;* il y a planté, comme Théocrite, des *lauriers* et de *longs pins.* Dans les jardins d'Alcinoüs, il fait couler des fontaines et fleurir des arbres utiles; il parle ailleurs de la colline *battue des vents et couverte de figuiers,* et il représente la fumée des palais de Circé s'élevant au-dessus d'une forêt de chênes.

Virgile a mis la même vérité dans ses peintures. Il donne au pin l'épithète d'*harmonieux,* parce qu'en effet le pin a une sorte de doux gémissement quand il est faiblement agité; les nuages, dans *les Géorgiques,* sont comparés à des flocons de laine roulés par les vents, et les hirondelles, dans *l'Enéide,* gazouillent sous le chaume du roi Evandre, ou rasent les portiques des palais. Horace, Tibulle, Properce, Ovide ont aussi crayonné quelques vues de la nature; mais ce n'est jamais qu'un ombrage favorisé de Morphée, un vallon où Cythérée doit descendre, une fontaine où Bacchus repose dans le sein des Naïades.

L'âge philosophique de l'antiquité ne changea rien à cette manière. L'Olympe, auquel on ne croyait plus, se réfugia chez les poètes, qui protégèrent à leur tour les dieux qui les avaient protégés. Stace et Silius Italicus n'ont pas été plus loin qu'Homère et Virgile en poésie descriptive; Lucain seul avait fait quelque progrès dans cette carrière, et l'on trouve dans *la Pharsale* la peinture d'une forêt et d'un désert qui rappelle les couleurs modernes [1].

Enfin les naturalistes furent aussi sobres que les poètes, et suivirent à peu près la même progression. Ainsi Pline et Columelle, qui vinrent les derniers, se sont plus attachés à décrire la nature qu'Aristote. Parmi les historiens et les philosophes, Xénophon, Tacite, Plutarque, Platon et Pline le Jeune [2] se font remarquer par quelques beaux tableaux.

---

1. Cette description est pleine d'enflure et de mauvais goût; mais il ne s'agit ici que du genre, et non de l'exécution du morceau.

2. *Voyez,* dans Xénophon, la Retraite des Dix-Mille et le Traité de la Chasse; dans Tacite, la description du Camp abandonné, où

On ne peut guère supposer que des hommes aussi sensibles que les anciens eussent manqué d'yeux pour voir la nature, et de talent pour la peindre, si quelque cause puissante ne les avait aveuglés. Or, cette cause était la mythologie, qui, peuplant l'univers d'élégants fantômes, ôtait à la création sa gravité, sa grandeur et sa solitude. Il a fallu que le christianisme vînt chasser ce peuple de faunes, de satyres et de nymphes, pour rendre aux grottes leur silence, et aux bois leur rêverie. Les déserts ont pris sous notre culte un caractère plus triste, plus vague, plus sublime; le dôme des forêts s'est exhaussé; les fleuves ont brisé leurs petites urnes, pour ne plus verser que les eaux de l'abîme du sommet des montagnes : le vrai Dieu, en rentrant dans ses œuvres, a donné son immensité à la nature.

Le spectacle de l'univers ne pouvait faire sentir aux Grecs et aux Romains les émotions qu'il porte à notre âme. Au lieu de ce soleil couchant, dont le rayon allongé, tantôt illumine une forêt, tantôt forme une tangente d'or sur l'arc roulant des mers; au lieu de ces accidents de lumière, qui nous retracent chaque matin le miracle de la création, les anciens ne voyaient partout qu'une uniforme machine d'opéra.

Si le poète s'égarait dans les vallées du Taygète, au bord du Sperchius, sur le Ménale aimé d'Orphée, ou dans les campagnes d'Elore, malgré la douceur de ces dénominations, il ne rencontrait que des faunes, il n'entendait que des dryades : Priape était là sur un tronc d'olivier, et Vertumne avec les Zéphyrs menait des danses éternelles. Des sylvains et des naïades peuvent frapper agréablement l'imagination, pourvu qu'ils ne soient pas sans cesse reproduits; nous ne voulons point

> . . Chasser les Tritons de l'empire des eaux,
> Oter à Pan sa flûte, aux Parques leurs ciseaux...

Mais enfin, qu'est-ce que tout cela laisse au fond de l'âme ? qu'en résulte-t-il pour le cœur ? quel fruit peut en tirer la pensée ? Oh! que le poète chrétien est plus favorisé dans la solitude où Dieu se promène avec lui! Libres de ce troupeau de dieux ridicules qui les bornaient de toutes parts, les bois se sont remplis d'une Divinité

Varus fut massacré avec ses légions (*Annal. liv. I*); dans Plutarque, la Vie de Brutus et de Pompée; dans Platon, l'ouverture du Dialogue des lois; dans Pline, la description de son jardin.

immense. Le don de prophétie et de sagesse, le mystère et la religion semblent résider éternellement dans leurs profondeurs sacrées.

Pénétrez dans ces forêts américaines aussi vieilles que le monde : quel profond silence dans ces retraites, quand les vents reposent! quelles voix inconnues, quand les vents viennent à s'élever! Etes-vous immobile, tout est muet : faites-vous un pas, tout soupire. La nuit s'approche, les ombres s'épaississent : on entend des troupeaux de bêtes sauvages passer dans les ténèbres; la terre murmure sous vos pas; quelques coups de foudre font mugir les déserts : la forêt s'agite, les arbres tombent, un fleuve inconnu coule devant vous. La lune sort enfin de l'Orient; à mesure que vous passez au pied des arbres, elle semble errer devant vous dans leur cime, et suivre tristement vos yeux. Le voyageur s'assied sur le tronc d'un chêne, pour attendre le jour; il regarde tour à tour l'astre des nuits, les ténèbres, le fleuve; il se sent inquiet, agité, et dans l'attente de quelque chose d'inconnu; un plaisir inouï, une crainte extraordinaire font palpiter son sein, comme s'il allait être admis à quelque secret de la Divinité : il est seul au fond des forêts; mais l'esprit de l'homme remplit aisément les espaces de la nature; et toutes les solitudes de la terre sont moins vastes qu'une seule pensée de son cœur.

Oui, quand l'homme renierait la Divinité, l'être pensant, sans cortège et sans spectateur, serait encore plus auguste au milieu des mondes solitaires, que s'il y paraissait environné des petites déités de la fable; le désert vide aurait encore quelques convenances avec l'étendue de ses idées, la tristesse de ses passions, et le dégoût même d'une vie sans illusion et sans espérance.

Il y a dans l'homme un instinct qui le met en rapport avec les scènes de la nature. Eh! qui n'a passé des heures entières, assis sur le rivage d'un fleuve, à voir s'écouler les ondes! Qui ne s'est plu, au bord de la mer, à regarder blanchir l'écueil éloigné! Il faut plaindre les anciens, qui n'avaient trouvé dans l'Océan que le palais de Neptune et la grotte de Protée; il était dur de ne voir que les aventures des Tritons et des Néréides dans cette immensité des mers, qui semble nous donner une mesure confuse de la grandeur de notre âme, dans cette immensité qui fait naître en nous un vague désir de quitter la vie, pour embrasser la nature et nous confondre avec son Auteur.

CHAPITRE II

DE L'ALLÉGORIE

Mais quoi! dira-t-on, ne trouvez-vous rien de beau dans les allégories antiques ?

Il faut faire une distinction.

L'allégorie *morale*, comme celle des *Prières* dans Homère, est belle en tout temps, en tout pays, en toute religion : le christianisme ne l'a pas bannie. Nous pouvons, autant qu'il nous plaira, placer au pied du trône du Souverain Arbitre les deux tonneaux du bien et du mal. Nous aurons même cet avantage, que notre Dieu n'agira pas injustement et au hasard, comme Jupiter : il répandra les flots de la douleur sur la tête des mortels, non par caprice, mais pour une fin à lui seul connue. Nous savons que notre bonheur ici-bas est coordonné à un bonheur général dans une chaîne d'êtres et de mondes qui se dérobent à notre vue; que l'homme, en harmonie avec les globes, marche d'un pas égal avec eux à l'accomplissement d'une révolution que Dieu cache dans son éternité.

Mais si l'allégorie *morale* est toujours existante pour nous, il n'en est pas ainsi de l'allégorie *physique*. Que Junon soit l'*air*, que Jupiter soit l'*éther*, et qu'ainsi frère et sœur, ils soient encore époux et épouse, où est le charme de cette personnification ? Il y a plus : cette sorte d'allégorie est contre les principes du goût, et même de la saine logique.

On ne doit jamais personnifier qu'une *qualité* ou qu'une *affection* d'un être, et non pas cet *être lui-même ;* autrement, ce n'est plus une véritable personnification, c'est seulement avoir fait changer de nom à l'objet. Je peux faire prendre la parole à une pierre; mais que gagnerai-je à appeler cette pierre d'un nom allégorique ? Or, l'âme, dont la nature est la vie, a essentiellement la faculté de produire; de sorte qu'un de ses vices, une de ses vertus, peuvent être considérés ou comme son *fils*, ou comme sa *fille*, puisqu'elle les a véritablement engendrés. Cette passion, active comme sa mère, peut à son tour croître, se développer, prendre des traits, devenir un être distinct. Mais l'*objet physique*, être passif de son essence,

qui n'est susceptible ni de plaisir ni de douleur, qui n'a
que des *accidents* et point de *passions*, et des accidents
aussi morts que lui-même, ne présente rien qu'on puisse
animer. Sera-ce la *dureté* du caillou, ou la *sève* du chêne,
dont vous ferez un être allégorique ? Remarquez même
que l'esprit est moins choqué de la création des *dryades*,
des *naïades*, des *zéphyrs*, des *échos*, que de celle des nymphes attachées à des objets muets et immobiles : c'est
qu'il y a dans les arbres, dans l'eau et dans l'air un mouvement et un bruit qui rappellent l'idée de la vie, et qui
peuvent par conséquent fournir une allégorie comme le
mouvement de l'âme. Mais, au reste, cette sorte de *petite
allégorie* matérielle, quoiqu'un peu moins mauvaise que
la *grande allégorie physique*, est toujours d'un genre
médiocre, froid et incomplet; elle ressemble tout au
plus aux Fées des Arabes, et aux Génies des Orientaux.

Quant à ces dieux vagues que les anciens plaçaient
dans les bois déserts et sur les sites agrestes, ils étaient
d'un bel effet sans doute; mais ils ne tenaient plus au
système mythologique : l'esprit humain retombait ici
dans la religion naturelle. Ce que le voyageur tremblant
adorait en passant dans ces solitudes, était quelque chose
d'*ignoré*, quelque chose dont il ne savait point le nom,
et qu'il appelait la *Divinité du lieu ;* quelquefois il lui
donnait le nom de Pan, et Pan était le *Dieu universel*.
Ces grandes émotions qu'inspire la nature sauvage n'ont
point cessé d'exister, et les bois conservent encore pour
nous leur formidable divinité.

Enfin, il est si vrai que l'*allégorie physique*, ou *les dieux
de la fable*, détruisaient les charmes de la nature, que les
anciens n'ont point eu de vrais peintres de paysage [1], par
la même raison qu'ils n'avaient point de poésie descriptive. Or, chez les autres peuples idolâtres, qui ont ignoré
le système mythologique, cette poésie a plus ou moins
été connue : c'est ce que prouvent les poèmes Sanskrit,
les contes Arabes, les Edda, les chansons des Nègres
et des Sauvages [2]. Mais, comme les nations infidèles ont
toujours mêlé leur fausse religion (et par conséquent
leur mauvais goût) à leurs ouvrages, ce n'est que sous le
christianisme qu'on a su peindre la nature dans sa vérité.

1. Les faits sur lesquels cette assertion est appuyée sont développés
dans la note XXII, à la fin du volume.
2. *Voyez* la note XVII à la fin du volume.

CHAPITRE III

PARTIE HISTORIQUE DE LA POÉSIE DESCRIPTIVE
CHEZ LES MODERNES

Les apôtres avaient à peine commencé de prêcher l'Evangile au monde, qu'on vit naître la poésie descriptive. Tout rentra dans la vérité, *devant celui qui tient la place de la vérité sur la terre*, comme parle saint Augustin. La nature cessa de se faire entendre par l'organe mensonger des idoles; on connut ses fins, on sut qu'elle avait été faite premièrement pour Dieu, et ensuite pour l'homme. En effet, elle ne dit jamais que deux choses : Dieu glorifié par ses œuvres, et les besoins de l'homme satisfaits.

Cette découverte fit changer de face à la création : par sa partie intellectuelle, c'est-à-dire par cette pensée de Dieu que la nature montre de toutes parts, l'âme reçut abondance de nourriture; et par la partie matérielle du monde, le corps s'aperçut que tout avait été formé pour lui. Les vains simulacres attachés aux êtres insensibles s'évanouirent, et les rochers furent bien plus réellement animés, les chênes rendirent des oracles bien plus certains, les vents et les ondes élevèrent des voix bien plus touchantes, quand l'homme eut puisé dans son propre cœur la vie, les oracles et les voix de la nature.

Jusqu'à ce moment la solitude avait été regardée comme affreuse, mais les chrétiens lui trouvèrent mille charmes. Les anachorètes écrivirent de la douceur du rocher et des délices de la contemplation : c'est le premier pas de la poésie descriptive. Les Religieux qui publièrent la vie des Pères du désert furent à leur tour obligés de faire le tableau des retraites où ces illustres inconnus avaient caché leur gloire. On voit encore dans les ouvrages de saint Jérôme et de saint Athanase [1] des descriptions de la nature, qui prouvent qu'ils savaient observer, et faire aimer ce qu'ils peignaient.

Ce nouveau genre, introduit par le christianisme dans la littérature, se développa rapidement. Il se répandit jusque dans le style historique, comme on le remarque dans la collection appelée *la Byzantine*, et surtout dans

---

1. Hieron, *in Vit. Paul.* Sanct. Athan. *in Vit. Anton.*

les histoires de Procope. Il se propagea de même, mais il se corrompit, parmi les romanciers grecs du Bas-Empire, et chez quelques poètes latins, en Occident [1].

Constantinople ayant passé sous le joug des Turcs, on vit se former en Italie une nouvelle poésie descriptive, composée des débris du génie maure, grec et italien. Pétrarque, l'Arioste et le Tasse l'élevèrent à un haut degré de perfection. Mais cette description manque de vérité. Elle consiste en quelques épithètes répétées sans fin, et toujours appliquées de la même manière. Il fut impossible de sortir d'un *bois touffu,* d'un *antre frais,* ou des bords d'une *claire fontaine.* Tout se remplit de bocages d'*orangers,* de berceaux de *jasmins,* et de buissons de *roses.*

Flore revint avec sa corbeille, et les éternels *Zéphyrs* ne manquèrent pas de l'accompagner; mais ils ne retrouvèrent dans les bois ni les *naïades,* ni les *faunes,* et s'ils n'eussent rencontré les *fées* et les *géants* des Maures, ils couraient risque de se perdre dans cette immense solitude de la nature chrétienne. Quand l'esprit humain fait un pas, il faut que tout marche avec lui; tout change avec ses clartés ou ses ombres : ainsi il nous fait peine à présent d'admettre de petites divinités, là où nous ne voyons plus que de grands espaces. On aura beau placer l'amante de Tithon sur un char, et la couvrir de fleurs et de rosée; rien ne peut empêcher qu'elle ne paraisse disproportionnée, en promenant sa faible lumière dans ces cieux infinis que le christianisme a déroulés : qu'elle laisse donc le soin d'éclairer le monde à celui qui l'a fait.

Cette poésie descriptive *italienne* passa en France, et fut favorablement accueillie de Ronsard, de Lemoine, de Coras, de Saint-Amand, et de nos vieux romanciers. Mais les grands écrivains du siècle de Louis XIV, dégoûtés de ces peintures, où ils ne voyaient aucune vérité, les bannirent de leur prose et de leurs vers, et c'est un des caractères distinctifs de leurs ouvrages, qu'on n'y trouve presque aucune trace de ce que nous appelons *poésie descriptive* [2].

Ainsi, repoussée en France, la Muse des champs se réfugia en Angleterre, où Spencer, Waller et Milton l'avaient déjà fait connaître. Elle y perdit par degrés ses

1. Boëce, etc.
2. Il faut en excepter Fénelon, La Fontaine et Chaulieu. Racine fils, père de cette nouvelle école poétique, dans laquelle M. Delille a excellé, peut être aussi regardé comme le fondateur de la poésie descriptive en France.

manières affectées; mais elle tomba dans un autre excès. En ne peignant plus que la vraie nature, elle voulut tout peindre, et surchargea ses tableaux d'objets trop petits, ou de circonstances bizarres. Thomson même, dans son chant de l'Hiver, si supérieur aux trois autres, a des détails d'une mortelle longueur. Telle fut la seconde époque de la poésie descriptive.

D'Angleterre elle revint en France, avec les ouvrages de Pope et du chantre des Saisons. Elle eut de la peine à s'y introduire; car elle fut combattue par l'ancien genre italique, que Dorat et quelques autres avaient fait revivre; elle triompha pourtant, et ce fut à Delille et à Saint-Lambert qu'elle dut la victoire. Elle se perfectionna sous la Muse française, se soumit aux règles du goût, et atteignit sa troisième époque.

Disons toutefois qu'elle s'était maintenue pure, quoique ignorée, dans les ouvrages de quelques naturalistes du temps de Louis XIV, tels que Tournefort et le Père Dutertre. Celui-ci, à une imagination vive, joint un génie tendre et rêveur; il se sert même, ainsi que La Fontaine, du mot de *mélancolie* dans le sens où nous l'employons aujourd'hui. Ainsi le siècle de Louis XIV n'a pas été totalement privé du véritable genre descriptif, comme on serait d'abord tenté de le croire : il était seulement relégué dans les lettres de nos missionnaires [1]. Et c'est là que nous avons puisé cette espèce de style, que nous croyons si nouveau aujourd'hui.

Au reste, les tableaux répandus dans la Bible peuvent servir à prouver doublement que la poésie descriptive est née, parmi nous, du christianisme. *Job*, les *Prophètes*, l'*Ecclésiastique*, et surtout les *Psaumes*, sont remplis de descriptions magnifiques. Le psaume *Benedic, anima mea*, est un chef-d'œuvre dans ce genre.

Mon âme, bénis le Seigneur; Seigneur, mon Dieu, que vous êtes grand dans vos œuvres! . . . .

Vous répandez les ténèbres, et la nuit est sur la terre : c'est alors que les bêtes des forêts marchent dans l'ombre; que les rugissements des lionceaux appellent la proie, et demandent à Dieu la nourriture promise aux animaux.

Mais le soleil s'est levé, et déjà les bêtes sauvages se sont retirées . . . .

---

1. On en verra de beaux exemples, lorsque nous parlerons des Missions.

L'homme alors sort pour le travail du jour, et accomplit
son œuvre jusqu'au soir. . . . .
. . . .

Comme elle est vaste, cette mer qui étend au loin ses
bras spacieux! des animaux sans nombre se meuvent dans
son sein, les plus petits avec les plus grands, et les vaisseaux passent sur ses ondes [1].

Horace et Pindare sont restés bien loin de cette poésie.
Nous avons donc eu raison de dire que c'est au christianisme que Bernardin de Saint-Pierre doit son talent
pour peindre les scènes de la solitude : il le lui doit,
parce que nos dogmes, en détruisant les divinités mythologiques, ont rendu la vérité et la majesté aux déserts; il le
lui doit, parce qu'il a trouvé dans le système de Moïse le
véritable système de la nature.

Mais ici se présente un autre avantage du poète chrétien; si sa religion lui donne une nature *solitaire*, il
peut avoir encore une nature *habitée*. Il est le maître de
placer des anges à la garde des forêts, aux cataractes de
l'abîme, ou de leur confier les soleils et les mondes. Ceci
nous ramène aux *êtres surnaturels* ou au *merveilleux* du
christianisme.

CHAPITRE IV

SI LES DIVINITÉS DU PAGANISME ONT POÉTIQUEMENT
LA SUPÉRIORITÉ SUR LES DIVINITÉS CHRÉTIENNES

Toute chose a deux faces. Des personnes impartiales
pourront nous dire : « On vous accorde que le christianisme a fourni, quant aux hommes, une partie dramatique
qui manquait à la mythologie; que de plus il a produit
la véritable poésie descriptive. Voilà deux avantages que
nous reconnaissons, et qui peuvent, à quelques égards,
justifier vos principes, et balancer les beautés de la fable.
Mais à présent, si vous êtes de bonne foi, vous devez
convenir que les divinités du paganisme, lorsqu'elles
agissent *directement* et *pour elles-mêmes*, sont plus poétiques et plus dramatiques que les divinités chrétiennes. »

On pourrait en juger ainsi à la première vue. Les dieux
des anciens partageant nos vices et nos vertus, ayant,

---

1. *Psautier Français*, p. 140, in-8°. *Traduction de La Harpe.*

comme nous, des corps sujets à la douleur, des passions irritables comme les nôtres, se mêlant à la race humaine, et laissant ici-bas une mortelle postérité; ces dieux ne sont qu'une espèce d'hommes supérieurs qu'on est libre de faire agir comme les autres hommes. On serait donc porté à croire qu'ils fournissent plus de ressources à la poésie que les divinités incorporelles et impassibles du christianisme; mais, en y regardant de plus près, on trouve que cette supériorité dramatique se réduit à peu de chose.

Premièrement, il y a toujours eu dans toute religion, pour le poète et le philosophe, deux espèces de déités. Ainsi l'Être abstrait, dont Tertullien et saint Augustin ont fait de si belles peintures, n'est pas le *Jéhovah* de David ou d'Isaïe; l'un et l'autre sont fort supérieurs au *Theos* de Platon et au *Jupiter* d'Homère. Il n'est donc pas rigoureusement vrai que les divinités poétiques des chrétiens soient privées de toute passion. Le Dieu de l'Ecriture se repent, il est jaloux, il aime, il hait; sa colère monte comme un tourbillon : le Fils de l'Homme a pitié de nos souffrances; la Vierge, les saints et les anges sont émus par le spectacle de nos misères; en général, le *Paradis* est beaucoup plus occupé des hommes que l'*Olympe*.

Il y a donc des *passions* chez nos puissances célestes, et ces passions ont cet avantage sur les passions des dieux du paganisme, qu'elles n'entraînent jamais après elles une idée de désordre et de mal. C'est une chose miraculeuse, sans doute, qu'en peignant la *colère* ou la *tristesse* du ciel chrétien, on ne puisse détruire dans l'imagination du lecteur le sentiment de la tranquillité et de la joie : tant il y a de sainteté et de justice dans le Dieu présenté par notre religion!

Ce n'est pas tout; car si l'on voulait absolument que le Dieu des chrétiens fût un être impassible, on pourrait encore avoir des divinités passionnées aussi dramatiques et aussi méchantes que celles des anciens : l'Enfer rassemble toutes les passions des hommes. Notre système théologique nous paraît plus beau, plus régulier, plus savant que la doctrine fabuleuse qui confondait hommes, dieux et démons. Le poète trouve dans notre ciel les êtres parfaits, mais sensibles, et disposés dans une brillante hiérarchie d'amour et de pouvoir; l'abîme garde ses dieux passionnés et puissants dans le mal comme les dieux mythologiques; les hommes occupent le milieu, touchant au ciel par leurs vertus, aux enfers par leurs vices; aimés des anges, haïs des démons; objet infortuné d'une guerre qui ne doit finir qu'avec le monde.

Ces ressorts sont grands, et le poète n'a pas lieu de se plaindre. Quant aux actions des intelligences chrétiennes, il ne nous sera pas difficile de prouver bientôt qu'elles sont plus vastes et plus fortes que celles des dieux mythologiques. Le Dieu qui régit les mondes, qui crée l'univers et la lumière, qui embrasse et comprend tous les temps, qui lit dans les plus secrets replis du cœur humain : ce Dieu peut-il être comparé à un dieu qui se promène sur un char, qui habite un palais d'or sur une montagne, et qui ne prévoit même pas clairement l'avenir ? Il n'y a pas jusqu'au faible avantage de la différence des sexes et de la forme visible, que nos divinités ne partagent avec celles de la Grèce, puisque nous avons des saintes et des vierges, et que les anges, dans l'Ecriture, empruntent souvent la figure humaine.

Mais comment préférer une sainte, dont l'histoire blesse quelquefois l'élégance et le goût, à une naïade attachée aux sources d'un ruisseau ? Il faut séparer la vie terrestre de la vie céleste de cette sainte : sur la terre, elle ne fut qu'une femme; sa divinité ne commence qu'avec son bonheur dans les régions de la lumière éternelle. D'ailleurs, il faut toujours se souvenir que la naïade détruisait la *poésie descriptive ;* qu'un ruisseau, représenté dans son cours naturel, est plus agréable que dans sa peinture allégorique, et que nous gagnons d'un côté ce que nous semblons perdre de l'autre.

Quant aux combats, ce qu'on a dit contre les anges de Milton peut se rétorquer contre les dieux d'Homère : de l'une et de l'autre part, ce sont des divinités pour lesquelles on ne peut craindre, puisqu'elles ne peuvent mourir. Mars, renversé, et couvrant de son corps neuf arpents, Diane donnant des soufflets à Vénus, sont aussi ridicules qu'un ange coupé en deux, et qui se renoue comme un serpent. Les puissances surnaturelles peuvent encore présider aux combats de l'Epopée; mais il nous semble qu'elles ne doivent plus en venir aux mains, hors dans certains cas, qu'il n'appartient qu'au goût de déterminer : c'est ce que la raison supérieure de Virgile avait déjà senti il y a plus de dix-huit cents ans.

Au reste, il n'est pas tout à fait vrai que les divinités chrétiennes soient ridicules dans les batailles. Satan, s'apprêtant à combattre Michel dans le paradis terrestre, est superbe; le Dieu des armées, marchant dans une nuée obscure à la tête des légions fidèles, n'est pas une petite image; le glaive exterminateur, se dévoilant tout à coup aux yeux de l'impie, frappe d'étonnement et de terreur; les saintes milices du ciel, sapant les fondements de Jérusalem, font presque un aussi grand effet que les dieux ennemis de Troie, assiégeant le palais de Priam; enfin il n'est rien de plus sublime dans Homère, que le combat d'Emmanuel contre les mauvais anges dans Milton, quand, les précipitant au fond de l'abîme, le Fils de l'Homme retient *à moitié sa foudre, de peur de les anéantir.*

CHAPITRE V

CARACTÈRE DU VRAI DIEU

C'est une chose merveilleuse, que le Dieu de Jacob soit aussi le Dieu de l'Evangile; que le Dieu qui lance la foudre soit encore le Dieu de paix et d'innocence.

> Il donne aux fleurs leur aimable peinture;
> Il fait naître et mûrir les fruits,
> Et leur dispense avec mesure,
> Et la chaleur des jours, et la fraîcheur des nuits.

Nous croyons n'avoir pas besoin de preuves pour montrer combien le Dieu des chrétiens est *poétiquement* supérieur au Jupiter antique. A la voix du premier, les fleuves rebroussent leurs cours, le ciel se roule comme un livre, les mers s'entrouvrent, les murs des cités se renversent; les morts ressuscitent, les plaies descendent sur les nations. En lui le sublime existe de soi-même, et il épargne le soin de le chercher. Le Jupiter d'Homère, ébranlant le ciel d'un signe de ses sourcils, est sans doute fort majestueux; mais Jéhovah descend dans le chaos, et lorsqu'il prononce le *fiat lux*, le fabuleux fils de Saturne s'abîme et rentre dans le néant.

Si Jupiter veut donner aux autres dieux une idée de sa puissance, il les menace de les enlever au bout d'une chaîne : il ne faut à Jéhovah ni chaîne, ni essai de cette nature.

Et quel besoin son bras a-t-il de nos secours ?
Que peuvent contre lui tous les rois de la terre ?
En vain ils s'uniraient pour lui faire la guerre :
Pour dissiper leur ligue, il n'a qu'à se montrer;
Il parle, et dans la poudre il les fait tous rentrer.
Au seul son de sa voix la mer fuit, le ciel tremble :
Il voit comme un néant tout l'univers ensemble;
Et les faibles mortels, vains jouets du trépas,
Sont tous devant ses yeux comme s'ils n'étaient pas [1].

Achille va paraître pour venger Patrocle. Jupiter déclare
aux Immortels qu'ils peuvent se mêler au combat, et
prendre parti dans la mêlée. Aussitôt l'Olympe s'ébranle :

Δεινὸν, etc. [2].

« Le père des dieux et des hommes fait gronder sa foudre.
Neptune, soulevant ses ondes, ébranle la terre immense;
l'Ida secoue ses fondements et ses cimes; ses fontaines
debordent : les vaisseaux des Grecs, la ville des Troyens,
chancellent sur le sol flottant. »

Pluton sort de son trône; il pâlit, il s'écrie, etc.

Ce morceau a été cité par les critiques comme le dernier effort du sublime. Les vers grecs sont admirables;
ils deviennent tour à tour le foudre de Jupiter, le tri-
dent de Neptune et le cri de Pluton. Il semble qu'on
entende les gorges de l'Ida répéter le son des tonnerres :

Δεινὸν δ'ἐϐρόντησε πατὴρ ἀνδρῶν τε θεῶν τε.

Ces R et ces consonances en (ôn), dont le vers est
rempli, imitent le roulement de la foudre, interrompu
par des espèces de silence, ῶν, τὲ, θε, ῶν, τὲ : c'est ainsi
que la voix du ciel, dans une tempête, meurt et renaît
tour à tour dans la profondeur des bois. Un silence subit
et pénible, des images vagues et fantastiques, succèdent
au tumulte des premiers mouvements : on sent, après le
cri de Pluton, qu'on est entré dans la région de la mort;
les expressions d'Homère se décolorent; elles deviennent
froides, muettes et sourdes, et une multitude d'S sif-
flantes imitent le murmure de la voix inarticulée des
ombres.

Où prendrons-nous le parallèle, et la poésie chrétienne

1. Racine, Esther.
2. Hom. Iliad. I. xx, v. 56.

a-t-elle assez de moyens pour s'élever à ces beautés ? Qu'on en juge. C'est l'Eternel qui se peint lui-même :

« Sa colère a monté comme un tourbillon de fumée ; son visage a paru comme la flamme, et son courroux comme un feu ardent. Il a abaissé les cieux, il est descendu, et les nuages étaient sous ses pieds. Il a pris son vol sur les ailes des Chérubins ; il s'est élancé sur les vents. Les nuées amoncelées formaient autour de lui un pavillon de ténèbres : l'éclat de son visage les a dissipées, et une pluie de feu est tombée de leur sein. Le Seigneur a tonné du haut des cieux ; le Très-Haut a fait entendre sa voix ; sa voix a éclaté comme un orage brûlant. Il a lancé ses flèches et dissipé mes ennemis ; il a redoublé ses foudres qui les ont renversés. Alors les eaux ont été dévoilées dans leurs sources ; les fondements de la terre ont paru à découvert, parce que vous les avez menacés, Seigneur, et qu'ils ont senti le souffle de votre colère. »

« Avouons-le, dit La Harpe, dont nous empruntons la traduction, il y a aussi loin de ce sublime à tout autre sublime, que de l'esprit de Dieu à l'esprit de l'homme. On voit ici la conception du grand dans son principe : le reste n'en est qu'une ombre, comme l'intelligence créée n'est qu'une faible émanation de l'intelligence créatrice ; comme la fiction, quand elle est belle, n'est encore que l'ombre de la vérité, et tire tout son mérite d'un fond de ressemblance. »

CHAPITRE VI

DES ESPRITS DE TÉNÈBRES

Les dieux du polythéisme, à peu près égaux en puissance, partageaient les mêmes haines et les mêmes amours. S'ils se trouvaient quelquefois opposés les uns aux autres, c'était seulement dans les querelles des mortels : ils se réconciliaient bientôt, en buvant le nectar ensemble.

Le christianisme, au contraire, en nous instruisant de la vraie constitution des êtres surnaturels, nous a montré l'empire de la vertu, éternellement séparé de celui du vice. Il nous a révélé des esprits de ténèbres, machinant

sans cesse la perte du genre humain, et des esprits de
lumière, uniquement occupés des moyens de le sauver.
De là un combat éternel, dont l'imagination peut tirer
une foule de beautés.

Ce *merveilleux* d'un fort grand caractère en fournit
ensuite un second d'une moindre espèce, à savoir : *la
magie*. Celle-ci a été connue des anciens [1]; mais, sous
notre culte, elle a acquis, comme machine poétique, plus
d'importance et d'étendue. Toutefois on doit en user
sobrement, parce qu'elle n'est pas d'un goût assez pur :
elle manque surtout de grandeur; car, en empruntant
quelque chose de son pouvoir aux hommes, ceux-ci lui
communiquent leur petitesse.

Un autre trait distinctif de nos êtres surnaturels, surtout chez les puissances infernales, c'est l'attribution d'un
caractère. Nous verrons incessamment quel usage Milton a fait du caractère d'orgueil, donné par le christianisme au prince des ténèbres. Le poète, pouvant en outre
attacher un ange du mal à chaque vice, dispose ainsi d'un
essaim de divinités infernales. Il a même alors la véritable
allégorie, sans avoir la sécheresse qui l'accompagne, ces
esprits pervers étant en effet des êtres *réels*, et tels que la
religion nous permet de les croire.

Mais si les démons se multiplient autant que les crimes
des hommes, ils peuvent aussi présider aux accidents
terribles de la nature; tout ce qu'il y a de coupable et
d'irrégulier dans le monde moral et dans le monde physique, est également de leur ressort. Il faudra seulement
prendre garde, en les mêlant aux tremblements de terre,
aux volcans ou aux ombres d'une forêt, de donner à ces
scènes un caractère majestueux. Il faut qu'avec un goût
exquis, le poète sache faire distinguer le tonnerre du
Très-Haut, du vain bruit que fait éclater un esprit perfide; que le foudre ne s'allume que dans la main de Dieu;
qu'il ne brille jamais dans une tempête excitée par l'enfer;
que celle-ci soit toujours sombre et sinistre; que les
nuages n'en soient point rougis par la *colère*, et poussés
par le vent de la *justice*, mais que leurs teintes soient bla-
fardes et livides, comme celles du *désespoir*, et qu'ils ne

---

1. La magie des anciens différait en ceci de la nôtre, qu'elle s'opérait
par les seules vertus des plantes et des philtres; tandis que parmi
nous elle découle d'une puissance surnaturelle, quelquefois bonne,
mais presque toujours méchante. On sent qu'il n'est pas question
ici de la partie historique et philosophique de la magie considérée
comme l'*art des mages*.

se meuvent qu'au souffle impur de la *haine*. On doit sentir dans ces orages une puissance, forte seulement pour détruire; on y doit trouver cette incohérence, ce désordre, cette sorte d'énergie du mal, qui a quelque chose de disproportionné et de gigantesque, comme le chaos dont elle tire son origine.

CHAPITRE VII

DES SAINTS

Il est certain que les poètes n'ont pas su tirer du *merveilleux* chrétien tout ce qu'il peut fournir aux Muses. On se moque des saints et des anges; mais les anciens eux-mêmes n'avaient-ils pas leurs demi-dieux ? Pythagore, Platon, Socrate, recommandent le culte de ces hommes, qu'ils appellent des *héros*. *Honore les héros pleins de bonté et de lumière*, dit le premier dans ses *Vers Dorés*. Et, pour qu'on ne se méprenne pas à ce nom de *héros*, Hiéroclès l'interprète exactement comme le christianisme explique le nom de *saint*. « Ces héros pleins de bonté » et de lumière pensent toujours à leur Créateur, et » sont tout éclatants de la lumière qui rejaillit de la félicité » dont ils jouissent en lui. » — Et plus loin, « *héros* vient » d'un mot grec qui signifie *amour*, pour marquer que, » pleins d'amour pour Dieu, les héros ne cherchent qu'à nous aider à passer de cette vie terrestre à une vie divine, » et à devenir citoyens du ciel [1]. » Les Pères de l'Eglise appellent à leur tour les saints des *héros* : c'est ainsi qu'ils disent que le baptême est le sacerdoce des laïques, et qu'il fait de tous les chrétiens *des rois et des prêtres de Dieu* [2].

Et sans doute ce sont des héros, ces martyrs qui, domptant les passions de leurs cœurs et bravant la méchanceté des hommes, ont mérité par ces travaux de monter au rang des puissances célestes. Sous le polythéisme, des sophistes ont paru quelquefois plus moraux que la religion de leur patrie; mais, parmi nous, jamais un philosophe, si sage qu'il ait été, n'a pu s'élever au-dessus de la morale chrétienne. Tandis que Socrate honorait la

1. Hierocl. Comm. in Pyth. *Trad. de Dac.* tome II, p. 29.
2. Hieron. Dial. c. Lucif. t. II, p. 136.

mémoire des justes, le paganisme offrait à la vénération
des peuples des brigands dont la force corporelle était
la seule vertu, et qui s'étaient souillés de tous les crimes.
Si quelquefois on accordait l'apothéose aux bons rois,
Tibère et Néron avaient aussi leurs prêtres et leurs
temples. Sacrés mortels, que l'Eglise de Jésus-Christ
nous commande d'honorer, vous n'étiez ni des forts, ni
des puissants entre les hommes! Nés souvent dans la
cabane du pauvre, vous n'avez étalé aux yeux du monde
que d'humbles jours et d'obscurs malheurs! N'entendra-
t-on jamais que des blasphèmes contre une religion qui,
déifiant l'indigence, l'infortune, la simplicité et la vertu,
a fait tomber à leurs pieds la richesse, le bonheur, la
grandeur et le vice ?

Et qu'ont donc de si odieux à la poésie, ces solitaires
de la Thébaïde, avec leur bâton blanc et leur habit de
feuilles de palmier ? Les oiseaux du ciel les nourrissent [1],
les lions portent leurs messages [2] ou creusent leurs tombeaux [3]; en commerce familier avec les anges, ils remplissent de miracles les déserts où fut Memphis [4]. Horeb
et Sinaï, le Carmel et le Liban, le torrent de Cédron et
la vallée de Josaphat, redisent encore la gloire de l'habitant de la cellule et de l'anachorète du rocher. Les Muses
aiment à rêver dans ces monastères remplis des ombres
d'Antoine, de Pacôme, de Benoît, de Basile. Les premiers
apôtres, prêchant l'Evangile aux premiers fidèles dans les
catacombes ou sous le dattier de Béthanie, n'ont pas
paru à Michel-Ange et à Raphaël des sujets si peu favorables au génie.

Nous tairons à présent, parce que nous en parlerons
dans la suite, ces bienfaiteurs de l'humanité, qui fon-
dèrent des hôpitaux, et se dévouèrent à la pauvreté, à la
peste, à l'esclavage, pour secourir des hommes; nous nous
renfermerons dans les seules Ecritures, de peur de nous
égarer dans un sujet si vaste et si intéressant. Josué, Elie,
Isaïe, Jérémie, Daniel, tous ces prophètes enfin qui
vivent d'une éternelle vie, ne pourraient-ils pas faire
entendre dans un poème leurs sublimes lamentations ?
L'urne de Jérusalem ne se peut-elle encore remplir de
leurs larmes ? N'y a-t-il plus de saules de Babylone pour

1. Hieron. op. *vit. Paul.*
2. Theod. *Hist. relig.* cap. VI.
3. Hieron. *in vit. Paul.*
4. Nous passons rapidement sur ces solitaires, parce que nous en
parlerons ailleurs.

y suspendre les harpes détendues ? Pour nous, qui à la
vérité ne sommes pas poète, il nous semble que ces enfants
de la vision feraient d'assez beaux groupes sur les nuées :
nous les peindrions avec une tête flamboyante; une barbe
argentée descendrait sur leur poitrine immortelle, et
l'esprit divin éclaterait dans leurs regards.

Mais quel essaim de vénérables ombres, à la voix d'une
Muse chrétienne, se réveille dans la caverne de Mambré ?
Abraham, Isaac, Jacob, Rébecca, et vous tous, enfants
de l'Orient, rois, patriarches, aïeux de Jésus-Christ,
chantez l'antique alliance de Dieu et des hommes!
Redites-nous cette histoire, chère au ciel, l'histoire de
Joseph et de ses frères. Le chœur des saints rois, David
à leur tête; l'armée des confesseurs et des martyrs vêtus
de robes éclatantes, nous offriraient aussi leur *merveilleux*.
Ces derniers présentent au pinceau le genre tragique dans
sa plus grande élévation; après la peinture de leurs tourments, nous dirions ce que Dieu fit pour ces victimes, et
le don des miracles dont il honora leurs tombeaux.

Nous placerions auprès de ces augustes chœurs les
chœurs des vierges célestes, les Geneviève de Brabant, les
Pulchérie, les Rosalie, les Cécile, les Lucile, les Isabelle,
les Eulalie. Le *merveilleux* du christianisme est plein de
concordance ou de contrastes gracieux. On sait comment
Neptune,

> . . . . . S'élevant sur la mer,
> D'un mot calme les flots. . . . . .

Nos dogmes fournissent un autre genre de poésie. Un
vaisseau est prêt à périr : l'aumônier, par des paroles qui
délient les âmes, remet à chacun la peine de ses fautes;
il adresse au ciel la prière qui, dans un tourbillon, envoie
l'esprit du naufragé au Dieu des orages. Déjà l'Océan
se creuse pour engloutir les matelots; déjà les vagues, élevant leur triste voix entre les rochers, semblent commencer les chants funèbres; tout à coup un trait de lumière
perce la tempête : l'*Etoile des mers*, Marie, patronne des
mariniers, paraît au milieu de la nue. Elle tient son enfant
dans ses bras, et calme les flots par un sourire : charmante
religion, qui oppose à ce que la nature a de plus terrible,
ce que le ciel a de plus doux! aux tempêtes de l'Océan,
un petit enfant et une tendre mère!

CHAPITRE VIII

DES ANGES

Tel est le *merveilleux* qu'on peut tirer de nos *saints*,
sans parler des diverses histoires de leur vie. On découvre
ensuite dans la hiérarchie des *anges*, doctrine aussi
ancienne que le monde, mille tableaux pour le poète.
Non seulement les messagers du Très-Haut portent
ses décrets d'un bout de l'univers à l'autre ; non seulement
ils sont les invisibles gardiens des hommes, ou prennent,
pour se manifester à eux, les formes les plus aimables
mais encore la religion nous permet d'attacher des anges
protecteurs à la belle nature, ainsi qu'aux sentiments
vertueux. Quelle innombrable troupe de divinités vient
donc tout à coup peupler les mondes !

Chez les Grecs, le ciel finissait au sommet de l'Olympe,
et leurs dieux ne s'élevaient pas plus haut que les
vapeurs de la terre. Le *merveilleux* chrétien, d'accord
avec la raison, les sciences et l'expansion de notre âme,
s'enfonce de monde en monde, d'univers en univers, dans
des espaces où l'imagination effrayée frissonne et recule.
En vain les télescopes fouillent tous les coins du ciel, en
vain ils poursuivent la comète au-delà de notre système,
la comète enfin leur échappe ; mais elle n'échappe pas à
l'*Archange* qui la roule à son pôle inconnu, et qui, au
siècle marqué, la ramènera par des voies mystérieuses
jusque dans le foyer de notre soleil.

Le poète chrétien est le seul initié au secret de ces merveilles. De globes en globes, de soleils en soleils, avec les
Séraphins, les *Trônes*, les *Ardeurs*, qui gouvernent les
mondes, l'imagination fatiguée redescend enfin sur la
terre comme un fleuve qui, par une cascade magnifique,
épanche ses flots d'or à l'aspect d'un couchant radieux.
On passe alors de la grandeur à la douceur des images :
sous l'ombrage des forêts, on parcourt l'empire de l'*Ange
de la solitude* ; on retrouve dans la clarté de la lune le
Génie des rêveries du cœur ; on entend ses soupirs dans le
frémissement des bois et dans les plaintes de Philomèle.
Les roses de l'aurore ne sont que la chevelure de l'*Ange
du matin*. L'*Ange de la nuit* repose au milieu des cieux,
où il ressemble à la lune endormie sur un nuage ; ses yeux

sont couverts d'un bandeau d'étoiles; ses talons et son
front sont un peu rougis de la pourpre de l'aurore et de
celle du crépuscule; l'*Ange du silence* le précède, et *celui
du mystère* le suit. Ne faisons pas l'injure aux poètes de
penser qu'ils regardent l'*Ange des mers*, l'*Ange des
tempêtes*, l'*Ange du temps*, l'*Ange de la mort*, comme des
Génies désagréables aux Muses. C'est l'*Ange des saintes
amours* qui donne aux vierges un regard céleste, et c'est
l'*Ange des harmonies* qui leur fait présent des grâces :
l'honnête homme doit son cœur à l'*Ange de la vertu,* et
ses lèvres à *celui de la persuasion.* Rien n'empêche d'accorder à ces esprits bienfaisants des marques distinc-
tives de leurs pouvoirs et de leurs offices : l'*Ange de
l'amitié,* par exemple, pourrait porter une écharpe merveilleuse, où l'on verrait fondus, par un travail divin, les
consolations de l'âme, les dévouements sublimes, les
paroles secrètes du cœur, les joies innocentes, les chastes
embrassements, la religion, le charme des tombeaux, et
l'immortelle espérance.

CHAPITRE IX

APPLICATION DES PRINCIPES ÉTABLIS DANS LES CHAPITRES PRÉCÉDENTS. CARACTÈRE DE SATAN

Des préceptes passons aux exemples. En reprenant
ce que nous avons dit dans les précédents chapitres, nous
commencerons par le caractère attribué aux mauvais
anges, et nous citerons le Satan de Milton.

Avant le poète anglais, le Dante et le Tasse avaient
peint le monarque de l'enfer. L'imagination du Dante,
épuisée par neuf cercles de tortures, n'a fait de Satan
enclavé au centre de la terre qu'un monstre odieux;
le Tasse, en lui donnant des cornes, l'a presque rendu
ridicule. Entraîné par ces autorités, Milton a eu un
moment le mauvais goût de mesurer son Satan; mais il
se relève bientôt d'une manière sublime. Ecoutez le
prince des ténèbres s'écrier, du haut de la montagne de
feu d'où il contemple pour la première fois son empire :

« Adieu, champs fortunés, qu'habitent les joies éternelles.
Horreurs! je vous salue! je vous salue, monde infernal!

Abîme, reçois ton nouveau monarque. Il t'apporte un esprit que ni temps ni lieux ne changeront jamais... Du moins ici nous serons libres; ici nour régnerons : régner même aux enfers, est digne de mon ambition [1]. »

Quelle manière de prendre possession des gouffres de l'enfer !

Le conseil infernal étant assemblé, le poète représente Satan au milieu de son sénat :

« Ses formes conservaient une partie de leur primitive splendeur; ce n'était rien moins encore qu'un Archange tombé, une Gloire un peu obscurcie : comme lorsque le soleil levant, dépouillé de ses rayons, jette un regard horizontal à travers les brouillards du matin; ou tel que dans une éclipse, cet astre, caché derrière la lune, répand sur une moitié des peuples un crépuscule funeste, et tourmente les rois par la frayeur des révolutions. Ainsi paraissait l'Archange obscurci, mais encore brillant au-dessus des compagnons de sa chute : toutefois son visage était labouré par les cicatrices de la foudre, et les chagrins veillaient sur ses joues décolorées [2]. »

Achevons de connaître le caractère de Satan. Echappé de l'enfer, et parvenu sur la terre, il est saisi de désespoir en contemplant les merveilles de l'univers; il apostrophe le soleil [3] :

« O toi, qui, couronné d'une gloire immense, laisses, du haut de ta domination solitaire, tomber tes regards comme le Dieu de ce nouvel univers; toi, devant qui les étoiles cachent leurs têtes humiliées, j'élève ma voix vers toi, mais non pas une voix amie; je ne prononce ton nom, ô soleil ! que pour te dire combien je hais tes rayons. Ah ! ils me rappellent de quelle hauteur je suis tombé, et combien jadis je brillais glorieux au-dessus de ta sphère ! L'orgueil et l'ambition m'ont précipité. J'osai, dans le ciel même, déclarer la guerre au roi du ciel. Il ne méritait pas un pareil retour, lui qui m'avait fait ce que j'étais dans un rang éminent... Elevé si haut, je dédaignai d'obéir; je crus qu'un pas de plus me porterait au rang suprême, et me déchargerait en un moment de la dette immense d'une reconnaissance éternelle... Oh ! pourquoi sa volonté toute-puissante ne me créa-t-elle au rang de quelque ange infé-

1. *Par.* Lost. Book I, v. 49, etc.
2. *Idem*, v. 591, etc.
3. *Voyez* la note XVIII à la fin du volume.

rieur! je serais encore heureux, mon ambition n'eût point
été nourrie par une espérance illimitée... Misérable! où
fuir une colère infinie, un désespoir infini ? L'enfer est
partout où je suis, moi-même je suis l'enfer... O Dieu,
ralentis tes coups! N'est-il aucune voie laissée au repentir,
aucune à la miséricorde, hors l'obéissance ? L'obéissance!
L'orgueil me défend ce mot. Quelle honte pour moi devant
les esprits de l'abîme! Ce n'était pas par des promesses de
soumission que je les séduisis, lorsque j'osai me vanter de
subjuguer le Tout-Puissant. Ah! tandis qu'ils m'adorent
sur le trône des enfers, ils savent peu combien je paie cher
ces paroles superbes, combien je gémis intérieurement sous
le fardeau de mes douleurs!... Mais si je me repentais, si,
par un acte de la grâce divine, je remontais à ma première
place ?... Un rang élevé rappellerait bientôt des pensées
ambitieuses; les serments d'une feinte soumission seraient
bientôt démentis! Le tyran le sait; il est aussi loin de
m'accorder la paix, que je suis loin de demander grâce.
Adieu donc, espérance, et avec toi, adieu crainte et
remords; tout est perdu pour moi. Mal, sois mon unique
bien! Par toi, du moins, avec le roi du ciel je partagerai
l'empire : peut-être même régnerai-je sur plus d'une moitié
de l'univers, comme l'homme et ce monde nouveau l'ap-
prendront en peu de temps [1]. »

Quelle que soit notre admiration pour Homère, nous
sommes obligé de convenir qu'il n'a rien de comparable
à ce passage de Milton. Lorsque, avec la grandeur du
sujet, la beauté de la poésie, l'élévation naturelle des
personnages, on montre une connaissance aussi profonde
des passions, il ne faut rien demander de plus au génie.
Satan se repentant à la vue de la lumière qu'il hait, parce
qu'elle lui *rappelle combien il fut élevé au-dessus d'elle*,
souhaitant ensuite d'avoir été créé dans un rang inférieur, puis s'endurcissant dans le crime par orgueil, par
honte, par méfiance même de son caractère ambitieux;
enfin, pour tout fruit de ses réflexions, et comme pour
expier un moment de remords, se chargeant de l'empire
du mal pendant toute une éternité : voilà, certes, si nous
ne nous trompons, une des conceptions les plus sublimes
et les plus pathétiques qui soient jamais sorties du cerveau d'un poète.

Nous sommes frappé dans ce moment d'une idée que
nous ne pouvons taire. Quiconque a quelque critique et
un bon sens pour l'histoire, pourra reconnaître que
Milton a fait entrer dans le caractère de son Satan les

1. *Par.* Lost. Book IV. From. the 33th, v. to the 113th.

perversités de ces hommes qui, vers le commencement
du dix-septième siècle, couvrirent l'Angleterre de deuil :
on y sent la même obstination, le même enthousiasme,
le même orgueil, le même esprit de rébellion et d'indépendance; on retrouve dans le monarque infernal ces
fameux niveleurs qui, se séparant de la religion de leur
pays, avaient secoué le joug de tout gouvernement légitime, et s'étaient révoltés à la fois contre Dieu et contre
les hommes. Milton lui-même avait partagé cet esprit
de perdition; et, pour imaginer un Satan aussi détestable,
il fallait que le poète en eût vu l'image dans ces réprouvés,
qui firent si longtemps de leur patrie le vrai séjour des
démons.

CHAPITRE X

MACHINES POÉTIQUES — VÉNUS DANS LES BOIS DE CARTHAGE, RAPHAEL AU BERCEAU D'ÉDEN.

Venons aux exemples des machines poétiques. Vénus,
se montrant à Enée dans les bois de Carthage, est un
morceau achevé dans le genre gracieux. *Cui mater media*,
etc. « A travers la forêt, sa mère, suivant le même sen-
» tier, s'avance au-devant de lui. Elle avait l'air et le
» visage d'une vierge, et elle était armée à la manière
» des filles de Sparte, etc. etc. »

Cette poésie est délicieuse; mais le chantre d'Eden en
a beaucoup approché lorsqu'il a peint l'arrivée de l'ange
Raphaël au bocage de nos premiers pères.

« Pour ombrager ses formes divines, le Séraphin porte
six ailes. Deux, attachées à ses épaules, sont ramenées sur
son sein, comme les pans d'un manteau royal; celles du
milieu se roulent autour de lui comme une écharpe étoilée...
les deux dernières, teintes d'azur, battent à ses talons rapides.
Il secoue ses plumes, qui répandent des odeurs célestes.

« Il s'avance dans le jardin du bonheur, au travers des
bocages de myrtes, et des nuages de nard et d'encens;
solitudes de parfums, où la nature, dans sa jeunesse, se livre
à tous ses caprices... Adam, assis à la porte de son berceau,
aperçut le divin Messager. Aussitôt il s'écrie : Eve, accours !
viens voir ce qui est digne de ton admiration ! Regarde vers
l'orient, parmi ces arbres. Aperçois-tu cette forme glorieuse, qui semble se diriger vers notre berceau. On la

prendrait pour une autre aurore, qui se lève au milieu du jour... »

Ici Milton, presque aussi gracieux que Virgile, l'emporte sur lui par la sainteté et la grandeur. Raphaël est plus beau que Vénus, Eden plus enchanté que les bois de Carthage, et Enée est un froid et triste personnage auprès du majestueux Adam.

Voici un ange mystique de Klopstock :

. . . . . Dann eil et der Thronen [1].

« Soudain le premier-né des Trônes descend vers Gabriel, pour le conduire vers le Très-Haut. L'Eternel le nomme *Elu,* et le ciel *Eloa.* Plus parfait que tous les êtres créés, il occupe la première place près de l'Etre infini. Une de ses pensées est belle comme l'âme entière de l'homme, lorsque, digne de son immortalité, elle médite profondément. Son regard est plus beau que le matin d'un printemps, plus doux que la clarté des étoiles, lorsque, brillantes de jeunesse, elles se balancèrent près du trône céleste avec tous leurs flots de lumière. Dieu le créa le premier. Il puisa dans une gloire céleste son corps aérien. Lorsqu'il naquit, tout un ciel de nuages flottait autour de lui; Dieu lui-même le souleva dans ses bras, et lui dit en le bénissant : *Créature, me voici.* »

Raphaël est l'ange *extérieur ;* Eloa l'ange *intérieur :* les Mercure et les Apollon de la mythologie nous semblent moins divins que ces Génies du christianisme.

Plusieurs fois les dieux en viennent aux mains dans Homère; mais, comme nous l'avons déjà remarqué, on ne trouve rien dans *l'Iliade* qui soit supérieur au combat que Satan s'apprête à livrer à Michel dans le Paradis terrestre, ni à la déroute des légions foudroyées par Emmanuel : plusieurs fois les divinités païennes sauvent leurs héros favoris en les couvrant d'une nuée; mais cette machine a été très heureusement transportée par le Tasse à la poésie chrétienne, lorsqu'il introduit Soliman dans Jérusalem. Ce char enveloppé de vapeurs, ce voyage invisible d'un enchanteur et d'un héros au travers du camp des chrétiens, cette porte secrète d'Hérode, ces souvenirs des temps antiques jetés au milieu d'une narration rapide, ce guerrier qui assiste à un conseil sans être vu, et qui se montre seulement pour déterminer

---

1. Messias Erst. ges. v. 286, etc.

Solyme aux combats, tout ce merveilleux, quoique du genre magique, est d'une excellence singulière.

On objectera peut-être que dans les peintures voluptueuses le paganisme doit au moins avoir la préférence. Et que ferons-nous donc d'Armide ? Dirons-nous qu'elle est sans charmes, lorsque, penchée sur le front de Renaud endormi, le poignard échappe à sa main, et que sa haine se change en amour ? Préférerons-nous Ascagne, caché par Vénus dans les bois de Cythère, au jeune héros du Tasse enchaîné avec des fleurs, et transporté sur un nuage aux Iles Fortunées ? ces jardins, dont le seul défaut est d'être trop enchantés ; ces amours, qui ne manquent que d'un voile, ne sont pas assurément des tableaux si sévères. On retrouve dans cet épisode jusqu'à la ceinture de Vénus, tant et si justement regrettée. Au surplus, si des critiques chagrins voulaient absolument bannir la magie, les anges de ténèbres pourraient exécuter eux-mêmes ce qu'Armide fait par leur moyen. On y est autorisé par l'histoire de quelques-uns de nos saints, et le démon des voluptés a toujours été regardé comme un des plus dangereux et des plus puissants de l'abîme.

CHAPITRE XI

SUITE DES MACHINES POÉTIQUES — SONGE D'ÉNÉE. SONGE D'ATHALIE.

Il ne nous reste plus qu'à parler de deux machines poétiques : *les voyages des dieux* et *les songes*.

En commençant par les derniers, nous choisirons le songe d'Enée dans la nuit fatale de Troie ; le héros le raconte lui-même à Didon :

> Tempus erat, etc.

C'était l'heure où du jour adoucissant les peines,
Le sommeil, grâce aux dieux, se glisse dans nos veines ;
Tout à coup, le front pâle et chargé de douleurs,
Hector, près de mon lit, a paru tout en pleurs,
Et tel qu'après son char la victoire inhumaine,
Noir de poudre et de sang, le traîna sur l'arène.
Je vois ses pieds encore et meurtris et percés
Des indignes liens qui les ont traversés.
Hélas ! qu'en cet état de lui-même il diffère !
Ce n'est plus cet Hector, ce guerrier tutélaire,

Qui des armes d'Achille orgueilleux ravisseur,
Dans les murs paternels revenait en vainqueur,
Ou courant assiéger les vingt rois de la Grèce,
Lançait sur leurs vaisseaux la flamme vengeresse.
Combien il est changé! le sang de toutes parts
Souillait sa barbe épaisse et ses cheveux épars;
Et son sein étalait à ma vue attendrie
Tous les coups qu'il reçut autour de sa patrie.
Moi-même il me semblait qu'au plus grand des héros,
L'œil de larmes noyé, je parlais en ces mots :

« O des enfants d'Ilus la gloire et l'espérance!
Quels lieux ont si longtemps prolongé ton absence ?
Oh, qu'on t'a souhaité! mais pour nous secourir,
Est-ce ainsi qu'à nos yeux Hector devait s'offrir,
Quand à ses longs travaux Troie entière succombe!
Quand presque tous les tiens sont plongés dans la tombe!
Pourquoi ce sombre aspect, ces traits défigurés,
Ces blessures sans nombre, et ces flancs déchirés ? »

Hector ne répond point; mais du fond de son âme,
Tirant un long soupir : « Fuis les Grecs et la flamme,
Fils de Vénus, dit-il, le destin t'a vaincu;
Fuis, hâte-toi, Priam et Pergame ont vécu.
Jusqu'en leurs fondements nos murs vont disparaître,
Ce bras nous eût sauvés si nous avions pu l'être.
Cher Enée! ah, du moins, dans ses derniers adieux,
Pergame à ton amour recommande ses dieux!
Porte au-delà des mers leur image chérie,
Et fixe-toi près d'eux dans une autre patrie. »
Il dit; et dans ses bras emporte à mes regards
La puissante Vesta qui gardait nos remparts,
Et ses bandeaux sacrés, et la flamme immortelle
Qui veillait dans son temple, et brûlait devant elle [1].

Ce songe est une espèce d'abrégé du génie de Virgile :
l'on y trouve dans un cadre étroit tous les genres de
beautés qui lui sont propres.

Observez d'abord le contraste entre cet effroyable
songe et l'heure paisible où les dieux l'envoient à Énée.
Personne n'a su marquer les temps et les lieux d'une
manière plus touchante que le poète de Mantoue. Ici,
c'est un tombeau, là, une aventure attendrissante, qui
déterminent la limite d'un pays; une ville nouvelle porte
une appellation antique; un ruisseau étranger prend le
nom d'un fleuve de la patrie. Quant aux heures, Virgile
a presque toujours fait briller la plus douce sur l'événement le plus malheureux. De ce contraste plein de tristesse résulte cette vérité, que la nature accomplit ses
lois, sans être troublée par les faibles révolutions des
hommes.

1. Nous devons cette belle traduction à M. de Fontanes.

De là, nous passons à la peinture de l'ombre d'Hector. Ce fantôme qui regarde Enée en silence, ces *larges* pleurs, ces pieds *enflés*, sont les petites circonstances que choisit toujours le grand peintre, pour mettre l'objet sous les yeux. Le cri d'Enée : *quantùm mutatus ab illo !* est le cri d'un héros, qui relève la dignité d'Hector. *Squalentem barbam et concretos sanguine crines.* Voilà le spectre. Mais Virgile fait soudain un retour à sa manière. — *Vulnera... circum plurima muros accepit patrios.* Tout est là-dedans : éloge d'Hector, souvenirs de ses malheurs et de ceux de la patrie pour laquelle il reçut *tant de blessures.* Ces locutions, *ô lux Dardaniæ ! Spes ô fidissima Teucrûm !* sont pleines de chaleur; autant elles remuent le cœur, autant elles rendent déchirantes les paroles qui suivent. *Ut te post multa tuorum funera... adspicimus !* Hélas! c'est l'histoire de ceux qui ont quitté leur patrie; à leur retour, on peut dire comme Enée à Hector : *Faut-il vous revoir après les funérailles de vos proches !* Enfin, le silence d'Hector, son soupir, suivi du *fuge, eripe flammis*, font dresser les cheveux sur la tête. Le dernier trait du tableau mêle la double poésie du songe et de la vision; en emportant dans ses bras la statue de Vesta et le feu sacré, on croit voir le spectre emporter Troie de la terre.

Ce songe offre d'ailleurs une beauté prise dans la nature même de la chose. Enée se réjouit d'abord de voir Hector qu'il croit vivant; ensuite il parle des malheurs de Troie, arrivés depuis la *mort* même du héros. L'état où il le revoit ne peut lui rappeler sa destinée; il demande au fils de Priam d'*où lui viennent ces blessures*, et il vous a dit qu'*on l'a vu ainsi, le jour qu'il fut traîné autour d'Ilion.* Telle est l'incohérence des pensées, des sentiments et des images d'un songe.

Il nous est singulièrement agréable de trouver parmi les poètes chrétiens quelque chose qui balance, et qui peut-être surpasse ce songe : poésie, religion, intérêt dramatique, tout est égal dans l'une et l'autre peinture, et Virgile s'est encore une fois reproduit dans Racine.

Athalie, sous le portique du temple de Jérusalem, raconte son rêve à Abner et à Mathan :

> C'était pendant l'horreur d'une profonde nuit;
> Ma mère Jézabel devant moi s'est montrée,
> Comme au jour de sa mort pompeusement parée;
> Ses malheurs n'avaient point abattu sa fierté :
> Même elle avait encor cet éclat emprunté,
> Dont elle eut soin de peindre et d'orner son visage,
> Pour réparer des ans l'irréparable outrage.

> « Tremble, m'a-t-elle dit, fille digne de moi,
> Le cruel Dieu des Juifs l'emporte aussi sur toi :
> Je te plains de tomber dans ses mains redoutables,
> Ma fille! » En achevant ces mots épouvantables,
> Son ombre vers mon lit a paru se baisser,
> Et moi, je lui tendais les mains pour l'embrasser;
> Mais je n'ai plus trouvé qu'un horrible mélange
> D'os et de chairs, meurtris et traînés dans la fange,
> Des lambeaux pleins de sang, et des membres affreux
> Que des chiens dévorants se disputaient entre eux.

Il serait malaisé de décider ici entre Virgile et Racine. Les deux songes sont pris également à la source des différentes religions des deux poètes : Virgile est plus triste, Racine plus terrible : le dernier eût manqué son but, et aurait mal connu le génie sombre des dogmes hébreux, si, à l'exemple du premier, il eût amené le rêve d'Athalie dans une heure pacifique : comme il va tenir beaucoup, il promet beaucoup par ce vers :

> C'était pendant l'horreur d'une profonde nuit.

Dans Racine, il y a concordance, et dans Virgile contraste d'images.

La scène annoncée par l'apparition d'Hector, c'est-à-dire la nuit fatale d'un grand peuple et la fondation de l'Empire romain, serait plus magnifique que la chute d'une seule reine, si Joas, en *rallumant le flambeau de David*, ne nous montrait dans le lointain le Messie et la révolution de toute la terre.

La même perfection se remarque dans les vers des deux poètes : toutefois la poésie de Racine nous semble plus belle. Quel Hector paraît au premier moment devant Énée, quel il se montre à la fin : mais la pompe, mais l'*éclat emprunté* de Jézabel,

> Pour réparer des ans l'irréparable outrage,

suivi tout à coup, non d'une forme entière, mais

> . . . . .De lambeaux affreux
> Que des chiens dévorants se disputaient entre eux,

est une sorte de changement d'état, de péripétie, qui donne au songe de Racine une beauté qui manque à celui de Virgile. Enfin, cette ombre d'une mère qui se baisse vers le lit de sa fille, comme pour s'y cacher, et qui se transforme tout à coup en *os et en chairs meurtris*, est une de ces beautés vagues, de ces circonstances effrayantes de la vraie nature du fantôme.

CHAPITRE XII

SUITE DES MACHINES POÉTIQUES — VOYAGES DES DIEUX
    HOMÉRIQUES. SATAN ALLANT A LA DÉCOUVERTE DE LA
    CRÉATION.

Nous touchons à la dernière des machines poétiques,
c'est-à-dire aux *voyages* des êtres surnaturels. C'est une
des parties du *merveilleux* dans laquelle Homère s'est
montré le plus sublime. Tantôt il raconte que le char du
dieu vole comme la pensée d'un voyageur qui se rappelle,
en un instant, les lieux qu'il a parcourus ; tantôt il dit :

> Autant qu'un homme assis au rivage des mers
> Voit, d'un roc élevé, d'espace dans les airs,
> Autant des Immortels les coursiers intrépides
> En franchissent d'un saut [1].

Quoi qu'il en soit du génie d'Homère et de la majesté
de ses dieux, son *merveilleux* et sa grandeur vont encore
s'éclipser devant le *merveilleux* du christianisme.

Satan arrivé aux portes de l'enfer, que le péché et la
mort lui ont ouvertes, se prépare à aller à la découverte
de la création.

. . . . Like a furnase mouth [2].
. . . .
. . . . The sudden view
    Of all this world at once.

Les portes de l'enfer s'ouvrent... vomissant, comme la
bouche d'une fournaise, des flocons de fumée et des
flammes rouges. Soudain, aux regards de Satan se dévoilent
les secrets de l'antique abîme ; océan sombre et sans bornes,
où les temps, les dimensions et les lieux viennent se
perdre, où l'ancienne Nuit et le Chaos, aïeux de la nature,
maintiennent une éternelle anarchie, au milieu d'une éternelle guerre, et règnent par la confusion. Satan, arrêté sur le
seuil de l'enfer, regarde dans le vaste gouffre, berceau et
peut-être tombeau de la nature ; il pèse en lui-même les
dangers du voyage. Bientôt, déployant ses ailes, et repous-
sant du pied le seuil fatal, il s'élève dans des tourbillons

---

1. Boileau, dans Longin.
2. *Par. Lost.* Book II, v. 888-1050 ; Book III, v. 501-544. Des vers
passés çà et là.

de fumée. Porté sur ce siège nébuleux, longtemps il monte avec audace; mais la vapeur, graduellement dissipée, l'abandonne au milieu du vide. Surpris, il redouble en vain le mouvement de ses ailes et, comme un poids mort, il tombe.

L'instant où je chante verrait encore sa chute, si l'explosion d'un nuage tumultueux rempli de soufre et de flamme, ne l'eût élancé à des hauteurs égales aux profondeurs où il était descendu. Jeté sur des terres molles et tremblantes, à travers les éléments épais ou subtils..., il marche, il vole, il nage, il rampe. A l'aide de ses bras, de ses pieds, de ses ailes, il franchit les syrtes, les détroits, les montagnes. Enfin une universelle rumeur, des voix et des sons confus viennent avec violence assaillir son oreille. Il tourne aussitôt son vol de ce côté, résolu d'aborder l'Esprit inconnu de l'abîme, qui réside dans ce bruit, et d'apprendre de lui le chemin de la lumière.

Bientôt il aperçoit le trône du Chaos, dont le sombre pavillon s'étend au loin sur le gouffre immense. La Nuit, revêtue d'une robe noire, est assise à ses côtés : fille aînée des Etres, elle est l'épouse du Chaos. Le Hasard, le Tumulte, la Confusion, la Discorde aux mille bouches, sont les ministres de ces divinités ténébreuses. Satan paraît devant eux sans crainte.

« Esprits de l'abîme, leur dit-il, Chaos, et vous antique Nuit, je ne viens point pour épier les secrets de vos royaumes... Apprenez-moi le chemin de la lumière, etc. »

Le vieux Chaos répond en mugissant : « Je te connais, ô étranger!... Un monde nouveau pend au-dessus de mon empire, du côté où tes légions tombèrent. Vole, et hâte-toi d'accomplir tes desseins. Ravages, dépouilles, ruines, vous êtes les espérances du Chaos! »

Il dit; Satan plein de joie... s'élève avec une nouvelle vigueur; il perce, comme une pyramide de feu, l'atmosphère ténébreuse... Enfin, l'influence sacrée de la lumière commence à se faire sentir. Parti des murailles du ciel, un rayon pousse au loin, dans le sein des ombres, une douteuse et tremblante aurore : ici la nature commence, et le Chaos se retire. Guidé par ces mobiles blancheurs, Satan, comme un vaisseau longtemps battu de la tempête, reconnaît le port avec joie, et glisse plus doucement sur les vagues calmées. A mesure qu'il avance vers le jour, l'empyrée, avec ses tours d'opale et ses portes de vivants saphirs, se découvre à sa vue.

Enfin, il aperçoit au loin une haute structure, dont les marches magnifiques s'élèvent jusqu'aux remparts du ciel... Perpendiculairement au pied des degrés mystiques, s'ouvre un passage vers la terre... Satan s'élance sur la dernière marche, et plongeant tout à coup ses regards dans les profondeurs au-dessous de lui, il découvre, avec un immense étonnement, tout l'univers à la fois.

Pour tout homme impartial, une religion qui a fourni
un tel *merveilleux*, et qui de plus a donné l'idée des
amours d'Adam et d'Ève, n'est pas une religion *anti-
poétique*. Qu'est-ce que Junon allant aux *bornes* de la terre
en *Éthiopie*, auprès de Satan remontant du fond du Chaos
jusqu'aux frontières de la nature ? Il y a même dans l'original un effet singulier que nous n'avons pu rendre, et
qui tient, pour ainsi dire, au défaut général du morceau :
les longueurs que nous avons retranchées semblent allon-
ger la course du prince des ténèbres, et donner au lecteur
un sentiment vague de cet infini au travers duquel il a
passé.

CHAPITRE XIII

L'ENFER CHRÉTIEN

Entre plusieurs différences qui distinguent l'enfer chrétien du Tartare, une surtout est remarquable : ce sont les
tourments qu'éprouvent eux-mêmes les démons. Pluton, les Juges, les Parques et les Furies ne souffraient
point avec les coupables. Les douleurs de nos puissances
infernales sont donc un *moyen de plus* pour l'imagination,
et conséquemment un *avantage poétique* de notre enfer
sur l'enfer des anciens.

Dans les champs Cimmériens de *l'Odyssée*, le vague
des lieux, les ténèbres, l'incohérence des objets, la fosse
où les ombres viennent boire le sang, donnent au tableau
quelque chose de formidable, et qui peut-être ressemble
plus à l'enfer chrétien que le Ténare de Virgile. Dans
celui-ci, l'on remarque les progrès des dogmes philosophiques de la Grèce. Les Parques, le Cocyte, le Styx, se
retrouvent dans les ouvrages de Platon. Là commence une
distribution de châtiments et de récompenses inconnue
à Homère. Nous avons déjà fait remarquer [1] que le
malheur, l'indigence et la faiblesse étaient, après le trépas, relégués, par les païens, dans un monde aussi pénible
que celui-ci. La religion de Jésus-Christ n'a point ainsi
sevré nos âmes. Nous savons qu'au sortir de ce monde
de tribulations, nous autres misérables, nous trouverons

1. Première partie, sixième livre.

un lieu de repos, et si nous avons eu soif de la justice dans le temps, nous en serons rassasiés dans l'éternité. *Sitiunt justitiam... ipsi saturabuntur* [1].

Si la philosophie est satisfaite, il ne nous sera pas très difficile peut-être de convaincre les Muses. A la vérité, nous n'avons point d'enfer chrétien traité d'une manière irréprochable. Ni le Dante, ni le Tasse, ni Milton, ne sont parfaits dans la peinture des lieux de douleur. Cependant quelques morceaux excellents, échappés à ces grands maîtres, prouvent que si toutes les parties du tableau avaient été retouchées avec le même soin, nous posséderions des enfers aussi poétiques que ceux d'Homère et de Virgile.

CHAPITRE XIV

PARALLÈLE DE L'ENFER ET DU TARTARE — ENTRÉE DE L'AVERNE. PORTE DE L'ENFER DU DANTE. DIDON. FRANÇOISE D'ARIMINO. TOURMENTS DES COUPABLES.

L'entrée de l'Averne, dans le sixième livre de *l'Enéide*, offre des vers d'un travail achevé.

> Ibant obscuri solâ sub nocte per umbram,
> Perque domos Ditis vacuas et inania regna.
>
> . . . .
> Pallentesque habitant Morbi, tristisque Senectus,
> Et Metus, et malesuada Fames, et turpis Egestas,
> Terribiles visu formæ; Lethúmque Laborque,
> Tùm consanguineus Lethi Sopor, et mala mentis
> Gaudia... (Lib. VI, v. 268 et seq.)

Il suffit de savoir lire le latin, pour être frappé de l'harmonie lugubre de ces vers. Vous entendez d'abord mugir la caverne où marchent la Sibylle et Enée : *Ibant obscuri solâ sub nocte per umbram ;* puis tout à coup vous entrez dans des *espaces déserts*, dans les *royaumes du vide ; Perque domos Ditis vacuas et inania regna.* Viennent ensuite des syllabes sourdes et pesantes, qui rendent admirable-

---

1. L'injustice des dogmes infernaux était si manifeste chez les anciens, que Virgile même n'a pu s'empêcher de la remarquer.

. . . . . . Sortemque animo miseratus iniquam.
ÆN., lib. VI, v. 332.

ment les pénibles soupirs des enfers. *Tristisque Senec-tus, et Metus. — Lethumque Laborque ;* consonances qui prouvent que les anciens n'ignoraient pas l'espèce de beauté attachée à la rime. Les Latins, ainsi que les Grecs, employaient la répétition des sons dans les peintures pastorales, et dans les harmonies tristes.

Le Dante, comme Enée, erre d'abord dans une forêt qui cache l'entrée de son enfer ; rien n'est plus effrayant que cette solitude. Bientôt il arrive à la porte, où se lit la fameuse inscription.

> Per me si và, nella città dolente,
> Per me si và, nell'eterno dolore :
> Per me si và, tra la perduta gente.
> . . . .
> Lassat'ogni speránza, voi ch'entrate.

Voilà précisément la même sorte de beautés que dans le poète latin. Toute oreille sera frappée de la cadence monotone de ces rimes redoublées, où semble retentir et expirer cet éternel cri de douleur qui remonte du fond de l'abîme. Dans les trois *per me si và,* on croit entendre le *glas* de l'agonie du chrétien. Le *lassat' ogni speránza* est comparable au plus grand trait de l'enfer de Virgile.

Milton, à l'exemple du poète de Mantoue, a placé la Mort à l'entrée de son enfer *(Lethum),* et le Péché, qui n'est que le *mala mentis gaudia, les joies coupables du cœur.* Il décrit ainsi la première :

> . . . . . . The other shape, etc.

« L'autre forme, si on peut appeler de ce nom ce qui n'avait point de formes, se tenait debout à la porte. Elle était sombre comme la nuit, hagarde comme dix furies ; sa main brandissait un dard affreux ; et, sur cette partie qui semblait sa tête, elle portait l'apparence d'une couronne. »

Jamais fantôme n'a été représenté d'une manière plus vague et plus terrible. L'origine de la Mort, racontée par le Péché, la manière dont les échos de l'enfer répètent le nom redoutable, lorsqu'il est prononcé pour la première fois, tout cela est une sorte de noir sublime, inconnu de l'antiquité [1].

En avançant dans les enfers, nous suivrons Enée au

---

1. M. Harris, dans son *Hermès,* a remarqué que le genre masculin, attribué à la mort par Milton, forme ici une grande beauté. S'il avait dit *shook* her *dart,* au lieu de *shook* his *dart,* une partie du sublime

champ des larmes, *lugentes campi*. Il y rencontre la malheureuse Didon; il l'aperçoit dans les ombres d'une forêt,
*comme on voit, ou comme on croit voir la lune nouvelle se
lever à travers les nuages.*

> Qualem primo qui surgere mense
> Aut videt aut vidisse putat per nubila lunam.

Ce morceau est d'un goût exquis; mais le Dante est
peut-être aussi touchant dans la peinture des *campagnes
des pleurs*. Virgile a placé les amants au milieu des bois
de myrtes et dans des allées solitaires; le Dante a jeté les
siens dans un air vague et parmi des tempêtes qui les
entraînent éternellement : l'un a donné pour punition
à l'amour ses propres rêveries, l'autre en a cherché le
supplice dans l'image des désordres que cette passion
fait naître. Le Dante arrête un couple malheureux au
milieu d'un tourbillon; Françoise d'Arimino, interrogée
par le poète, lui raconte ses malheurs et son amour.

> Noi leggevamo, etc. . . . .

« Nous lisions un jour, dans un doux loisir, comment
l'amour vainquit Lancelot. J'étais seule avec mon amant,
et nous étions sans défiance : plus d'une fois nos visages
pâlirent, et nos yeux troublés se rencontrèrent; mais un seul
instant nous perdit tous deux. Lorsque enfin l'heureux
Lancelot cueille le baiser désiré, alors celui qui ne me sera
plus ravi colla sur ma bouche ses lèvres tremblantes, et
nous laissâmes échapper le livre par qui nous fut révélé
le mystère de l'amour [1]. »

---

disparaissait. La mort est aussi du genre masculin en grec, θανατος.
Racine même la fait de ce genre dans notre langue,

> La mort est le *seul* Dieu que j'osais implorer.

Que penser maintenant de la critique de Voltaire, qui n'a pas su, ou
qui a feint d'ignorer que la mort, *death* en anglais, pouvait être à
volonté du genre masculin, féminin ou neutre ? car on lui peut appliquer également les trois pronoms, *her*, *his* et *its*. Voltaire n'est pas
plus heureux sur le mot *sin*, *péché*, dont le genre féminin le scandalise.
Pourquoi ne se fâchait-il pas aussi contre ces vaisseaux, *ships*, *man of
war*, qui sont (ainsi qu'en latin et en vieux français) si bizarrement
du genre féminin ? En général, tout ce qui a *étendue*, *capacité* (c'est
la remarque de M. Harris); tout ce qui est de nature à contenir se
met en anglais au féminin, et cela par une logique simple, et même
touchante, car elle découle de la *maternité*; tout ce qui implique
faiblesse ou *séduction* suit la même loi. De là Milton a pu et dû, en
personnifiant le péché, le faire du genre féminin.

1. Nous empruntons la traduction de Rivarol. Si toutefois nous
osions proposer nos doutes, peut-être que ce tour élégant, *nous lais-*

Quelle simplicité admirable dans le récit de Françoise, quelle délicatesse dans le trait qui le termine! Virgile n'est pas plus chaste dans le quatrième livre de *l'Enéide*, lorsque Junon donne le signal, *dant signum*. C'est encore au christianisme que ce morceau doit une partie de son pathétique; Françoise est punie pour n'avoir pas su résister à son amour, et pour avoir trompé la foi conjugale : la justice inflexible de la religion contraste avec la pitié que l'on ressent pour une faible femme.

Non loin du champ des larmes, Enée voit le champ des guerriers; il y rencontre *Déiphobe* cruellement mutilé. Son histoire est intéressante, mais le seul nom d'Ugolin rappelle un morceau fort supérieur. On conçoit que Voltaire n'ait vu dans les feux d'un enfer chrétien que des objets burlesques; cependant ne vaut-il pas mieux pour le poète y trouver le comte Ugolin, et matière à des vers aussi beaux, à des épisodes aussi tragiques?

Lorsque nous passons de ces détails à une vue générale de *l'Enfer* et du *Tartare*, nous voyons dans celui-ci les Titans foudroyés, Ixion menacé de la chute d'un rocher, les Danaïdes avec leur tonneau, Tantale trompé par les ondes, etc.

Soit que l'on commence à s'accoutumer à l'idée de ces tourments, soit qu'ils n'aient rien en eux-mêmes qui produise le terrible, parce qu'ils se mesurent sur des fatigues connues dans la vie, il est certain qu'ils font peu d'impression sur l'esprit. Mais voulez-vous être remué; voulez-vous savoir jusqu'où l'imagination de la douleur peut s'étendre; voulez-vous connaître la poésie des tortures et les hymnes de la chair et du sang, descendez dans l'Enfer du Dante. Ici, des ombres sont ballottées par des tourbillons d'une tempête; là, des sépulcres embrasés renferment les fauteurs de l'hérésie. Les tyrans sont plongés dans un fleuve de sang tiède; les suicidés, qui ont dédaigné la noble nature de l'homme, ont rétrogradé vers la plante : ils sont transformés en arbres rachitiques, qui croissent dans un sable brûlant, et dont les harpies arrachent sans cesse des rameaux. Ces âmes ne reprendront point leur corps au jour de la résurrection; elles les traîneront dans l'affreuse forêt pour les suspendre aux branches des arbres, auxquelles elles sont attachées.

---

sâmes échapper le livre par qui nous fut révélé le mystère de l'amour, ne rend pas tout à fait la naïveté de ce vers :

Quel giorno più non vi leggemmo avante.

Si l'on dit qu'un auteur grec ou romain eût pu faire un Tartare aussi formidable que l'Enfer du Dante, cela d'abord ne conclurait rien contre les moyens poétiques de la religion chrétienne, mais il suffit d'ailleurs d'avoir quelque connaissance du génie de l'antiquité, pour convenir que le ton sombre de l'Enfer du Dante ne se trouve point dans la théologie païenne, et qu'il appartient aux dogmes menaçants de notre Foi.

CHAPITRE XV

DU PURGATOIRE

On avouera du moins que le *purgatoire* offre aux poètes chrétiens un genre de *merveilleux* inconnu à l'antiquité [1]. Il n'y a peut-être rien de plus favorable aux Muses, que ce lieu de purification, placé sur les confins de la douleur et de la joie, où viennent se réunir les sentiments confus du bonheur et de l'infortune. La gradation des souffrances en raison des fautes passées, ces âmes, plus ou moins heureuses, plus ou moins brillantes, selon qu'elles approchent plus ou moins de la double éternité des plaisirs ou des peines, pourraient fournir des sujets touchants au pinceau. Le purgatoire surpasse en poésie le ciel et l'enfer, en ce qu'il présente un avenir qui manque aux deux premiers.

Dans l'Elysée antique le fleuve du Léthé n'avait point été inventé sans beaucoup de grâce; mais toutefois on ne saurait dire que les ombres qui renaissaient à la vie sur ses bords, présentassent la même progression poétique vers le bonheur que les âmes du *purgatoire*. Quitter les campagnes des mânes heureux pour revenir dans ce monde, c'était passer d'un état parfait à un état qui l'était moins; c'était rentrer dans le cercle, renaître pour mourir, voir ce qu'on avait vu. Toute chose dont l'esprit peut mesurer l'étendue est petite : le cercle, qui chez les anciens exprimait l'éternité, pouvait être une

1. On trouve quelque trace de ce dogme dans Platon et dans la doctrine de Zénon (*Vid.* Diog. Laert.). Les poètes paraissent aussi en avoir quelque idée (*Æneid.*, lib. VI). Mais tout cela est vague, sans suite et sans but. *Voyez* la note XIX à la fin du volume.

image grande et vraie; cependant il nous semble qu'elle
tue l'imagination, en la forçant de tourner dans ce cer-
ceau redoutable. La ligne droite prolongée sans fin serait
peut-être plus belle, parce qu'elle jetterait la pensée dans
un vague effrayant, et ferait marcher de front trois choses
qui paraissent s'exclure, l'espérance, la mobilité et l'éternité.

Le rapport à établir entre le châtiment et l'offense peut
produire ensuite dans le purgatoire tous les charmes du
sentiment. Que de peines ingénieuses réservées à une
mère trop tendre, à une fille trop crédule, à un jeune
homme trop ardent! et certes, puisque les vents, les feux,
les glaces prêtent leurs violences aux tourments de l'enfer, pourquoi ne trouverait-on pas des souffrances plus
douces dans les chants du rossignol, dans les parfums
des fleurs, dans le bruit des fontaines ou dans les affections purement morales ? Homère et Ossian ont chanté
les *plaisirs de la douleur* : κρυεροῦ τεταρπώμεσθα γόιο,
the joy of grief.

Une autre source de poésie qui découle du purgatoire, est ce dogme par qui nous sommes enseignés, que
les prières et les bonnes œuvres des mortels hâtent la déli-
vrance des âmes. Admirable commerce entre le fils vivant
et le père décédé! entre la mère et la fille, entre l'époux
et l'épouse, entre la vie et la mort! Que de choses attendrissantes dans cette doctrine! Ma vertu, à moi chétif
mortel, devient un bien commun pour tous les chrétiens;
et de même que j'ai été atteint du péché d'Adam, ma justice est passée en compte aux autres. Poètes chrétiens, les
prières de vos Nisus atteindront un Euryale au-delà du
tombeau; vos riches pourront partager leur superflu
avec le pauvre; et pour le plaisir qu'ils auront eu à faire
cette simple, cette agréable action, Dieu les en récom-
pensera encore, en retirant leur père et leur mère d'un
lieu de peines! C'est une belle chose d'avoir, par l'attrait
de l'amour, forcé le cœur de l'homme à la vertu, et de
penser que le même denier qui donne le pain du moment
au misérable, donne peut-être à une âme délivrée une
place éternelle à la table du Seigneur.

CHAPITRE XVI

LE PARADIS

Le trait qui distingue essentiellement le *Paradis* de l'*Elysée*, c'est que, dans le premier, les âmes saintes habitent le ciel avec Dieu et les Anges, et que, dans le dernier, les ombres heureuses sont séparées de l'Olympe. Le système philosophique de Platon et de Pythagore, qui divise l'âme en deux essences, *le char subtil* qui s'envole au-dessous de la lune, et l'*esprit* qui remonte vers la divinité; ce système, disons-nous, n'est pas de notre compétence, et nous ne parlons que de la théologie poétique.

Nous avons fait voir, dans plusieurs endroits de cet ouvrage, la différence qui existe entre la félicité des élus et celle des mânes de l'Elysée. Autre est de danser et de faire des festins, autre de connaître la nature des choses, de lire dans l'avenir, de voir les révolutions des globes, enfin d'être comme associé à l'omniscience, sinon à la toute-puissance de Dieu. Il est pourtant extraordinaire qu'avec tant d'avantages les poètes chrétiens aient échoué dans la peinture du ciel. Les uns ont péché par timidité, comme le Tasse et Milton; les autres par fatigue, comme le Dante; par philosophie, comme Voltaire; ou par abondance, comme Klopstock [1]. Il y a donc un écueil caché dans ce sujet; voici quelles sont nos conjectures à cet égard.

Il est de la nature de l'homme de ne sympathiser qu'avec les choses qui ont des rapports avec lui, et qui le saisissent par un certain côté, tel, par exemple, que le malheur. Le ciel, où règne une félicité sans bornes, est trop au-dessus de la condition humaine pour que l'âme soit fort touchée du bonheur des élus : on ne s'intéresse guère à des êtres parfaitement heureux. C'est pourquoi les poètes ont mieux réussi dans la description des enfers; du moins l'humanité est ici, et les tourments des coupables nous rappellent les chagrins de notre vie; nous nous attendrissons sur les infortunes des autres, comme les esclaves

---

1. C'est une chose assez bizarre que Chapelain, qui a créé des chœurs de martyrs, de vierges et d'apôtres, ait seul placé le paradis chrétien dans son véritable jour.

d'Achille, qui, en répandant beaucoup de larmes sur la mort de Patrocle, pleuraient secrètement leurs propres malheurs.

Pour éviter la froideur qui résulte de l'éternelle et toujours semblable félicité des justes, on pourrait essayer d'établir dans le ciel une espérance, une attente quelconque de plus de bonheur, ou d'une époque inconnue dans la révolution des êtres ; on pourrait rappeler davantage les choses humaines, soit en tirant des comparaisons, soit en donnant des affections et même des passions aux élus : l'Ecriture nous parle des *espérances* et des saintes *tristesses du ciel*. Pourquoi donc n'y aurait-il pas dans le paradis des pleurs tels que les saints peuvent en répandre [1] ? Par ces divers moyens, on ferait naître des harmonies entre notre nature bornée et une constitution plus sublime, entre nos fins rapides et les choses éternelles : nous serions moins portés à regarder comme une fiction un bonheur qui, semblable au nôtre, serait mêlé de changement et de larmes.

D'après ces considérations sur l'usage du *merveilleux* chrétien dans la poésie, on peut du moins douter que le *merveilleux* du paganisme ait sur le premier un avantage aussi grand qu'on l'a généralement supposé. On oppose toujours Milton, avec ses défauts, à Homère avec ses beautés : mais supposons que le chantre d'*Eden* fût né en France, sous le siècle de Louis XIV, et qu'à la grandeur naturelle de son génie il eût joint le goût de Racine et de Boileau ; nous demandons quel fût devenu alors le *Paradis perdu*, et si le *merveilleux* de ce poème n'eût pas égalé celui de *l'Iliade* et de *l'Odyssée* ? Si nous jugions la mythologie d'après *la Pharsale*, ou même d'après *l'Enéide*, en aurions-nous la brillante idée que nous en a laissée le père des Grâces, l'inventeur de la ceinture de Vénus ? Quand nous aurons, sur un sujet chrétien, un ouvrage aussi parfait dans son genre que les ouvrages d'Homère, nous pourrons nous décider en faveur du *merveilleux* de la fable, ou du *merveilleux* de notre religion ; jusqu'alors il sera permis de douter de la vérité de ce précepte de Boileau :

> De la foi d'un chrétien les mystères terribles,
> D'ornements égayés ne sont point susceptibles.
>   ART. POÉT., ch. III.

---

[1]. Milton a saisi cette idée, lorsqu'il représente les anges consternés à la nouvelle de la chute de l'homme ; et Fénelon donne le même mouvement de pitié aux ombres heureuses.

Au reste, nous pouvions nous dispenser de faire lutter le christianisme avec la mythologie, sous le seul rapport du *merveilleux*. Nous ne sommes entré dans cette étude que par surabondance de moyens, et pour montrer les ressources de notre cause. Nous pouvions trancher la question d'une manière simple et péremptoire : car, fût-il certain, comme il est douteux, que le christianisme ne pût fournir un *merveilleux* aussi riche que celui de la fable, encore est-il vrai qu'il a une certaine poésie de l'âme, une sorte d'imagination du cœur, dont on ne trouve aucune trace dans la mythologie. Or, les beautés touchantes qui émanent de cette source feraient seules une ample compensation pour les ingénieux mensonges de l'antiquité.

Tout est machine et ressort, tout est extérieur, tout est fait pour les yeux dans les tableaux du paganisme; tout est sentiment et pensée, tout est intérieur, tout est créé pour l'âme dans les peintures de la religion chrétienne. Quel charme de méditation! quelle profondeur de rêverie! Il y a plus d'enchantement dans une de ces larmes que le christianisme fait répandre au fidèle, que dans toutes les riantes erreurs de la mythologie. Avec une *Notre-Dame des Douleurs*, une *Mère de Pitié*, quelque saint obscur, patron de l'aveugle et de l'orphelin, un auteur peut écrire une page plus attendrissante qu'avec tous les dieux du Panthéon. C'est bien là aussi de la *poésie !* c'est bien là du *merveilleux !* Mais voulez-vous du *merveilleux* plus sublime, contemplez la vie et les douleurs du Christ, et souvenez-vous que votre *Dieu* s'est appelé le *Fils de l'Homme !* Nous osons le prédire : un temps viendra que l'on sera étonné d'avoir pu méconnaître les beautés qui existent dans les seuls noms, dans les seules expressions du christianisme; l'on aura de la peine à comprendre comment on a pu se moquer de cette religion de la raison et du malheur.

Ici finissent les relations directes du christianisme et des muses, puisque nous avons achevé de l'envisager *poétiquement* dans ses rapports avec les *hommes*, et dans ses rapports avec les *êtres surnaturels*. Nous couronnerons ce que nous avons dit sur ce sujet par une vue générale de l'Écriture : c'est la source où Milton, le Dante, le Tasse et Racine ont puisé une partie de leurs merveilles, comme les poètes de l'antiquité ont emprunté leurs grands traits d'Homère.

LIVRE CINQUIÈME

LA BIBLE ET HOMÈRE

CHAPITRE PREMIER

DE L'ÉCRITURE ET DE SON EXCELLENCE

C'est un corps d'ouvrage bien singulier que celui qui commence par la Genèse, et qui finit par l'Apocalypse; qui s'annonce par le style le plus clair, et qui se termine par le ton le plus figuré. Ne dirait-on pas que tout est grand et simple dans Moïse, comme cette création du monde, et cette innocence des hommes primitifs, qu'il nous peint; et que tout est terrible et hors de la nature dans le dernier prophète, comme ces sociétés corrompues, et cette fin du monde, qu'il nous représente?

Les productions les plus étrangères à nos mœurs, les livres sacrés des nations infidèles, le Zend-Avesta des Parsis, le Veidam des Brames, le Coran des Turcs, les Edda des Scandinaves, les maximes de Confucius, les poèmes sanskrit ne nous surprennent point; nous y retrouvons la chaîne ordinaire des idées humaines; ils ont quelque chose de commun entre eux, et dans le ton et dans la pensée. La Bible seule ne ressemble à rien : c'est un monument détaché des autres. Expliquez-la à un Tartare, à un Cafre, à un Canadien; mettez-la entre les mains d'un bonze ou d'un derviche : ils en seront également étonnés. Fait qui tient du miracle! Vingt auteurs, vivant à des époques très éloignées les unes des autres, ont travaillé aux livres saints; et, quoiqu'ils aient employé vingt styles divers, ces styles, toujours inimitables, ne se rencontrent dans aucune composition. Le Nouveau-Testament, si différent de l'Ancien par le ton, partage néanmoins avec celui-ci cette étonnante originalité.

Ce n'est pas la seule chose extraordinaire que les hommes s'accordent à trouver dans l'Écriture : ceux qui ne veulent pas croire à l'authenticité de la Bible, croient pourtant, en dépit d'eux-mêmes, à quelque chose dans cette même Bible. Déistes et athées, grands et petits, attirés par je ne sais quoi d'inconnu, ne laissent pas de feuilleter sans cesse l'ouvrage que les uns admirent, et que les autres dénigrent. Il n'y a pas une position dans la vie pour laquelle on ne puisse rencontrer, dans la Bible, un verset qui semble dicté tout exprès. On nous persuadera difficilement que tous les événements possibles, heureux ou malheureux, aient été prévus avec toutes leurs conséquences, dans un livre écrit de la main des hommes. Or, il est certain qu'on trouve dans l'Écriture :

L'origine du monde et l'annonce de sa fin;

La base des sciences humaines;

Les préceptes politiques, depuis le gouvernement du père de famille jusqu'au despotisme; depuis l'âge pastoral jusqu'au siècle de corruption;

Les préceptes moraux applicables à la prospérité et à l'infortune, aux rangs les plus élevés, comme aux rangs les plus humbles de la vie;

Enfin, toutes les sortes de styles; styles qui, formant un corps unique de cent morceaux divers, n'ont toutefois aucune ressemblance avec les styles des hommes.

CHAPITRE II

QU'IL Y A TROIS STYLES PRINCIPAUX DANS L'ÉCRITURE

Entre ces styles divins, trois surtout se font remarquer :

1º Le style historique, tel que celui de *la Genèse*, du *Deutéronome*, de Job, etc.;

2º La poésie sacrée telle qu'elle existe dans les psaumes, dans les prophètes et dans les traités moraux, etc.;

3º Le style évangélique.

Le premier de ces trois styles, avec un charme plus grand qu'on ne peut dire, tantôt imite la narration de l'épopée, comme dans l'aventure de Joseph, tantôt emprunte des mouvements de l'ode, comme après le passage de la mer Rouge; ici soupire les élégies du saint Arabe; là, chante avec Ruth d'attendrissantes bucoliques. Ce peuple, dont tous les pas sont marqués par des phénomènes; ce peuple, pour qui le soleil s'arrête, le rocher verse des eaux, le ciel prodigue la manne; ce peuple ne pouvait avoir des fastes ordinaires. Les formes connues changent à son égard : ses révolutions sont tour à tour racontées avec la trompette, la lyre et le chalumeau; et le style de son histoire est lui-même un continuel miracle, qui porte témoignage de la vérité des miracles dont il perpétue le souvenir.

On est merveilleusement étonné d'un bout de la Bible à l'autre. Qu'y a-t-il de comparable à l'ouverture de *la Genèse*? Cette simplicité du langage, en raison inverse de la magnificence des faits, nous semble le dernier effort du génie.

In principio creavit Deus cœlum et terram.

Terra autem erat inanis et vacua, et tenebræ erant super faciem abyssi; et spiritus Dei ferebatur super aquas.

Dixitque Deus : Fiat lux. Et facta est lux. Et vidit Deus lucem quod esset bona : et divisit lucem à tenebris [1].

On ne montre pas comment un pareil style est beau; et si quelqu'un le critiquait, on ne saurait que répondre. Nous nous contenterons d'observer que Dieu qui voit la lumière, et qui, comme un *homme* content de son ouvrage, s'applaudit lui-même et la trouve bonne, est un de ces traits qui ne sont point dans l'ordre des choses humaines; cela ne tombe point naturellement dans l'esprit. Homère et Platon, qui parlent des dieux avec tant de sublimité, n'ont rien de semblable à cette naïveté imposante : c'est Dieu qui s'abaisse au langage des hommes, pour leur faire comprendre ses merveilles, mais c'est toujours Dieu.

Quand on songe que Moïse est le plus ancien historien du monde; quand on remarque qu'il n'a mêlé aucune fable à ses récits; quand on le considère comme le libérateur d'un grand peuple, comme l'auteur d'une des plus belles législations connues, et comme l'écrivain le plus sublime qui ait jamais existé; lorsqu'on le voit flotter dans son berceau sur le Nil, se cacher ensuite dans les déserts pendant plusieurs années, puis revenir pour entrouvrir la mer, faire couler les sources du rocher, s'entretenir avec Dieu dans la nue, et disparaître enfin sur le sommet d'une montagne, on entre dans un grand étonnement. Mais lorsque, sous les rapports chrétiens, on vient à penser que l'histoire des Israélites est non seulement l'histoire réelle des anciens jours, mais encore

---

1. *Voyez* la note XX à la fin du volume.

la figure des temps modernes ; que chaque fait est double, et contient en lui-même une *vérité historique* et un *mystère ;* que le peuple juif est un abrégé symbolique de la race humaine, représentant, dans ses aventures, tout ce qui est arrivé et tout ce qui doit arriver dans l'univers ; que Jérusalem doit être toujours prise pour une autre cité, Sion pour une autre montagne, la Terre Promise pour une autre terre, et la vocation d'Abraham pour une autre vocation ; lorsqu'on fait réflexion que l'homme *moral* est aussi caché sous l'homme *physique* dans cette histoire ; que la chute d'Adam, le sang d'Abel, la nudité violée de Noé, et la malédiction de ce père sur un fils, se manifestent encore aujourd'hui dans l'enfantement douloureux de la femme, dans la misère et l'orgueil de l'homme, dans les flots de sang qui inondent le globe depuis le fratricide de Caïn, dans les races maudites descendues de Cham, qui habitent une des plus belles parties de la terre [1] ; enfin, quand on voit le Fils promis à David venir à point nommé rétablir la vraie morale et la vraie religion, réunir les peuples, substituer le sacrifice de l'homme intérieur aux holocaustes sanglants, alors on manque de paroles, ou l'on est prêt à s'écrier avec le prophète : « Dieu est notre roi avant tous les temps. » *Deus autem rex noster ante sæcula.*

C'est dans Job que le style historique de la Bible prend, comme nous l'avons dit, le ton de l'élégie. Aucun écrivain n'a poussé la tristesse de l'âme au degré où elle a été portée par le saint Arabe, pas même Jérémie, *qui peut seul égaler les lamentations aux douleurs,* comme parle Bossuet. Il est vrai que les images empruntées de la nature du midi, les sables du désert, le palmier solitaire, la montagne stérile, conviennent singulièrement au langage et au sentiment d'un cœur malheureux ; mais il y a dans la mélancolie de Job quelque chose de surnaturel. L'homme *individuel,* si misérable qu'il soit, ne peut tirer de tels soupirs de son âme. Job est la figure de l'*humanité souffrante,* et l'écrivain inspiré a trouvé assez de plaintes pour la multitude des maux partagés entre la race humaine. De plus, comme dans l'Ecriture tout a un rapport final avec la nouvelle alliance, on pourrait croire que les élégies de Job se préparaient aussi pour les jours de deuil de l'Eglise de Jésus-Christ : Dieu faisait composer par ses prophètes des cantiques funèbres

1. Les Nègres.

dignes des morts chrétiens, deux mille ans avant que ces morts sacrés eussent conquis la vie éternelle.

« Puisse périr le jour où je suis né, et la nuit en laquelle il a été dit : Un homme a été conçu [1] ! »

Etrange manière de gémir ! Il n'y a que l'Ecriture qui ait jamais parlé ainsi.

« Je dormirais dans le silence, et je reposerais dans mon sommeil [2]. »

Cette expression, *je reposerais dans* MON *sommeil*, est une chose frappante; mettez *le* sommeil, tout disparaît. Bossuet a dit : *Dormez* VOTRE *sommeil, riches de la terre, et demeurez dans* VOTRE *poussière* [3].

« Pourquoi le jour a-t-il été donné au misérable, et la vie à ceux qui sont dans l'amertume du cœur [4] ? »

Jamais les entrailles de l'homme n'ont fait sortir de leur profondeur un cri plus douloureux.

« L'homme né de la femme vit peu de temps, et il est rempli de beaucoup de misères [5]. »

Cette circonstance, *né de la femme*, est une redondance merveilleuse; on voit toutes les infirmités de l'homme dans celles de sa mère. Le style le plus recherché ne peindrait pas la vanité de la vie avec la même force que ce peu de mots : « Il vit *peu de temps*, et il est rempli de *beaucoup* de misères. »

Au reste, tout le monde connaît ce passage où Dieu daigne justifier sa puissance devant Job, en confondant la raison de l'homme; c'est pourquoi nous n'en parlons point ici.

Le troisième caractère sous lequel il nous resterait à envisager le style *historique* de la Bible, est le caractère

---

1. Job, chap. III, v. 3. Nous nous servons de la traduction de Sacy, à cause des personnes qui y sont accoutumées; cependant nous nous en éloignerons quelquefois, lorsque l'Hébreu, les Septante et la Vulgate nous donneront un sens plus fort et plus beau.
2. Job, v. 13.
3. Orais. fun. du chanc. Le Tellier.
4. Job, chap. III, v. 20.
5. *Id.*, chap. XIV, v. 1.

pastoral; mais nous aurons occasion d'en traiter avec quelque étendue dans les deux chapitres suivants.

Quant au second style général des saintes lettres, à savoir la *poésie sacrée*, une foule de critiques s'étant exercés sur ce sujet, il serait superflu de nous y arrêter. Qui n'a lu les chœurs d'*Esther* et d'*Athalie*, les odes de Rousseau et de Malherbe ? Le traité du docteur Lowth est entre les mains de tous les littérateurs, et La Harpe a donné en prose une traduction estimée du psalmiste.

Enfin, le troisième et dernier style des livres saints, est celui du *Nouveau-Testament*. C'est là que la sublimité des prophètes se change en une tendresse non moins sublime; c'est là que parle l'amour divin; c'est là que le *Verbe* s'est réellement *fait chair*. Quelle onction! quelle simplicité!

Chaque évangéliste a un caractère particulier, excepté saint Marc, dont l'Evangile ne semble être que l'abrégé de celui de saint Matthieu. Saint Marc, toutefois, était disciple de saint Pierre, et plusieurs ont pensé qu'il a écrit sous la dictée de ce prince des apôtres. Il est digne de remarque qu'il a raconté aussi la faute de son maître. Cela nous semble un mystère sublime et touchant, que Jésus-Christ ait choisi pour chef de son Eglise précisément le seul de ses disciples qui l'eût renié. Tout l'esprit du christianisme est là : saint Pierre est l'Adam de la nouvelle loi; il est le père coupable et repentant des nouveaux Israélites; sa chute nous enseigne en outre que la religion chrétienne est une religion de miséricorde, et que Jésus-Christ a établi sa loi parmi les hommes sujets à l'erreur, moins encore pour l'innocence que pour le repentir.

L'Evangile de saint Matthieu est surtout précieux pour la morale. C'est cet apôtre qui nous a transmis le plus grand nombre de ces préceptes en sentiments, qui sortaient avec tant d'abondance des entrailles de Jésus-Christ.

Saint Jean a quelque chose de plus doux et de plus tendre. On reconnaît en lui *le disciple que Jésus aimait*, le disciple qu'il voulut avoir auprès de lui, au jardin des Oliviers, pendant son agonie. Sublime distinction sans doute! car il n'y a que l'ami de notre âme qui soit digne d'entrer dans le mystère de nos douleurs. Jean fut encore le seul des apôtres qui accompagna le Fils de l'Homme jusqu'à la croix. Ce fut là que le Sauveur lui légua sa mère. *Mulier, ecce Filius tuus : deindè dicit discipulo :*

Ecce Mater tua. Mot céleste, parole ineffable! Le disciple bien-aimé, qui avait dormi sur le sein de son maître, avait gardé de lui une image ineffaçable : aussi le reconnut-il le premier après sa résurrection. Le cœur de Jean ne put se méprendre aux traits de son divin ami, et la foi lui vint de la charité.

Au reste, l'esprit de tout l'Evangile de saint Jean est renfermé dans cette maxime qu'il allait répétant dans sa vieillesse : cet apôtre, rempli de jours et de bonnes œuvres, ne pouvant plus faire de longs discours au nouveau peuple qu'il avait enfanté à Jésus-Christ, se contentait de lui dire : *Mes petits enfants, aimez-vous les uns les autres.*

Saint Jérôme prétend que saint Luc était médecin, profession si noble et si belle dans l'antiquité, et que son Evangile est la médecine de l'âme. Le langage de cet apôtre est pur et élevé : on voit que c'était un homme versé dans les lettres, et qui connaissait les affaires et les hommes de son temps. Il entre dans son récit à la manière des anciens historiens; vous croyez entendre Hérodote :

« 1º Comme plusieurs ont entrepris d'écrire l'histoire
» des choses qui se sont accomplies parmi nous;

» 2º Suivant le rapport que nous en ont fait ceux qui
» dès le commencement les ont vues de leurs propres
» yeux, et qui ont été les ministres de la parole;

» 3º J'ai cru que je devais aussi, très excellent Théo-
» phile, après avoir été exactement informé de toutes
» ces choses, depuis leur commencement, vous en écrire
» par ordre toute l'histoire. »

Notre ignorance est telle aujourd'hui, qu'il y a peut-être des *gens de lettres* qui seront étonnés d'apprendre que saint Luc est un très grand écrivain dont l'Evangile respire le génie de l'antiquité grecque hébraïque. Qu'y a-t-il de plus beau que tout le morceau qui précède la naissance de Jésus-Christ ?

« Au temps d'Hérode, roi de Judée, il y avait un prêtre
» nommé Zacharie, du sang d'Abia : sa femme était
» aussi de la race d'Aaron; elle s'appelait Elisabeth.

» Ils étaient tous deux justes devant Dieu... Ils n'avaient
» point d'enfants, parce que Elisabeth était stérile, et
» qu'ils étaient tous deux avancés en âge. »

Zacharie offre un sacrifice; un ange lui *apparaît debout à côté de l'autel des parfums.* Il lui prédit qu'il aura un fils, que ce fils s'appellera Jean, qu'il sera le précurseur du Messie, *et qu'il réunira le cœur des pères et des enfants.*

Le même ange va trouver ensuite *une vierge qui demeurait en Israël*, et lui dit : « Je vous salue, ô pleine de grâce ! le Seigneur est avec vous. » Marie *s'en va dans les montagnes de Judée ;* elle rencontre Elisabeth, et l'enfant que celle-ci portait dans son sein tressaille à la voix de la vierge qui devait mettre au jour le Sauveur du monde. Elisabeth, remplie tout à coup de l'Esprit saint, élève la voix et s'écrie : « Vous êtes bénie entre toutes les » femmes, et le fruit de votre sein sera béni.

» D'où me vient le bonheur que la mère de mon » Sauveur vienne vers moi ?

» Car, lorsque vous m'avez saluée, votre voix n'a pas » plus tôt frappé mon oreille, que mon enfant a tressailli » de joie dans mon sein. »

Marie entonne alors le magnifique cantique : « O mon âme, glorifie le Seigneur ! »

L'histoire de la crèche et des bergers vient ensuite. *Une troupe nombreuse de l'armée céleste* chante pendant la nuit : *Gloire à Dieu dans le ciel, et paix sur la terre aux hommes de bonne volonté !* mot digne des anges, et qui est est comme l'abrégé de la religion chrétienne.

Nous croyons connaître un peu l'antiquité, et nous osons assurer qu'on chercherait longtemps chez les plus beaux génies de Rome et de la Grèce avant d'y trouver rien qui soit à la fois aussi simple et aussi merveilleux.

Quiconque lira l'Evangile avec un peu d'attention y découvrira à tous moments des choses admirables, et qui échappent d'abord à cause de leur extrême simplicité. Saint Luc, par exemple, en donnant la généalogie du Christ, remonte jusqu'à la naissance du monde. Arrivé aux premières générations, et continuant à nommer les races, il dit : *Caïnan qui fuit Henos, qui fuit Seth, qui fuit Adam, qui fuit* DEI. Le simple mot *qui fuit* DEI, jeté là sans commentaire et sans réflexion pour raconter la création, l'origine, la nature, les fins et le mystère de l'homme, nous semble de la plus grande sublimité.

La religion du Fils de Marie est comme l'essence des diverses religions, ou ce qu'il y a de plus céleste en elles. On peut peindre en quelques mots le caractère du style évangélique : c'est un ton d'autorité paternelle, mêlé à je ne sais quelle indulgence de frère, à je ne sais quelle considération d'un Dieu qui, pour nous racheter, a daigné devenir fils et frère des hommes.

Au reste, plus on lit les Epîtres des Apôtres, surtout

celles de saint Paul, et plus on est étonné : on ne sait quel
est cet homme qui, dans une espèce de prône commun,
dit familièrement des mots sublimes, jette les regards les
plus profonds sur le cœur humain, explique la nature
du souverain Etre, et prédit l'avenir [1].

CHAPITRE III

PARALLÈLE DE LA BIBLE ET D'HOMÈRE — TERMES DE COMPARAISON

On a tant écrit sur la Bible, on l'a tant de fois commentée, que le seul moyen qui reste peut-être aujourd'hui
d'en faire sentir les beautés, c'est de la rapprocher des
poèmes d'Homère. Consacrés par les siècles, ces poèmes
ont reçu du temps une espèce de sainteté qui justifie
le parallèle et écarte toute idée de profanation. Si Jacob
et Nestor ne sont pas de la même famille, ils sont du
moins l'un et l'autre des premiers jours du monde, et
l'on sent qu'il n'y a qu'un pas des palais de Pylos aux
tentes d'Ismaël.

Comment la Bible est plus belle qu'Homère; quelles
sont les ressemblances et les différences qui existent
entre elle et les ouvrages de ce poète : voilà ce que nous
nous proposons de rechercher dans ces chapitres. Considérons ces deux monuments qui, comme deux colonnes
solitaires, sont placés à la porte du temple du Génie, et
en forment le simple péristyle.

Et d'abord, c'est une chose assez curieuse de voir lutter de front les deux langues les plus anciennes du monde;
langues dans lesquelles Moïse et Lycurgue ont publié
leurs lois, et Pindare et David chanté leurs hymnes.

L'hébreu, concis, énergique, presque sans inflexion
dans ses verbes, exprimant vingt nuances de la pensée
par la seule apposition d'une lettre, annonce l'idiome
d'un peuple qui, par une alliance remarquable, unit à
la simplicité primitive une connaissance approfondie
des hommes.

Le grec montre dans ses conjugaisons perplexes, dans
ses inflexions, dans sa diffuse éloquence, une nation d'un

1. *Voyez* la note XXI à la fin du volume.

génie imitatif et sociable; une nation gracieuse et vaine, mélodieuse et prodigue de paroles.

L'hébreu veut-il composer un verbe, il n'a besoin que de connaître les trois lettres radicales qui forment au singulier la troisième personne du prétérit. Il a à l'instant même tous les temps et tous les modes, en ajoutant quelques lettres *serviles* avant, après, ou entre les trois lettres radicales.

Bien plus embarrassée est la marche du grec. Il faut considérer la *caractéristique*, la *terminaison*, l'*augment* et la *pénultième* de certaines *personnes* des *temps* des verbes; choses d'autant plus difficiles à connaître, que la *caractéristique* se perd, se transpose ou se charge d'une lettre inconnue, selon la lettre même devant laquelle elle se trouve placée.

Ces deux conjugaisons hébraïque et grecque, l'une si simple et si courte, l'autre si composée et si longue, semblent porter l'empreinte de l'esprit et des mœurs des peuples qui les ont formées : la première retrace le langage concis du patriarche qui va seul visiter son voisin au puits du palmier; la seconde rappelle la prolixe éloquence du Pélasge qui se présente à la porte de son hôte.

Si vous prenez au hasard quelque substantif grec ou hébreu, vous découvrirez encore mieux le génie des deux langues. *Nesher*, en hébreu, signifie un *aigle :* il vient du verbe *shur*, *contempler*, parce que l'aigle fixe le soleil.

Aigle, en grec, se rend par αιετὸς, *vol rapide*.

Israël a été frappé de ce que l'aigle a de plus sublime : il l'a vu immobile sur le rocher de la montagne, regardant l'astre du jour à son réveil.

Athènes n'a aperçu que le vol de l'aigle, sa fuite impétueuse, et ce mouvement qui convenait au propre mouvement du génie des Grecs. Tels sont précisément ces images de *soleil*, de *feux*, de *montagnes*, si souvent employées dans la Bible, et ces peintures de *bruits*, de *courses*, de *passages*, si multipliées dans Homère [1].

---

1. Αιετὸς paraît tenir à l'hébreu HAIT, s'élancer avec fureur, à moins qu'on ne le dérive d'ATE, devin; ATH, prodige : on retrouverait ainsi l'art de la divination dans une étymologie. L'*aquila* des Latins vient manifestement de l'hébreu *aouik, animal à serres*. L'*a* n'est qu'une terminaison latine; *u* se doit prononcer *ou*. Quant à la transposition du *k* et son changement en *q*, c'est peu de chose.

Nos termes de comparaison seront :
La simplicité;
L'antiquité des mœurs;
La narration;
La description;
Les comparaisons ou les images;
Le sublime.
Examinons le premier terme.

1º *Simplicité.*

La simplicité de la Bible est plus courte et plus grave; la simplicité d'Homère plus longue et plus riante.

La première est sentencieuse, et revient aux mêmes locutions pour exprimer des choses nouvelles.

La seconde aime à s'étendre en paroles, et répète souvent dans les mêmes phrases ce qu'elle vient déjà de dire.

La simplicité de l'Ecriture est celle d'un antique prêtre qui, plein des sciences divines et humaines, dicte du fond du sanctuaire les oracles précis de la sagesse.

La simplicité du poète de Chio est celle d'un vieux voyageur qui raconte au foyer de son hôte ce qu'il a appris dans le cours d'une vie longue et traversée.

2º *Antiquité des mœurs.*

Les fils des pasteurs d'Orient gardent les troupeaux comme les fils des rois d'Ilion; mais lorsque Pâris retourne à Troie, il habite un palais parmi des esclaves et des voluptés.

Une tente, une table frugale, des serviteurs rustiques, voilà tout ce qui attend les enfants de Jacob chez leur père.

Un hôte se présente-t-il chez un prince dans Homère, des femmes, et quelquefois la fille même du roi, conduisent l'étranger au bain. On le parfume, on lui donne à laver dans des aiguières d'or et d'argent, on le revêt d'un manteau de pourpre, on le conduit dans la salle du festin, on le fait s'asseoir dans une belle chaise d'ivoire, ornée d'un beau marchepied. Des esclaves mêlent le vin et l'eau dans les coupes, et lui présentent les dons de Cérès dans une corbeille : le maître du lieu lui sert le dos succulent de la victime, dont il lui fait une part cinq fois plus grande que celle des autres. Cependant on mange avec une grande joie, et l'abondance a bientôt chassé la faim. Le repas fini, on prie l'*étranger* de raconter son histoire. Enfin, à son départ, on lui fait de riches présents, si mince qu'ait paru d'abord son équipage; car on suppose que c'est un Dieu qui vient, ainsi déguisé, surprendre le cœur des rois, ou un homme tombé dans l'infortune, et par conséquent le favori de Jupiter.

Sous la tente d'Abraham, la réception se passe autrement. Le patriarche sort pour aller au-devant de son hôte, il le salue, et puis adore Dieu. Les fils du lieu emmènent les chameaux, et les filles leur donnent à boire. On lave les pieds du *voyageur :* il s'assied à terre, et prend en silence le repas de l'hospitalité. On ne lui demande point son histoire, on ne le questionne point; il demeure ou continue sa route à volonté. A son départ, on fait alliance avec lui, et l'on élève la pierre du témoignage. Cet autel doit dire aux siècles futurs que deux hommes des anciens jours se rencontrèrent dans le chemin de la vie; qu'après s'être traités comme deux frères ils se quittèrent pour ne se revoir jamais, et pour mettre de grandes régions entre leurs tombeaux.

Remarquez que l'hôte inconnu est un *étranger* chez Homère, et un *voyageur* dans la Bible. Quelles différentes vues de l'humanité! Le grec ne porte qu'une idée politique et locale, où l'hébreu attache un sentiment moral et universel.

Chez Homère, les œuvres civiles se font avec fracas et parade : un juge, assis au milieu de la place publique, prononce à haute voix ses sentences; Nestor, au bord de la mer, fait des sacrifices ou harangue les peuples. Une noce a des flambeaux, des épithalames, des couronnes suspendues aux portes : une armée, un peuple entier assistent aux funérailles d'un roi : un serment se fait au nom des Furies, avec des imprécations terribles, etc.

Jacob, sous un palmier, à l'entrée de sa tente, distribue la justice à ses pasteurs. « Mettez la main sur ma cuisse [1], dit Abraham à son serviteur, et jurez d'aller en Mésopotamie. » Deux mots suffisent pour conclure un mariage au bord de la fontaine. Le domestique amène l'accordée au fils de son maître, ou le fils du maître s'engage à garder pendant sept ans les troupeaux de son

1. *Femur meum.* Cette coutume de jurer par la génération des hommes est une naïve image des mœurs des premiers jours du monde, alors que la terre avait encore d'immenses déserts, et que l'homme était pour l'homme ce qu'il y avait de plus cher et de plus grand. Les Grecs connurent aussi cet usage, comme on le voit dans la Vie de Cratès. *Diog. Laert.,* lib. VI.

beau-père, pour obtenir sa fille. Un patriarche est porté par ses fils, après sa mort, à la cave de ses pères, dans le champ d'Ephron. Ces mœurs-là sont plus vieilles encore que les mœurs homériques, parce qu'elles sont plus simples ; elles ont aussi un calme et une gravité qui manquent aux premières.

3° *La narration.*

La narration d'Homère est coupée par des digressions, des discours, des descriptions de vases, de vêtements, d'armes et de sceptres ; par des généalogies d'hommes ou de choses. Les noms propres y sont hérissés d'épithètes ; un héros manque rarement d'être *divin, semblable aux Immortels,* ou *honoré des peuples comme un Dieu.* Une princesse a toujours *de beaux bras ;* elle est toujours comme *la tige du palmier de Délos,* et elle doit sa chevelure à la *plus jeune des Grâces.*

La narration de la Bible est rapide, sans digression, sans discours ; elle est semée de sentences, et les personnages y sont nommés sans flatterie. Les noms reviennent sans fin, et rarement le pronom les remplace ; circonstance qui, jointe au retour fréquent de la conjonction *et,* annonce, par cette simplicité, une société bien plus près de l'état de nature, que la société peinte par Homère. Les amours-propres sont déjà éveillés dans les hommes de *l'Odyssée ;* ils dorment encore chez les hommes de *la Genèse.*

4° *Description.*

Les descriptions d'Homère sont longues, soit qu'elles tiennent du caractère tendre ou terrible, ou triste, ou gracieux, ou fort, ou sublime.

La Bible, dans tous ses genres, n'a ordinairement qu'un seul trait ; mais ce trait est frappant, et met l'objet sous les yeux.

5° *Les comparaisons.*

Les comparaisons homériques sont prolongées par des circonstances incidentes : ce sont de petits tableaux suspendus au pourtour d'un édifice, pour délasser la vue de l'élévation des dômes, en l'appelant sur des scènes de paysages et de mœurs champêtres.

Les comparaisons de la Bible sont généralement exprimées en quelques mots : c'est un lion, un torrent, un orage, un incendie, qui rugit, tombe, ravage, dévore.

Toutefois elle connaît aussi les comparaisons détaillées; mais alors elle prend un tour oriental, et personnifie l'objet, comme l'orgueil dans le cèdre, etc.

6° *Le sublime.*

Enfin, le sublime dans Homère naît ordinairement de l'ensemble des parties, et arrive graduellement à son terme.

Dans la Bible il est presque toujours inattendu; il fond sur vous comme l'éclair; vous restez fumant et sillonné par la foudre, avant de savoir comment elle vous a frappé.

Dans Homère, le sublime se compose encore de la magnificence des mots en harmonie avec la majesté de la pensée.

Dans la Bible, au contraire, le plus haut sublime provient souvent d'un contraste entre la grandeur de l'idée et la petitesse, quelquefois même la trivialité du mot qui sert à la rendre. Il en résulte un ébranlement, un froissement incroyable pour l'âme : car lorsque, exalté par la pensée, l'esprit s'élance dans les plus hautes régions, soudain l'expression, au lieu de le soutenir, le laisse tomber du ciel en terre, et le précipite du sein de Dieu dans le limon de cet univers. Cette sorte de sublime, le plus impétueux de tous, convient singulièrement à un Etre immense et formidable, qui touche à la fois aux plus grandes et aux plus petites choses.

CHAPITRE IV

SUITE DU PARALLÈLE DE LA BIBLE ET D'HOMÈRE — EXEMPLES

Quelques exemples achèveront maintenant le développement de ce parallèle. Nous prendrons l'ordre inverse de nos premières bases; c'est-à-dire, que nous commencerons par les lieux d'oraison dont on peut citer des traits courts et détachés (tels que le *sublime* et les *comparaisons*), pour finir par la *simplicité et l'antiquité des mœurs*.

Il y a un endroit remarquable pour le sublime dans *l'Iliade* : c'est celui où Achille, après la mort de Patrocle, paraît désarmé sur le retranchement des Grecs, et épouvante les bataillons troyens par ses cris [1]. Le nuage d'or qui ceint le front du fils de Pélée, la flamme qui s'élève sur sa tête, la comparaison de cette flamme à un feu placé la nuit au haut d'une tour assiégée, les trois cris d'Achille, qui trois fois jettent la confusion dans l'armée troyenne : tout cela forme ce sublime homérique qui, comme nous l'avons dit, se compose de la réunion de plusieurs beaux accidents et de la magnificence des mots.

Voici un sublime bien différent : c'est le mouvement de l'ode dans son plus haut délire.

« Prophétie contre la vallée de Vision.
« D'où vient que tu montes ainsi en foule sur les toits,
» Ville pleine de tumulte, ville pleine de peuple, ville triomphante ? Les enfants sont tués, et ils ne sont point morts par l'épée; ils ne sont point tombés par la guerre...
» Le Seigneur vous couronnera d'une couronne de maux. Il vous jettera comme une balle dans un champ large et spacieux. Vous mourrez là; et c'est à quoi se réduira le char de votre gloire [2]. »

Dans quel monde inconnu le prophète vous jette tout à coup! Où vous transporte-t-il ? Quel est celui qui parle, et à qui la parole est-elle adressée ? Le mouvement suit le mouvement, et chaque verset s'étonne du verset qui l'a précédé. La ville n'est plus un assemblage d'édifices, c'est une femme, ou plutôt un personnage mystérieux, car son sexe n'est pas désigné. Il monte sur *les toits pour gémir ;* le prophète, partageant son désordre, lui dit au singulier, *pourquoi montes-tu*, et il ajoute *en foule*, collectif. « Il vous jettera *comme une balle* dans un *champ spacieux*, et c'est *à quoi se réduira le char de votre gloire* » : voilà des alliances de mots et une poésie bien extraordinaires.

Homère a mille façons sublimes de peindre une mort violente; mais l'Ecriture les a toutes surpassées par ce seul mot : « *Le premier-né de la mort* dévorera sa beauté. »

Le premier-né de la mort, pour dire *la mort la plus affreuse*, est une de ces figures qu'on ne trouve que dans la Bible. On ne sait pas où l'esprit humain a été chercher cela; les routes pour arriver à ce sublime sont inconnues [3].

1. *Iliad.*, liv. XVIII, v. 204.
2. Is., chap. XII, v. 1-2, 18.
3. Job, chap. XVIII, v. 13. Nous avons suivi le sens de l'hébreu avec la Polyglotte de Ximenès, les versions de Sanctes Pagnin, d'Arius Montanus, etc. La Vulgate porte, *la mort aînée, primogenita mors.*

C'est ainsi que l'Ecriture appelle encore la mort, *le roi des épouvantements ;* c'est ainsi qu'elle dit, en parlant du méchant. « *Il a conçu la douleur et enfanté l'iniquité* [1]. »

Quand le même Job veut relever la grandeur de Dieu, il s'écrie : *L'enfer est nu devant ses yeux* [2] : — *c'est lui qui lie les eaux dans les nuées* [3] : — *il ôte le baudrier aux rois, et ceint leurs reins d'une corde* [4].

Le divin Théoclymène, au festin de Pénélope, est frappé des présages sinistres qui les menacent.

A δειλοί, etc. [5].

« Ah, malheureux! que vous est-il arrivé de funeste! quelles ténèbres sont répandues sur vos têtes, sur votre visage et autour de vos genoux débiles! — Un hurlement se fait entendre, vos joues sont couvertes de pleurs. Les murs, les lambris sont teints de sang; cette salle, ce vestibule sont pleins de larves qui descendent dans l'Erèbe, à travers l'ombre. Le soleil s'évanouit dans le ciel, et la nuit des enfers se lève. »

Tout formidable que soit ce sublime, il le cède encore à la vision du livre de Job.

« Dans l'horreur d'une vision de nuit, lorsque le sommeil endort le plus profondément les hommes,

» Je fus saisi de crainte et de tremblement, et la frayeur pénétra jusqu'à mes os.

» *Un esprit passa devant ma face, et le poil de ma chair se hérissa d'horreur.*

» Je vis celui dont je ne connaissais point le visage. Un spectre parut devant mes yeux, et j'entendis une voix comme un petit souffle [6]. »

Il y a là beaucoup moins de sang, de ténèbres, de larves que dans Homère; mais ce *visage inconnu* et *ce petit souffle* sont en effet beaucoup plus terribles.

Quant à ce sublime, qui résulte du choc d'une grande pensée et d'une petite image, nous allons en voir un bel exemple en parlant des comparaisons.

1. Job, chap. XV, v. 35.
2. *Id.*, chap. XXVI, v. 6.
3. *Id.*, chap. XXVI, v. 12.
4. *Id.*, chap. XII, v. 18.
5. *Odyss.*, liv. XX, v. 351-57.
6. Job, chap. IV, v. 13, 14, 15, 16. Les mots en italique indiquent les endroits où nous différons de Sacy. Il traduit : *Un esprit vint se présenter devant moi, et les cheveux m'en dressèrent à la tête.* On voit combien l'hébreu est plus énergique.

Si le chantre d'Ilion peint un jeune homme abattu par la lance de Ménélas, il le compare à un jeune olivier couvert de fleurs, planté dans un verger loin des feux du soleil, parmi la rosée et les zéphyrs; tout à coup un vent impétueux le renverse sur le sol natal, et il tombe au bord des eaux nourricières qui portaient la sève à ses racines. Voilà la longue comparaison homérique avec ces détails charmants :

Καλὸν, τηλεθάον, τὸ δέ τε πνοιαὶ δονέουσι
Παντοίων ἀνέμων, καὶ τε βρύει ἄνθεϊ λευχῶ [1]

On croit entendre les soupirs du vent dans la tige du jeune olivier. *Quam flatus motant omnium ventorum.*

La Bible, pour tout cela, n'a qu'un trait : « L'impie, dit-elle, se flétrira comme la vigne tendre, comme l'olivier qui laisse tomber sa fleur [2]. »

« La terre, s'écrie Isaïe, chancellera comme un homme ivre : elle sera transportée comme une tente dressée pour une nuit [3]. »

Voilà le sublime en contraste. Sur la phrase *elle sera transportée*, l'esprit demeure suspendu, et attend quelque grande comparaison, lorsque le prophète ajoute, *comme une tente dressée pour une nuit.* On voit la terre, qui nous paraît si vaste, déployée dans les airs comme un petit pavillon, ensuite emportée avec aisance par le *Dieu fort* qui l'a tendue, et pour qui la durée des siècles est à peine comme une nuit rapide.

La seconde espèce de comparaison, que nous avons attribuée à la Bible, c'est-à-dire, la *longue* comparaison, se rencontre ainsi dans Job :

« Vous verriez l'impie humecté avant le lever du soleil, et réjouir sa tige dans son jardin. Ses racines se multiplient dans un tas de pierres, et s'y affermissent; si on l'arrache de sa place, le lieu même où il était le renoncera et lui dira : « Je ne t'ai point connu [4]. »

Combien cette comparaison, ou plutôt cette figure prolongée, est admirable! C'est ainsi que les méchants sont reniés par ces cœurs stériles, par *ces tas de pierres*, sur lesquels, dans leur coupable prospérité, ils jettent follement leurs racines. Ces cailloux, qui prennent la

1. *Iliad.*, liv. XVII, v. 55-56.
2. Job, chap. XV, v. 33.
3. Is., chap. XXIV, v. 20.
4. Job, chap. VIII, v. 16, 17, 18.

parole, offrent de plus une sorte de personnification presque inconnue au poète de l'Ionie [1].

Ezéchiel, prophétisant la ruine de Tyr, s'écrie : « Les vaisseaux trembleront, maintenant que vous êtes saisie de frayeur, et les îles seront épouvantées dans la mer, en voyant que personne ne sort de vos portes [2]. »

Y a-t-il rien de plus effrayant que cette image ? On croit voir cette ville, jadis si commerçante et si peuplée, debout encore avec ses tours et ses édifices, tandis qu'aucun être vivant ne se promène dans ses rues solitaires ou ne passe sous ses portes désertes.

Venons aux exemples de narrations, où nous trouverons réunis *le sentiment, la description, l'image, la simplicité et l'antiquité des mœurs*.

Les passages les plus fameux, les traits les plus connus et les plus admirés dans Homère se retrouvent presque mot pour mot dans la Bible, et toujours avec une supériorité incontestable.

Ulysse est assis au festin du roi Alcinoüs ; Démodocus chante la guerre de Troie et les malheurs des Grecs.

Αὐτὰρ Ὀδυσσεὺς etc. [3]

« Ulysse, prenant dans sa forte main un pan de son superbe manteau de pourpre, le tirait sur sa tête pour cacher son noble visage, et pour dérober aux Phéaciens les pleurs qui lui tombaient des yeux. Quand le chantre divin suspendait ses vers, Ulysse essuyait ses larmes, et, prenant une coupe, il faisait des libations aux dieux. Quand Démodocus recommençait ses chants, et que les anciens l'excitaient à continuer (car ils étaient charmés de ses paroles), Ulysse s'enveloppait la tête de nouveau, et recommençait à pleurer.

Ce sont des beautés de cette nature qui, de siècle en siècle, ont assuré à Homère la première place entre les plus grands génies. Il n'y a point de honte à sa mémoire, de n'avoir été vaincu dans de pareils tableaux, que par des hommes écrivant sous la dictée du Ciel. Mais vaincu, il l'est sans doute, et d'une manière qui ne laisse aucun subterfuge à la critique.

Ceux qui ont vendu Joseph, les propres frères de cet homme puissant, retournent vers lui sans le reconnaître, et lui amènent le jeune Benjamin qu'il avait demandé.

1. Homère a fait pleurer le rivage de l'Hellespont.
2. Ezéchiel, chap. XXVI, v. 18.
3. *Odyss.*, liv. VIII, v. 83, etc.

« Joseph les salua aussi en leur faisant bon visage, et il leur demanda : Votre père, ce vieillard dont vous parliez, vit-il encore, se porte-t-il bien ?

» Ils lui répondirent : Notre père, votre serviteur, est encore en vie, et il se porte bien; et, en se baissant profondément, ils l'adorèrent.

» Joseph, levant les yeux, vit Benjamin son frère, fils de Rachel sa mère, et il leur dit : Est-ce là le plus jeune de vos frères, dont vous m'aviez parlé ? Mon fils, ajouta-t-il, je prie Dieu qu'il vous soit toujours favorable.

» Et il se hâta de sortir, parce que ses entrailles avaient été émues en voyant son frère, et *qu'il ne pouvait plus retenir ses larmes ;* passant donc dans une autre chambre, *il pleura.*

» Et, après *s'être lavé le visage,* il revint, et se faisant violence, dit à ses serviteurs : Servez à manger [1]. »

Voilà les larmes de Joseph en opposition à celles d'Ulysse; voilà des beautés semblables, et cependant quelle différence de pathétique! Joseph, pleurant à la vue de ses frères ingrats, et du jeune et innocent Benjamin, cette manière de demander des nouvelles d'un père, cette adorable simplicité, ce mélange d'amertume et de douceur, sont des choses ineffables; les larmes en viennent aux yeux, et l'on se sent prêt à pleurer comme Joseph.

Ulysse, caché chez Eumée, se fait reconnaître à Télémaque; il sort de la maison du pasteur, dépouille ses haillons, et, reprenant sa beauté par un coup de la baguette de Minerve, il rentre pompeusement vêtu.

Θαμβήσας δὲ μιν φίλος υἱός etc. [2].

« Son fils bien-aimé l'admire, et se hâte de détourner la vue, dans la crainte que ce ne soit un Dieu. Faisant un effort pour parler, il lui adresse rapidement ces mots : Etranger, tu me parais bien différent de ce que tu étais avant d'avoir ces habits, et tu n'es plus semblable à toi-même. Certes, tu es quelqu'un des Dieux habitants du secret Olympe; mais sois-nous favorable, nous t'offrirons des victimes sacrées et des ouvrages d'or merveilleusement travaillés.

» Le divin Ulysse, pardonnant à son fils, répondit : Je ne suis point un Dieu. Pourquoi me compares-tu aux Dieux ? *Je suis ton père,* pour qui tu supportes mille maux et les violences des hommes. Il dit, et il embrasse son fils, et les larmes qui coulent le long de ses joues viennent mouiller la terre; jusqu'alors il avait eu la force de les retenir. »

1. *Genèse,* chap. XLIII, v. 27 et seq.
2. *Odyss.,* liv. XVI, v. 278 et seq.

Nous reviendrons sur cette reconnaissance, il faut voir auparavant celle de Joseph et de ses frères.

Joseph, après avoir fait mettre une coupe dans le sac de Benjamin, ordonne d'arrêter les enfants de Jacob; ceux-ci sont consternés; Joseph feint de vouloir retenir le coupable : Judas s'offre en otage pour Benjamin; il raconte à Joseph que Jacob lui avait dit, avant de partir pour l'Egypte :

« Vous savez que j'ai eu deux fils de Rachel, ma femme.

» L'un d'eux étant allé aux champs, vous m'avez dit qu'une bête l'avait dévoré, il ne paraît point jusqu'à cette heure.

« Si vous emmenez encore celui-ci, et qu'il lui arrive quelque accident dans le chemin, vous accablerez ma vieillesse d'une affliction qui la conduira au tombeau.

» Joseph ne pouvant plus se retenir, et parce qu'il était environné de plusieurs personnes, il commanda que l'on fît sortir tout le monde, afin que nul étranger ne fût présent, lorsqu'il se ferait reconnaître de ses frères.

» Alors les larmes lui tombant des yeux, il éleva fortement sa voix, qui fut entendue des Egyptiens et de toute la maison de Pharaon.

» Il dit à ses frères : JE SUIS JOSEPH : mon père vit-il encore ? Mais ses frères ne purent lui répondre, tant ils étaient saisis de frayeur.

» Il leur parla avec douceur, et leur dit : Approchez-vous de moi; et s'étant approchés de lui, il ajouta : Je suis Joseph votre frère, que vous avez vendu pour l'Egypte.

» Ne craignez point. Ce n'est point par votre conseil que j'ai été envoyé ici, mais par la volonté de Dieu. Hâtez-vous d'aller trouver mon père.

» . . . Et, s'étant jeté au cou de Benjamin son frère, il pleura, et Benjamin pleura aussi en le tenant embrassé.

» Joseph embrassa aussi tous ses frères, et il pleura sur chacun d'eux [1]. »

La voilà cette histoire de Joseph, et ce n'est point dans l'ouvrage d'un sophiste qu'on la trouve (car rien de ce qui est fait avec le cœur et des larmes n'appartient à des sophistes); on la trouve, cette histoire, dans le livre qui sert de base à une religion dédaignée des esprits forts, et qui serait bien en droit de leur rendre mépris pour mépris. Voyons comment la reconnaissance de Joseph et de ses frères l'emporte sur celle d'Ulysse et de Télémaque.

1. *Genèse*, chap. XLIV, v. 27 et seq.; chap. XLV, v. 1 et seq.

Homère, ce nous semble, est d'abord tombé dans une erreur en employant le *merveilleux*. Dans les scènes dramatiques, lorsque les passions sont émues, et que tous les miracles doivent sortir de l'âme, l'intervention d'une divinité refroidit l'action, donne aux sentiments l'air de la fable, et décèle le mensonge du poète, où l'on ne pensait trouver que la vérité. Ulysse se faisant reconnaître sous ses haillons à quelque marque naturelle, eût été plus touchant. C'est ce qu'Homère lui-même avait senti, puisque le roi d'Ithaque se découvre à sa nourrice Euryclée par une ancienne cicatrice, et à Laërte par la circonstance des treize poiriers que le vieillard avait donnés à Ulysse enfant. On aime à voir que les entrailles du *destructeur des villes* sont formées comme celles du commun des hommes, et que les affections simples en composent le fond.

La reconnaissance est mieux amenée dans *la Genèse* : une coupe est mise, par la plus innocente vengeance, dans le sac d'un jeune frère innocent; des frères coupables se désolent, en pensant à l'affliction de leur père; l'image de la douleur de Jacob brise tout à coup le cœur de Joseph, et le force à se découvrir plus tôt qu'il ne l'avait résolu. Quant au mot fameux, *je suis Joseph*, on sait qu'il faisait pleurer d'admiration Voltaire lui-même. Le Πατήρ θεὸς εἰμι, *je suis ton père*, est bien inférieur à l'*ego sum Joseph*. Ulysse retrouve dans Télémaque un fils soumis et fidèle. Joseph parle à des frères qui l'*ont vendu;* il ne leur dit pas *je suis votre frère ;* il leur dit seulement, je suis *Joseph*, et tout est pour eux dans ce nom de *Joseph*. Comme Télémaque, ils sont troublés; mais ce n'est pas la majesté du ministre de Pharaon qui les étonne, c'est quelque chose au fond de leur conscience.

Ulysse fait à Télémaque un long raisonnement pour lui prouver qu'il est son père : Joseph n'a pas besoin de tant de paroles avec les fils de Jacob. Il *les appelle auprès de lui :* car s'il a *élevé* la voix *assez haut* pour être entendu de toute la maison de Pharaon, lorsqu'il a dit, *je suis Joseph,* ses frères doivent être maintenant les *seuls* à entendre l'explication qu'il va ajouter à *voix basse :* *ego sum Joseph*, FRATER VESTER, QUEM VENDIDISTIS IN ÆGYPTUM; c'est la délicatesse, la générosité et la simplicité poussées au plus haut degré.

N'oublions pas de remarquer avec quelle bonté Joseph console ses frères, les excuses qu'il leur fournit en leur disant que, loin de l'avoir rendu misérable, ils sont au

contraire la cause de sa grandeur. C'est à quoi l'Ecriture
ne manque jamais : de placer la Providence dans la perspective de ses tableaux. Ce grand conseil de Dieu, qui
conduit les affaires humaines, alors qu'elles semblent le
plus abandonnées aux lois du hasard, surprend merveilleusement l'esprit. On aime cette main cachée dans la nue,
qui travaille incessamment les hommes; on aime à se
croire quelque chose dans les projets de la Sagesse, et
à sentir que le moment de notre vie est un dessein de
l'éternité.

Tout est grand avec Dieu, tout est petit sans Dieu :
cela s'étend jusque sur les sentiments. Supposez que
tout se passe dans l'histoire de Joseph comme il est
marqué dans *la Genèse ;* admettez que le fils de Jacob
soit aussi bon, aussi sensible qu'il l'est, mais qu'il soit
philosophe ; et qu'ainsi, au lieu de dire, je *suis ici par la
volonté du* Seigneur, il dise, la *fortune m'a été favorable,*
les objets diminuent, le cercle se rétrécit, et le pathétique
s'en va avec les larmes.

Enfin, Joseph embrasse ses frères, comme Ulysse
embrasse Télémaque, mais il commence par Benjamin.
Un auteur moderne n'eût pas manqué de le faire se jeter
de préférence au cou du frère le plus coupable, afin que
son héros fût un vrai personnage de tragédie. La Bible a
mieux connu le cœur humain : elle a su comment appré-
cier cette exagération de sentiment, par qui un homme a
toujours l'air de s'efforcer d'atteindre à ce qu'il croit
une grande chose, ou de dire ce qu'il pense un grand mot.
Au reste, la comparaison qu'Homère a faite des sanglots
de Télémaque et d'Ulysse, aux cris d'un aigle et de ses
aiglons (comparaison que nous avons supprimée), nous
semble encore de trop dans ce lieu; « et, *s'étant jeté au
cou de Benjamin pour l'embrasser, il pleura ; et Benjamin
pleura aussi, en le tenant embrassé* » : c'est là la seule magnificence de style, convenable en de telles occasions.

Nous trouverions dans l'Ecriture plusieurs autres
morceaux de narration, de la même excellence que celui
de Joseph; mais le lecteur peut aisément en faire la
comparaison avec des passages d'Homère. Il comparera,
par exemple, le livre de Ruth, et le livre de la réception
d'Ulysse chez Eumée. Tobie offre des ressemblances touchantes avec quelques scènes de *l'Iliade* et de *l'Odyssée :*
Priam est conduit par Mercure, sous la forme d'un jeune
homme, comme le fils de Tobie l'est par un ange, sous
le même déguisement. Il ne faut pas oublier le chien

qui court annoncer à de vieux parents le retour d'un fils chéri ; et cet autre chien qui, resté fidèle parmi des serviteurs ingrats, accomplit ses destinées, dès qu'il a reconnu son maître sous les lambeaux de l'infortune. Nausicaa et la fille de Pharaon vont laver leurs robes aux fleuves : l'une y trouve Ulysse, et l'autre Moïse.

Il y a surtout dans la Bible de certaines façons de s'exprimer, plus touchantes, selon nous, que toute la poésie d'Homère. Si celui-ci veut peindre la vieillesse, il dit :

Τοῖσι δὲ Νέζωρ etc.

« Nestor, cet orateur des Pyliens, cette bouche éloquente dont les paroles étaient plus douces que le miel, se leva au milieu de l'assemblée. Déjà il avait charmé par ses discours deux générations d'hommes, entre lesquelles il avait vécu dans la grande Pylos, et il régnait maintenant sur la troisième [1]. »

Cette phrase est de la plus belle antiquité, comme de la plus douce mélodie. Le second vers imite la douceur du miel et l'éloquence onctueuse d'un vieillard.

Τοῦ καὶ ἀπὸ γλώσσης μέλιτος γλυκίων ῥέεν αὐδή

Pharaon ayant interrogé Jacob sur son âge, le patriarche répond :

« Il y a cent trente ans que je suis voyageur. Mes jours ont été courts et mauvais, et ils n'ont point égalé ceux de mes pères [2]. »

Voilà deux sortes d'antiquités bien différentes : l'une est en images, l'autre en sentiments ; l'une réveille des idées riantes, l'autre des pensées tristes : l'une, représentant le chef d'un peuple, ne montre le vieillard que relativement à une position de la vie ; l'autre le considère individuellement et tout entier : en général, Homère fait plus réfléchir sur les hommes, et la Bible sur l'homme.

Homère a souvent parlé des joies de deux époux, mais l'a-t-il fait de cette sorte ?

« Isaac fit entrer Rébecca dans la tente de Sara sa mère, et il la prit pour épouse ; et il eut tant de joie en elle, que

1. *Iliade*, liv. I, v. 247-62.
2. *Genèse*, chap. XLVII, v. 9.

la douleur qu'il avait ressentie de la mort de sa mère fut tempérée [1]. »

Nous terminerons ce parallèle et notre poétique chrétienne par un essai qui fera comprendre dans un instant la différence qui existe entre le style de la Bible et celui d'Homère; nous prendrons un morceau de la première pour le peindre des couleurs du second. Ruth parle ainsi à Noémi :

« Ne vous opposez point à moi, en me forçant à vous quitter et à m'en aller : en quelque lieu que vous alliez, j'irai avec vous. Je mourrai où vous mourrez; votre peuple sera mon peuple, et votre Dieu sera mon Dieu [2]. »

Tâchons de traduire ce verset en langue homérique.

« La belle Ruth répondit à la sage Noémi, honorée des peuples comme une déesse : Cessez de vous opposer à ce qu'une divinité m'inspire; je vous dirai la vérité telle que je la sais et sans déguisement. Je suis résolue de vous suivre. Je demeurerai avec vous, soit que vous restiez chez les Moabites, habiles à lancer le javelot, soit que vous retourniez au pays de Juda, si fertile en oliviers. Je demanderai avec vous l'hospitalité aux peuples qui respectent les suppliants. Nos cendres seront mêlées dans la même urne, et je ferai au Dieu qui vous accompagne toujours des sacrifices agréables.
» Elle dit : et comme, lorsque le violent zéphyre amène une pluie tiède du côté de l'occident, les laboureurs préparent le froment et l'orge, et font des corbeilles de joncs très proprement entrelacées, car ils prévoient que cette ondée va amollir la glèbe, et la rendre propre à recevoir les dons précieux de Cérès, ainsi les paroles de Ruth, comme une pluie féconde, attendrirent le cœur de Noémi. »

Autant que nos faibles talents nous ont permis d'imiter Homère, voilà peut-être l'ombre du style de cet immortel génie. Mais le verset de Ruth, ainsi délayé, n'a-t-il pas perdu ce charme original qu'il a dans l'Ecriture ? Quelle poésie peut jamais valoir ce seul tour : « *Populus tuus populus meus, Deus tuus Deus meus.* » Il sera aisé maintenant de prendre un passage d'Homère, d'en effacer les couleurs, et de n'en laisser que le fond à la manière de la Bible.

---

1. *Genèse,,* chap. XXIII, v. 67.
2. *Ruth*, chap. I, v. 6.

Par là nous espérons (du moins aussi loin que s'étendent nos lumières) avoir fait connaître aux lecteurs quelques-unes des innombrables beautés des livres saints : heureux si nous avons réussi à leur faire admirer cette grande et sublime pierre qui porte l'Eglise de Jésus-Christ !

« Si l'Ecriture, dit saint Grégoire le Grand, renferme des mystères capables d'exercer les plus éclairés, elle contient aussi des vérités simples, propres à nourrir les humbles et les moins savants : elle porte à l'extérieur de quoi allaiter les enfants, et dans ses plus secrets replis, de quoi saisir d'admiration les esprits les plus sublimes. Semblable à un fleuve dont les eaux sont si basses en certains endroits, qu'un agneau pourrait y passer, et en d'autres, si profondes, qu'un éléphant y nagerait. »

TROISIÈME PARTIE

BEAUX-ARTS ET LITTÉRATURE

LIVRE PREMIER

BEAUX-ARTS

CHAPITRE PREMIER

MUSIQUE

DE L'INFLUENCE DU CHRISTIANISME DANS LA MUSIQUE

Frères de la poésie, les beaux-arts vont être maintenant l'objet de nos études : attachés aux pas de la religion chrétienne, ils la reconnurent pour leur mère aussitôt qu'elle parut au monde; ils lui prêtèrent leurs charmes terrestres, elle leur donna sa divinité; la musique nota ses chants, la peinture la représenta dans ses douloureux triomphes, la sculpture se plut à rêver avec elle sur les tombeaux, et l'architecture lui bâtit des temples sublimes et mystérieux comme sa pensée.

Platon a merveilleusement défini la nature de la musique : « On ne doit pas, dit-il, juger de la musique par le plaisir, ni rechercher celle qui n'aurait d'autre objet que le plaisir, mais celle qui contient en soi la ressemblance du beau. »

En effet, la musique, considérée comme art, est une imitation de la nature; sa perfection est donc de représenter *la plus belle nature possible*. Or le plaisir est une chose d'opinion, qui varie selon les temps, les mœurs et les peuples, et qui ne peut être le *beau*, puisque le *beau* est un, et existe absolument. De là toute institution qui sert à purifier l'âme, à en écarter le trouble et les dissonances, à y faire naître la *vertu*, est, par cette qualité même, propice à la plus *belle* musique, ou à l'imitation la plus parfaite du *beau*. Mais si cette institution est en outre de nature religieuse, elle possède alors les deux conditions essentielles à l'harmonie, le *beau* et le *mystérieux*. Le chant nous vient des anges, et la source des concerts est dans le ciel.

C'est la religion qui fait gémir, au milieu de la nuit, la vestale sous ses dômes tranquilles; c'est la religion qui chante si doucement au bord du lit de l'infortuné. Jérémie lui dut ses lamentations, et David ses pénitences sublimes. Plus fière sous l'ancienne alliance, elle ne pei-

gnit que des douleurs de monarques et de prophètes ;
plus modeste, et non moins royale sous la nouvelle loi,
ses soupirs conviennent également aux puissants et aux
faibles, parce qu'elle a trouvé dans Jésus-Christ l'humilité unie à la grandeur.

Ajoutons que la religion chrétienne est essentiellement
mélodieuse, par la seule raison qu'elle aime la solitude.
Ce n'est pas qu'elle soit ennemie du monde, elle s'y
montre au contraire très aimable ; mais cette céleste
Philomèle préfère les retraites ignorées. Elle est un peu
étrangère sous les toits des hommes ; elle aime mieux les
forêts, qui sont les palais de son père et son ancienne
patrie. C'est là qu'elle élève la voix vers le firmament,
au milieu des concerts de la nature : la nature publie sans
cesse les louanges du Créateur, et il n'y a rien de plus
religieux que les cantiques que chantent, avec les vents,
les chênes et les roseaux du désert.

Ainsi le musicien qui veut suivre la religion dans ses
rapports, est obligé d'apprendre l'imitation des harmonies de la solitude. Il faut qu'il connaisse les sons que
rendent les arbres et les eaux ; il faut qu'il ait entendu le
bruit du vent dans les cloîtres, et ces murmures qui
règnent dans les temples gothiques, dans l'herbe des
cimetières, et dans les souterrains des morts.

Le christianisme a inventé l'orgue, et donné des soupirs à l'airain même. Il a sauvé la musique dans les siècles
barbares : là où il a placé son trône, là s'est formé un
peuple qui chante naturellement comme les oiseaux.
Quand il a civilisé les Sauvages, ce n'a été que par des
cantiques ; et l'Iroquois qui n'avait point cédé à ses
dogmes, a cédé à ses concerts. Religion de paix ! vous
n'avez pas, comme les autres cultes, dicté aux humains
des préceptes de haine et de discorde, vous leur avez seulement enseigné l'amour et l'harmonie.

CHAPITRE II

DU CHANT GRÉGORIEN

Si l'histoire ne prouvait pas que le chant Grégorien
est le reste de cette musique antique dont on raconte
tant de miracles, il suffirait d'examiner son échelle pour

se convaincre de sa haute origine. Avant Gui-Arétin, elle ne s'élevait pas au-dessus de la quinte, en commençant par l'*ut : ut, ré, mi, fa, sol*. Ces cinq tons sont la gamme naturelle de la voix, et donnent une phrase musicale pleine et agréable.

M. Burette nous a conservé quelques airs grecs. En les comparant au plain-chant, on y reconnaît le même système. La plupart des psaumes sont sublimes de gravité, particulièrement le *Dixit Dominus Domino meo*, le *Confiteor tibi*, et le *Laudate, pueri*. L'*In exitu*, arrangé par Rameau, est d'un caractère moins ancien ; il est peut-être du temps de l'*Ut queant laxis*, c'est-à-dire, du siècle de Charlemagne.

Le christianisme est sérieux comme l'homme, et son sourire même est grave. Rien n'est beau comme les soupirs que nos maux arrachent à la religion. L'office des morts est un chef-d'œuvre ; on croit entendre les sourds retentissements du tombeau. Si l'on en croit une ancienne tradition, le *chant qui délivre les morts*, comme l'appelle un de nos meilleurs poètes, est celui-là même que l'on chantait aux pompes funèbres des Athéniens, vers le temps de Périclès.

Dans l'office de la Semaine-Sainte, on remarque la Passion de saint Matthieu. Le récitatif de l'historien, les cris de la populace juive, la noblesse des réponses de Jésus, forment un drame pathétique.

Pergolèse a déployé dans le *Stabat Mater* la richesse de son art ; mais a-t-il surpassé le simple chant de l'Eglise ? Il a varié la musique sur chaque strophe ; et pourtant le caractère essentiel de la tristesse consiste dans la répétition du même sentiment, et, pour ainsi dire dans la monotonie de la douleur. *Diverses* raisons peuvent faire couler les larmes ; mais les larmes ont toujours une *semblable* amertume : d'ailleurs, il est rare qu'on pleure à la fois pour une foule de maux ; et quand les blessures sont multipliées, il y en a toujours une plus cuisante que les autres, qui finit par absorber les moindres peines. Telle est la raison du charme de nos vieilles romances françaises. Ce chant *pareil*, qui revient à chaque couplet sur des paroles variées, imite parfaitement la nature : l'homme qui souffre, promène ainsi ses pensées sur différentes images, tandis que le fond de ses chagrins reste le même.

Pergolèse a donc méconnu cette vérité, qui tient à la théorie des passions, lorsqu'il a voulu que pas un soupir de l'âme ne ressemblât au soupir qui l'avait précédé.

Partout où il y a variété, il y a distraction, et partout
où il y a distraction, il n'y a plus de tristesse : tant
l'unité est nécessaire au sentiment; tant l'homme est
faible dans cette partie même où gît toute sa force, nous
voulons dire dans la douleur.

La leçon des *Lamentations* de Jérémie porte un caractère particulier : elle peut avoir été retouchée par les
modernes, mais le fond nous en paraît hébraïque; car
il ne ressemble point aux airs grecs du plain-chant. Le
Pentateuque se chantait à Jérusalem, comme des bucoliques, sur un mode plein et doux; les prophéties se
disaient d'un ton rude et pathétique, et les psaumes avaient
un mode extatique qui leur était particulièrement consacré [1]. Ici, nous retombons dans ces grands souvenirs que
le culte catholique rappelle de toutes parts. Moïse et
Homère, le Liban et le Cythéron, Solyme et Rome, Babylone et Athènes, ont laissé leurs dépouilles à nos autels.

Enfin, c'est l'enthousiasme même qui inspira le *Te
Deum*. Lorsque arrêtée sur les plaines de Lens ou de
Fontenoy, au milieu des foudres et du sang fumant encore,
aux fanfares des clairons et des trompettes, une armée
française, sillonnée des feux de la guerre, fléchissait le
genou, et entonnait l'hymne au Dieu des batailles; ou
bien, lorsque, au milieu des lampes, des masses d'or, des
flambeaux, des parfums, aux soupirs de l'orgue, au balancement des cloches, au frémissement des serpents et
des basses, cet hymne faisait résonner les vitraux, les
souterrains et les dômes d'une basilique, alors il n'y avait
point d'homme qui ne se sentît transporté, point d'homme
qui n'éprouvât quelque mouvement de ce délire que
faisait éclater Pindare aux bois d'Olympie, ou David
au torrent de Cédron.

Au reste, en ne parlant que des chants grecs de l'Eglise,
on sent que nous n'employons pas tous nos moyens,
puisque nous pourrions montrer les Ambroise, les
Damase, les Léon, les Grégoire, travaillant eux-mêmes
au rétablissement de l'art musical; nous pourrions citer
ces chefs-d'œuvre de la musique moderne, composés
pour les fêtes chrétiennes, et tous ces grands maîtres
enfin, les Vinci, les Leo, les Hasse, les Galuppi, les
Durante, élevés, formés, ou protégés dans les oratoires
de Venise, de Naples, de Rome, et à la cour des souve-
rains pontifes.

—————————

1. Bonnet, *Histoire de la Musique et de ses effets.*

CHAPITRE III

PARTIE HISTORIQUE DE LA PEINTURE CHEZ LES MODERNES

La Grèce raconte qu'une jeune fille, apercevant l'ombre de son amant sur un mur, dessina les contours de cette ombre. Ainsi, selon l'antiquité, une passion volage produisit l'art des plus parfaites illusions.

L'école chrétienne a cherché un autre maître; elle le reconnaît dans cet Artiste qui, pétrissant un peu de limon entre ses mains puissantes, prononça ces paroles : *Faisons l'homme à notre image.* Donc, pour nous, le premier trait du dessin a existé dans l'idée éternelle de Dieu, et la première statue que vit le monde, fut cette fameuse argile animée du souffle du Créateur.

Il y a une force d'erreur qui contraint au silence, comme la force de vérité : l'une et l'autre, poussées au dernier degré, emportent conviction, la première négativement, la seconde affirmativement. Ainsi, lorsqu'on entend soutenir que le christianisme est l'ennemi des arts, on demeure muet d'étonnement, car à l'instant même on ne peut s'empêcher de se rappeler Michel-Ange, Raphaël, Carrache, Dominiquin, Le Sueur, Poussin, Coustou, et tant d'autres artistes, dont les seuls noms rempliraient des volumes.

Vers le milieu du quatrième siècle, l'Empire romain envahi par les Barbares, et déchiré par l'hérésie, tomba en ruine de toutes parts. Les arts ne trouvèrent plus de retraites qu'auprès des chrétiens et des empereurs orthodoxes. Théodose, par une loi spéciale *de excusatione artificium*, déchargea les peintres et leurs familles de tout tribut et du logement d'hommes de guerre. Les Pères de l'Eglise ne tarissent point sur les éloges qu'ils donnent à la peinture. Saint Grégoire s'exprime d'une manière remarquable : *Vidi sœpiùs inscriptionis imaginem, et sine lacrymis transire non potui, cùm tam efficaciter ob oculos poneret historiam* [1]*;* c'était un tableau représentant le sacrifice d'Abraham. Saint Basile va plus loin, car il assure que les peintres *font autant par leurs tableaux que les orateurs par leur éloquence* [2]. Un moine nommé Métho-

1. Deuxième Conc. Nic., act. XL.
2. Saint Basile, hom. XX.

dius peignit dans le huitième siècle ce *jugement dernier* qui convertit Bogoris, roi des Bulgares [1]. Les prêtres avaient rassemblé au collège de l'orthodoxie, à Constantinople, la plus belle bibliothèque du monde, et les chefs-d'œuvre des arts : on y voyait en particulier la Vénus de Praxitèle [2], ce qui prouve au moins que les fondateurs du culte catholique n'étaient pas des *barbares* sans goût, des *moines bigots*, livrés à une *absurde superstition*.

Ce collège fut dévasté par les Empereurs iconoclastes. Les professeurs furent brûlés vifs, et ce ne fut qu'au péril de leurs jours que des *chrétiens* parvinrent à sauver la peau de dragon, de cent vingt pieds de longueur, où les œuvres d'*Homère* étaient écrites en lettres d'or. On livra aux flammes les tableaux des églises. De stupides et furieux hérésiarques, assez semblables aux puritains de Cromwell, hachèrent à coups de sabre les mosaïques de l'église de *Notre-Dame* de Constantinople et du palais des *Blaquernes*. Les persécutions furent poussées si loin, qu'elles enveloppèrent les peintres eux-mêmes : on leur défendit, sous peine de mort, de continuer leurs études. Le *moine* Lazare eut le courage d'être le martyr de son art. Ce fut en vain que Théophile lui fit brûler les mains, pour l'empêcher de tenir le pinceau. Caché dans le souterrain de l'église de Saint-Jean-Baptiste, le Religieux peignit avec ses doigts mutilés le grand saint dont il était le suppliant [3], digne sans doute de devenir le patron des peintres, et d'être reconnu de cette famille sublime que le souffle de l'esprit ravit au-dessus des hommes.

Sous l'empire des Goths et des Lombards, le christianisme continua de tendre une main secourable aux talents. Ces efforts se remarquent surtout dans les églises bâties par Théodoric, Luitprand et Didier. Le même esprit de religion inspira Charlemagne ; et l'église *des Apôtres*, élevée par ce grand prince à Florence, passe encore, même aujourd'hui, pour un assez beau monument [4].

Enfin, vers le treizième siècle, la religion chrétienne, après avoir lutté contre mille obstacles, ramena en triomphe le chœur des Muses sur la terre. Tout se fit pour les églises, et par la protection des pontifes et des princes religieux. Bouchet, Grec d'origine, fut le premier architecte ; Nicolas le premier sculpteur, et Cimabué

1. Curopal. Cedren. Zonar. Maimb. *Hist. des Iconocl.*
2. Cedren. Zonar. Constant. et Maimb. *Hist. des Iconocl.*, etc.
3. Maimb. *Hist. des Iconocl.* Cedren. Curopal.
4. Vasari, poem. del. Vit.

le premier peintre, qui tirèrent le goût antique des ruines de Rome et de la Grèce. Depuis ce temps, les arts, entre diverses mains, et par divers génies, parvinrent jusqu'à ce siècle de Léon X, où éclatèrent, comme des soleils, Raphaël et Michel-Ange.

On sent qu'il n'est pas de notre sujet de faire l'histoire complète de l'art. Tout ce que nous devons montrer, c'est en quoi le christianisme est plus favorable à la peinture qu'une autre religion. Or, il est aisé de prouver trois choses : 1º que la religion chrétienne, étant d'une nature spirituelle et mystique, fournit à la peinture un *beau idéal*, plus parfait et plus divin que celui qui naît d'un culte matériel; 2º que, corrigeant la laideur des passions, ou les combattant avec force, elle donne des tons plus sublimes à la figure humaine, et fait mieux sentir l'âme dans les muscles, et les liens de la matière; 3º enfin, qu'elle a fourni aux arts des sujets plus beaux, plus riches, plus dramatiques, plus touchants, que les sujets mythologiques.

Les deux premières propositions ont été amplement développées dans notre examen de la poésie : nous ne nous occuperons donc que de la troisième.

CHAPITRE IV

DES SUJETS DE TABLEAUX

Vérités fondamentales.

1º Les sujets antiques sont restés sous la main des peintres modernes : ainsi, avec les scènes mythologiques, ils ont de plus les scènes chrétiennes.

2º Ce qui prouve que le christianisme parle plus au génie que la fable, c'est qu'en général nos grands peintres ont mieux réussi dans les fonds sacrés que dans les fonds profanes.

3º Les costumes modernes conviennent peu aux arts d'imitation : mais le culte catholique a fourni à la peinture des costumes aussi nobles que ceux de l'anti-quité [1].

---

1. Et ces costumes des Pères et des premiers chrétiens, costumes qui sont passés à nos Religieux, ne sont autres que la robe des anciens

Pausanias [1], Pline [2] et Plutarque [3] nous ont conservé la
description des tableaux de l'école grecque [4]. Zeuxis avait
pris pour sujet de ses trois principaux ouvrages, Pénélope, Hélène et l'Amour; Polygnote avait figuré sur les
murs du temple de Delphes le sac de Troie et la descente
d'Ulysse aux enfers. Euphranor peignit les douze dieux,
Thésée donnant des lois, et les batailles de Cadmée, de
Leuctres et de Mantinée; Apelles représenta Vénus Anadyomène, sous les traits de Campaspe, Ætion les noces
d'Alexandre et de Roxane, et Timanthe le sacrifice d'Iphigénie.

Rapprochez ces sujets des sujets chrétiens et vous en
sentirez l'infériorité. Le sacrifice d'Abraham, par exemple,
est aussi touchant, et d'un goût plus simple que celui
d'Iphigénie : il n'y a là ni soldats, ni groupe, ni tumulte,
ni ce mouvement qui sert à distraire de la scène. C'est
le sommet d'une montagne; c'est un patriarche qui
compte ses années par siècle; c'est un couteau levé sur
un *fils unique ;* c'est le bras de Dieu arrêtant le bras paternel. Les histoires de l'Ancien Testament ont rempli nos
temples de pareils tableaux, et l'on sait combien les
mœurs patriarcales, les costumes de l'Orient, la grande
nature des animaux et des solitudes de l'Asie, sont favorables au pinceau.

Le Nouveau Testament change le génie de la peinture. Sans lui rien ôter de sa sublimité, il lui donne
plus de tendresse. Qui n'a cent fois admiré les *nativités,*
les *vierges* et l'*enfant,* les *fuites dans le désert,* les *couron-*
nements d'épines, les *sacrements,* les *missions* des apôtres,
les *descentes de croix,* les *femmes au saint sépulcre !* Des
bacchanales, des fêtes de Vénus, des rapts, des métamorphoses, peuvent-ils toucher le cœur, comme les
tableaux tirés de l'Ecriture ? Le christianisme nous
montre partout la vertu et l'infortune, et le polythéisme
est un culte de crimes et de prospérité. Notre religion
à nous, c'est notre histoire : c'est pour nous que

---

philosophes grecs, appelée περιβόλαιον ou *pallium.* Ce fut même un
sujet de persécution pour les fidèles; lorsque les Romains ou les Juifs
les apercevaient ainsi vêtus, ils s'écriaient : Ο γραιχὸς ἐπιθετης! ô
l'imposteur grec! *(Hier., ep.* 10, *ad Furiam).* On peut voir Kortholt,
de Morib. christ., cap. III, p. 23; et Bar. an. LVI, n. II. Tertullien a
écrit un livre entier *(de Pallio)* sur ce sujet.

   1. Paus., liv. V.
   2. Plin., liv. XXXV, chap. VIII, IX.
   3. Plut., in Hipp. Pomp. Lucul., etc.
   4. *Voyez* la note XXII à la fin du volume.

tant de spectacles tragiques ont été donnés au monde : nous sommes parties dans les scènes que le pinceau nous étale, et les accords les plus moraux et les plus touchants se reproduisent dans les sujets chrétiens. Soyez à jamais glorifiée, religion de Jésus-Christ, vous qui aviez représenté au Louvre *le Roi des rois crucifié*, *le jugement dernier* au plafond de la salle de nos juges, *une résurrection* à l'hôpital général, et *la naissance du Sauveur*, à la maison de ces orphelins délaissés de leur père et de leur mère!

Au reste, nous pouvons dire ici des sujets de tableaux, ce que nous avons dit ailleurs des sujets de poème : le christianisme a fait naître pour le peintre une partie dramatique, très supérieure à celle de la mythologie. C'est aussi la religion qui nous a donné les Claude le Lorrain, comme elle nous a fourni les Delille et les Saint-Lambert[1]. Mais tant de raisonnements sont inutiles : parcourez la galerie du Louvre, et dites encore, si vous le voulez, que le génie du christianisme est peu favorable aux beaux-arts.

CHAPITRE V

SCULPTURE

A quelques différences près, qui tiennent à la partie technique de l'art, ce que nous avons dit de la peinture s'applique également à la sculpture.

La statue de Moïse, par Michel-Ange, à Rome; Adam et Eve, par Baccio, à Florence; le groupe du vœu de Louis XIII, par Coustou, à Paris; le saint Denis, du même; le tombeau du cardinal de Richelieu, ouvrage du double génie de Lebrun et de Girardon; le monument de Colbert, exécuté d'après le dessin de Lebrun, par Coysevox et Tuby; le Christ, la Mère de Pitié, les huit Apôtres de Bouchardon, et plusieurs autres statues du genre pieux, montrent que le christianisme ne saurait pas moins animer le marbre que la toile.

Cependant, il est à désirer que les sculpteurs bannissent à l'avenir de leurs compositions funèbres ces squelettes

1. *Voyez* la note XXIII à la fin du volume.

qu'ils ont placés au monument; ce n'est point là le génie du christianisme, qui peint le trépas si beau pour le juste.

Il faut également éviter de représenter des cadavres [1] (quel que soit d'ailleurs le mérite de l'exécution), ou l'humanité succombant sous de longues infirmités [2]. Un guerrier expirant au champ d'honneur, dans la force de l'âge, peut être superbe, mais un corps usé de maladies est une image que les arts repoussent, à moins qu'il ne s'y mêle un miracle, comme dans le tableau de saint Charles Borromée [3]. Qu'on place donc au monument d'un chrétien, d'un côté, les pleurs de la famille et les regrets des hommes; de l'autre, le sourire de l'espérance et les joies célestes : un tel sépulcre, des deux bords duquel on verrait ainsi les scènes du temps et de l'éternité, serait admirable. La mort pourrait y paraître, mais sous les traits d'un ange à la fois doux et sévère; car le tombeau du juste doit toujours faire s'écrier avec saint Paul : *O mort ! où est ta victoire ? qu'as-tu fait de ton aiguillon* [4] ?

CHAPITRE VI

ARCHITECTURE

HOTEL DES INVALIDES

En traitant de l'influence du christianisme dans les arts, il n'est besoin ni de subtilité, ni d'éloquence; les monuments sont là pour répondre aux détracteurs du culte évangélique. Il suffit, par exemple, de nommer Saint-Pierre de Rome, Sainte-Sophie de Constantinople, et Saint-Paul de Londres, pour prouver qu'on est redevable à la religion des trois chefs-d'œuvre de l'architecture moderne.

Le christianisme a rétabli dans l'architecture, comme dans les autres arts, les véritables proportions. Nos

1. Comme au mausolée de François Ier et d'Anne de Bretagne.
2. Comme au tombeau du duc d'Harcourt.
3. La peinture souffre plus facilement la représentation du cadavre que la sculpture, parce que dans celle-ci le marbre, offrant des forces palpables et glacées, ressemble trop à la vérité.
4. I. Cor., chap. xv, v. 55.

temples, moins petits que ceux d'Athènes, et moins gigantesques que ceux de Memphis, se tiennent dans ce sage milieu où règnent le beau et le goût par excellence. Au moyen du *dôme*, inconnu des anciens, la religion a fait un heureux mélange de ce que l'ordre gothique a de hardi, et de ce que les ordres grecs ont de simple et de gracieux.

Ce dôme, qui se change en *clocher* dans la plupart de nos églises, donne à nos hameaux et à nos villes un caractère moral, que ne pouvaient avoir les cités antiques. Les yeux du voyageur viennent d'abord s'attacher sur cette flèche religieuse, dont l'aspect réveille une foule de sentiments et de souvenirs : c'est la pyramide funèbre autour de laquelle dorment les aïeux; c'est le monument de joie où l'airain sacré annonce la vie du fidèle; c'est là que les époux s'unissent; c'est là que les chrétiens se prosternent au pied des autels, le faible pour prier le Dieu de force, le coupable pour implorer le Dieu de miséricorde, l'innocent pour chanter le Dieu de bonté. Un paysage paraît-il nu, triste, désert, placez-y un clocher champêtre; à l'instant tout va s'animer : les douces idées de *pasteur* et de *troupeau*, d'asile pour le voyageur, d'aumône pour le pèlerin, d'hospitalité et de fraternité chrétienne, vont naître de toutes parts.

Plus les âges qui ont élevé nos monuments ont eu de piété et de foi, plus ces monuments ont été frappants par la grandeur et la noblesse de leur caractère. On en voit un exemple remarquable dans l'hôtel des *Invalides* et dans l'*Ecole militaire :* on dirait que le premier a fait monter ses voûtes dans le ciel, à la voix du siècle religieux, et que le second s'est abaissé vers la terre, à la parole du siècle athée.

Trois corps de logis, formant avec l'église un carré long, composent l'édifice des *Invalides*. Mais quel goût dans cette simplicité! quelle beauté dans cette cour, qui n'est pourtant qu'un cloître militaire où l'art a mêlé les idées guerrières aux idées religieuses, et marié l'image d'un camp de vieux soldats, aux souvenirs attendrissants d'un hospice! C'est à la fois le monument du *Dieu des armées*, et du *Dieu de l'Evangile*. La rouille des siècles qui commence à le couvrir, lui donne de nobles rapports avec ces vétérans, ruines animées, qui se promènent sous ses vieux portiques. Dans les avant-cours, tout retrace l'idée des combats : fossés, glacis, remparts, canons, tentes, sentinelles. Pénétrez-vous plus avant, le bruit s'affaiblit

par degrés, et va se perdre à l'église, où règne un profond
silence. Ce bâtiment religieux est placé derrière les bâtiments militaires, comme l'image du repos et de l'espérance, au fond d'une vie pleine de troubles et de périls.

Le siècle de Louis XIV est peut-être le seul qui ait
bien connu ces convenances morales, et qui ait toujours
fait dans les arts ce qu'il fallait faire, rien de moins, rien
de plus. L'or du commerce a élevé les fastueuses colon-
nades de l'hôpital de *Greenwich*, en Angleterre; mais il
y a quelque chose de plus fier et de plus imposant dans
la masse des *Invalides*. On sent qu'une nation qui bâtit
de tels palais pour la vieillesse de ses armées, a reçu la
puissance du glaive, ainsi que le sceptre des arts.

CHAPITRE VII

VERSAILLES

La peinture, l'architecture, la poésie et la grande
éloquence ont toujours dégénéré dans les siècles philosophiques. C'est que l'esprit raisonneur, en détruisant
l'imagination, sape les fondements des beaux-arts. On
croit être plus habile, parce qu'on redresse quelques
erreurs de physique (qu'on remplace par toutes les
erreurs de la raison); et l'on rétrograde en effet, puisqu'on
perd une des plus belles facultés de l'esprit.

C'est dans Versailles que les pompes de l'âge religieux
de la France s'étaient réunies. Un siècle s'est à peine
écoulé, et ces bosquets, qui retentissaient du bruit des
fêtes, ne sont plus animés que par la voix de la cigale et
du rossignol. Ce palais, qui lui seul est comme une grande
ville, ces escaliers de marbre qui semblent monter dans
les nues, ces statues, ces bassins, ces bois, sont maintenant ou croulants, ou couverts de mousse, ou desséchés,
ou abattus, et pourtant cette demeure des rois n'a jamais
paru ni plus pompeuse, ni moins solitaire. Tout était
vide autrefois dans ces lieux; la petitesse de la dernière
Cour (avant que cette Cour eût pour elle la grandeur
de son infortune) semblait trop à l'aise dans les vastes
réduits de Louis XIV.

Quand le temps a porté un coup aux Empires, quelque
grand nom s'attache à leurs débris, et les couvre. Si la

noble misère du guerrier succède aujourd'hui dans Versailles à la magnificence des Cours, si des tableaux de miracles et de martyres y remplacent de profanes peintures, pourquoi l'ombre de Louis XIV s'en offenserait-elle ? Il rendit illustres la religion, les arts et l'armée : il est beau que les ruines de son palais servent d'abri aux ruines de l'armée, des arts et de la religion.

CHAPITRE VIII

DES ÉGLISES GOTHIQUES

Chaque chose doit être mise en son lieu, vérité triviale à force d'être répétée, mais sans laquelle, après tout, il ne peut y avoir rien de parfait. Les Grecs n'auraient pas plus aimé un temple égyptien à Athènes, que les Egyptiens un temple grec à Memphis. Ces deux monuments, changés de place, auraient perdu leur principale beauté, c'est-à-dire leurs rapports avec les institutions et les habitudes des peuples. Cette réflexion s'applique pour nous aux anciens monuments du christianisme. Il est même curieux de remarquer que, dans ce siècle incrédule, les poètes et les romanciers, par un retour naturel vers les mœurs de nos aïeux, se plaisent à introduire dans leurs fictions, des souterrains, des fantômes, des châteaux, des temples gothiques : tant ont de charmes les souvenirs qui se lient à la religion et à l'histoire de la patrie! Les nations ne jettent pas à l'écart leurs antiques mœurs, comme on se dépouille d'un vieil habit. On leur en peut arracher quelques parties, mais il en reste des lambeaux qui forment, avec les nouveaux vêtements, une effroyable bigarrure.

On aura beau bâtir des temples grecs bien élégants, bien éclairés, pour rassembler le *bon peuple* de saint Louis, et lui faire adorer un Dieu *métaphysique,* il regrettera toujours ces *Notre-Dame* de Reims et de Paris, ces basiliques, toutes moussues, toutes remplies des générations des décédés et des âmes de ses pères : il regrettera toujours la tombe de quelques messieurs de Montmorency, sur laquelle il *soulait* de se mettre à genoux durant la messe, sans oublier les sacrées fontaines où il fut porté à sa naissance. C'est que tout cela est essentiellement lié à nos mœurs; c'est qu'un monument n'est vénérable qu'autant qu'une longue histoire du passé est pour ainsi dire empreinte sous ces voûtes toutes noires de siècles. Voilà pourquoi il n'y a rien de merveilleux dans un temple qu'on a vu bâtir, et dont les échos et les dômes se sont formés sous nos yeux. Dieu est la loi éternelle; son origine et tout ce qui tient à son culte doit se perdre dans la nuit des temps.

On ne pouvait entrer dans une église gothique sans éprouver une sorte de frissonnement et un sentiment vague de la divinité. On se trouvait tout à coup reporté à ces temps où des cénobites, après avoir médité dans les bois de leurs monastères, se venaient prosterner à l'autel, et chanter les louanges du Seigneur, dans le calme et le silence de la nuit. L'ancienne France semblait revivre : on croyait voir ces costumes singuliers, ce peuple si différent de ce qu'il est aujourd'hui; on se rappelait et les révolutions de ce peuple, et ses travaux, et ses arts. Plus ces temps étaient éloignés de nous, plus ils nous paraissaient magiques, plus ils nous remplissaient de ces pensées qui finissent toujours par une réflexion sur le néant de l'homme, et la rapidité de la vie.

L'ordre gothique, au milieu de ses proportions barbares, a toutefois une beauté qui lui est particulière [1].

Les forêts ont été les premiers temples de la Divinité, et les hommes ont pris dans les forêts la première idée de l'architecture. Cet art a donc dû varier selon les climats. Les Grecs ont tourné l'élégante colonne corinthienne, avec son chapiteau de feuilles, sur le modèle du palmier [2]. Les énormes piliers du vieux style égyptien représentent le sycomore, le figuier oriental, le bananier, et la plupart des arbres gigantesques de l'Afrique et de l'Asie.

1. On pense qu'il nous vient des Arabes, ainsi que la sculpture du même style. Son affinité avec les monuments de l'Egypte nous porterait plutôt à croire qu'il nous a été transmis par les premiers chrétiens d'Orient; mais nous aimons mieux encore rapporter son origine à la nature.

2. Vitruve raconte autrement l'invention du chapiteau; mais cela ne détruit pas ce principe général, que l'architecture est née dans les bois. On peut seulement s'étonner qu'on n'ait pas, d'après la variété des arbres, mis plus de variété dans la colonne. Nous concevons, par exemple, une colonne qu'on pourrait appeler *palmiste*, et qui serait la représentation naturelle du palmier. Un orbe de feuilles un peu recourbées, et sculptées au haut d'un léger fût de marbre, ferait, ce nous semble, un effet charmant dans un portique.

Les forêts des Gaules ont passé à leur tour dans les temples de nos pères, et nos bois de chênes ont ainsi maintenu leur origine sacrée. Ces voûtes ciselées en feuillages, ces jambages qui appuient les murs, et finissent brusquement comme des troncs brisés, la fraîcheur des voûtes, les ténèbres du sanctuaire, les ailes obscures, les passages secrets, les portes abaissées, tout retrace les labyrinthes des bois dans l'église gothique; tout en fait sentir la religieuse horreur, les mystères et la Divinité. Les deux tours hautaines, plantées à l'entrée de l'édifice, surmontent les ormes et les ifs du cimetière, et font un effet pittoresque sur l'azur du ciel. Tantôt le jour naissant illumine leurs têtes jumelles; tantôt elles paraissent couronnées d'un chapiteau de nuages, ou grossies dans une atmosphère vaporeuse. Les oiseaux eux-mêmes semblent s'y méprendre, et les adopter pour les arbres de leurs forêts : des corneilles voltigent autour de leurs faîtes, et se perchent sur leurs galeries. Mais tout à coup des rumeurs confuses s'échappent de la cime de ces tours, et en chassent les oiseaux effrayés. L'architecte chrétien, non content de bâtir des forêts, a voulu, pour ainsi dire, en imiter les murmures; et, au moyen de l'orgue et du bronze suspendu, il a attaché au temple gothique jusqu'au bruit des vents et des tonnerres, qui roule dans la profondeur des bois. Les siècles, évoqués par ces sons religieux, font sortir leurs antiques voix du sein des pierres, et soupirent dans la vaste basilique : le sanctuaire mugit comme l'antre de l'ancienne Sibylle; et, tandis que l'airain se balance avec fracas sur votre tête, les souterrains voûtés de la mort se taisent profondément sous vos pieds.

LIVRE SECOND

PHILOSOPHIE

CHAPITRE PREMIER

ASTRONOMIE ET MATHÉMATIQUES

Considérons maintenant les effets du christianisme dans la littérature en général. On peut la classer sous ces trois chefs principaux : philosophie, histoire, éloquence.

Par *philosophie*, nous entendons ici l'étude de toute espèce de sciences.

On verra qu'en défendant la religion, nous n'attaquons point la *sagesse* : nous sommes loin de confondre la morgue sophistique avec les saines connaissances de l'esprit et du cœur. La *vraie philosophie* est l'innocence de la vieillesse des peuples, lorsqu'ils ont cessé d'avoir des vertus par instinct, et qu'ils n'en ont plus que par raison : cette seconde innocence est moins sûre que la première; mais, lorsqu'on y peut atteindre, elle est plus sublime.

De quelque côté qu'on envisage le culte évangélique, on voit qu'il agrandit la pensée, et qu'il est propre à l'expansion des sentiments. Dans les sciences, ses dogmes ne s'opposent à aucune vérité naturelle; sa doctrine ne défend aucune étude. Chez les anciens, un philosophe rencontrait toujours quelque divinité sur sa route; il était, sous peine de mort ou d'exil, condamné par les prêtres d'Apollon ou de Jupiter, à être absurde toute sa vie. Mais comme le Dieu des chrétiens ne s'est pas logé à l'étroit dans un soleil, il a livré les astres aux vaines recherches des savants; *il a jeté le monde devant eux, comme une pâture pour leurs disputes*[1]. Le physicien peut peser l'air dans son tube, sans craindre d'offenser *Junon*. Ce n'est pas des éléments de notre corps, mais des vertus de notre âme, que le souverain Juge nous demandera compte un jour.

---

1. Ecclésiaste III, v. 11.

Nous savons qu'on ne manquera pas de rappeler quelques bulles du Saint-Siège, ou quelques décrets de la Sorbonne, qui condamnent telle ou telle découverte philosophique; mais, aussi, combien ne pourrait-on pas citer d'arrêts de la cour de Rome en faveur de ces mêmes découvertes? Qu'est-ce donc à dire, sinon que les prêtres, qui sont hommes comme nous, se sont montrés plus ou moins éclairés, selon le cours naturel des siècles? Il suffit que le christianisme *lui-même* ne prononce rien contre les sciences, pour que nous soyons fondés à soutenir notre première assertion.

Au reste, remarquons bien que l'Église a presque toujours protégé les arts, quoiqu'elle ait découragé quelquefois les études abstraites : en cela elle a montré sa sagesse accoutumée. Les hommes ont beau se tourmenter, ils n'entendront jamais rien à la nature, parce que ce ne sont pas eux qui ont dit à la mer : *Vous viendrez jusque-là, vous ne passerez pas plus loin, et vous briserez ici l'orgueil de vos flots*[1]. Les systèmes succéderont éternellement aux systèmes, et la vérité restera toujours inconnue. *Que ne plaît-il un jour à la nature,* s'écrie Montaigne, *de nous ouvrir son sein? O Dieu! quel abus, quels mécomptes nous trouverions en notre pauvre science*[2] !

Les anciens législateurs, d'accord sur ce point comme sur beaucoup d'autres, avec les principes de la religion chrétienne, s'opposaient aux philosophes[3], et comblaient d'honneurs les artistes[4]. Ces prétendues persécutions du christianisme contre les sciences doivent donc être aussi reprochées aux anciens, à qui toutefois nous reconnaissons tant de sagesse. L'an de Rome 591, le sénat rendit un décret pour bannir les philosophes de la ville; et, six ans après, Caton se hâta de faire renvoyer Carnéade, ambassadeur des Athéniens, « de peur, disait-il, que la jeunesse, en prenant du goût pour les subtilités des Grecs, ne perdît la simplicité des mœurs antiques ». Si le système de Copernic fut méconnu de la cour de Rome, n'éprouva-t-il pas un pareil sort chez les Grecs ? « Aristarchus, dit Plutarque, estimoit que les Grecs devoient mettre en justice Cléanthe le Samien,

1. Job, XXXVII, 11.
2. *Essais*, liv. II, chap. 12.
3. Xénoph. *Hist. Græc.* Plut. *Mor.* Plat. *in Phæd. in Repub.*
4. Les Grecs poussèrent cette haine des philosophes jusqu'au crime, puisqu'ils firent mourir Socrate.

et le condamner de blasphème encontre les Dieux, comme remuant le foyer du monde; d'autant que cest homme taschant à sauver les apparences, supposoit que le ciel demouroit immobile, et que c'estoit la terre qui se mouvoit par le cercle oblique du zodiaque, tournant à l'entour de son aixieu [1]. »

Encore est-il vrai que Rome moderne se montra plus sage, puisque le même tribunal ecclésiastique qui condamna d'abord le système de Copernic, permit, six ans après, de l'enseigner comme hypothèse [2]. D'ailleurs, pouvait-on attendre plus de lumières astronomiques d'un prêtre romain, que de Tycho-Brahé, qui continuait à nier le mouvement de la terre ? Enfin un pape Grégoire, réformateur du calendrier, un moine Bacon, peut-être inventeur du télescope, un cardinal Cuza, un prêtre Gassendi, n'ont-ils pas été ou les protecteurs, ou les lumières de l'astronomie ?

Platon, ce génie si amoureux des hautes sciences, dit formellement, dans un de ses plus beaux ouvrages, *que les hautes études ne sont pas utiles à tous, mais seulement à un petit nombre;* et il ajoute cette réflexion, confirmée par l'expérience : « qu'une ignorance absolue n'est ni le mal le plus grand, ni le plus à craindre, et qu'un amas de connaissances mal digérées est bien pis encore [3]. »

Ainsi, si la religion avait besoin d'être justifiée à ce sujet, nous ne manquerions pas d'autorités chez les anciens, ni même chez les modernes. Hobbes a écrit plusieurs traités [4] contre l'incertitude de la science la plus certaine de toutes, celle des mathématiques. Dans celui qui a pour titre : *Contra Geometras, sive contra phastum Professorum,* il reprend, une à une, les définitions d'Euclide, et montre ce qu'elles ont de faux, de vague ou d'arbitraire. La manière dont il s'énonce est remarquable : *Itaque per hanc epistolam hoc ago ut ostendam tibi non minorem esse dubitandi causam in scriptis mathematicorum, quàm in scriptis physicorum, ethi-*

---

1. Plut. *De la face qui apparoist dedans le rond de la lune,* chap. 9. On sait qu'il y a erreur dans le texte de Plutarque, et que c'était, au contraire, Aristarque de Samos que Cléanthe voulait faire persécuter pour son opinion sur le mouvement de la terre; cela ne change rien à ce que nous voulons prouver.

2. *Voyez* la note XXIV à la fin du volume.

3. *De Leg.* lib. VII.

4. *Examinatio et emendatio mathematicæ hodiernæ, dial. VI, contra Geometras.*

corum [1], etc. « Je te ferai voir dans ce traité qu'il n'y a pas moins de sujets de doute en mathématiques qu'en physique, en morale, etc. »

Bacon s'est exprimé d'une manière encore plus forte contre les sciences, même en paraissant en prendre la défense. Selon ce grand homme, il est prouvé « qu'une légère teinture de philosophie peut conduire à méconnaître l'essence première; mais qu'un savoir plus plein mène l'homme à Dieu [2] ».

Si cette idée est véritable, qu'elle est terrible! car, pour un seul génie capable d'arriver à cette *plénitude* de savoir demandée par Bacon, et où, selon Pascal, *on se rencontre dans une autre ignorance*, que d'esprits médiocres n'y parviendront jamais, et resteront dans ces nuages de la science qui cachent la Divinité!

Ce qui perdra toujours la foule, c'est l'orgueil : c'est qu'on ne pourra jamais lui persuader qu'elle ne sait rien au moment où elle croit tout savoir. Les grands hommes peuvent seuls comprendre ce dernier point des connaissances humaines, où l'on voit s'évanouir les trésors qu'on avait amassés, et où l'on se retrouve dans sa pauvreté originelle. C'est pourquoi la plupart des sages ont pensé que les études philosophiques avaient un extrême danger pour la multitude. Locke emploie les trois premiers chapitres du quatrième livre de son *Essai sur l'entendement humain*, à montrer les bornes de notre connaissance, qui sont réellement effrayantes, tant elles sont rapprochées de nous.

« Notre connaissance, dit-il, étant resserrée dans des bornes si étroites, comme je l'ai montré, pour mieux voir l'état présent de notre esprit, il ne sera peut-être pas inutile... de prendre connaissance de notre ignorance qui... peut servir beaucoup à terminer les disputes... si, après avoir découvert jusqu'où nous avons des idées claires... nous ne nous engageons pas dans cet abîme de ténèbres (où nos yeux nous sont entièrement inutiles, et où nos facultés ne sauraient nous faire apercevoir quoi que ce soit), *entêtés de cette folle pensée, que rien n'est au-dessus de notre compréhension* [3].

Enfin, on sait que Newton, dégoûté de l'étude des mathématiques, fut plusieurs années sans vouloir en

1. Hobb. *Opera omn. Amstelod.* édit. 1667.
2. *De Aug. scient.* lib. v.
3. Locke, *Entend. hum.* liv. IV, chap. 3, art. 4, *trad. de Coste.*

entendre parler; et de nos jours même, Gibbon, qui fut si longtemps l'apôtre des idées nouvelles, a écrit : « Les sciences exactes nous ont accoutumés à dédaigner l'évidence morale, si féconde en belles sensations, et qui est faite pour déterminer les opinions et les actions de notre vie. »

En effet, plusieurs personnes ont pensé que la science entre les mains de l'homme dessèche le cœur, désenchante la nature, mène les esprits faibles à l'athéisme, et de l'athéisme au crime; que les beaux-arts, au contraire, rendent nos jours merveilleux, attendrissent nos âmes, nous font pleins de foi envers la Divinité, et conduisent par la religion à la pratique des vertus.

Nous ne citerons pas Rousseau, dont l'autorité pourrait être suspecte ici; mais Descartes, par exemple, s'est exprimé d'une manière bien étrange sur la science qui a fait une partie de sa gloire.

« Il ne trouvait rien effectivement, dit le savant auteur de sa vie, qui lui parût moins solide que de s'occuper de nombres tous simples et de figures imaginaires, comme si l'on devait s'en tenir à ces *bagatelles*, sans porter la vue au-delà. Il y voyait même quelque chose de plus qu'inutile; il croyait qu'il était dangereux de s'appliquer trop sérieusement à ces démonstrations superficielles, que l'industrie et l'expérience fournissent moins souvent que le hasard[1]. Sa maxime était que cette application nous désaccoutume insensiblement de l'usage de notre raison, et nous expose à perdre la route que sa lumière nous trace[2]. »

Cette opinion de l'auteur de l'application de l'algèbre à la géométrie est une chose digne d'attention.

Le Père Castel, à son tour, semble se plaire à rabaisser le sujet sur lequel il a lui-même écrit. « En général, dit-il, on estime trop les mathématiques... La géométrie a des vérités hautes, des objets peu développés, des points de vue qui ne sont que comme échappés. Pourquoi le dissimuler ? Elle a des paradoxes, des apparences de contradiction, des conclusions de système et de concession, des opinions de sectes des conjectures même, et même des paralogismes[3]. »

Si nous en croyons Buffon, « *ce qu'on appelle vérités*

---

1. Lettres de 1638, p. 412, Cartes. lib. *de direct.*, *ingen. regula*, n. 5.
2. *Œuv. de Desc.* tome I, p. 112.
3. *Math. univ.* p. 3, 5.

*mathématiques se réduit à des identités d'idées, et n'a
aucune réalité* [1] ». Enfin l'abbé de Condillac, affectant
pour les géomètres le même mépris qu'Hobbes, dit, en
parlant d'eux : « Quand ils sortent de leurs calculs pour
entrer dans des recherches d'une nature différente, on
ne leur trouve plus la même clarté, la même précision,
ni la même étendue d'esprit. Nous avons quatre métaphysiciens, Descartes, Malebranche, Leibniz et Locke :
le dernier est le seul qui ne fût pas géomètre, et de
combien n'est-il pas supérieur aux trois autres [2] ! »

Ce jugement n'est pas exact. En métaphysique pure,
Malebranche et Leibniz ont été beaucoup plus loin
que le philosophe anglais. Il est vrai que les esprits
géométriques sont souvent faux dans le train ordinaire
de la vie ; mais cela vient même de leur extrême justesse.
Ils veulent trouver partout des vérités absolues, tandis
qu'en morale et en politique les vérités sont relatives.
Il est rigoureusement vrai que deux et deux font quatre ;
mais il n'est pas de la même évidence qu'une bonne loi
à Athènes soit une bonne loi à Paris. Il est de fait que la
liberté est une chose excellente : d'après cela, faut-il
verser des torrents de sang pour l'établir chez un peuple,
en tel degré que ce peuple ne la comporte pas ?

En mathématiques on ne doit regarder que le principe,
en morale que la conséquence. L'une est une vérité
simple, l'autre une vérité complexe. D'ailleurs, rien ne
dérange le compas du géomètre, et tout dérange le cœur
du philosophe. Quand l'instrument du second sera
aussi sûr que celui du premier, nous pourrons espérer
de connaître le fond des choses : jusque-là il faut compter
sur des erreurs. Celui qui voudrait porter la rigidité
géométrique dans les rapports sociaux, deviendrait le
plus stupide ou le plus méchant des hommes.

Les mathématiques, d'ailleurs, loin de prouver
l'étendue de l'esprit dans la plupart des hommes qui
les emploient, doivent être considérées, au contraire,
comme l'appui de leur faiblesse, comme le supplément
de leur insuffisante capacité, comme une méthode d'abré-
viation propre à classer des résultats dans une tête
incapable d'y arriver d'elle-même. Elles ne sont en effet
que des signes généraux d'idées qui nous épargnent la

---

1. *Hist. nat.* tome I, prem. disc. p. 77.
2. *Essai sur l'Origine des Connaissances humaines*, tom. II, sect. II,
chap. IV, p. 239, édit. Amst. 1783.

peine d'en avoir, des étiquettes numériques d'un trésor que l'on n'a pas compté, des instruments avec lesquels on opère, et non les choses sur lesquelles on agit. Supposons qu'une pensée soit représentée par A et une autre par B : quelle prodigieuse différence n'y aurait-il pas entre l'homme qui développera ces deux pensées, dans leurs divers rapports moraux, politiques et religieux, et l'homme qui, la plume à la main, multipliera patiemment son A et son B en trouvant des combinaisons curieuses, mais sans avoir autre chose devant l'esprit que les propriétés de deux lettres stériles ?

Mais si, exclusivement à toute autre science, vous endoctrinez un enfant dans cette science qui donne peu d'idées, vous courez les risques de tarir la source des idées mêmes de cet enfant, de gâter le plus beau naturel, d'éteindre l'imagination la plus féconde, de rétrécir l'entendement le plus vaste. Vous remplissez cette jeune tête d'un fracas de nombres et de figures qui ne lui représentent rien du tout; vous l'accoutumez à se satisfaire d'une somme donnée, à ne marcher qu'à l'aide d'une théorie, à ne faire jamais usage de ses forces, à soulager sa mémoire et sa pensée par des opérations artificielles, à ne connaître, et finalement à n'aimer que ces principes rigoureux et ces vérités absolues qui bouleversent la société.

On a dit que les mathématiques servent à rectifier dans la jeunesse les erreurs du raisonnement. Mais on a répondu très ingénieusement et très solidement à la fois, que pour classer des idées, il fallait premièrement en avoir; que prétendre arranger l'*entendement* d'un enfant, c'était vouloir arranger une chambre vide. Donnez-lui d'abord des notions claires de ses devoirs moraux et religieux; enseignez-lui les lettres humaines et divines : ensuite, quand vous aurez donné les soins nécessaires à l'éducation du cœur de votre élève, quand son cerveau sera suffisamment rempli d'objets de comparaison et de principes certains, mettez-y de l'ordre, si vous le voulez, avec la géométrie.

En outre, est-il bien vrai que l'étude des mathématiques soit si nécessaire dans la vie ? S'il faut des magistrats, des ministres, des classes civiles et religieuses, que font à leur état les propriétés d'un cercle ou d'un triangle ? On ne veut plus, dit-on, que des choses positives. Hé, grand Dieu! qu'y a-t-il de moins positif que les sciences, dont les systèmes changent plusieurs fois

par siècle ? Qu'importe au laboureur que l'élément de
la terre ne soit pas *homogène*, ou au bûcheron que le bois
ait une substance *pyroligneuse ?* Une page éloquente de
Bossuet sur la morale est plus utile et plus difficile à
écrire qu'un volume d'abstractions philosophiques.

Mais on applique, dit-on, les découvertes des sciences
aux arts mécaniques; ces grandes découvertes ne produisent presque jamais l'effet qu'on en attend. La perfection de l'agriculture, en Angleterre, est moins le
résultat de quelques expériences scientifiques, que celui
du travail patient et de l'industrie du fermier obligé de
tourmenter sans cesse un sol ingrat.

Nous attribuons faussement à nos sciences ce qui
appartient au progrès naturel de la société. Les bras
et les animaux rustiques se sont multipliés; les manu-
factures et les produits de la terre ont dû augmenter et
s'améliorer en proportion. Qu'on ait des charrues plus
légères, des machines plus parfaites pour les métiers,
c'est un avantage; mais croire que le génie et la sagesse
humaine se renferment dans un cercle d'inventions
mécaniques, c'est prodigieusement errer.

Quant aux mathématiques proprement dites, il est
démontré qu'on peut apprendre, dans un temps assez
court, ce qu'il est utile d'en savoir pour devenir un bon
ingénieur. Au-delà de cette géométrie pratique, le reste
n'est plus qu'une *géométrie spéculative*, qui a ses jeux,
ses inutilités, et pour ainsi dire ses romans comme les
autres sciences. « Il faut bien distinguer, dit Voltaire,
entre la géométrie utile et la géométrie curieuse...
Carrez des courbes tant qu'il vous plaira, vous montrerez
une extrême sagacité. Vous ressemblez à un arithméti-
cien qui examine les propriétés des nombres, au lieu de
calculer sa fortune... Lorsque Archimède trouva la pesanteur spécifique des corps, il rendit service au genre
humain; mais de quoi vous servira de trouver trois
nombres tels que la différence des carrés de deux, ajoutée
au nombre trois, fasse toujours un carré, et que la somme
des trois différences, ajoutée au même cube, fasse toujours un carré ? *Nugæ difficiles* [1]. »

Toute pénible que cette vérité puisse être pour les
mathématiciens, il faut cependant le dire : la nature ne
les a pas faits pour occuper le premier rang. Hors quelques
géomètres *inventeurs*, elle les a condamnés à une triste

---

[1]. *Quest. sur l'Encycl., Géom.*

obscurité; et ces génies inventeurs eux-mêmes sont menacés de l'oubli, si l'historien ne se charge de les annoncer au monde : Archimède doit sa gloire à Polybe, et Voltaire a créé parmi nous la renommée de Newton. Platon et Pythagore vivent comme moralistes et législateurs, Leibniz et Descartes comme métaphysiciens, peut-être encore plus que comme géomètres. D'Alembert aurait aujourd'hui le sort de Varignon et de Duhamel, dont les noms encore respectés de l'Ecole n'existent plus pour le monde que dans les éloges académiques, s'il n'eût mêlé la réputation de l'écrivain à celle du savant. Un poète avec quelques vers passe à la postérité, immortalise son siècle, et porte à l'avenir les hommes qu'il a daigné chanter sur sa lyre : le savant, à peine connu pendant sa vie, est oublié le lendemain de sa mort. Ingrat malgré lui, il ne peut rien pour le grand homme, pour le héros qui l'aura protégé. En vain il placera son nom dans un fourneau de chimiste ou dans une machine de physicien : estimables efforts, dont pourtant il ne sortira rien d'illustre. La Gloire est née sans ailes; il faut qu'elle emprunte celles des Muses, quand elle veut s'envoler aux cieux. C'est Corneille, Racine, Boileau, ce sont les orateurs, les historiens, les artistes qui ont immortalisé Louis XIV, bien plus que les savants qui brillèrent aussi dans son siècle. Tous les temps, tous les pays offrent le même exemple. Que les mathématiciens cessent donc de se plaindre, si les peuples, par un instinct général, font marcher les lettres avant les sciences! C'est qu'en effet l'homme qui a laissé un seul précepte moral, un seul sentiment touchant à la terre, est plus utile à la société que le géomètre qui a découvert les plus belles propriétés du triangle.

Au reste, il n'est peut-être pas difficile de mettre d'accord ceux qui déclament contre les mathématiques et ceux qui les préfèrent à tout. Cette différence d'opinions vient de l'erreur commune, qui confond un *grand* avec un *habile* mathématicien. Il y a une géométrie *matérielle* qui se compose de lignes, de points, d'A + B; avec du temps et de la persévérance, l'esprit le plus médiocre peut y faire des prodiges. C'est alors une espèce de machine géométrique, qui exécute d'elle-même des opérations compliquées, comme la machine arithmétique de Pascal. Dans les sciences, celui qui vient le dernier est toujours le plus instruit : voilà pourquoi tel écolier de nos jours est plus avancé que Newton en mathématiques; voilà pourquoi tel qui passe pour savant aujourd'hui, sera traité d'ignorant par la génération future. Entêtés de leurs calculs, les géomètres-manœuvres ont un mépris ridicule pour les arts d'imagination : ils sourient de pitié quand on leur parle de littérature, de morale, de religion; ils *connaissent*, disent-ils, la nature. N'aime-t-on pas autant l'*ignorance* de Platon, qui appelle cette même nature une *poésie mystérieuse ?*

Heureusement il existe une autre géométrie, une géométrie intellectuelle. C'est celle-là qu'il fallait savoir pour entrer dans l'école des disciples de Socrate; elle voit Dieu derrière le cercle et le triangle, et elle a créé Pascal, Leibniz, Descartes et Newton. En général les géomètres inventeurs ont été religieux.

Mais on ne peut se dissimuler que cette géométrie des grands hommes ne soit fort rare. Pour un seul génie qui marche par les voies sublimes de la science, combien d'autres se perdent dans ses inextricables sentiers! Observons ici une de ces réactions si communes dans les lois de la Providence : les âges irréligieux conduisent nécessairement aux sciences, et les sciences amènent nécessairement les âges irréligieux. Lorsque, dans un siècle impie, l'homme vient à méconnaître l'existence de Dieu, comme c'est néanmoins la seule vérité qu'il possède à fond, et qu'il a un besoin impérieux des vérités positives, il cherche à s'en créer de nouvelles, et croit les trouver dans les abstractions des sciences. D'une autre part, il est naturel que des esprits communs, ou des jeunes gens peu réfléchis, en rencontrant les vérités mathématiques dans l'univers, en les voyant dans le ciel avec Newton, dans la chimie avec Lavoisier, dans les minéraux avec Haüy; il est naturel, disons-nous, qu'ils les prennent pour le principe même des choses, et qu'ils ne voient rien au-delà. Cette simplicité de la nature qui devrait leur faire supposer, comme Aristote, un *premier mobile*, et comme Platon, un *éternel géomètre*, ne sert qu'à les égarer : Dieu n'est bientôt plus pour eux que les propriétés des corps; et la chaîne même des nombres leur dérobe la grande Unité.

CHAPITRE II

CHIMIE ET HISTOIRE NATURELLE

Ce sont ces excès qui ont donné tant d'avantages aux ennemis des sciences, et qui ont fait naître les éloquentes déclamations de Rousseau et de ses sectateurs. Rien n'est plus admirable, disent-ils, que les découvertes de Spallanzani, de Lavoisier, de Lagrange; mais ce qui perd tout, ce sont les conséquences que des esprits faux prétendent en tirer. Quoi! parce qu'on sera parvenu à démontrer la simplicité des sucs digestifs, ou à déplacer ceux de la génération; parce que la chimie aura augmenté, ou, si l'on veut, diminué le nombre des éléments; parce que la loi de la gravitation sera connue du moindre écolier; parce qu'un enfant pourra barbouiller des figures de géométrie; parce que tel ou tel écrivain sera un subtil *idéologue*, il faudra nécessairement en conclure qu'il n'y a ni Dieu, ni véritable religion ? quel abus de raisonnement!

Une autre observation a fortifié chez les esprits timides le dégoût des études philosophiques. Ils disent : « Si ces découvertes étaient certaines, invariables, nous pourrions concevoir l'orgueil qu'elles inspirent, non aux hommes estimables qui les ont faites, mais à la foule qui en jouit. Cependant, dans ces sciences appelées positives, l'expérience du jour ne détruit-elle pas l'expérience de la veille ? Les erreurs de l'ancienne physique ont leurs partisans et leurs défenseurs. Un bel ouvrage de littérature reste dans tous les temps; les siècles même lui ajoutent un nouveau lustre. Mais les sciences qui ne s'occupent que des propriétés des *corps* voient vieillir dans un instant leur système le plus fameux. En chimie, par exemple, on pensait avoir une nomenclature régulière [1];

---

1. Par les terminaisons des acides en *eux* et en *iques* : on a démontré récemment que l'acide nitrique et l'acide sulfurique n'étaient point le résultat d'une addition d'oxygène *à l'acide nitreux et à l'acide sulfureux.* Il y avait toujours, dès le principe, un vide dans le système par l'acide muriatique, qui n'avait pas de positif en *eux.* M. Berthollet est, dit-on, sur le point de prouver que l'*azote*, regardé jusqu'à présent comme une simple essence combinée avec le *calorique*, est une substance composée. Il n'y a qu'un fait certain en chimie, fixé par Boerhaave, et développé par Lavoisier; savoir, que le *calorique*, ou

et l'on s'aperçoit maintenant qu'on s'est trompé. Encore un certain nombre de faits, et il faudra briser les cases de la chimie moderne. Qu'aura-t-on gagné à bouleverser les noms, à appeler l'*air vital oxygène*, etc. Les sciences sont un labyrinthe où l'on s'enfonce plus avant au moment même où l'on croyait en sortir. »

Ces objections sont spécieuses, mais elles ne regardent pas plus la chimie que les autres sciences. Lui reprocher de se détromper elle-même par ses expériences, c'est l'accuser de sa bonne foi, et de n'être pas dans le secret de l'essence des choses. Et qui donc est dans ce secret, sinon cette intelligence première qui existe de toute éternité ? La brièveté de notre vie, la faiblesse de nos sens, la grossièreté de nos instruments et de nos moyens, s'opposent à la découverte de cette formule générale, que Dieu nous cache à jamais. On sait que nos sciences *décomposent* et *recomposent*, mais qu'elles ne peuvent *composer*. C'est cette impuissance de créer qui découvre le côté faible et le néant de l'homme. Quoi qu'il fasse, il ne peut rien, tout lui résiste ; il ne peut plier la matière à son usage, qu'elle ne se plaigne et ne gémisse : il semble attacher ses soupirs et son cœur tumultueux à tous ses ouvrages !

Dans l'œuvre du Créateur, au contraire, tout est muet, parce qu'il n'y a point d'effort ; tout est silencieux, parce que tout est soumis : il a parlé, le chaos s'est tu, les globes se sont glissés sans bruit dans l'espace. Les puissances unies de la matière sont à une seule parole de Dieu comme rien est à tout, comme les choses créées sont à la nécessité. Voyez l'homme à ses travaux ; quel effrayant appareil de machines ! Il aiguise le fer, il prépare le poison, il appelle les éléments à son secours ; il fait mugir l'eau, il fait siffler l'air, ses fourneaux s'allument. Armé du feu, que va tenter ce nouveau Prométhée ? Va-t-il créer un monde ? Non ; il va détruire : il ne peut enfanter que la mort !

Soit préjugé d'éducation, soit habitude d'errer dans les déserts, et de n'apporter que notre cœur à l'étude de la nature, nous avouons qu'il nous fait quelque peine de voir l'esprit d'analyse et de *classification* dominer dans les sciences aimables, où l'on ne devrait rechercher

---

la substance qui, unie à la lumière, compose le feu, tend sans cesse à distendre les corps, ou à écarter les unes des autres leurs molécules constitutives.

que la beauté et la bonté de la Divinité. S'il nous est permis de le dire, c'est, ce nous semble, une grande pitié que de trouver aujourd'hui l'homme *mammifère* rangé, d'après le système de Linnæus, avec les singes, les chauves-souris et les paresseux. Ne valait-il pas autant le laisser à la tête de la création, où l'avaient placé Moïse, Aristote, Buffon et la nature ? Touchant de son âme aux cieux, et de son corps à la terre, on aimait à le voir former, dans la chaîne des êtres, l'anneau qui lie le monde visible au monde invisible, le temps à l'éternité.

« Dans ce siècle même, dit Buffon, où les sciences paraissent être cultivées avec soin, je crois qu'il est aisé de s'apercevoir que la philosophie est négligée, et peut-être plus que dans aucun siècle; les arts, qu'on veut appeler scientifiques, ont pris sa place; les méthodes de calcul et de géométrie, celles de botanique et d'histoire naturelle, les formules, en un mot, et les dictionnaires, occupent presque tout le monde : on s'imagine savoir davantage, parce qu'on a augmenté le nombre des expressions symboliques et des phrases savantes, et on ne fait point attention que tous ces arts ne sont que des échafaudages pour arriver à la science, et non pas la science elle-même; qu'il ne faut s'en servir que lorsqu'on ne peut s'en passer, et qu'on doit toujours se défier qu'ils ne viennent à nous manquer, lorsque nous voudrons les appliquer à l'édifice [1]. »

Ces remarques sont judicieuses, mais il nous semble qu'il y a dans les *classifications* un danger encore plus pressant. Ne doit-on pas craindre que cette fureur de ramener nos connaissances à des signes physiques, de ne voir dans les races diverses de la création que des doigts, des dents, des becs, ne conduise insensiblement la jeunesse au matérialisme ? Si pourtant il est quelque science où les inconvénients de l'incrédulité se fassent sentir dans leur plénitude, c'est en histoire naturelle. On flétrit alors ce qu'on touche : les parfums, l'éclat des couleurs, l'élégance des formes, disparaissent dans les plantes pour le botaniste qui n'y attache ni moralité ni tendresse. Lorsqu'on n'a point de religion, le cœur est insensible, et il n'y a plus de beauté : car la beauté n'est point un être existant hors de nous; c'est dans le cœur de l'homme que sont les grâces de la nature.

Quant à celui qui étudie les animaux, qu'est-ce autre

---

1. Buff., *Hist. nat.*, tome I, prem. disc., p. 79.

chose, s'il est incrédule, que d'étudier des cadavres ?
A quoi ses recherches le mènent-elles ? quel peut être
son but ? Ah! c'est pour lui qu'on a formé ces cabinets,
écoles où la Mort, la faux à la main, est le démonstrateur;
cimetières au milieu desquels on a placé des horloges
pour compter des minutes à des squelettes, pour marquer
des heures à l'éternité!

C'est dans ces tombeaux où le néant a ressemblé ses
merveilles, où la dépouille du singe insulte à la dépouille
de l'homme; c'est là qu'il faut chercher la raison de ce
phénomène, un *naturaliste athée :* à force de se promener
dans l'atmosphère des sépulcres, son âme a gagné la
mort.

Lorsque la science était pauvre et solitaire; lorsqu'elle
errait dans la vallée et dans la forêt, qu'elle épiait l'oiseau
portant à manger à ses petits, ou le quadrupède retour-
nant à sa tanière, que son laboratoire était la nature, son
amphithéâtre les cieux et les champs; qu'elle était simple
et merveilleuse comme les déserts où elle passait sa vie,
alors elle était religieuse. Assise à l'ombre d'un chêne,
couronnée de fleurs qu'elle avait cueillies sur la montagne,
elle se contentait de peindre les scènes qui l'environ-
naient. Ses livres n'étaient que des catalogues de remèdes
pour les infirmités du corps, ou des recueils de cantiques,
dont les paroles apaisaient les douleurs de l'âme. Mais
quand des congrégations de savants se formèrent; quand
les philosophes, cherchant la réputation et non la nature,
voulurent parler des œuvres de Dieu, sans les avoir
aimées, l'incrédulité naquit avec l'amour-propre, et la
science ne fut plus que le petit instrument d'une petite
renommée.

L'Eglise n'a jamais parlé aussi sévèrement contre les
études philosophiques, que les divers philosophes que
nous avons cités dans ces chapitres. Si on l'accuse de
s'être un peu méfiée de ces lettres *qui ne guérissent de
rien,* comme parle Sénèque, il faut aussi condamner cette
foule de législateurs, d'hommes d'Etat, de moralistes,
qui se sont élevés beaucoup plus fortement que la religion
chrétienne contre le danger, l'incertitude et l'obscurité
des sciences.

Où découvrira-t-elle la vérité ? Sera-ce dans Locke,
placé si haut par Condillac ? dans Leibniz, qui trouvait
Locke si faible en *idéologie,* ou dans Kant, qui a, de nos
jours, attaqué et Locke et Condillac ? En croira-t-elle
Minos, Lycurgue, Caton, J.-J. Rousseau, qui chassent

les sciences de leurs républiques, ou adoptera-t-elle le sentiment des législateurs qui les tolèrent ? Quelles effrayantes leçons si elle jette les yeux autour d'elle ! Quelle ample matière de réflexions sur cette histoire de *l'arbre de science, qui produit la mort !* Toujours les siècles de philosophie ont touché aux siècles de destruction.

L'Eglise ne pouvait donc prendre, dans une question qui a partagé la terre, que le parti même qu'elle a pris : retenir ou lâcher les rênes, selon l'esprit des choses et des temps ; opposer la morale à l'abus que l'homme fait des lumières, et tâcher de lui conserver, pour son bonheur, un cœur simple et une humble pensée.

Concluons que le défaut du jour est de séparer un peu trop les études abstraites des études littéraires. Les unes appartiennent à l'esprit, les autres au cœur ; or, il se faut donner de garde de cultiver le premier à l'exclusion du second, et de sacrifier la partie qui aime à celle qui raisonne. C'est par une heureuse combinaison des connaissances physiques et morales, et surtout par le concours des idées religieuses, qu'on parviendra à redonner à notre jeunesse cette éducation qui jadis a formé tant de grands hommes. Il ne faut pas croire que notre sol soit épuisé. Ce beau pays de France, pour prodiguer de nouvelles moissons, n'a besoin que d'être cultivé un peu à la manière de nos pères : c'est une de ces terres heureuses où règnent ces *génies* protecteurs des hommes, et ce *souffle divin* qui, selon Platon, décèlent les climats favorables à la vertu [1].

CHAPITRE III

DES PHILOSOPHES CHRÉTIENS
MÉTAPHYSICIENS

Les exemples viennent à l'appui des principes ; et une religion qui réclame Bacon, Newton, Bayle, Clarke, Leibniz, Grotius, Pascal, Arnauld, Nicole, Malebranche, La Bruyère (sans parler des Pères de l'Eglise, ni de Bossuet, ni de Fénelon, ni de Massillon, ni de Bourdaloue, que nous voulons bien ne compter ici que comme

1. Plat. *de Leg.* lib. v.

orateurs), une telle religion peut se vanter d'être favorable à la philosophie.

Bacon doit sa célébrité à son Traité, *on the advancement of learning*, et à son *novum organum scientiarum*. Dans le premier, il examine le cercle des sciences, classant chaque objet sous sa faculté; facultés dont il reconnaît quatre : l'*âme* ou la *sensation*, la *mémoire*, l'*imagination*, l'*entendement*. Les sciences s'y trouvent réduites à trois : la *poésie*, l'*histoire*, la *philosophie*.

Dans le second ouvrage, il rejette la manière de raisonner par syllogisme, et propose la physique expérimentale, pour seul guide dans la nature. On aime encore à lire la profession de foi de l'illustre chancelier d'Angleterre, et la prière qu'il avait coutume de dire avant de se mettre au travail. Cette naïveté chrétienne, dans un grand homme, est bien touchante. Quand Newton et Bossuet découvraient avec simplicité leurs têtes augustes, en prononçant le nom de Dieu, ils étaient peut-être plus admirables dans ce moment, que lorsque le premier pesait ces mondes, dont l'autre enseignait à mépriser la poussière.

Clarke, dans son *Traité de l'existence de Dieu*, Leibniz, dans sa *Théodicée*, Malebranche, dans sa *Recherche de la vérité*, se sont élevés si haut en métaphysique, qu'ils n'ont rien laissé à faire après eux.

Il est assez singulier que notre siècle se soit cru supérieur en métaphysique et en dialectique au siècle qui l'a précédé. Les faits déposent contre nous : certainement Condillac, qui n'a rien dit de nouveau, ne peut seul balancer Locke, Descartes, Malebranche et Leibniz. Il ne fait que démembrer le premier, et il s'égare toutes les fois qu'il marche sans lui. Au reste, la métaphysique du jour diffère de celle de l'antiquité, en ce qu'elle sépare, autant qu'il est possible, l'imagination des perceptions abstraites. Nous avons isolé les facultés de notre entendement, réservant la pensée pour telle matière, le raisonnement pour telle autre, etc. D'où il résulte que nos ouvrages n'ont plus d'ensemble, et que notre esprit, ainsi divisé par chapitres, offre les inconvénients de ces histoires où chaque sujet est traité à part. Tandis qu'on recommence un nouvel article, le précédent nous échappe; nous cessons de voir les liaisons que les faits ont entre eux; nous retombons dans la confusion à force de méthode, et la multitude des conclusions particulières nous empêche d'arriver à la conclusion générale.

Quand il s'agit, comme dans l'ouvrage de Clarke, d'attaquer des hommes qui se piquent de raisonnement, et auxquels il est nécessaire de prouver qu'on raisonne aussi bien qu'eux, on fait merveilleusement d'employer la manière ferme et serrée du docteur anglais; mais, dans tout autre cas, pourquoi préférer cette sécheresse à un style clair, quoique animé? Pourquoi ne pas mettre son cœur dans un ouvrage sérieux, comme dans un livre purement agréable? On lit encore la métaphysique de Platon, parce qu'elle est colorée par une imagination brillante. Nos derniers *idéologues* sont tombés dans une grande erreur, en séparant l'histoire de l'esprit humain de l'histoire des choses divines, en soutenant que la dernière ne mène à rien de positif, et qu'il n'y a que la première qui soit d'un usage immédiat. Où est donc la nécessité de connaître les opérations de la pensée de l'homme, si ce n'est pour les rapporter à Dieu? Que me revient-il de savoir que je reçois ou non mes idées par les sens? Condillac s'écrie : « Les métaphysiciens mes devanciers se sont perdus dans des mondes chimériques, moi seul j'ai trouvé le vrai; ma science est de la plus grande utilité. Je vais vous dire ce que c'est que la conscience, l'attention, la réminiscence. » Et à quoi cela me conduira-t-il? Une chose n'est bonne, une chose n'est positive qu'autant qu'elle renferme une intention morale; or, toute *métaphysique* qui n'est pas *théologie*, comme celle des anciens et des chrétiens, toute métaphysique qui creuse un abîme entre l'homme et Dieu, qui prétend que le dernier n'étant que ténèbres, on ne doit pas s'en occuper : cette métaphysique est futile et dangereuse, parce qu'elle manque de but.

L'autre, au contraire, en m'associant à la Divinité, en me donnant une noble idée de ma grandeur, et de la perfection de mon être, me dispose à bien penser et à bien agir. Les fins morales viennent par cet anneau se rattacher à cette métaphysique, qui n'est alors qu'un chemin plus sublime pour arriver à la vertu. C'est ce que Platon appelait par excellence *la science des Dieux*, et Pythagore, *la géométrie divine*. Hors de là, la métaphysique n'est qu'un microscope, qui nous découvre curieusement quelques petits objets que n'aurait pu saisir la vie simple, mais qu'on peut ignorer ou connaître, sans qu'ils forment, ou qu'ils remplissent un vide dans l'existence.

CHAPITRE IV

SUITE DES PHILOSOPHES CHRÉTIENS
PUBLICISTES

Nous avons fait, dans ces derniers temps, un grand bruit de notre science en politique; on dirait qu'avant nous le monde moderne n'avait jamais entendu parler de liberté, ni des différentes formes sociales. C'est apparemment pour cela que nous les avons essayées les unes après les autres avec tant d'habileté et de bonheur. Cependant, Machiavel, Thomas Morus, Mariana, Bodin, Grotius, Puffendorf et Locke, philosophes chrétiens, s'étaient occupés de la nature des gouvernements bien avant Mably et Rousseau.

Nous ne ferons point l'analyse des ouvrages de ces publicistes, dont il nous suffit de rappeler les noms pour prouver que tous les genres de gloire littéraire appartiennent au christianisme; nous montrerons ailleurs ce que la liberté du genre humain doit à cette même religion, qu'on accuse de prêcher l'esclavage.

Il serait bien à désirer, si l'on s'occupe encore d'écrits de politique (ce qu'à Dieu ne plaise!), qu'on retrouvât pour ces sortes d'ouvrages les grâces que leur prêtaient les anciens. La *Cyropédie* de Xénophon, la *République* et les *Lois* de Platon sont à la fois de graves traités et des livres pleins de charmes. Platon excelle à donner un tour merveilleux aux discussions les plus stériles; il sait mettre de l'agrément jusque dans l'énoncé d'une loi. Ici, ce sont trois vieillards qui discourent en allant de Gnosse à l'antre de Jupiter, et qui se reposent sous des cyprès, et dans de riantes prairies; là, c'est le meurtrier involontaire, qui, un pied dans la mer, fait des libations à Neptune : plus loin, un poète étranger est reçu avec des chants et des parfums : on l'appelle un homme divin, on le couronne de lauriers, et on le conduit, chargé d'honneurs, hors du territoire de la République. Ainsi, Platon a cent manières ingénieuses de proposer ses idées; il adoucit jusqu'aux sentences les plus sévères, en considérant les délits sous un jour religieux.

Remarquons que les publicistes modernes ont vanté le gouvernement républicain, tandis que les écrivains politiques de la Grèce ont généralement donné la préférence à la monarchie. Pourquoi cela ? parce que les uns et les autres haïssaient ce qu'ils avaient, et aimaient ce qu'ils n'avaient pas : c'est l'histoire de tous les hommes.

Au reste, les sages de la Grèce envisageaient la société sous les rapports moraux; nos derniers philosophes l'ont considérée sous les rapports politiques. Les premiers voulaient que le gouvernement découlât des mœurs; les seconds, que les mœurs dérivassent du gouvernement. La philosophie des uns s'appuyait sur la religion; la philosophie des autres, sur l'athéisme. Platon et Socrate criaient aux peuples : « Soyez vertueux, vous serez libres »; nous leur avons dit : « Soyez libres, vous serez vertueux. » La Grèce, avec de tels sentiments, fut heureuse. Qu'obtiendrons-nous avec les principes opposés ?

CHAPITRE V

MORALISTES

LA BRUYÈRE

Les écrivains du même siècle, quelque différents qu'ils soient par le génie, ont cependant quelque chose de commun entre eux. On reconnaît ceux du bel âge de la France à la fermeté de leur style, au peu de recherche de leurs expressions, à la simplicité de leurs tours, et pourtant à une certaine construction de phrase grecque et latine qui, sans nuire au génie de la langue française, annonce les modèles dont ces hommes s'étaient nourris.

De plus, les littératures se divisent, pour ainsi dire, en partis qui suivent tel ou tel maître, telle ou telle école. Ainsi les écrivains de *Port-Royal* se distinguent des écrivains de la *Société ;* ainsi, Fénelon, Massillon et Fléchier se touchent par quelques points, et Pascal, Bossuet et La Bruyère par quelques autres. Ces derniers sont remarquables par une sorte de brusquerie de pensée et de style, qui leur est particulière. Mais il faut convenir que La Bruyère qui imite volontiers Pascal [1], affaiblit quelquefois les preuves, et la manière de ce grand génie. Quand l'auteur des *Caractères*, voulant démontrer la

---

1. Surtout dans le chapitre des *Esprits forts*.

petitesse de l'homme, dit : « Vous êtes placé, ô Lucile, quelque part sur cet atome, etc. », il reste bien loin de ce morceau de l'auteur des *Pensées :* « Qu'est-ce qu'un homme dans l'infini ? qui le peut comprendre ? »

La Bruyère dit encore : « Il n'y a pour l'homme que trois événements : naître, vivre et mourir; il ne se sent pas naître, il souffre à mourir, et il oublie de vivre. » Pascal fait mieux sentir notre néant : « Le dernier acte est toujours sanglant, quelque belle que soit la comédie en tout le reste. On jette enfin de la terre sur la tête, et en voilà pour jamais. » Comme ce dernier mot est effrayant! On voit d'abord la *comédie*, et puis la *terre*, et puis l'*éternité*. La négligence avec laquelle la phrase est jetée, montre tout le peu de valeur de la vie. Quelle amère indifférence, dans cette courte et froide histoire de l'homme [1]!

Quoi qu'il en soit, La Bruyère est un des beaux écrivains du siècle de Louis XIV. Aucun homme n'a su donner plus de variété à son style, plus de formes diverses à sa langue, plus de mouvement à sa pensée. Il descend de la haute éloquence à la familiarité, et passe de la plaisanterie au raisonnement, sans jamais blesser le goût ni le lecteur. L'ironie est son arme favorite : aussi philosophe que Théophraste, son coup d'œil embrasse un plus grand nombre d'objets, et ses remarques sont plus originales et plus profondes. Théophraste conjecture, La Rochefoucauld devine, et La Bruyère montre ce qui se passe au fond des cœurs.

C'est un grand triomphe pour la religion que de compter parmi ses philosophes un Pascal et un La Bruyère. Il faudrait peut-être d'après ces exemples, être un peu moins prompt à avancer qu'il n'y a que de *petits esprits* qui puissent être chrétiens.

« Si ma religion était fausse, dit l'auteur des *Caractères*, je l'avoue, voilà le piège le mieux dressé qu'il soit possible

---

1. Cette pensée est supprimée dans la petite édition de Pascal, avec les notes; les éditeurs n'ont pas apparemment trouvé que cela fût d'un *beau style.* Nous avons entendu critiquer la prose du siècle de Louis XIV, comme manquant d'harmonie, d'élégance et de justesse dans l'expression. Nous avons entendu dire : « Si Bossuet et Pascal revenaient, ils n'écriraient plus comme cela. » C'est nous, prétend-on, qui sommes les écrivains en prose *par excellence*, et qui sommes bien plus habiles dans l'art d'arranger des mots. Ne serait-ce point que nous exprimons des pensées communes en style recherché, tandis que les écrivains du siècle de Louis XIV disaient tout simplement de grandes choses ?

d'imaginer : il était inévitable de ne pas donner tout au travers, et de n'y être pas pris. Quelle majesté! quel éclat de mystères! quelle suite et quel enchaînement de toute la doctrine! quelle raison éminente! quelle candeur! quelle innocence de mœurs! quelle force invincible et accablante de témoignages rendus successivement et pendant trois siècles entiers par des millions de personnes les plus sages, les plus modérées qui fussent alors sur la terre, et que le sentiment d'une même vérité soutient dans l'exil, dans les fers, contre la vue de la mort et du dernier supplice! »

Si La Bruyère revenait au monde, il serait bien étonné de voir cette religion, dont les grands hommes de son siècle confessaient la beauté et l'excellence, traitée d'*infâme*, de *ridicule*, d'*absurde*. Il croirait sans doute que les nouveaux *esprits forts* sont des hommes très supérieurs aux écrivains qui les ont précédés, et que devant eux, Pascal, Bossuet, Fénelon, Racine, sont des auteurs sans génie. Il ouvrirait leurs ouvrages avec un respect mêlé de frayeur. Nous croyons le voir s'attendant à trouver à chaque ligne quelque grande découverte de l'esprit humain, quelque haute pensée, peut-être même quelque fait historique auparavant inconnu, qui prouve invinciblement la fausseté du christianisme. Que dirait-il, que penserait-il, dans son second étonnement qui ne tarderait pas à suivre le premier ?

La Bruyère nous manque; la Révolution a renouvelé le fond des caractères. L'avarice, l'ignorance, l'amour-propre, se montrent sous un jour nouveau. Ces vices, dans le siècle de Louis XIV, se composaient avec la religion et la politesse, maintenant ils se mêlent à l'impiété et à la rudesse des formes : ils devaient donc avoir dans le dix-septième siècle des teintes plus fines, des nuances plus délicates; ils pouvaient être ridicules alors : ils sont odieux aujourd'hui.

CHAPITRE VI

SUITE DES MORALISTES

Il y avait un homme qui, à douze ans, avec des *barres* et des *ronds*, avait créé les mathématiques; qui, à seize, avait fait le plus savant traité des coniques qu'on eût

426   GÉNIE DU CHRISTIANISME

vu depuis l'antiquité ; qui, à dix-neuf, réduisit en machine
une science qui existe tout entière dans l'entendement ;
qui, à vingt-trois, démontra les phénomènes de la pesanteur de l'air, et détruisit une des grandes erreurs de l'ancienne physique ; qui, à cet âge où les autres hommes
commencent à peine de naître, ayant achevé de parcourir le cercle des sciences humaines, s'aperçut de leur
néant, et tourna ses pensées vers la religion ; qui, depuis
ce moment jusqu'à sa mort, arrivée dans sa trente-
neuvième année, toujours infirme et souffrant, fixa la
langue que parlèrent Bossuet et Racine, donna le modèle
de la plus parfaite plaisanterie, comme du raisonnement
le plus fort ; enfin qui, dans les courts intervalles de ses
maux, résolut, par abstraction, un des plus hauts pro-
blèmes de géométrie, et jeta sur le papier des pensées
qui tiennent autant du Dieu que de l'homme : cet
effrayant génie se nommait *Blaise Pascal*.

Il est difficile de ne pas rester confondu d'étonnement,
lorsqu'en ouvrant les *Pensées* du philosophe chrétien,
on tombe sur les six chapitres où il traite de la nature
de l'homme. Les sentiments de Pascal sont remarquables
surtout par la profondeur de leur tristesse, et par je ne
sais quelle immensité : on est suspendu au milieu de ces
sentiments comme dans l'infini. Les métaphysiciens
parlent de cette *pensée abstraite*, qui n'a aucune propriété
de la matière, qui touche à tout sans se déplacer, qui vit
d'elle-même, qui ne peut périr, parce qu'elle est indivisible, et qui prouve péremptoirement l'immortalité de
l'âme : cette définition de la pensée semble avoir été
suggérée aux métaphysiciens par les écrits de Pascal.

Il y a un monument curieux de la philosophie chrétienne, et de la philosophie du jour : ce sont les *Pensées*
de Pascal, commentées par les éditeurs [1]. On croit voir
les ruines de Palmyre, restes superbes du génie et du
temps, au pied desquelles l'Arabe du désert a bâti sa
misérable hutte.

Voltaire a dit : « Pascal, fou sublime, né un siècle
trop tôt. »

On entend ce que signifie ce *siècle trop tôt*. Une seule
observation suffira pour faire voir combien Pascal
sophiste eût été inférieur à Pascal *chrétien*.

Dans quelle partie de ses écrits le solitaire de Port-
Royal s'est-il élevé au-dessus des plus grands génies ?

---

1. *Voyez* la note XXV à la fin du volume.

Dans ses six chapitres sur l'homme. Or, ces six chapitres, qui roulent entièrement sur la chute originelle, *n'existeraient pas si Pascal eût été incrédule.*

Il faut placer ici une observation importante. Parmi les personnes qui ont embrassé les opinions philosophiques, les unes ne cessent de décrier le siècle de Louis XIV; les autres, se piquant d'impartialité, accordent à ce siècle *les dons de l'imagination*, et lui refusent les *facultés de la pensée.* C'est le dix-huitième siècle, s'écrie-t-on, qui est le siècle *penseur* par excellence.

Un homme impartial, qui lira attentivement les écrivains du siècle de Louis XIV, s'apercevra bientôt que *rien n'a échappé à leur vue ;* mais que, contemplant les objets de plus haut que nous, ils ont dédaigné les routes où nous sommes entrés, et au bout desquelles leur œil perçant avait découvert un abîme.

Nous pouvons appuyer cette assertion de mille preuves. Est-ce faute d'avoir connu les objections contre la religion, que tant de grands hommes ont été religieux ? Oublie-t-on que Bayle publiait, à cette époque même, ses doutes et ses sophismes ? Ne sait-on plus que Clarke et Leibniz n'étaient occupés qu'à combattre l'incrédulité ? que Pascal *voulait défendre* la religion; que La Bruyère faisait son chapitre des *Esprits forts*, et Massillon son sermon de *la Vérité d'un avenir ;* que Bossuet, enfin, lançait ces paroles foudroyantes sur les athées ? « Qu'ont-ils vu, ces *rares génies*, qu'ont-ils vu *plus que les autres ?* Quelle ignorance est la leur, et qu'il serait aisé de les confondre, si, faibles et présomptueux, ils ne craignaient point d'être instruits ? car pensent-ils avoir vu mieux les difficultés à cause qu'ils y succombent, et que les autres qui les ONT VUES les ont méprisées ? Ils n'ont rien vu, ils n'entendent rien, ils n'ont pas même de quoi établir le néant auquel ils espèrent après cette vie, et ce misérable partage ne leur est pas assuré. »

Et quels rapports moraux, politiques ou religieux se sont dérobés à Pascal ? quel côté de choses n'a-t-il point saisi ? S'il considère la nature humaine en général, il en fait cette peinture si connue et si étonnante : « La première chose qui s'offre à l'homme, quand il se regarde, c'est son corps, etc. » Et ailleurs : « L'homme n'est qu'un roseau pensant, etc. » Nous demandons si, dans tout cela, Pascal s'est montré un faible *penseur ?*

Les écrivains modernes se sont fort étendus sur la

puissance de l'opinion, et c'est Pascal qui le premier
l'avait observée. Une des choses les plus fortes que
Rousseau ait hasardées en politique, se lit dans le *Discours
sur l'inégalité des conditions* : « Le premier, dit-il, qui,
ayant enclos un terrain, s'avisa de dire : *Ceci est à moi*,
fut le vrai fondateur de la société civile. » Or, c'est presque
mot pour mot l'effrayante idée que le solitaire de Port-
Royal exprime avec une tout autre énergie : « Ce chien
est à moi, disaient ces pauvres enfants; c'est ma place
au soleil : voilà le commencement et l'image de l'usur-
pation de toute la terre. »

Et voilà une de ces pensées qui font trembler pour
Pascal. Quel ne fût point devenu ce grand homme, s'il
n'avait été chrétien! Quel frein adorable que cette religion, qui, sans nous empêcher de jeter de vastes regards
autour de nous, nous empêche de nous précipiter dans le
gouffre!

C'est le même Pascal qui a dit encore : « Trois degrés
d'élévation du pôle renversent toute la jurisprudence. Un
méridien décide de la vérité, ou de peu d'années de possession. Les lois fondamentales changent, le droit a ses
époques : plaisante justice qu'une rivière ou une montagne
borne; vérité au-deçà des Pyrénées, erreur au-delà. »

Certes, le penseur le plus hardi de ce siècle, l'écrivain
le plus déterminé à généraliser les idées pour bouleverser
le monde, n'a rien dit d'aussi fort contre la justice des
gouvernements et les préjugés des nations.

Les insultes que nous avons prodiguées par philosophie à la nature humaine ont été plus ou moins puisées
dans les écrits de Pascal. Mais, en dérobant à ce rare génie
la *misère* de l'homme, nous n'avons pas su, comme lui,
en apercevoir la *grandeur*. Bossuet et Fénelon, le premier,
dans son *Histoire universelle*, dans ses *Avertissements* et
dans sa *Politique tirée de l'Ecriture Sainte*, le second,
dans son *Télémaque*, ont dit sur les gouvernements toutes
les choses essentielles. Montesquieu lui-même n'a souvent fait que développer les principes de l'évêque de
Meaux, comme on l'a très bien remarqué. On pourrait
faire des volumes des divers passages favorables à la
liberté et à l'amour de la patrie qui se trouvent dans les
auteurs du dix-septième siècle.

Et que n'a-t-on point tenté dans ce siècle [1] ? L'égalité
des poids et mesures, l'abolition des coutumes provin-

---

ciales, la réformation du code civil et criminel, la répartition égale de l'impôt : tous ces projets dont nous nous vantons ont été proposés, examinés, exécutés même quand les avantages de la réforme en ont paru balancer les inconvénients. Bossuet n'a-t-il pas été jusqu'à vouloir réunir l'Eglise protestante à l'Eglise romaine ? Quand on songe que Bagnoli, Le Maître, Arnauld, Nicole, Pascal, s'étaient consacrés à l'éducation de la jeunesse, on aura de la peine à croire, sans doute, que cette éducation est plus belle et plus savante de nos jours. Les meilleurs livres classiques que nous ayons sont encore ceux de Port-Royal, et nous ne faisons que les répéter, souvent en cachant nos larcins, dans nos ouvrages élémentaires.

Notre supériorité se réduit donc à quelques progrès dans les études naturelles; progrès qui appartiennent à la marche du temps, et qui ne compensent pas, à beaucoup près, la perte de l'imagination qui en est la suite. La *pensée* est la même dans tous les siècles, mais elle est accompagnée plus particulièrement ou des arts ou des sciences : elle n'a toute sa grandeur poétique et toute sa beauté morale qu'avec les premiers.

Mais si le siècle de Louis XIV a conçu les idées *libérales* [1], pourquoi donc n'en a-t-il pas fait le même usage que nous ? Certes, ne nous vantons pas de notre essai. Pascal, Bossuet, Fénelon ont vu plus loin que nous, puisqu'en connaissant comme nous, et mieux que nous, la nature des choses, ils ont senti le danger des innovations. Quand leurs ouvrages ne prouveraient pas qu'ils ont eu des idées philosophiques, pourrait-on croire que ces grands hommes n'ont pas été frappés des abus qui se glissent partout, et qu'ils ne connaissaient pas le faible et le fort des affaires humaines ? Mais tel était leur principe, qu'il ne *faut pas faire un petit mal, même pour obtenir un grand bien* [2], à plus forte raison pour des systèmes, dont le résultat est presque toujours effroyable. Ce n'était pas par défaut de génie, sans doute, que ce Pascal, qui, comme nous l'avons montré, connaissait si bien le vice des lois dans le *sens absolu*, disait dans le *sens relatif :* « Que l'on a bien fait de distinguer les hommes par les qualités extérieures ! Qui passera de nous deux ? qui cédera la place à l'autre ? le moins habile ?

---

1. Barbarisme que la philosophie a emprunté des Anglais. Comment se fait-il que notre *prodigieux amour* de la patrie aille toujours chercher ses mots dans un dictionnaire étranger ?

2. *Hist. de Port-Royal.*

mais je suis aussi habile que lui; il faudra se battre pour cela. Il a quatre laquais, et je n'en ai qu'un; cela est visible, il n'y a qu'à compter : c'est à moi à céder, et je suis un sot si je le conteste. »

Cela répond à des volumes de sophismes. L'auteur des *Pensées*, se soumettant aux *quatre laquais*, est bien autrement philosophe que ces *penseurs* que les quatre laquais ont révoltés.

En un mot, le siècle de Louis XIV est resté paisible, non parce qu'il n'a point aperçu telle ou telle chose, mais parce qu'en la voyant, il l'a pénétrée jusqu'au fond; parce qu'il en a considéré toutes les faces et connu tous les périls. S'il ne s'est point plongé dans les idées du jour, c'est qu'il leur a été supérieur : nous prenons sa puissance pour sa faiblesse; son secret et le nôtre sont renfermés dans cette pensée de Pascal :

« Les sciences ont deux extrémités qui se touchent : la première est la pure ignorance naturelle où se trouvent tous les hommes en naissant; l'autre extrémité est celle où arrivent les grandes âmes qui, ayant parcouru tout ce que les hommes peuvent savoir, trouvent qu'ils ne savent rien, et se rencontrent dans cette même ignorance d'où ils sont partis; mais c'est une ignorance savante qui se connaît. Ceux d'entre eux qui sont sortis de l'ignorance naturelle, et n'ont pu arriver à l'autre, ont quelque teinture de cette science suffisante, et font les entendus. Ceux-là troublent le monde, et jugent plus mal que tous les autres. Le peuple et les habiles composent pour l'ordinaire le train du monde; les autres les méprisent, et en sont méprisés. »

Nous ne pouvons nous empêcher de faire ici un triste retour sur nous-même. Pascal avait entrepris de donner au monde l'ouvrage dont nous publions aujourd'hui une si petite et si faible partie. Quel chef-d'œuvre ne serait point sorti des mains d'un tel maître! Si Dieu ne lui a pas permis d'exécuter son dessein, c'est qu'apparemment il n'est pas bon que certains doutes sur la foi soient éclaircis, afin qu'il reste matière à ces tentations et à ces épreuves, qui font les saints et les martyrs.

LIVRE TROISIÈME

HISTOIRE

CHAPITRE PREMIER

DU CHRISTIANISME DANS LA MANIÈRE D'ÉCRIRE L'HISTOIRE

Si le christianisme a fait faire tant de progrès aux idées philosophiques, il doit être nécessairement favorable au génie de l'histoire, puisque celle-ci n'est qu'une branche de la philosophie morale et politique. Quiconque rejette les notions sublimes que la religion nous donne de la nature et de son auteur, se prive volontairement d'un moyen fécond d'images et de pensées.

En effet, celui-là connaîtra mieux les hommes, qui aura longtemps médité les desseins de la Providence; celui-là pourra démasquer la sagesse humaine, qui aura pénétré les *ruses* de la sagesse divine. Les desseins des rois, les abominations des cités, les voix iniques et détournées de la politique, le remuement des cœurs par le fil secret des passions, ces inquiétudes qui saisissent parfois les peuples, ces transmutations de puissance du roi au sujet, du noble au plébéien, du riche au pauvre : tous ces ressorts resteront inexplicables pour vous, si vous n'avez, pour ainsi dire, assisté au conseil du Très-Haut, avec ces divers esprits de force, de prudence, de faiblesse et d'erreur, qu'il envoie aux nations qu'il veut ou sauver ou perdre.

Mettons donc l'éternité au fond de l'histoire des temps; rapportons tout à Dieu, comme à la cause universelle. Qu'on vante tant qu'on voudra celui qui, démêlant les secrets de nos cœurs, fait sortir les plus grands événements des sources les plus misérables : Dieu attentif aux royaumes des hommes; l'impiété, c'est-à-dire l'absence des vertus morales, devenant la raison immédiate des malheurs des peuples : voilà, ce nous semble, une base historique bien plus noble, et aussi bien plus certaine que la première.

Et pour en montrer un exemple dans notre révolution,

qu'on nous dise si ce furent des causes ordinaires qui, dans le cours de quelques années, dénaturèrent nos affections, et effacèrent parmi nous la simplicité et la grandeur particulières au cœur de l'homme ? L'esprit de Dieu s'étant retiré du milieu du peuple, il ne resta de force que dans la tache originelle qui reprit son empire, comme au jour de Caïn et de sa race. Quiconque voulait être raisonnable, sentait en lui je ne sais quelle impuissance du bien; quiconque étendait une main pacifique, voyait cette main subitement séchée : le drapeau rouge flotte aux remparts des cités; la guerre est déclarée aux nations : alors s'accomplissent les paroles du prophète : *Les os des rois de Juda, les os des prêtres, les os des habitants de Jérusalem, seront jetés hors de leur sépulcre* [1]. Coupable envers les souvenirs, on foule aux pieds les institutions antiques; coupables envers les espérances, on ne fonde rien pour la postérité : les tombeaux et les enfants sont également profanés. Dans cette ligne de vie qui nous fut transmise par nos ancêtres, et que nous devons prolonger au-delà de nous, on ne saisit que le point présent; et, chacun se consacrant à sa propre corruption, comme un sacerdoce abominable, vit tel que si rien ne l'eût précédé, et que rien ne le dût suivre.

Tandis que cet esprit de perte dévore intérieurement la France, un esprit de salut la défend au-dehors. Elle n'a de prudence et de grandeur que sur sa frontière; au-dedans tout est abattu, à l'extérieur tout triomphe. La patrie n'est plus dans ses foyers, elle est dans un camp sur le Rhin, comme au temps de la race de Mérovée; on croit voir le peuple Juif chassé de la terre de Gessen, et domptant les nations barbares dans le désert.

Une telle combinaison de choses n'a point de principe naturel dans les événements humains. L'écrivain religieux peut seul découvrir ici un profond conseil du Très-Haut : Si les puissances coalisées n'avaient voulu que faire cesser les violences de la Révolution, et laisser ensuite la France réparer ses maux et ses erreurs; peut-être eussent-elles réussi. Mais Dieu vit l'iniquité des cours, et il dit au soldat étranger : Je briserai le glaive dans ta main, et tu ne détruiras point le peuple de saint Louis.

Ainsi la religion semble conduire à l'explication des faits les plus incompréhensibles de l'histoire. De plus, il y a dans le nom de Dieu quelque chose de superbe,

1. Jérém. chap. VIII, v. 1.

qui sert à donner au style une certaine emphase merveilleuse, en sorte que l'écrivain le plus religieux est presque
toujours le plus éloquent. Sans religion on peut avoir de
l'esprit; mais il est difficile d'avoir du génie. Ajoutez
qu'on sent dans l'historien de foi un ton, nous dirions
presque un goût d'honnête homme, qui fait qu'on est
disposé à croire ce qu'il raconte. On se défie, au contraire,
de l'historien sophiste; car, représentant presque toujours
la société sous un jour odieux, on est incliné à le regarder
lui-même comme un méchant et un trompeur.

CHAPITRE II

CAUSES GÉNÉRALES QUI ONT EMPÊCHÉ
LES ÉCRIVAINS MODERNES DE RÉUSSIR DANS L'HISTOIRE

PREMIÈRE CAUSE : BEAUTÉS DES SUJETS ANTIQUES

Il se présente ici une objection : si le christianisme est
favorable au génie de l'histoire, pourquoi donc les écrivains modernes sont-ils généralement inférieurs aux
anciens dans cette profonde et importante partie des
lettres ?

D'abord, le fait supposé par cette objection n'est pas
d'une vérité rigoureuse, puisqu'un des plus beaux monuments historiques qui existent chez les hommes, le
Discours sur l'histoire universelle, a été dicté par l'esprit
du christianisme. Mais, en écartant un moment cet
ouvrage, les causes de notre infériorité en histoire, si
cette infériorité existe, méritent d'être recherchées.

Elles nous semblent être de deux espèces : les unes
tiennent à l'*histoire*, les autres à l'*historien*.

L'histoire ancienne offre un tableau que les temps
modernes n'ont point reproduit. Les Grecs ont surtout
été remarquables par la grandeur des hommes; les
Romains, par la grandeur des choses. Rome et Athènes,
parties de l'état de nature pour arriver au dernier degré
de civilisation, parcourent l'échelle entière des vertus et
des vices, de l'ignorance et des arts. On voit croître
l'homme et sa pensée : d'abord enfant, ensuite attaqué
par les passions dans la jeunesse, fort et sage dans son
âge mûr, faible et corrompu dans sa vieillesse. L'état
suit l'homme, passant du gouvernement royal ou paternel

au gouvernement républicain, et tombant dans le despotisme avec l'âge de la décrépitude.

Bien que les peuples modernes présentent, comme nous le dirons bientôt, quelques époques intéressantes, quelques règnes fameux, quelques portraits brillants, quelques actions éclatantes, cependant il faut convenir qu'ils ne fournissent pas à l'historien cet ensemble de choses, cette hauteur de leçons qui font de l'histoire ancienne un tout complet et une peinture achevée. Ils n'ont point commencé par le premier pas; ils ne se sont point formés eux-mêmes par degré : ils ont été transportés du fond des forêts et de l'état sauvage, au milieu des cités et de l'état civil : ce ne sont que de jeunes branches entées sur un vieux tronc. Aussi tout est ténèbres dans leur origine : vous y voyez à la fois de grands vices et de grandes vertus, une grossière ignorance et des coups de lumière, des notions vagues de justice et de gouvernement, un mélange confus de mœurs et de langage : ces peuples n'ont passé ni par cet état où les bonnes mœurs font les lois, ni par cet autre où les bonnes lois font les mœurs.

Quand ces nations viennent à se rasseoir sur les débris du monde antique, un autre phénomène arrête l'historien : tout paraît subitement réglé, tout prend une face uniforme; des monarchies partout; à peine de petites républiques qui se changent elles-mêmes en principautés, ou qui sont absorbées par les royaumes voisins. En même temps les arts et les sciences se développent, mais tranquillement, mais dans les ombres. Ils se séparent, pour ainsi dire, des destinées humaines; ils n'influent plus sur le sort des empires. Relégués chez une classe de citoyens, ils deviennent plutôt un objet de luxe et de curiosité, qu'un sens de plus chez les nations.

Ainsi les gouvernements se consolident à la fois. Une balance religieuse et politique tient de niveau les diverses parties de l'Europe. Rien ne s'y détruit plus; le plus petit État moderne se peut vanter d'une durée égale à celle des empires des Cyrus et des Césars. Le christianisme a été l'ancre qui a fixé tant de nations flottantes; il a retenu dans le port ces États qui se briseront peut-être, s'ils viennent à rompre l'anneau commun où la religion les tient attachés.

Or, en répandant sur les peuples cette uniformité, et, pour ainsi dire, cette monotonie de mœurs que les lois donnaient à l'Egypte, et donnent encore aujourd'hui

aux Indes et à la Chine, le christianisme a rendu nécessairement les couleurs de l'histoire moins vives. Ces
vertus générales, telles que l'humanité, la pudeur, la
charité, qu'il a substituées aux douteuses vertus politiques; ces vertus, disons-nous, ont aussi un jeu moins
grand sur le théâtre du monde. Comme elles sont véritablement des vertus, elles évitent la lumière et le bruit :
il y a chez les peuples modernes un certain silence des
affaires qui déconcerte l'historien. Donnons-nous de
garde de nous en plaindre; l'homme moral parmi nous
est bien supérieur à l'homme moral des anciens. Notre
raison n'est pas pervertie par un culte abominable; nous
n'adorons pas des monstres; l'impudicité ne marche pas
le front levé chez les chrétiens; nous n'avons ni gladia-
teurs ni esclaves. Il n'y a pas encore bien longtemps que
le sang nous faisait horreur. Ah! n'envions pas aux
Romains leur Tacite, s'il faut l'acheter par leur Tibère!

CHAPITRE III

SUITE DU PRÉCÉDENT

SECONDE CAUSE : LES ANCIENS ONT ÉPUISÉ
TOUS LES GENRES D'HISTOIRE,
HORS LE GENRE CHRÉTIEN

A cette première cause de l'infériorité de nos historiens, tirée du fond même des sujets, il en faut joindre
une seconde qui tient à la manière dont les anciens ont
écrit l'histoire; ils ont épuisé toutes les couleurs; et si
le christianisme n'avait pas fourni un caractère nouveau
de réflexions et de pensées, l'histoire demeurerait à jamais
fermée aux modernes.

Jeune et brillante sous Hérodote, elle étala aux yeux
de la Grèce la peinture de la naissance de la société
et des mœurs primitives des hommes. On avait alors l'avantage d'écrire les annales de la fable, en écrivant celles de
la vérité. On n'était obligé qu'à peindre, et non pas à
réfléchir; les vices et les vertus des nations n'en étaient
encore qu'à leur âge poétique.

Autre temps, autres mœurs. Thucydide fut privé de
ces tableaux du berceau du monde, mais il entra dans un

champ encore inculte de l'histoire. Il retraça avec sévérité les maux causés par les dissensions politiques, laissant à la postérité des exemples dont elle ne profite jamais.

Xénophon découvrit à son tour une route nouvelle. Sans s'appesantir, et sans rien perdre de l'élégance attique, il jeta des regards pieux sur le cœur humain, et devint le père de l'histoire morale.

Placé sur un plus grand théâtre, et dans le seul pays où l'on connût deux sortes d'éloquence, celle du barreau et celle du *Forum*, Tite-Live les transporta dans ses récits : il fut l'orateur de l'histoire, comme Hérodote en est le poète.

Enfin la corruption des hommes, les règnes de Tibère et de Néron, firent naître le dernier genre de l'histoire, le genre philosophique. Les causes des événements qu'Hérodote avait cherchées chez les Dieux, Thucydide, dans les constitutions politiques, Xénophon, dans la morale, Tite-Live, dans ces diverses causes réunies, Tacite les vit dans la méchanceté du cœur humain.

Ce n'est pas, au reste, que ces grands historiens brillent exclusivement dans le genre que nous nous sommes permis de leur attribuer ; mais il nous a paru que c'est celui qui domine dans leurs écrits. Entre ces caractères primitifs de l'histoire, se trouvent des nuances qui furent saisies par les historiens d'un rang inférieur. Ainsi Polybe se place entre le politique Thucydide et le philosophe Xénophon ; Salluste tient à la fois de Tacite et de Tite-Live : mais le premier le surpasse par la force de la pensée, et l'autre par la beauté de la narration. Suétone conta l'anecdote sans réflexion et sans voile ; Plutarque y joignit la moralité ; Velleius Paterculus apprit à généraliser l'histoire sans la défigurer ; Florus en fit l'abrégé philosophique ; enfin, Diodore de Sicile, Trogue-Pompée, Denys d'Halicarnasse, Cornelius-Nepos, Quinte-Curce, Aurelius-Victor, Ammien-Marcellin, Justin, Eutrope, et d'autres que nous taisons, ou qui nous échappent, conduisirent l'histoire jusqu'aux temps où elle tomba entre les mains des auteurs chrétiens : époque où tout changea dans les mœurs des hommes.

Il n'en est pas des vérités comme des illusions : celles-ci sont inépuisables, et le cercle des premières est borné ; la poésie est toujours nouvelle, parce que l'erreur ne vieillit jamais, et c'est ce qui fait sa grâce aux yeux des hommes. Mais, en morale et en histoire, on tourne dans le champ étroit de la vérité; il faut, quoi qu'on fasse, retomber dans des observations connues. Quelle route historique, non encore parcourue, restait-il donc à prendre aux modernes? Ils ne pouvaient qu'imiter; et, dans ces imitations, plusieurs causes les empêchaient d'atteindre à la hauteur de leurs modèles. Comme poésie, l'origine des Cattes, des Tenctères, des Mattiaques, n'offrait rien de ce brillant Olympe, de ces villes bâties au son de la lyre, et de cette enfance enchantée des Hellènes et des Pélasges; comme politiques, le régime féodal interdisait les grandes leçons; comme éloquence, il n'y avait que celle de la chaire; comme philosophie, les peuples n'étaient pas encore assez malheureux, ni assez corrompus, pour qu'elle eût commencé de paraître.

Toutefois on imita avec plus ou moins de bonheur. Bentivoglio, en Italie, calqua Tite-Live, et serait éloquent, s'il n'était affecté. Davila, Guicciardini et Fra-Paolo eurent plus de simplicité, et Mariana, en Espagne, déploya d'assez beaux talents; malheureusement ce fougueux Jésuite déshonora un genre de littérature dont le premier mérite est l'impartialité. Hume, Robertson et Gibbon ont plus ou moins suivi ou Salluste ou Tacite; mais ce dernier historien à produit deux hommes aussi grands que lui-même, Machiavel et Montesquieu.

Néanmoins Tacite doit être choisi pour modèle avec précaution; il y a moins d'inconvénients à s'attacher à Tite-Live. L'éloquence du premier lui est trop particulière, pour être tentée par quiconque n'a pas son génie. Tacite, Machiavel et Montesquieu ont formé une école dangereuse, en introduisant ces mots ambitieux, ces phrases sèches, ces tours prompts qui, sous une apparence de brièveté, touchent à l'obscur et au mauvais goût.

Laissons donc ce style à ces génies immortels qui, par diverses causes, se sont créé un genre à part; genre qu'eux seuls pouvaient soutenir, et qu'il est périlleux d'imiter. Rappelons-nous que les écrivains des beaux siècles littéraires ont ignoré cette concision affectée d'idées et de langage. Les pensées des Tite-Live et des Bossuet sont abondantes et enchaînées les unes aux autres; chaque mot, chez eux, naît du mot qui l'a précédé, et devient le germe du mot qui va le suivre. Ce n'est pas par bonds, par intervalles, et en ligne droite, que coulent les grands fleuves (si nous pouvons employer cette image) : ils amènent longuement de leur source un flot qui grossit sans cesse; leurs détours sont larges dans les plaines; ils embrassent de leurs orbes immenses les cités et les forêts, et portent à l'Océan agrandi des eaux capables de combler ses gouffres.

CHAPITRE IV

POURQUOI LES FRANÇAIS N'ONT QUE DES MÉMOIRES

Autre question qui regarde entièrement les Français : pourquoi n'avons-nous que des mémoires au lieu d'histoire, et pourquoi ces mémoires sont-ils pour la plupart excellents ?

Le Français a été dans tous les temps, même lorsqu'il était barbare, vain, léger et sociable. Il réfléchit peu sur l'ensemble des objets; mais il observe curieusement les détails, et son coup d'œil est prompt, sûr et délié : il faut toujours qu'il soit en scène, et il ne peut consentir, même comme historien, à disparaître tout à fait. Les mémoires lui laissent la liberté de se livrer à son génie. Là, sans quitter le théâtre, il rapporte ses observations, toujours fines, et quelquefois profondes. Il aime à dire : *J'étais là, le Roi me dit... J'appris du Prince... Je conseillai, je prévis le bien, le mal.* Son amour-propre se satisfait ainsi; il étale son esprit devant le lecteur; et le désir qu'il a de se montrer penseur ingénieux, le conduit souvent à bien penser. De plus, dans ce genre d'histoire, il n'est pas obligé de renoncer à ses passions, dont il se détache avec peine. Il s'enthousiasme pour telle ou telle cause, tel ou tel personnage; et, tantôt insultant le parti opposé, tantôt se raillant du sien, il exerce à la fois sa vengeance et sa malice.

Depuis le sire de Joinville, jusqu'au cardinal de Retz, depuis les mémoires du temps de la Ligue, jusqu'aux mémoires du temps de la Fronde, ce caractère se montre partout ; il perce même jusque dans le grave Sully. Mais quand on veut transporter à l'histoire cet art des détails, les rapports changent; les petites nuances se perdent dans de grands tableaux, comme de légères rides sur la face de l'Océan. Contraints alors de généraliser nos observations, nous tombons dans l'esprit de système. D'une autre part, ne pouvant parler de nous à découvert, nous

nous cachons derrière nos personnages. Dans la narration, nous devenons secs ou minutieux, parce que nous causons mieux que nous ne racontons; dans les réflexions générales, nous sommes chétifs ou vulgaires, parce que nous ne connaissons bien que l'homme de notre société [1].

Enfin, la vie privée des Français est peu favorable au génie de l'histoire. Le repos de l'âme est nécessaire à quiconque veut écrire sagement sur les hommes; or, nos gens de lettres, vivant la plupart sans famille, ou hors de leur famille, portant dans le monde des passions inquiètes et des jours misérablement consacrés à des succès d'amour-propre, sont, par leurs habitudes, en contradiction directe avec le sérieux de l'histoire. Cette coutume de mettre notre existence dans un cercle borne nécessairement notre vue, et rétrécit nos idées. Trop occupés d'une nature de convention, la vraie nature nous échappe; nous ne raisonnons guère sur celle-ci qu'à force d'esprit et comme au hasard; et, quand nous rencontrons juste, c'est moins un fait d'expérience qu'une chose devinée.

Concluons donc que c'est au changement des affaires humaines, à un autre ordre de choses et de temps, à la difficulté de trouver des routes nouvelles en morale, en politique et en philosophie, que l'on doit attribuer le peu de succès des modernes en histoire; et, quant aux Français, s'ils n'ont en général que de bons mémoires, c'est dans leur propre caractère qu'il faut chercher le motif de cette singularité.

On a voulu la rejeter sur des causes politiques : on a dit que si l'histoire ne s'est point élevée parmi nous aussi haut que chez les anciens, c'est que son génie indépendant a toujours été enchaîné. Il nous semble que cette assertion va directement contre les faits. Dans aucun temps, dans aucun pays, sous quelque forme de gouvernement que ce soit, jamais la liberté de penser n'a été

1. Nous savons qu'il y a des exceptions à tout cela, et que quelques écrivains français se sont distingués comme historiens. Nous rendrons tout à l'heure justice à leur mérite, mais il nous semble qu'il serait injuste de nous les opposer, et de faire des objections qui ne détruiraient pas un fait général. Si l'on en venait là, quels jugements seraient vrais en critique ? Les théories générales ne sont pas de la nature de l'homme, le vrai le plus pur a toujours en soi un mélange de faux. La vérité humaine est semblable au triangle, qui ne peut avoir qu'un seul angle droit, comme si la nature avait voulu graver une image de notre insuffisante rectitude dans la seule science réputée certaine parmi nous.

plus grande qu'en France, au temps de sa monarchie.
On pourrait citer sans doute quelques actes d'oppression,
quelques censures rigoureuses ou injustes [1], mais ils ne
balanceraient pas le nombre des exemples contraires.
Qu'on ouvre nos mémoires, et l'on y trouvera à chaque
page les vérités les plus dures, et souvent les plus outra-
geantes, prodiguées aux rois, aux nobles, aux prêtres.
Le Français n'a jamais ployé servilement sous le joug;
il s'est toujours dédommagé, par l'indépendance de son
opinion, de la contrainte que les formes monarchiques
lui imposaient. Les *Contes* de Rabelais, le traité de *la
Servitude volontaire* de La Boétie, les *Essais* de Montaigne,
la *Sagesse* de Charron, les *Républiques* de Bodin, les écrits
en faveur de la Ligue, le traité où Mariana va jusqu'à
défendre le régicide, prouvent assez que ce n'est pas
d'aujourd'hui seulement qu'on ose tout examiner. Si
c'était le titre de citoyen, plutôt que celui de sujet, qui
fît exclusivement l'historien, pourquoi Tacite, Tite-Live
même, et, parmi nous, l'évêque de Meaux et Montesquieu, ont-ils fait entendre leurs sévères leçons sous
l'empire des maîtres les plus absolus de la terre ? Sans
doute, en censurant les choses déshonnêtes, et en louant
les bonnes, ces grands génies n'ont pas cru que la liberté
d'écrire consistât à fronder les gouvernements, et à ébran-
ler les bases du devoir; sans doute s'ils eussent fait
un usage si pernicieux de leur talent, Auguste, Trajan
et Louis les auraient forcés au silence; mais cette espèce
de dépendance n'est-elle pas plutôt un bien qu'un
mal ? Quand Voltaire s'est soumis à une censure
légitime, il nous a donné *Charles XII* et *le Siècle de
Louis XIV;* lorsqu'il a rompu tout frein, il n'a enfanté que
l'*Essai sur les Mœurs.* Il y a des vérités qui sont la
source des plus grands désordres, parce qu'elles remuent
les passions; et cependant, à moins qu'une juste autorité
ne nous ferme la bouche, ce sont celles-là même que
nous nous plaisons à révéler, parce qu'elles satisfont à
la fois et la malignité de nos cœurs corrompus par la
chute, et notre penchant primitif à la vérité.

1. *Voyez* la note XXVII à la fin du volume.

CHAPITRE V

BEAU COTÉ DE L'HISTOIRE MODERNE

Il est juste maintenant de considérer le revers des choses, et de montrer que l'histoire moderne pourrait encore devenir intéressante, si elle était traitée par une main habile. L'établissement des Francs dans les Gaules, Charlemagne, les croisades, la chevalerie, une bataille de Bouvines, un combat de Lépante, un Conradin à Naples, un Henri IV en France, un Charles Ier en Angleterre, sont au moins des époques mémorables, des mœurs singulières, des événements fameux, des catastrophes tragiques. Mais la grande vue à saisir pour l'historien moderne, c'est le changement que le christianisme a opéré dans l'ordre social. En donnant de nouvelles bases à la morale, l'Evangile a modifié le caractère des nations, et créé en Europe des hommes tout différents des anciens, par les opinions, les gouvernements, les coutumes, les usages, les sciences et les arts.

Et que de traits caractéristiques n'offrent point ces nations nouvelles! Ici, ce sont les Germains, peuples où la corruption des grands n'a jamais influé sur les petits, où l'indifférence des premiers pour la patrie n'empêche point les seconds de l'aimer; peuples où l'esprit de révolte et de fidélité, d'esclavage et d'indépendance, ne s'est jamais démenti depuis les jours de Tacite.

Là, ce sont ces Bataves qui ont de l'esprit par bon sens, du génie par industrie, des vertus par froideur, et des passions par raison.

L'Italie aux cent princes et aux magnifiques souvenirs, contraste avec la Suisse obscure et républicaine.

L'Espagne, séparée des autres nations, présente encore à l'historien un caractère plus original : l'espèce de stagnation de mœurs dans laquelle elle repose lui sera peut-être utile un jour; et, lorsque les peuples européens seront usés par la corruption, elle seule pourra reparaître avec éclat sur la scène du monde, parce que le fond des mœurs subsiste chez elle.

Mélange du sang allemand et du sang français, le peuple anglais décèle de toutes parts sa double origine. Son gouvernement formé de royauté et d'aristocratie, sa religion moins pompeuse que la catholique, et plus brillante que la luthérienne, son militaire à la fois lourd et actif, sa littérature et ses arts, chez lui enfin le langage, les traits même, et jusqu'aux formes du corps, tout participe des deux sources dont il découle. Il réunit à la simplicité, au calme, au bon sens, à la lenteur germanique, l'éclat, l'emportement et la vivacité de l'esprit français.

Les Anglais ont l'esprit public, et nous l'honneur national; nos belles qualités sont plutôt des dons de la faveur divine, que des fruits d'une éducation politique : comme les demi-dieux, nous tenons moins de la terre que du ciel.

Fils aînés de l'antiquité, les Français, Romains par le génie, sont Grecs par le caractère. Inquiets et volages dans le bonheur, constants et invincibles dans l'adversité, formés pour les arts, civilisés jusqu'à l'excès, durant le calme de l'Etat; grossiers et sauvages dans les troubles politiques, flottant comme des vaisseaux sans lest au gré des passions; à présent dans les cieux, l'instant d'après dans l'abîme; enthousiastes et du bien et du mal, faisant le premier sans en exiger de reconnaissance, et le second sans en sentir de remords; ne se souvenant ni de leurs crimes, ni de leurs vertus; amants pusillanimes de la vie pendant la paix; prodigues de leurs jours dans les batailles; vains, railleurs, ambitieux, à la fois routiniers et novateurs, méprisant tout ce qui n'est pas eux; individuellement les plus aimables des hommes, en corps les plus désagréables de tous; charmants dans leur propre pays, insupportables chez l'étranger; tour à tour plus doux, plus innocents que l'agneau, et plus impitoyables, plus féroces que le tigre : tels furent les Athéniens d'autrefois, et tels sont les Français d'aujourd'hui.

Ainsi, après avoir balancé les avantages et les désavantages de l'histoire ancienne et moderne, il est temps de rappeler au lecteur que si les historiens de l'antiquité sont en général supérieurs aux nôtres, cette vérité souffre toutefois de grandes exceptions. Grâce au génie du christianisme, nous allons montrer qu'en histoire l'esprit français a presque atteint la même perfection que dans les autres branches de la littérature.

CHAPITRE VI

VOLTAIRE HISTORIEN

« Voltaire, dit Montesquieu, n'écrira jamais une bonne histoire ; il est comme les moines qui n'écrivent pas pour le sujet qu'ils traitent, mais pour la gloire de leur ordre. Voltaire écrit pour son couvent. »

Ce jugement, appliqué au *Siècle de Louis XIV* et à l'*Histoire de Charles XII*, est trop rigoureux ; mais il est juste, quant à l'*Essai sur les Mœurs des nations*[1]. Deux noms surtout effrayaient ceux qui combattaient le christianisme, Pascal et Bossuet. Il fallait donc les attaquer, et tâcher de détruire indirectement leur autorité. De là l'édition de Pascal avec des notes, et l'*Essai* qu'on prétendait opposer au *Discours sur l'Histoire universelle*. Mais jamais le parti antireligieux, d'ailleurs trop habile, ne fit une telle faute, et n'apprêta un plus grand triomphe au christianisme. Comment Voltaire, avec tant de goût et un esprit si juste, ne comprit-il pas le danger d'une lutte corps à corps avec Bossuet et Pascal ? Il lui est arrivé en histoire ce qui lui arrive toujours en poésie : c'est qu'en déclamant contre la religion, ses plus belles pages sont des pages chrétiennes, témoin ce portrait de saint Louis.

« Louis IX, dit-il, paraissait un prince destiné à réformer l'Europe, si elle avait pu l'être, à rendre la France triomphante et policée, et à être en tout le modèle des hommes. Sa piété qui était celle d'un anachorète, ne lui ôta aucune vertu de roi. Une sage économie ne déroba rien à sa libéralité. Il sut accorder une politique profonde avec une justice exacte, et peut-être est-il le seul souverain qui mérite cette louange. Prudent et ferme dans le conseil, intrépide dans les combats, sans être emporté, compatissant comme s'il n'avait jamais été que malheureux, il n'est pas donné à l'homme de pousser plus loin la vertu... Attaqué de la peste devant Tunis... il se fit étendre sur la cendre, et expira à l'âge de cinquante-

---

[1]. Un mot échappé à Voltaire, dans sa *Correspondance*, montre avec quelle vérité historique, et dans quelle intention il écrivait cet *Essai* : « J'ai pris les deux hémisphères en ridicule ; *c'est un coup sûr.* » An 1754, *Corresp. gén.* t. v, p. 94.

cinq ans, avec la piété d'un religieux et le courage d'un grand homme. »

Dans ce portrait, d'ailleurs si élégamment écrit, Voltaire, en parlant d'anachorète, a-t-il cherché à rabaisser son héros ? On ne peut guère se le dissimuler ; mais voyez quelle méprise ! C'est précisément le contraste des vertus religieuses et des vertus guerrières, de l'humilité chrétienne et de la grandeur royale, qui fait ici le dramatique et la beauté du tableau.

Le christianisme rehausse nécessairement l'éclat des peintures historiques, en détachant, pour ainsi dire, les personnages de la toile, et faisant trancher les couleurs vives des passions sur un fond calme et doux. Renoncer à sa morale tendre et triste, ce serait renoncer au seul moyen nouveau d'éloquence que les anciens nous aient laissé. Nous ne doutons point que Voltaire, s'il avait été religieux, n'eût excellé en histoire ; il ne lui manque que de la gravité, et, malgré ses imperfections, c'est peut-être encore, après Bossuet, le premier historien de la France.

CHAPITRE VII

PHILIPPE DE COMMINES ET ROLLIN

Un chrétien a éminemment les qualités qu'un ancien demande de l'historien... *un bon sens pour les choses du monde, et une agréable expression* [1].

Comme écrivain de *Vie*, Philippe de Commines ressemble singulièrement à Plutarque ; sa simplicité est même plus franche que celle du biographe antique : Plutarque n'a souvent que le bon esprit d'être simple ; il court volontiers après la pensée : ce n'est qu'un agréable imposteur en tours naïfs.

A la vérité il est plus instruit que Commines, et néanmoins le vieux seigneur gaulois, avec l'Evangile, et sa foi dans les ermites, a laissé, tout ignorant qu'il était, des mémoires pleins d'enseignement. Chez les anciens, il fallait être docte pour écrire ; parmi nous, un simple chrétien, livré, pour seule étude, à l'amour de Dieu, a souvent composé un admirable volume ; c'est ce qui a fait

---

1. Lucien, *Comment il faut écrire l'histoire*, traduction de Racine.

dire à saint Paul : « *Celui qui, dépourvu de la charité, s'imagine être éclairé, ne sait rien.* »

Rollin est le Fénelon de l'histoire, et, comme lui, il a embelli l'Egypte et la Grèce. Les premiers volumes de l'*Histoire ancienne* respirent le génie de l'antiquité : la narration du vertueux recteur est pleine, simple et tranquille; et le christianisme, attendrissant sa plume, lui a donné quelque chose qui remue les entrailles. Ses écrits décèlent *cet homme de bien dont le cœur est une fête continuelle* [1], selon l'expression merveilleuse de l'Ecriture. Nous ne connaissons point d'ouvrages qui reposent plus doucement l'âme. Rollin a répandu sur les crimes des hommes le calme d'une conscience sans reproche, et l'onctueuse charité d'un apôtre de Jésus-Christ. Ne verrons-nous jamais renaître ces temps où l'éducation de la jeunesse et l'espérance de la postérité étaient confiées à de pareilles mains !

CHAPITRE VIII

BOSSUET HISTORIEN

Mais c'est dans le *Discours sur l'Histoire universelle* que l'on peut admirer l'influence du génie du christianisme sur le génie de l'histoire. Politique comme Thucydide, moral comme Xénophon, éloquent comme Tite-Live, aussi profond et aussi grand peintre que Tacite, l'évêque de Meaux a de plus une parole grave et un tour sublime dont on ne trouve ailleurs aucun exemple, hors dans le début du *livre des Maccabées.*

Bossuet est plus qu'un historien, c'est un Père de l'Eglise, c'est un prêtre inspiré, qui souvent a le rayon de feu sur le front, comme le législateur des Hébreux. Quelle revue il fait de la terre ! il est en mille lieux à la fois ! Patriarche sous le palmier de Tophel, ministre à la cour de Babylone, prêtre à Memphis, législateur à Sparte, citoyen à Athènes et à Rome, il change de temps et de place à son gré; il passe avec la rapidité et la majesté des siècles. La verge de la loi à la main, avec une autorité incroyable, il chasse pêle-mêle devant lui et Juifs et

---

1. Ecclesiastic. c. XXX, v. 27.

Gentils au tombeau; il vient enfin lui-même à la suite du
convoi de tant de générations, et, marchant appuyé sur
Isaïe et sur Jérémie, il élève ses lamentations prophétiques à travers la poudre et les débris du genre humain [1].

La première partie du *Discours sur l'Histoire universelle* est admirable par la narration; la seconde par la sublimité du style et la haute métaphysique des idées; la troisième par la profondeur des vues morales et politiques.
Tite-Live et Salluste ont-ils rien de plus beau sur les
anciens Romains, que ces paroles de l'évêque de Meaux ?

« Le fond d'un Romain, pour ainsi parler, était l'amour
de sa liberté et de sa patrie; une de ces choses lui faisait
aimer l'autre : car, parce qu'il aimait sa liberté, il aimait
aussi sa patrie comme une mère qui le nourrissait dans
des sentiments également généreux et libres.

» Sous ce nom de liberté, les Romains se figuraient,
avec les Grecs, un Etat où personne ne fût sujet que de
la loi, et où la loi fût plus puissante que personne. »

A nous entendre déclamer contre la religion, on croirait qu'un prêtre est nécessairement un esclave, et que
nul, avant nous, n'a su raisonner dignement sur la liberté :
qu'on lise donc Bossuet à l'article des Grecs et des Romains.

Quel autre a mieux parlé que lui et des vices et des
vertus ? quel autre a plus justement estimé les choses
humaines ? Il lui échappe de temps en temps quelques-
uns de ces traits qui n'ont point de modèle dans l'éloquence antique, et qui naissent du génie même du christianisme. Par exemple, après avoir vanté les pyramides
d'Egypte, il ajoute : « Quelque effort que fassent les
hommes, leur néant paraît partout. Ces pyramides
étaient des tombeaux; encore ces rois qui les ont bâties
n'ont-ils pas eu le pouvoir d'y être inhumés, et ils n'ont
pu jouir de leur sépulcre [2]. »

On ne sait qui l'emporte ici de la grandeur de la pensée
ou de la hardiesse de l'expression. Ce mot *jouir*, appliqué
à un *sépulcre*, déclare à la fois la magnificence de ce
sépulcre, la vanité des Pharaons qui l'élevèrent, la rapidité de notre existence, enfin l'incroyable néant de
l'homme, qui, ne pouvant posséder pour bien réel ici-bas
qu'un tombeau, est encore privé quelquefois de ce stérile patrimoine.

1. *Voyez* la note XXVIII à la fin du volume.
2. *Disc. sur l'Hist. univ.* IIIᵉ part.

Remarquons que Tacite a parlé des pyramides [1], et que sa philosophie ne lui a rien fourni de comparable à la réflexion que la religion a inspirée à Bossuet; influence bien frappante du génie du christianisme sur la pensée d'un grand homme.

Le plus beau portrait historique dans Tacite, est celui de Tibère; mais il est effacé par le portrait de Cromwell, car Bossuet est encore historien dans ses *Oraisons funèbres*. Que dirons-nous du cri de joie que pousse Tacite, en parlant des Bructaires, qui s'égorgeaient à la vue d'un camp romain? « Par la faveur des Dieux, nous eûmes le plaisir de contempler ce combat sans nous y mêler. Simples spectateurs, nous vîmes, ce qui est admirable, soixante mille hommes s'égorger sous nos yeux pour notre amusement. Puissent, puissent les nations, au défaut d'amour pour nous, entretenir ainsi dans leur cœur les unes contre les autres une haine éternelle [2]! »

Écoutons Bossuet.

« Ce fut après le déluge que parurent ces ravageurs de provinces que l'on a nommés *conquérants*, qui, poussés par la seule gloire du commandement, ont exterminé tant d'innocents... Depuis ce temps, l'ambition s'est jouée, sans aucune borne, de la vie des hommes; ils en sont venus à ce point de s'entre-tuer sans se haïr : le comble de la gloire, et le plus beau de tous les arts, a été de se tuer les uns les autres [3]. »

Il est difficile de s'empêcher d'adorer une religion qui met une telle différence entre la morale d'un Bossuet et d'un Tacite.

L'historien romain, après avoir raconté que Thrasylle avait prédit l'empire à Tibère, ajoute : « D'après ces faits, et quelques autres, je ne sais si les choses de la vie sont... assujetties aux lois d'une immuable nécessité, ou si elles ne dépendent que du hasard [4]. »

Suivent les opinions des philosophes que Tacite rapporte gravement, donnant assez à entendre qu'il croit aux prédictions des astrologues.

La raison, la saine morale et l'éloquence nous semblent encore du côté du prêtre chrétien.

« Ce long enchaînement des causes particulières qui

1. *Ann.* lib. II, 61.
2. Tacite, *Mœurs des Germains*, 33.
3. *Disc. sur l'Hist. univ.*
4. *Ann.* lib. VI, 22.

font et défont les Empires, dépend des ordres secrets
de la divine Providence. Dieu tient, du plus haut des
cieux, les rênes de tous les royaumes; il a tous les cœurs
en sa main. Tantôt il retient les passions, tantôt il leur
lâche la bride, et par là il remue tout le genre humain...
Il connaît la sagesse humaine, toujours courte par
quelque endroit; il l'éclaire, il étend ses vues, et puis il
l'abandonne à ses ignorances. Il l'aveugle, il la précipite,
il la confond par elle-même : elle s'enveloppe, elle
s'embarrasse dans ses propres subtilités, et ses précautions lui sont un piège... C'est lui (Dieu) qui prépare
ces effets dans les causes les plus éloignées, et qui frappe
ces grands coups dont le contrecoup porte si loin... Mais
que les hommes ne s'y trompent pas : Dieu redresse,
quand il lui plaît, le sens égaré; et celui qui insultait à
l'aveuglement des autres, tombe lui-même dans des
ténèbres plus épaisses, sans qu'il faille souvent autre
chose pour lui renverser le sens, que de longues prospérités. »

Que l'éloquence de l'antiquité est peu de chose auprès
de cette éloquence chrétienne!

NOTES

ET ECLAIRCISSEMENTS

NOTE I, page 56.

L'ENCYCLOPÉDIE est un fort mauvais ouvrage, c'est
l'opinion de Voltaire lui-même.

« J'ai vu par hasard quelques articles de ceux qui se
» font, comme moi, les garçons de cette grande boutique ;
» ce sont, pour la plupart, des dissertations sans méthode.
» On vient d'imprimer dans un journal l'article *Femme*,
» qu'on tourne horriblement en ridicule. Je ne peux croire
» que vous ayez souffert un tel article dans un ouvrage si
» sérieux, *Chloé presse du genou un petit-maître, et chiffonne*
» *les dentelles d'un autre ;* il semble que cet article soit fait
» pour le laquais de Gil Blas.

» J'ai vu *Enthousiasme*, qui est meilleur ; mais on n'a
» que faire d'un si long discours pour savoir que l'enthou-
» siasme doit être gouverné par la raison. Le lecteur veut
» savoir d'où vient ce mot, pourquoi les anciens le consa-
» crèrent à la divination, à la poésie, à l'éloquence, au zèle
» de la superstition ; le lecteur veut des exemples de ce
» transport secret de l'âme, appelé enthousiasme ; en-
» suite il est permis de dire que la raison, qui préside à
» tout, doit aussi conduire ce transport. Enfin, je ne
» voudrais, dans votre *dictionnaire*, que vérité et méthode.
» Je ne me soucie pas qu'on me donne son avis particulier
» sur la *comédie :* je veux qu'on m'en apprenne la naissance
» et les progrès chez chaque nation ; voilà ce qui plaît,
» voilà ce qui instruit. On ne lit point ces petites décla-
» mations, dans lesquelles un auteur ne donne que ses
» propres idées, qui ne sont qu'un sujet de dispute. »
Correspondance de Voltaire et de d'Alembert, vol. 1er,
pag. 19, *édit.* in-8° *de Beaumarchais.* (Lettre du 13 novembre 1756.)

Page 25. « Vous m'encouragez à vous représenter en
» général qu'on se plaint de la longueur des dissertations
» vagues et sans méthode que plusieurs personnes vous
» fournissent pour se faire valoir ; il faut songer à l'ouvrage

» et non à soi. Pourquoi n'avez-vous pas recommandé une
» espèce de protocole à ceux qui vous servent : étymologie,
» définitions, exemples, raisons, clarté et brièveté ? Je
» n'ai vu qu'une douzaine d'articles, mais je n'y ai rien
» trouvé de tout cela. » (22 décembre 1756.)

Page 62. « Je cherche dans les articles dont vous me
» chargez, à ne rien dire que de nécessaire, et je crains de
» n'en pas dire assez; d'un autre côté, je crains de tomber
» dans la déclamation.
» Il me paraît qu'on vous a donné plusieurs articles
» remplis de ce défaut; il me revient toujours qu'on s'en
» plaint beaucoup. Le lecteur ne veut qu'être instruit, et
» il ne l'est point du tout par les dissertations vagues et
» puériles, qui, pour la plupart, renferment des paradoxes,
» des idées hasardées, dont le contraire est souvent vrai,
» des phrases ampoulées, des exclamations qu'on sifflerait
» dans une académie de province. » (29 décembre 1757.)

D'Alembert, dans le discours à la tête du troisième
volume de l'Encyclopédie, et Diderot, dans le cinquième
volume, article *Encyclopédie*, ont fait eux-mêmes la satire la
plus amère de leur ouvrage.

NOTE II, page 87.

On peut encore voir un résultat bien effroyable de l'excès
de population à la Chine, où l'on est obligé de jeter pour
ainsi dire les enfants aux pourceaux. Plus on examine la
question, plus on est porté à croire que Jésus-Christ fit
un acte digne du législateur universel, en invitant quelques
hommes, par son exemple, à vivre dans la chasteté. Le
libertinage a pu sans doute profiter du conseil de saint Paul,
pour voiler des excès attentatoires à la société, et des esprits
superficiels ont pu prendre l'abus pour le défaut du conseil
même; mais de quoi la corruption n'abuse-t-elle pas ? et
de quelle institution un génie médiocre, qui n'embrasse pas
toutes les parties d'un objet, ne peut-il pas trouver à
médire ? D'ailleurs, sans les solitaires chrétiens qui parurent dans le monde trois cents ans après le Messie, que
seraient devenus les lettres, les sciences et les arts ? Enfin,
les économistes modernes confirment eux-mêmes l'opinion
que j'ai avancée, puisqu'ils prétendent (et entre autres
Arthur Young) que les grandes propriétés sont plus favorables que les petites à tous les genres de culture, la vigne
peut-être exceptée. Or, dans tout pays peu livré au commerce et essentiellement agricole, si la population est
excessive, les propriétés seront nécessairement très divisées,
ou bien ce pays sera exposé à d'éternelles révolutions;
à moins toutefois que le paysan ne soit esclave comme
chez les anciens, ou serf comme en Russie et dans une
partie de l'Allemagne.

NOTE III, *dont l'indication a été omise dans l'Ouvrage, et qui se rapporte à la page 85.*

Il est curieux de rapprocher de ce fragment de l'*Apologie* de saint Justin le tableau des mœurs des chrétiens, que l'on trouve dans la fameuse lettre de Pline le Jeune à Trajan. Cette lettre, ainsi que la réponse de l'empereur, prouve que l'innocence des chrétiens était parfaitement reconnue, et que leur *foi* était leur seul crime. On y voit aussi la merveilleuse rapidité de la propagation de l'Évangile, puisque dès lors, dans une partie de l'empire, *les temples étaient presque déserts :* Pline écrivait cette lettre un an ou deux après la mort de saint Jean l'Évangéliste, et environ quarante avant que saint Justin publiât son *Apologie.*

Quoique cette lettre soit extrêmement connue, on a cru qu'il ne serait pas hors de propos de l'insérer ici.

PLINE, *proconsul dans la Bithynie et le Pont, à l'empereur* TRAJAN.

« Je me fais une religion, Seigneur, de vous exposer
» tous mes scrupules; car qui peut mieux me déterminer
» ou m'instruire ? Je n'ai jamais assisté à l'instruction et
» au jugement du procès d'aucun chrétien; ainsi, je ne sais
» sur quoi tombe l'information que l'on fait contre eux,
» ni jusqu'où on doit porter leur punition. J'hésite beau-
» coup sur la différence des âges. Faut-il les assujettir tous
» à la peine, sans distinguer les plus jeunes des plus âgés ?
» Doit-on pardonner à celui qui se repent ? ou est-il inutile
» de renoncer au christianisme, quand une fois on l'a
» embrassé ? Est-ce le nom seul que l'on punit en eux ? ou
» sont-ce les crimes attachés à ce nom ? Cependant, voici
» la règle que j'ai suivie dans les accusations intentées
» devant moi contre les chrétiens. Je les ai interrogés
» s'ils étaient chrétiens : ceux qui l'ont avoué, je les ai
» interrogés une seconde et une troisième fois, et les ai
» menacés du supplice : quand ils ont persisté, je les y ai
» envoyés; car, de quelque nature que fût ce qu'ils confes-
» saient, j'ai cru que l'on ne pouvait manquer à punir en
» eux leur désobéissance et leur invincible opiniâtreté. Il y
» en a eu d'autres, entêtés de la même folie, que j'ai
» réservés pour envoyer à Rome, parce qu'ils sont citoyens
» romains. Dans la suite, ce crime venant à se répandre,
» comme il arrive ordinairement, il s'en est présenté de
» plusieurs espèces. On m'a mis entre les mains un
» mémoire sans nom d'auteur, où l'on accuse d'être chré-
» tiens différentes personnes qui nient de l'être et de
» l'avoir jamais été. Ils ont, en ma présence, et dans les
» termes que je leur prescrivais, invoqué les dieux, et
» offert de l'encens et du vin à votre image, que j'avais
» fait apporter exprès avec les statues de nos divinités;
» ils se sont encore emportés en imprécations contre le

» Christ; c'est à quoi, dit-on, l'on ne peut jamais forcer
» ceux qui sont véritablement chrétiens. J'ai donc cru
» qu'il les fallait absoudre. D'autres, déférés par un
» dénonciateur, ont d'abord reconnu qu'ils étaient chrétiens,
» et aussitôt après ils l'ont nié, déclarant que véritablement
» ils l'avaient été, mais qu'ils ont cessé de l'être, les uns
» il y avait plus de trois ans, les autres depuis un plus grand
» nombre d'années, quelques-uns depuis plus de vingt.
» Tous ces gens-là ont adoré votre image et les statues des
» dieux; tous ont chargé le Christ de malédictions. Ils
» assuraient que toute leur erreur ou leur faute avait été
» renfermée dans ces points : qu'à un jour marqué ils
» s'assemblaient avant le lever du soleil, et chantaient tour
» à tour des vers à la louange du Christ, comme s'il eût été
» Dieu; qu'ils s'engageaient par serment, non à quelque
» crime, mais à ne point commettre de vol ni d'adultère,
» à ne point manquer à leur promesse, à ne point nier un
» dépôt; qu'après cela, ils avaient coutume de se séparer,
» et ensuite de se rassembler pour manger en commun
» des mets innocents; qu'ils avaient cessé de le faire depuis
» mon édit, pour lequel, selon vos ordres, j'avais défendu
» toute sorte d'assemblées. Cela m'a fait juger d'autant plus
» nécessaire d'arracher la vérité par la force des tourments à
» des filles esclaves, qu'ils disaient être dans le ministère
» de leur culte; mais je n'y ai découvert qu'une mauvaise
» superstition portée à l'excès; et, par cette raison, j'ai
» tout suspendu pour vous demander vos ordres. L'affaire
» m'a paru digne de vos réflexions, par la multitude de
» ceux qui sont enveloppés dans ce péril; car un très grand
» nombre de personnes de tout âge, de tout ordre, de tout
» sexe, sont et seront tous les jours impliquées dans cette
» accusation. Ce mal contagieux n'a pas seulement infecté
» les villes, il a gagné les villages et les campagnes. Je
» crois pourtant que l'on peut y remédier, et qu'il peut
» être arrêté. Ce qu'il y a de certain, c'est que les temples
» qui étaient presque déserts sont fréquentés, et que les
» sacrifices longtemps négligés recommencent : on vend
» partout des victimes qui trouvaient auparavant peu
» d'acheteurs. De là on peut juger quelle quantité de gens
» peuvent être ramenés de leur égarement, si l'on fait grâce
» au repentir. »

L'Empereur lui fit cette réponse :

TRAJAN A PLINE

« Vous avez, mon très cher Pline, suivi la voie que vous
» deviez dans l'instruction du procès des chrétiens qui
» vous ont été déférés; car il n'est pas possible d'établir
» une forme certaine et générale dans cette sorte d'affaire :
» il ne faut pas en faire perquisition. S'ils sont accusés et
» convaincus, il les faut punir; si pourtant l'accusé nie qu'il
» soit chrétien, et qu'il le prouve par sa conduite, je veux

» dire en invoquant les dieux, il faut pardonner à son
» repentir, de quelque soupçon qu'il ait été auparavant
» chargé. Au reste, dans nul genre de crime, l'on ne doit
» recevoir des dénonciations qui ne sont souscrites de
» personne, car cela est d'un pernicieux exemple et très
» éloigné de nos maximes. »

NOTE IV, page 104.

M. de Ramsay, Ecossais, passa de la religion anglicane
au socinianisme, de là au pur déisme, et il tomba enfin
dans un pyrrhonisme universel. Il vint chercher la vérité
auprès de Fénelon, qui le convertit au christianisme et à la
religion catholique. C'est M. de Ramsay lui-même qui nous
a conservé le précieux entretien dont sa conversion fut le
fruit. Nous en citerons la partie dans laquelle Fénelon
fixe les bornes *de la raison et de la foi*. Il avait prouvé à
M. de Ramsay l'authenticité des livres saints, et lui avait
montré la beauté de la morale qu'ils contiennent. « Mais,
» Monseigneur, reprit M. de Ramsay (c'est lui-même qui
» parle), pourquoi trouve-t-on dans la Bible un contraste
» si choquant de vérités lumineuses et de dogmes obscurs ?
» Je voudrais bien séparer les idées sublimes, dont vous
» venez de me parler, d'avec ce que les prêtres appellent
» *mystères*. » Il me répondit ainsi : « Pourquoi rejeter tant
» de lumières qui consolent le cœur, parce qu'elles sont
» mêlées d'ombres qui humilient l'esprit ? La vraie religion
» ne doit-elle pas élever et abattre l'homme, lui montrer
» tout ensemble sa grandeur et sa faiblesse ? Vous n'avez
» pas encore une idée assez étendue du christianisme. Il
» n'est pas seulement une loi sainte qui purifie le cœur,
» il est aussi une sagesse mystérieuse qui dompte l'esprit.
» C'est un sacrifice continuel de tout soi-même en hom-
» mage à la souveraine raison. En pratiquant *sa morale*,
» on renonce aux plaisirs pour l'amour de la beauté
» suprême. En croyant ses *mystères*, on immole ses idées
» par respect pour la vérité éternelle. Sans ce double
» sacrifice des *pensées* et des *passions*, l'holocauste est
» imparfait, notre victime est défectueuse. C'est par là que
» l'homme tout entier disparaît et s'évanouit devant
» l'*Etre des êtres*. *Il ne s'agit pas d'examiner s'il est néces-*
» *saire que Dieu nous révèle ainsi des mystères pour humilier*
» *notre esprit ; il s'agit de savoir s'il en a révélé ou non. S'il a*
» *parlé à sa créature, l'obéissance et l'amour sont inséparables.*
» *Le christianisme est un fait. Puisque vous ne doutez plus*
» *des preuves de ce fait, il ne s'agit plus de choisir ce qu'on*
» *croira et ce qu'on ne croira pas*. Toutes les difficultés dont
» vous avez rassemblé des exemples s'évanouissent dès
» qu'on a l'esprit guéri de la présomption. Alors on n'a
» nulle peine à croire qu'il y ait dans la nature divine, et
» dans la conduite de sa providence, une profondeur impé-
» nétrable à notre faible raison. L'Etre infini doit être

» incompréhensible à la créature. D'un côté, on voit un
» législateur dont la loi est tout à fait divine, qui prouve
» sa mission par des faits miraculeux dont on ne saurait
» douter par des raisons aussi fortes que celles qu'on a de
» les croire. D'un autre côté, on trouve plusieurs mystères
» qui nous choquent. Que faire entre ces deux extrémités
» embarrassantes d'une révélation claire et d'un obscur
» incompréhensible ? On ne trouve de ressource que dans
» le sacrifice de l'esprit, et ce sacrifice est une partie du
» culte dû au souverain Etre.

» *Dieu n'a-t-il point de connaissances infinies que nous*
» *n'avons point ? Quand il en découvre quelques-unes par une*
» *voie surnaturelle, il ne s'agit plus d'examiner le* comment
» *de ces mystères, mais la* certitude *de leur révélation.* Ils
» nous paraissent incompatibles, sans l'être en effet; et
» cette incompatibilité apparente vient de la petitesse de
» notre esprit, qui n'a pas de connaissances assez étendues
» pour voir la liaison de nos idées naturelles avec ces vérités
» surnaturelles. »

NOTE V, page 111.

La Polyglotte d'Antoine Vitré donne, Vulgate :
   Ego sum Dominus Deus tuus ;
Septante :

               Εγὼ εἰμί χύριος ὁ Θεός σον;

   Latin du texte chaldaïque :
   Ego Dominus tuus.
La Polyglotte de Walton porte,
   Vulgate et Septante, comme ci-dessus;
   Latin de la version syriaque :
   Ego sum Dominus Deus tuus.
   Version latine interlignée sur l'hébreu :
   Et è terrâ Ægypti eduxi te, qui tuus Dominus Deus ego.
   Latin de l'hébreu samaritain :
   Ego sum Dominus Deus tuus ;
   Latin de la version arabe :
   Ego sum Deus Dominus tuus.

NOTE VI, page 117.

Les vérités de l'Ecriture se retrouvent jusque chez les
sauvages du Nouveau-Monde.

« Vous avez pu voir, dit Charlevoix, dans la fable d'Ata-
hentsic chassée du ciel, quelques vestiges de l'histoire de
la première femme exilée du paradis terrestre, en punition
de sa désobéissance, et la tradition du déluge aussi bien
que l'arche dans laquelle Noé se sauva sa famille.
Cette circonstance m'empêche d'adhérer au sentiment du
P. d'Acosta, qui prétend que cette tradition ne regarde pas
le déluge universel, mais un déluge particulier à l'Amérique.
En effet, les Algonquins, et presque tous les peuples qui

parlent leur langue, supposant la création du premier homme, disent que sa postérité ayant péri presque tout entière par une inondation générale, un nommé *Messou*, d'autres l'appellent *Saketchack*, qui vit toute la terre abîmée sous les eaux par le débordement d'un lac, envoya un corbeau au fond de cet abîme pour lui en rapporter de la terre ; que, ce corbeau ayant mal fait sa commission, il y envoya un rat musqué qui réussit mieux ; que, de ce peu de terre que l'animal lui avait apporté, il rétablit le monde dans son premier état ; qu'il tira des flèches contre les troncs des arbres qui paraissaient encore, et que ses flèches se changèrent en branches ; qu'il fit plusieurs autres merveilles, et que, par reconnaissance du service que lui avait rendu le rat musqué, il épousa une femelle de son espèce, dont il eut des enfants qui repeuplèrent le monde ; qu'il avait communiqué son immortalité à un certain Sauvage, et la lui avait donnée dans un petit paquet, en lui défendant de l'ouvrir, sous peine de perdre un don si précieux. »

Le père Bouchet, dans sa lettre à l'évêque d'Avranches, donne les détails les plus curieux sur les rapports des fables indiennes avec les principales vérités de notre religion, et les traditions de l'Écriture : les Mémoires de la Société anglaise de Calcutta confirment tout ce que dit ici le savant missionnaire français :

« La plupart des Indiens assurent que ce grand nombre de divinités qu'ils adorent aujourd'hui ne sont que des dieux subalternes, et soumis au souverain Etre, qui est également le seigneur des dieux et des hommes. Ce grand Dieu, disent-ils, est infiniment élevé au-dessus de tous les êtres, et cette distance infinie empêchait qu'il eût aucun commerce avec de faibles créatures. Quelle proportion en effet, continuent-ils, entre un être infiniment parfait et des êtres créés, remplis comme nous d'imperfections et de faiblesse ? C'est pour cela même, selon eux, que *Parabara-vastou*, c'est-à-dire *le Dieu suprême*, a créé trois dieux inférieurs ; savoir : *Bruma*, *Wishnou*, et *Routren*. Il a donné au premier la puissance de créer ; au second le pouvoir de conserver ; et au troisième le droit de détruire.

» Mais ces trois dieux qu'adorent les Indiens sont, au sentiment de leurs savants, les enfants d'une femme qu'ils appellent *Parachatti*, c'est-à-dire la *Puissance suprême*. Si l'on réduisait cette fable à ce qu'elle était dans son origine, on y découvrirait aisément la vérité, tout obscurcie qu'elle est par les idées ridicules que l'esprit de mensonge y a ajoutées.

» Les premiers Indiens ne voulaient dire autre chose, sinon que tout ce qui se fait dans le monde, soit par la création qu'ils attribuent à *Bruma*, soit par la conservation qui est le partage de *Wishnou*, soit enfin par les différents changements qui sont l'ouvrage de *Routren*, vient unique-

ment de la puissance absolue du *Parabaravastou*, ou du
Dieu suprême. Ces esprits charnels ont fait ensuite une
femme de leur *Parachatti*, et lui ont donné trois enfants,
qui ne sont que les principaux effets de la toute-puissance.
En effet *chatti*, en langue indienne, signifie puissance, et
para, suprême ou absolue.

» Cette idée qu'ont les Indiens d'un être infiniment
supérieur aux autres divinités, marque au moins que leurs
anciens n'adoraient effectivement qu'un Dieu, et que le
polythéisme ne s'est introduit parmi eux que de la manière
dont il s'est répandu dans tous les pays idolâtres.

» Je ne prétends pas, Monseigneur, que cette première
connaissance prouve d'une manière bien évidente le
commerce des Indiens avec les Egyptiens ou avec les Juifs.
Je sais que, sans un tel secours, l'auteur de la nature a
gravé cette vérité fondamentale dans l'esprit de tous les
hommes, et qu'elle ne s'altère chez eux que par le dérègle-
ment et la corruption de leur cœur. C'est pour la même
raison que je ne vous dis rien de ce que les Indiens ont
pensé sur l'immortalité de nos âmes, et sur plusieurs autres
vérités semblables.

» Je m'imagine cependant que vous ne serez pas fâché
de savoir comment nos Indiens trouvent expliquée, dans
leurs auteurs, la ressemblance de l'homme avec le souverain
Etre. Voici ce qu'un savant brame m'a assuré avoir tiré,
sur ce sujet, d'un de leurs plus anciens livres. Imaginez-
vous, dit cet auteur, un million de grands vases tous remplis
d'eau, sur lesquels le soleil répand les rayons de sa lumière :
ce bel astre, quoique unique, se multiplie en quelque sorte
et se peint tout entier, en un moment, dans chacun de ces
vases; on en voit partout une image très ressemblante.
Nos corps sont ces vases remplis d'eau; le soleil est la
figure du souverain Etre, et l'image du soleil, peinte dans
chacun de ces vases, nous représente assez naturellement
notre âme créée à la ressemblance de Dieu même.

» Je passe, Monseigneur, à quelques traits plus marqués
et plus propres à satisfaire un discernement aussi exquis
que le vôtre : trouvez bon que je vous raconte ici simplement les choses telles que je les ai apprises; il me serait
fort inutile, en écrivant à un aussi savant prélat que vous, d'y
mêler mes réflexions particulières.

» Les Indiens, comme j'ai eu l'honneur de vous le dire,
croient que *Bruma* est celui des trois dieux subalternes qui
a reçu du Dieu suprême la puissance de créer. Ce fut donc
Bruma qui créa le premier homme; mais ce qui fait à mon
sujet, c'est que *Bruma* forma l'homme du limon de la
terre encore toute récente. Il eut, à la vérité, quelque peine
à finir son ouvrage : il y revint à plusieurs fois, et ce ne fut
qu'à la troisième tentative que ses mesures se trouvèrent
justes. La fable a ajouté cette dernière circonstance à la
vérité; et il n'est pas surprenant qu'un dieu du second

ordre ait eu besoin d'apprentissage pour créer l'homme dans la parfaite proportion de toutes les parties où nous le voyons. Mais si les Indiens s'en étaient tenus à ce que la nature, et probablement le commerce des Juifs, leur avaient enseigné de l'unité de Dieu, ils se seraient aussi contentés de ce qu'ils avaient appris, par la même voie, de la création de l'homme. Ils se seraient bornés à dire, comme ils font après l'Ecriture Sainte, que l'homme fut formé du limon de la terre tout nouvellement sortie des mains du Créateur.

» Ce n'est pas tout, Monseigneur, l'homme une fois créé par *Bruma*, avec la peine dont je vous ai parlé, le nouveau créateur fut d'autant plus charmé de sa créature, qu'elle lui avait plus coûté à perfectionner. Il s'agit maintenant de la placer dans une habitation digne d'elle.

» L'Ecriture est magnifique dans la description qu'elle nous fait du paradis terrestre. Les Indiens ne le sont guère moins dans les peintures qu'ils nous tracent de leur *Chorcam* : c'est selon eux un jardin de délices où tous les fruits se trouvent en abondance ; on y voit même un arbre dont les fruits communiqueraient l'immortalité s'il était permis d'en manger. Il serait bien étrange que des gens qui n'auraient jamais entendu parler du paradis terrestre en eussent fait, sans le savoir, une peinture si ressemblante.

» Ce qu'il y a de merveilleux, Monseigneur, c'est que les dieux inférieurs, qui, dès la création du monde, se multiplièrent à l'infini, n'avaient pas ou du moins n'étaient pas sûrs d'avoir le privilège de l'immortalité, dont ils se seraient cependant fort accommodés. Voici une histoire que les Indiens racontent à cette occasion. Cette histoire, toute fabuleuse qu'elle est, n'a point assurément d'autre origine que la doctrine des Hébreux, et peut-être même celle des chrétiens.

» Les dieux, disent nos Indiens, tentèrent toutes sortes de voies pour parvenir à l'immortalité. A force de chercher, ils s'avisèrent d'avoir recours à l'arbre de vie qui était dans le *Chorcam*. Ce moyen leur réussit, et, en mangeant de temps en temps des fruits de cet arbre, ils se conservèrent le précieux trésor qu'ils ont tant d'intérêt de ne pas perdre. Un fameux serpent, nommé *Cheien*, s'aperçut que l'arbre de vie avait été découvert par les dieux du second ordre ; comme apparemment on avait confié à ses soins la garde de cet arbre, il conçut une si grande colère de la surprise qu'on lui avait faite, qu'il répandit sur-le-champ une grande quantité de poison : toute la terre s'en ressentit, et pas un homme ne devait échapper aux atteintes de ce poison mortel. Mais le dieu *Chiven* eut pitié de la nature humaine : il parut sous la forme d'un homme et avala sans façon tout le venin dont le malicieux serpent avait infecté l'univers.

» Vous voyez, Monseigneur, qu'à mesure que nous avançons les choses s'éclaircissent toujours un peu. Ayez la patience d'écouter une nouvelle fable que je vais vous raconter; car certainement je me tromperais si je m'engageais à vous dire quelque chose de plus sérieux : vous n'aurez pas de peine à y démêler l'histoire du déluge, et les principales circonstances que nous en rapporte l'Ecriture.

» Le dieu *Routren* (c'est le grand destructeur des êtres créés) prit un jour la résolution de noyer tous les hommes, dont il prétendait avoir lieu de n'être pas content. Son dessein ne put être si secret qu'il ne fût pressenti par *Wishnou*, conservateur des créatures. Vous verrez, Monseigneur, qu'elles lui eurent, dans cette rencontre, une obligation bien essentielle. Il découvrit donc précisément le jour auquel le déluge devait arriver. Son pouvoir ne s'étendait pas jusqu'à suspendre l'exécution des projets du dieu *Routren*, mais aussi sa qualité de dieu conservateur des choses créées lui donnait droit d'en empêcher, s'il y avait moyen, l'effet le plus pernicieux; et voici la manière dont il s'y prit :

» Il apparut un jour à *Sattiavarti*, son grand confident, et l'avertit en secret qu'il y aurait bientôt un déluge universel, que la terre serait inondée, et que *Routren* ne prétendait rien moins que d'y faire périr tous les hommes et tous les animaux; il l'assura cependant qu'il n'y avait rien à craindre pour lui, et qu'en dépit de *Routren* il trouverait bien moyen de le conserver, et de se ménager à soi-même ce qui lui serait nécessaire pour repeupler le monde. Son dessein était de faire paraître une barque merveilleuse au moment que *Routren* s'y attendrait le moins, d'y enfermer une bonne provision d'au moins huit cent quarante millions d'âmes et de semences d'êtres. Il fallait au reste que *Sattiavarti* se trouvât, au temps du déluge, sur une certaine montagne fort haute, qu'il eût soin de lui faire bien reconnaître. Quelque temps après, *Sattiavarti*, comme on le lui avait prédit, aperçut une multitude infinie de nuages qui s'assemblaient : il vit avec tranquillité l'orage se former sur la tête des hommes coupables; il tomba du ciel la plus horrible pluie qu'on vit jamais. Les rivières s'enflèrent et se répandirent avec rapidité sur toute la surface de la terre; la mer franchit ses bornes, et, se mêlant avec les fleuves débordés, couvrit en peu de temps les montagnes les plus élevées : arbres, animaux, hommes, villes, royaumes, tout fut submergé; tous les êtres animés périrent et furent détruits.

» Cependant *Sattiavarti*, avec quelques-uns de ses pénitents, s'était retiré sur la montagne : il y attendait le secours dont le dieu l'avait assuré; il ne laissa pas d'avoir quelques moments de frayeur. L'eau qui prenait toujours de nouvelles forces, et qui s'approchait insensiblement de sa retraite, lui donnait de temps en temps de terribles alarmes; mais, dans l'instant qu'il se croyait perdu, il vit

paraître la barque qui devait le sauver. Il y entra inconti-
nent avec les dévots de sa suite : les huit cent quarante
millions d'âmes et de semences d'êtres s'y trouvèrent
renfermées.

» La difficulté était de conduire la barque et de la soutenir contre l'impétuosité des flots qui étaient dans une
furieuse agitation. Le dieu *Wishnou* eut soin d'y pourvoir;
car sur-le-champ il se fit poisson, et il se servit de sa queue,
comme d'un gouvernail, pour diriger le vaisseau. Le dieu
poisson et pilote fit une manœuvre si habile, que *Sattiavarti*
attendit fort en repos dans son asile que les eaux s'écou-
lassent de dessus la face de la terre.

» La chose est claire, comme vous voyez, Monseigneur,
et il ne faut pas être bien pénétrant pour apercevoir dans ce
récit, mêlé de fables et des plus bizarres imaginations, ce
que les livres sacrés nous apprennent du déluge, de l'arche
et de la conservation de Noé avec sa famille.

» Nos Indiens n'en sont pas demeurés là; et, après avoir
défiguré Noé sous le nom de *Sattiavarti*, ils pourraient bien
avoir mis sur le compte de *Bruma* les aventures les plus
singulières de l'histoire d'Abraham. En voici quelques
traits, Monseigneur, qui me paraissent fort ressem-
blants.

» La conformité du nom pourrait d'abord appuyer mes
conjectures : il est visible que de *Bruma* à Abraham il n'y
a pas beaucoup de chemin à faire; et il serait à souhaiter
que nos savants, en matière d'étymologies, n'en eussent
point adopté de moins raisonnables et de plus forcées.

» Ce *Bruma*, dont le nom est si semblable à celui
d'Abraham, était marié à une femme que tous les Indiens
nomment *Sarasvadi*. Vous jugerez, Monseigneur, du poids
que le nom de cette femme ajoute à ma première conjecture.
Les deux dernières syllabes du mot *Sarasvadi* sont, dans
la langue indienne, une terminaison honorifique; ainsi
vadi répond assez bien à notre mot français, *madame*.
Cette terminaison se trouve dans plusieurs noms de
femmes distinguées : par exemple dans celui de *Parvadi*,
femme de *Routren;* il est dès lors évident que les deux
premières syllabes du mot *Sarasvadi*, qui font proprement
le nom tout entier de la femme de *Bruma*, se réduisent à
Sara, qui est le nom de *Sara*, femme d'Abraham.

» Il y a cependant quelque chose de plus singulier :
Bruma, chez les Indiens, comme Abraham chez les Juifs,
a été le chef de plusieurs *castes* ou tribus différentes. Les
deux peuples se rencontrent même fort juste sur le nombre
de ces tribus. A *Tichirapali*, où est maintenant le plus
fameux temple de l'Inde, on célèbre tous les ans une fête
dans laquelle un vénérable vieillard mène devant soi douze
enfants qui représentent, disent les Indiens, les douze chefs
des principales castes. Il est vrai que quelques docteurs
croient que ce vieillard tient, dans cette cérémonie, la

place de *Wishnou ;* mais ce n'est pas l'opinion commune
des savants ni du peuple, qui disent communément que
Bruma est le chef de toutes les tribus.

» Quoi qu'il en soit, Monseigneur, je ne crois pas que
pour reconnaître dans la doctrine des Indiens celle des
anciens Hébreux, il soit nécessaire que tout se rencontre
parfaitement conforme de part et d'autre. Les Indiens
partagent souvent à différentes personnes ce que l'Ecriture
nous raconte d'une seule, ou bien rassemblent dans une
seule ce que l'Ecriture divise dans plusieurs ; mais cette
différence, loin de détruire nos conjectures, doit servir,
ce me semble, à les appuyer ; et je crois qu'une ressemblance trop affectée ne serait bonne qu'à les rendre sus-
pectes.

» Cela supposé, Monseigneur, je continue à vous raconter
ce que les Indiens ont tiré de l'histoire d'Abraham, soit
qu'ils l'attribuent à *Bruma*, soit qu'ils en fassent honneur à
quelque autre de leurs dieux ou de leurs héros.

» Les Indiens honorent la mémoire d'un de leurs pénitents, qui, comme le patriarche Abraham, se mit en devoir
de sacrifier son fils à un des dieux du pays. Ce dieu lui
avait demandé cette victime ; mais il se contenta de la bonne
volonté du père, et ne souffrit pas qu'il en vînt jusqu'à
l'exécution. Il y en a pourtant qui disent que l'enfant fut
mis à mort, mais que ce dieu le ressuscita.

» J'ai trouvé une coutume qui m'a surpris, dans une des
castes qui sont aux Indes, c'est celle qu'on nomme la caste
des voleurs. N'allez pas croire, Monseigneur, que, parce
qu'il y a parmi ces peuples une tribu entière de voleurs,
tous ceux qui font cet *honorable* métier soient rassemblés
dans un corps particulier, et qu'ils aient pour voler un privilège à l'exclusion de tout autre ; cela veut dire seulement
que tous les Indiens de cette caste volent effectivement
avec une extrême licence ; mais, par malheur, ils ne sont pas
les seuls dont il faille se défier.

» Après cet éclaircissement, qui m'a paru nécessaire, je
reviens à mon histoire. J'ai donc trouvé que, dans une
caste, on garde la cérémonie de la circoncision ; mais elle
ne se fait pas dès l'enfance, c'est environ à l'âge de vingt ans ;
tous même n'y sont pas sujets, et il n'y a que les principaux
de la caste qui s'y soumettent : cet usage est fort ancien, et
il serait difficile de découvrir d'où leur est venue cette
coutume, au milieu d'un peuple entièrement idolâtre.

» Vous avez vu, Monseigneur, l'histoire du déluge et de
Noé dans *Wishnou* et dans *Sattiavarti ;* celle d'Abraham
dans *Bruma* et dans *Wishnou :* vous verrez encore avec
plaisir celle de Moïse dans les mêmes dieux, et je suis
persuadé que vous la trouverez encore moins altérée que les
précédentes.

» Rien ne me paraît plus ressemblant à Moïse que le
Wishnou des Indiens, métamorphosé en *Crichnen ;* car

d'abord *Crichnen*, en langue indienne, signifie *Noir* : c'est
pour faire entendre que *Crichnen* est venu d'un pays où les
habitants sont de cette couleur. Les Indiens ajoutent qu'un
des plus proches parents de *Crichnen* fut exposé, dès son
enfance, dans un petit berceau sur une grande rivière, où il
fut dans un danger évident de périr : on l'en tira; et,
comme c'était un fort bel enfant, on l'apporta à une grande
princesse, qui le fit nourrir avec soin, et qui se chargea
ensuite de son éducation.

» Je ne sais pourquoi les Indiens se sont avisés d'appliquer
cet événement à un des parents de *Crichnen* plutôt qu'à
Crichnen même. Que faire à cela, Monseigneur ? il faut
bien vous dire les choses telles qu'elles sont; et, pour
rendre les aventures plus ressemblantes, je n'irai pas vous
déguiser la vérité. Ce ne fut donc point *Crichnen*, mais un
de ses parents qui fut élevé au palais d'une grande princesse : en cela la comparaison avec Moïse se trouve défectueuse; voici de quoi réparer un peu ce défaut.

» Dès que *Crichnen* fut né, on l'exposa aussi sur un grand
fleuve, afin de le soustraire à la colère du roi qui attendait le
moment de sa naissance pour le faire mourir : le fleuve
s'entrouvrit par respect, et ne voulut pas incommoder de
ses eaux un dépôt si précieux. On retira l'enfant de cet
endroit périlleux, et il fut élevé parmi des bergers; il se
maria dans la suite avec les filles de ces bergers, et il garda
longtemps les troupeaux de ses beaux-pères. Il se distingua
bientôt parmi tous ses compagnons, qui le choisirent pour
leur chef. Il fit alors des choses merveilleuses en faveur des
troupeaux et de ceux qui les gardaient : il fit mourir le roi
qui leur avait déclaré une cruelle guerre; il fut poursuivi
par ses ennemis; et, comme il ne se trouva pas en état de
résister, il se retira vers la mer; elle lui ouvrit un chemin à
travers son sein, dans lequel elle enveloppa ceux qui le
poursuivaient : ce fut par ce moyen qu'il échappa aux
tourments qu'on lui préparait.

» Qui pourrait douter après cela, Monseigneur, que les
Indiens n'aient connu Moïse, sous le nom de *Wishnou*
métamorphosé en *Crichnen ?* Mais à la connaissance de ce
fameux conducteur du peuple de Dieu, ils ont joint celle
de plusieurs coutumes qu'il a décrites dans ses livres, et
plusieurs lois qu'il a publiées, et dont l'observation s'est
conservée après lui.

» Parmi ces coutumes, que les Indiens ne peuvent avoir
tirées que des Juifs, et qui persévèrent encore aujourd'hui
dans le pays, je compte, Monseigneur, les bains fréquents,
les purifications, une horreur extrême pour les cadavres,
par l'attouchement desquels ils se croient souillés, l'ordre
différent et la distinction des castes, la loi inviolable qui
défend les mariages hors de sa tribu ou de sa caste particulière. Je ne finirais point, Monseigneur, si je voulais
épuiser ce détail : je m'attache à quelques remarques qui

ne sont pas tout à fait si communes dans les livres des savants.

» J'ai connu un Brame très habile parmi les Indiens, qui m'a raconté l'histoire suivante, dont il ne comprenait pas lui-même le sens, tandis qu'il est demeuré dans les ténèbres de l'idolâtrie. Les Indiens font un sacrifice nommé *Ekiam* (c'est le plus célèbre de tous ceux qui se font aux Indes) : on y sacrifie un mouton ; on y récite une espèce de prière, dans laquelle on dit à haute voix ces paroles : *Quand sera-ce que le Sauveur naîtra ? Quand sera-ce que le Rédempteur paraîtra ?*

» Ce sacrifice d'un mouton me paraît avoir beaucoup de rapport avec celui de l'agneau pascal ; car il faut remarquer sur cela, Monseigneur, que, comme les Juifs étaient tous obligés de manger leur part de la victime, aussi les Brames, quoiqu'ils ne puissent manger de viande, sont cependant dispensés de leur abstinence au jour du sacrifice de l'*Ekiam*, et sont obligés par la loi de manger du mouton qu'on immole, et que les Brames partagent entre eux.

» Plusieurs Indiens adorent le feu : leurs dieux même ont immolé des victimes à cet élément ; il y a un précepte particulier pour le sacrifice d'*Oman*, par lequel il est ordonné de conserver toujours le feu, et de ne le laisser jamais éteindre : celui qui assiste à l'*Ekiam* doit, tous les matins et tous les soirs, mettre du bois au feu pour l'entretenir. Ce soin scrupuleux répond assez juste au commandement porté dans le Lévitique, c. vj, v. 12 et 13. *Ignis in altare semper ardebit, quem nutriet sacerdos, subjiciens ligna manè per singulos dies.* Les Indiens ont fait quelque chose de plus en considération du feu : ils se précipitent eux-mêmes au milieu des flammes. Vous jugerez comme moi, Monseigneur, qu'ils auraient beaucoup mieux fait de ne point ajouter cette cruelle cérémonie à ce que les Juifs leur avaient appris sur cette matière.

» Les Indiens ont encore une fort grande idée des serpents : ils croient que ces animaux ont quelque chose de divin, et que leur vue porte bonheur. Ainsi, plusieurs adorent les serpents, et leur rendent les plus profonds respects ; mais ces animaux, peu reconnaissants, ne laissent pas de mordre cruellement leurs adorateurs. Si le serpent d'airain que Moïse montra au peuple de Dieu, et qui guérissait par sa seule vue, eût été aussi cruel que les serpents animés des Indes, je doute fort que les Juifs eussent jamais été tentés de l'adorer.

» Ajoutons enfin, Monseigneur, la charité que les Indiens ont pour leurs esclaves : ils les traitent presque comme leurs propres enfants ; ils ont grand soin de les bien élever ; ils les pourvoient de tout libéralement ; rien ne leur manque, soit pour leur vêtement, soit pour leur nourriture ; ils les marient, et presque toujours ils leur rendent la liberté. Ne semble-t-il pas que ce soit aux Indiens, comme aux

Israélites, que Moïse ait adressé sur cet article les préceptes que nous lisons dans le Lévitique ?

» Quelle apparence y a-t-il donc, Monseigneur, que les Indiens n'aient pas eu autrefois quelque connaissance de la loi de Moïse ? Ce qu'ils disent encore de leur loi et de *Bruma*, leur législateur, détruit, ce me semble, d'une manière évidente, ce qui pourrait rester de doute sur cette matière.

» *Bruma* a donné la loi aux hommes. C'est ce *Vedam* ou *Livre* de la loi que les Indiens regardent comme infaillible : c'est, selon eux, la pure parole de Dieu dictée par l'*Abadam*, c'est-à-dire par celui qui ne peut se tromper, et qui dit essentiellement la vérité. Le *Vedam* ou la loi des Indiens est divisé en quatre parties; mais, au sentiment de plusieurs doctes Indiens, il y en avait anciennement une cinquième qui a péri par l'injure des temps, et qu'il a été impossible de recouvrer.

» Les Indiens ont une estime inconcevable pour la loi qu'ils ont reçue de leur *Bruma*. Le profond respect avec lequel ils l'entendent prononcer, le choix des personnes propres à en faire la lecture, les préparatifs qu'on y doit apporter, cent autres circonstances semblables, sont parfaitement conformes à ce que nous savons des Juifs, par rapport à la loi sainte, et à Moïse qui la leur a annoncée.

» Le malheur est, Monseigneur, que le respect des Indiens pour leur loi va jusqu'à nous en faire un mystère impénétrable; j'en ai cependant assez appris par quelques docteurs, pour vous faire voir que les livres de la loi du prétendu *Bruma* sont une imitation du Pentateuque de Moïse.

» La première partie du *Vedam*, qu'ils appellent *Irroucouvedam*, traite de la première cause et de la manière dont le monde a été créé. Ce qu'ils m'en ont dit de plus singulier, par rapport à notre sujet, c'est qu'au commencement il n'y avait que Dieu et l'eau, et que Dieu était porté sur les eaux. La ressemblance de ce trait avec le premier chapitre de la Genèse n'est pas difficile à remarquer.

» J'ai appris de plusieurs Brames que, dans le troisième livre, qu'ils nomment *Samavedam*, il y a quantité de préceptes de morale. Cet enseignement m'a paru avoir beaucoup de rapport avec les préceptes moraux répandus dans l'Exode.

» Le quatrième livre, qu'ils appellent *Adaranavedam*, contient les différents sacrifices qu'on doit offrir, les qualités requises dans les victimes, la manière de bâtir les temples, et les diverses fêtes que l'on doit célébrer. Ce peut être là, sans trop deviner, une idée prise sur les livres du Lévitique et du Deutéronome.

» Enfin, Monseigneur, de peur qu'il ne manque quelque chose au parallèle, comme ce fut sur la fameuse montagne de Sinaï que Moïse reçut la loi, ce fut aussi sur la célèbre

montagne de *Mahamerou* que *Bruma* se trouva avec le
Vedam des Indiens. Cette montagne des Indes est celle
que les Grecs ont appelée *Meros*, où ils disent que Bacchus
est né, et qui a été le séjour des dieux. Les Indiens disent
encore aujourd'hui que cette montagne est l'endroit où
sont placés leurs *Chorcams* ou les différents paradis qu'ils
reconnaissent.

» N'est-il pas juste, Monseigneur, qu'après avoir parlé
assez longtemps de Moïse et de la loi, nous disions aussi
quelques mots de Marie, sœur de ce grand prophète ? Je
me trompe beaucoup, ou son histoire n'a pas été tout à
fait inconnue à nos Indiens.

» L'Ecriture nous dit de Marie, qu'après le passage miraculeux de la mer Rouge elle assembla les femmes israélites,
elle prit des instruments de musique, et se mit à danser
avec ses compagnes, et à chanter les louanges du Tout-
Puissant. Voici un trait assez semblable que les Indiens
racontent de leur fameuse *Lakeoumi*. Cette femme, aussi
bien que Marie sœur de Moïse, sortit de la mer par une
espèce de miracle. Elle ne fut pas plus tôt échappée au
danger où elle avait été de périr, qu'elle fit un bal magnifique, dans lequel tous les dieux et toutes les déesses
dansèrent au son des instruments.

» Il me serait aisé, Monseigneur, en quittant les livres
de Moïse, de parcourir les autres livres historiques de
l'Ecriture, et de trouver dans la tradition de nos Indiens
de quoi continuer ma comparaison ; mais je craindrais
qu'une trop grande exactitude ne vous fatiguât : je me
contenterai de vous raconter encore une ou deux histoires
qui m'ont le plus frappé, et qui font le plus à mon
sujet.

» La première qui se présente à moi est celle que les
Indiens débitent sous le nom d'*Arichandiren*. C'est un roi
de l'Inde, fort ancien, et qui, au nom et à quelques circon-
tances près, est, à le bien prendre, le Job de l'Ecriture.

» Les dieux se réunirent un jour dans leur *Chorcam*, ou,
si nous l'aimons mieux, dans le paradis des délices. *Deven-
diren*, le dieu de la gloire, présidait à cette illustre assemblée :
il s'y trouva une foule de dieux et de déesses ; les plus
fameux pénitents y eurent aussi leur place, et surtout les
sept principaux anachorètes.

» Après quelques discours indifférents, on proposa
cette question : Si parmi les hommes il se trouve un
prince sans défaut ? Presque tous soutinrent qu'il n'y en
avait pas un seul qui ne fût sujet à de grands vices, et
Vichouva-Moutren se mit à la tête de ce parti ; mais le
célèbre *Vachichten* prit un sentiment contraire, et soutint
fortement que le roi *Arichandiren*, son disciple, était un
prince parfait. *Vichouva-Moutren*, qui, du génie impérieux
dont il est, n'aime pas à se voir contredit, se mit en grande
colère, et assura les dieux qu'il saurait bien leur faire con-

naître les défauts de ce prétendu prince parfait, si on voulait le lui abandonner.

» Le défi fut accepté par *Vachichten*, et l'on convint que celui des deux qui aurait le dessous céderait à l'autre tous les mérites qu'il avait pu acquérir par une longue pénitence. Le pauvre roi *Arichandiren* fut la victime de cette dispute. *Vichouva-Moutren* le mit à toutes sortes d'épreuves : il le réduisit à la plus extrême pauvreté ; il le dépouilla de son royaume ; il fit périr le seul fils qu'il eût ; il lui enleva sa femme *Chandirandi*.

» Malgré tant de disgrâces, le prince se soutint toujours dans la pratique de la vertu avec une égalité d'âme dont n'auraient pas été capables les dieux mêmes qui l'éprouvaient avec si peu de ménagements : aussi l'en récompensèrent-ils avec la plus grande magnificence. Les dieux l'embrassèrent l'un après l'autre ; il n'y eut pas jusqu'aux déesses qui lui firent leurs compliments. On lui rendit sa femme et on ressuscita son fils. Ainsi *Vichouva-Moutren* céda, suivant la convention, tous ses mérites à *Vachichten*, qui en fit présent au roi *Arichandiren ;* et le vaincu alla, fort à regret, recommencer une longue pénitence pour faire, s'il y avait moyen, bonne provision de nouveaux mérites.

» La seconde histoire qui me reste à vous raconter, Monseigneur, a quelque chose de plus funeste, et ressemble encore mieux à un trait de l'histoire de Samson, que la fable d'*Arichandiren* ne ressemble à l'histoire de Job.

» Les Indiens assurent donc que leur dieu *Ramen* entreprit un jour de conquérir Ceylan, et voici le stratagème dont ce conquérant, tout dieu qu'il était, jugea à propos de se servir. Il leva une armée de singes, et leur donna pour général un singe distingué, qu'ils nomment *Anouman :* il lui fit envelopper la queue de plusieurs pièces de toile, sur lesquelles on versa de grands vases d'huile ; on y mit le feu, et ce singe courant par les campagnes, au milieu des blés, des bois, des bourgades et des villes, porta l'incendie partout ; il brûla tout ce qui se trouva sur sa route, et réduisit en cendres l'île presque tout entière. Après une telle expédition, la conquête n'en devait pas être fort difficile, et il n'était pas nécessaire d'être un dieu bien puissant pour en venir à bout.

» Je me suis peut-être trop arrêté, Monseigneur, sur la conformité de la doctrine des Indiens avec celle du peuple de Dieu ; j'en serai quitte pour abréger un peu ce qui me resterait à vous dire sur un second point que j'étais résolu de soumettre, comme le premier, à vos lumières et à votre pénétration ; je me bornerai à quelques réflexions assez courtes, qui me persuadent que les Indiens les plus avancés dans les terres ont eu, dès les premiers temps de l'Eglise, la connaissance de la religion chrétienne ; et qu'eux, aussi bien que les habitants de la côte, ont reçu les instructions de saint Thomas et des premiers disciples des apôtres.

» Je recommence par l'idée confuse que les Indiens conservent encore de l'adorable Trinité qui leur fut autrefois prêchée. Je vous ai parlé, Monseigneur, des trois principaux dieux des Indiens, *Bruma*, *Wishnou* et *Routren*. La plupart des Gentils disent, à la vérité, que ce sont trois divinités différentes, et effectivement séparées. Mais plusieurs *Nianigueuls*, ou hommes spirituels, assurent que ces trois dieux, séparés en apparence, ne font réellement qu'un seul dieu : que ce dieu s'appelle *Bruma* lorsqu'il crée et qu'il exerce sa toute-puissance; qu'il s'appelle *Wishnou*, lorsqu'il conserve les êtres créés, et qu'il donne les marques de sa bonté; et qu'enfin il prend le nom de *Routren*, lorsqu'il détruit les villes, qu'il châtie les coupables et qu'il fait sentir les effets de sa juste colère.

» Il n'y a que quelques années qu'un Brame expliquait ainsi ce qu'il concevait de la fameuse Trinité des païens. Il faut, disait-il, se représenter Dieu et ses trois noms différents qui répondent à ses trois principaux attributs, à peu près sous l'idée de ces pyramides triangulaires qu'on voit élevées devant la porte de quelques temples.

» Vous jugez bien, Monseigneur, que je ne prétends pas vous dire que cette imagination des Indiens réponde fort juste à la vérité que les chrétiens reconnaissent; mais au moins fait-elle comprendre qu'ils ont eu autrefois des lumières plus pures, et qu'elles se sont obscurcies par la difficulté que renferme un mystère si fort au-dessus de la faible raison des hommes.

» Les fables ont encore plus de part dans ce qui regarde le mystère de l'Incarnation; mais, du reste, tous les Indiens conviennent que Dieu s'est incarné plusieurs fois. Presque tous s'accordent à attribuer ces incarnations à *Whisnou*, le second dieu de leur Trinité. Et jamais ce dieu ne s'est incarné, selon eux, qu'en qualité de sauveur et de libérateur des hommes.

» J'abrège, comme vous le voyez, Monseigneur, autant qu'il m'est possible, et je passe à ce qui regarde nos sacrements. Les Indiens disent que le bain pris dans certaines rivières efface entièrement les péchés, et que cette eau mystérieuse lave non seulement les corps, mais purifie aussi les âmes d'une manière admirable. Ne serait-ce point là un reste de l'idée qu'on leur aurait donnée du saint baptême.

» Je n'avais rien remarqué sur la divine Eucharistie; mais un brame converti me fit faire attention, il y a quelques années, à une circonstance assez considérable pour avoir ici sa place. Les restes des sacrifices et le riz qu'on distribue à manger dans les temples conservent, chez les Indiens, le nom de *Prajadam*. Ce mot indien signifie en notre langue *divine grâce*, et c'est ce que nous exprimons par le terme grec *Eucharistie.*

» Il y a quelque chose de plus marqué sur la confession, et je crois, Monseigneur, devoir y donner un peu plus d'étendue.

» C'est une espèce de maxime parmi les Indiens, que celui qui confessera son péché en recevra le pardon. *Cheira param chounal Tiroum.* Ils célèbrent une fête tous les ans pendant laquelle ils vont se confesser, sur le bord d'une rivière, afin que leurs péchés soient entièrement effacés. Dans le fameux sacrifice *Ekiam*, la femme de celui qui y préside est obligée de se confesser, de descendre dans le détail des fautes les plus humiliantes, et de déclarer jusqu'au nombre de ses péchés. »

Note VII, page 133.

« La chronologie n'est qu'un amas de vessies remplies de vent ; tous ceux qui ont cru y marcher sur un terrain solide sont tombés. Nous avons aujourd'hui quatre-vingts systèmes, dont il n'y a pas un de vrai.

» Les Babyloniens disaient : Nous comptons quatre cent soixante-treize mille années d'observations célestes. Vient un Parisien qui leur dit : Votre compte est juste ; vos années étaient d'un jour solaire, elles reviennent à mille deux cent quatre-vingt-dix-sept des nôtres, depuis Atlas, roi d'Afrique, grand astronome, jusqu'à l'arrivée d'Alexandre à Babylone . . . .

. . . .
» Il fallait seulement que ce nouveau venu de Paris dît aux Chaldéens : Vous êtes des exagérateurs, et nos ancêtres des ignorants ; les nations sont sujettes à trop de révolutions pour conserver des quatre mille sept cent trente-six siècles de calculs astronomiques, et, quant au roi des Maures Atlas, personne ne sait en quel temps il a vécu. Pythagore avait autant de raison de prétendre avoir été coq, que vous de vous vanter de l'art d'observation. » (*Voltaire, Questions encyclopéd., tome* III, *page* 59, *artic.* Chronolog.)

Note VIII, page 138.

Il est clair d'abord, et pour mille raisons, qu'on ne peut attribuer aux Sauvages actuels de l'Amérique les ouvrages des rives du Scioto. En outre, toutes les peuplades racontent uniformément que, quand leurs aïeux arrivèrent dans l'Ouest pour s'établir dans la solitude, ils y trouvèrent les ruines telles que nous les voyons aujourd'hui.

Seraient-ce des monuments mexicains ? Mais on n'a rien trouvé de semblable au Mexique, ni même au Pérou ; mais ces monuments paraissent avoir exigé le fer, et des arts plus avancés qu'ils ne l'étaient dans les deux empires du Nouveau-Monde ; enfin la domination de Montézume ne s'étendait pas si loin à l'Orient, puisque, quand les Natchez et les Chicassas quittèrent le Nouveau-Mexique, vers le commencement du seizième siècle, ils ne rencontrèrent sur les bords du *Meschacebé* [1] que des hordes vagabondes et libres.

On a voulu donner ces espèces de fortifications à Ferdinand de Soto. Quelle apparence que cet Espagnol, suivi d'une poignée d'aventuriers, et qui n'a passé que trois ans dans les Florides, ait jamais eu assez de bras et de loisir pour élever ces énormes ouvrages ? D'ailleurs, la forme des tombeaux, et même de plusieurs parties des ruines, contredisent les mœurs et les arts européens. Ensuite c'est un fait certain que le conquérant de la Floride n'a pas pénétré plus avant que Chattafallai, village des Chicassas, sur l'une des branches de la Maubile. Enfin ces monuments prennent leurs racines dans des jours beaucoup plus reculés que ceux où l'on a découvert l'Amérique. Nous avons vu sur ces ruines un chêne décrépit qui avait poussé sur les débris d'un autre chêne tombé à ses pieds, et dont il ne restait plus que l'écorce; celui-ci, à son tour, s'était élevé sur un troisième, et ce troisième sur un quatrième. L'emplacement des deux derniers se marquait encore par l'intersection de deux cercles, d'un aubier rouge et pétrifié, qu'on découvrait à fleur de terre, en écartant un épais humus composé de feuilles et de mousses. Accordez seulement trois siècles de vie à ces quatre chênes successifs, et voilà une époque de douze cents années que la nature a gravée sur ces ruines.

Si nous poursuivons cette dissertation historique (qui toutefois ne conclut rien en faveur de l'antiquité des hommes), nous verrons qu'on ne peut former aucun système raisonnable sur le peuple qui a élevé ces anciens monuments. Les chroniques des Welches parlent d'un certain Madoc, fils d'un prince de Galles, qui, mécontent de son pays, s'embarqua en 1170, fit voile à l'ouest en laissant l'Irlande au nord, découvrit une contrée fertile, revint en Angleterre, d'où il repartit avec douze vaisseaux pour la terre qu'il avait trouvée. On prétend qu'il existe encore, vers les sources du Missouri, des sauvages blancs qui parlent le celte, et qui sont chrétiens. Que Madoc et sa colonie, supposé qu'ils aient abordé au Nouveau-Monde, n'aient pu construire les immenses ouvrages de l'Ohio, c'est, je pense, ce qui n'a pas besoin de discussion.

Vers le milieu du neuvième siècle, les Danois, alors grands navigateurs, découvrirent l'Islande, d'où ils passèrent à une terre à l'Ouest, qu'ils nommèrent *Vinland* [2]

---

1. PÈRE BARBU DES FLEUVES, vrai nom du Mississipi ou Méchassipi. On peut voir, sur ce que nous disons ici, Duprat, Charlevoix, etc., et les derniers voyageurs en Amérique, tels que Bertram, Imley, etc.

Nous parlons aussi d'après ce que nous avons appris nous-même sur les lieux.

2. Mall. INT. A L'HIST. DU DAN.

à cause de la quantité de vignes dont les bois étaient remplis. On ne peut guère douter que ce continent ne fût l'Amérique, et que les Esquimaux du Labrador ne soient les descendants des aventuriers danois. On veut aussi que les Gaulois aient abordé au Nouveau-Monde; mais ni les Scandinaves, ni les Celtes de l'Armorique ou de la Neustrie n'ont laissé de monuments semblables à ceux dont nous recherchons maintenant les fondateurs.

Si des peuples modernes on passe aux peuples anciens, on dira peut-être que les Phéniciens ou les Carthaginois, dans leur commerce à la Bétique, aux îles Britanniques ou Cassitérides, et le long de la côte occidentale d'Afrique [1], ont été jetés par les vents au Nouveau-Monde : il y a même des auteurs qui prétendent que les Carthaginois y avaient des colonies régulières, lesquelles furent abandonnées dans la suite par un effet de la politique du sénat.

Si les choses ont été ainsi, pourquoi donc n'a-t-on retrouvé aucune trace des mœurs phéniciennes chez les Caraïbes, les Sauvages de la Guyane, du Paraguay, ou même des Florides ? pourquoi les ruines dont il est ici question sont-elles dans l'intérieur de l'Amérique du Nord, plutôt que dans l'Amérique méridionale, sur la côte opposée à la côte d'Afrique ?

D'autres auteurs réclament la préférence pour les Juifs, et veulent que l'Orphir des Ecritures ait été placé dans les Indes occidentales. Colomb disait même avoir vu les restes des fourneaux de Salomon dans les mines de Cibao. On pourrait ajouter à cela que plusieurs coutumes des Sauvages semblent être d'origines judaïques, telles que celles de ne point briser les os de la victime dans les repas sacrés, de manger toute l'hostie, d'avoir des retraites, ou des *huttes de purification* pour les femmes. Malheureusement ces inductions sont peu de chose; car on pourrait demander alors comment il se fait que la langue et les divinités huronnes soient grecques plutôt que juives ? N'est-il pas étrange qu'*Ares-Koui* ait été le dieu de la guerre, dans la citadelle d'Athènes et dans le fort d'un Iroquois ? Enfin les critiques les plus judicieux ne laissent aucun jour à faire passer les Israélites à la Louisiane; car ils démontrent assez clairement qu'Orphir était sur la côte d'Afrique [2].

Les Egyptiens sont donc le dernier peuple dont il nous reste à examiner les droits [3]. Ils ouvrirent, fermèrent et reprirent tour à tour le commerce de la Trapobane, par le golfe Persique. Ont-ils connu le quatrième continent, et peut-on leur attribuer les monuments du Nouveau-Monde ?

1. VID. Strab. Ptol. Hann. PERIP. d'Anvill. etc., etc.
2. VID. Saur. d'Anvil.
3. Si nous ne parlons point des Grecs (et surtout des habitants de l'île de Rhodes), quoiqu'ils devinssent d'assez habiles navigateurs, c'est qu'ils sortirent rarement de la Méditerranée.

Nous répondons que les ruines de l'Ohio ne sont point d'architecture égyptienne; que les ossements qu'on trouve dans ces ruines ne sont point embaumés; que les squelettes y sont couchés, et non debout ou assis. Ensuite, par quel incompréhensible hasard ne rencontre-t-on aucun de ces anciens ouvrages, depuis le rivage de la mer jusqu'aux Alleghanys ? et pourquoi sont-ils tous cachés derrière cette chaîne de montagnes ? De quelque peuple que vous supposiez la colonie établie en Amérique, avant d'avoir pénétré, dans un espace de plus de quatre cents lieues, jusqu'aux fleuves où se voient ces monuments, il faut que cette colonie ait d'abord habité la plaine qui s'étend de la base des monts aux grèves de l'Atlantique. Toutefois on pourrait dire avec quelque vraisemblance que l'ancien rivage de l'Océan était au pied même des Apalaches et des Alleghanys, et que la Pennsylvanie, le Maryland, la Virginie, la Caroline, la Géorgie et les Florides, sont des plages nouvellement abandonnées par les eaux.

NOTE IX, page 144.

Fréret a fait la même chose pour les Chinois, et M. Bailly a réduit pareillement la chronologie de ces derniers, ainsi que celle des Egyptiens et des Chaldéens, au calcul des Septante. Ces auteurs ne peuvent être soupçonnés de partialité en faveur de notre opinion. (*Vid.* Bailly, tom. I.)

NOTE X, page 147.

Buffon, qui voulut accorder son système avec la Genèse, avait reculé l'origine du monde, en considérant chacun des six jours de Moïse comme un long écoulement de siècles; mais il faut convenir que ces raisonnements ne donnent pas un grand poids à ses conjectures. Il est inutile de revenir sur ce système que les premières notions de physique et de chimie ruinent de fond en comble; et sur la formation de la terre détachée de la masse du soleil, par le choc oblique d'une comète, et soumise tout à coup aux lois de gravitation des corps célestes; le refroidissement graduel de la terre, qui suppose dans le globe la même homogénéité que dans le boulet de canon qui avait servi à l'expérience; la formation des montagnes du premier ordre, qui suppose encore la transmutation de la terre argileuse en terre siliceuse, etc.

On pourrait grossir cette liste de systèmes qui, après tout, ne sont que des *systèmes*. Ils se sont détruits entre eux; et, pour un esprit droit, ils n'ont jamais rien prouvé contre l'Ecriture. (*Voyez* l'admirable Commentaire de la Genèse, par M. de Luc, et les Lettres du savant Euler.)

NOTE XI, page 151.

Je donnerai ici ces preuves métaphysiques de l'existence de Dieu et de l'immortalité de l'âme, pour compléter ce que j'ai dit sur ce grand sujet.

Toutes les preuves abstraites de l'existence de Dieu se tirent de ces trois sources : la *matière*, le *mouvement*, la *pensée*.

La matière.

Première Proposition.

Quelque chose a existé de toute éternité

Preuves. Par la raison que quelque chose existe. Dieu ou matière, peu importe à présent.

Seconde Proposition. 1. *Quelque chose a existé de toute éternité*, 2. et cet être existant est indépendant et immuable.

Preuves. Il faudrait autrement qu'il y eût une succession infinie de causes et d'effets sans cause première; ce qui est contradictoire. On le prouve,

Parce que, si la série d'êtres indépendants est une et toute, elle ne peut avoir au-dehors une cause de son existence *successive*, puisqu'elle comprend *tout*. Or,

Il est évident que chaque être, dans la chaîne progressive, n'a pas, au-dedans de soi, la cause efficiente de son existence, puisqu'il est produit par un être *précédent*. Contradiction manifeste.

Objection. On dit : C'est la nécessité qui fait que cette chaîne d'êtres existe.

Réponse. Des êtres *dépendant* les uns des autres peuvent *exister* ou *n'exister pas*. Il n'y a pas là *nécessité ;* donc la cause de cette existence est déterminée par *rien*. (Absurdité.) Donc il doit y avoir de toute éternité un Être indépendant et immuable, cause première de la génération des êtres.

Troisième Proposition. 1. *Quelque chose a existé de toute éternité*. 2. *Cet être existant est indépendant et immuable*, 3. et ne peut être la matière.

Première preuve. Si cela était, la matière existerait *nécessairement* et par elle-même : la seule supposition qu'elle n'existe pas serait une contradiction dans les termes. Or, il est prouvé

Que le mode de son existence n'est pas de cette nature, puisqu'on peut concevoir, sans contradiction, qu'elle (la matière) pourrait ne pas exister, ou être tout autre chose que ce qu'elle est. En effet,

Ce caillou que vous roulez sous votre pied n'existe pas *nécessairement*, puisque vous le concevez fort bien, ou anéanti, ou de tout autre espèce, sans qu'il en arrive aucun changement dans l'univers. Ainsi, d'objets en objets, vous verrez clair comme le jour que l'existence de la matière n'est pas de *nécessité*.

Seconde preuve. En outre, on ne peut pas se figurer la

durée éternelle de la matière, de la même manière qu'on entend celle de Dieu : celle-ci, par la simplicité et la non-étendue de sa substance, se fait concevoir à la pensée, comme existant à la fois dans le passé, le présent et l'avenir. Mais la durée de la matière ne peut être que progressive, puisqu'elle a l'étendue et les dimensions des corps, et qu'elle se perpétue par destructions et générations : elle n'existe plus pour la minute écoulée, et, comme l'homme, elle avance dans l'avenir en perdant le passé.

Or, si l'éternité est successive, comme elle l'est démonstrativement, dans le cas de la matière, elle enferme des *siècles infinis ;*

Or des *siècles infinis* ne peuvent être *épuisés*, ou ils ne seraient pas *infinis ;*

Donc l'éternité de la matière étant successive, cette matière ne pourrait être venue jusqu'à nos jours, puisqu'il faudrait supposer qu'elle eût franchi des siècles *infinis*, et que des siècles *infinis* qui pourraient se *franchir* ne seraient point infinis [1].

Troisième preuve. S'il n'y a que la matière dans la nature, et que cette matière n'existe pas de *nécessité* (ce qui implique déjà contradiction), qui est-ce qui fait durer les êtres ?

S'il n'y a pas une puissance *nécessaire*, qui conserve tout par sa seule vertu ou sa seule volonté, la cohésion des parties des corps est impossible. Mon bras doit tomber en poussière, si les atomes dont il est formé ne sont sans cesse forcés de se tenir ensemble, ou même s'ils ne sont sans cesse créés [2]. Or, cette puissance *nécessaire* ne peut être la matière, puisqu'elle n'existe pas de *nécessité*, et qu'elle n'a pas elle-même la cohésion des parties. Enfin, cette volonté conservatrice ne peut émaner de la matière, puisque la matière est un être purement passif et sans volonté.

Concluons que l'être primitif, indépendant et immuable, ne peut être la matière.

QUATRIÈME PROPOSITION. 1. *Quelque chose a existé de toute éternité.* 2. *Cet être existant est indépendant et immuable ;* 3. *il ne peut être la matière ;* 4. IL EST NÉCESSAIREMENT UNIQUE.

Première preuve. Si deux principes *indépendants* existent ensemble, on concevra que l'un peut également exister seul, puisqu'il n'est pas de la *même* nature que l'autre ; d'où il résulte que ni l'un ni l'autre de ces principes n'existe *nécessairement*. Que deviennent donc la matière et l'être quelconque, démontré existant de toute éternité, par la seule raison que quelque chose existe à présent ?

Seconde preuve. Si deux principes existent ensemble, qui est-ce qui a arrangé la matière ?

1. Abbadie.
2. Descartes.

Ce ne peut être *Dieu*, parce qu'il ne connaît point l'*autre principe*, et n'a aucun droit sur lui [1].

Si la matière est incréée, Dieu ne peut la mouvoir, ni en former aucune chose; car Dieu ne peut l'arranger sagement sans la connaître; il ne peut la connaître s'il ne l'a pas créée, puisque, étant un principe *indépendant* par lui-même, il ne peut tirer ses connaissances que de lui, rien ne peut agir en lui ni l'éclairer [2].

Ainsi s'évanouit cet épouvantail de l'école des athées : *ex nihilo nihil fit*. Si Dieu *existe*, la matière n'est pas *éternelle*, et la création est *obligée*. Si vous supposez que Dieu *n'existe pas*, vous rentrez dans le cercle de nos propositions.

L'être existant de toute éternité est donc nécessairement unique [3].

Cinquième Proposition. 1. *Quelque chose a existé de toute éternité.* 2. *Cet être existant est indépendant et immuable,* 3. *il ne peut être la matière ;* 4. *il est nécessairement unique ;* 5. IL N'EST POINT UN AGENT AVEUGLE, SANS CHOIX ET SANS VOLONTÉ.

Preuves. Si la cause suprême est sans liberté, une chose qui n'existe pas dans le moment actuel n'a jamais pu exister; car,

Si la puissance de la cause suprême vient de l'enchaînement nécessaire des êtres, tout ce qui existe, existe par une nécessité rigoureuse; alors, si cette nécessité est de *rigueur*, comment se trouve-t-il un temps où cette chose n'existait pas ?

Que si on rapporte cette nécessité d'existence à une certaine époque de la succession des temps, c'est complètement déraisonner. Dans le cas d'une existence d'*absolue* nécessité, il n'y a point de *succession* de temps. Les temps sont UN et TOUT.

Ensuite,

Il n'y a dans le monde aucune apparence d'une nécessité *absolue*. Chacun peut concevoir les choses d'une tout autre manière, et dans un ordre tout différent de ce qu'elles sont; mais on aperçoit une nécessité de *convenances* relatives aux lois de l'harmonie et de la beauté. Cette nécessité du *meilleur possible* dans les êtres est fort digne d'une cause intelligente, et très compatible avec sa liberté.

De plus,

L'être intelligent prouve encore sa liberté par les causes finales. Aucun athée ne s'avise de soutenir à présent, comme jadis Epicure, que l'œil n'est pas formé pour voir,

---

1. Bayl. art. Anaxim.
2. Malebr.
3. La seule objection qu'on pourrait me faire ici se tirerait du spinosisme, qui admet l'unité de Dieu et de la matière; mais on sait combien cette opinion est absurde. On peut voir Bayle, art. Spinosa.

et l'oreille pour entendre. Il suffirait de renvoyer cet incrédule aux anatomistes.

Enfin,

Si la cause première agit par nécessité, aucun *effet* de cette cause ne sera *fini*. Une nature qui agit *nécessairement* agit de *toute sa puissance*. Or, une nature *infinie*, agissant à la fois de toutes parts et de toute sa puissance, ne peut jamais *compléter* un être, puisqu'elle y ajouterait *sans fin* en raison de son *infinité* ; il n'y aurait donc point d'objet fini dans l'univers, ce qui est visiblement absurde.

Donc la cause première n'est point un agent aveugle, sans choix et sans volonté.

SIXIÈME PROPOSITION. 1. *Quelque chose a existé de toute éternité.* 2. *Cet être existant est indépendant et immuable ;* 3. *il ne peut être la matière ; 4. il est nécessairement unique ;* 5. *il n'est point un agent aveugle, sans choix et sans volonté ;* 6. IL POSSÈDE UNE PUISSANCE INFINIE.

Preuves. Cette puissance ne peut s'étendre que sur deux espèces d'êtres, qui constituent toutes les choses, savoir : les êtres matériels et les êtres immatériels.

Par rapport aux premiers,

Nous avons vu que la *cause nécessairement unique* doit avoir créé la matière, et conséquemment en être la maîtresse absolue.

Quant aux derniers,

Nous prouverons ailleurs que Dieu a pu seul les créer, lorsque nous examinerons la nature de la pensée de l'homme.

SEPTIÈME ET DERNIÈRE PROPOSITION. 1. *Quelque chose a existé de toute éternité.* 2. *Cet être existant est indépendant et immuable ; 3. il ne peut être la matière ; 4. il est nécessairement unique ; 5. il n'est point un agent aveugle, sans choix et sans volonté ; 6. il possède une puissance infinie ;* 7. ET IL EST INFINIMENT SAGE, BON, JUSTE, etc.

Preuves. Cela se démontre.

A priori,

1° Parce qu'un être parfaitement intelligent doit connaître ses propres facultés, et qu'étant infini en puissance, rien ne peut l'empêcher de faire ce qui est le meilleur et le plus sage ;

2° Parce que l'être infini connaissant toutes les convenances et toutes les relations des choses, n'étant jamais détourné de la vérité par les passions, la force ou l'ignorance, il doit toujours agir conformément aux propriétés des choses.

A posteriori,

Les preuves de la bonté, de la sagesse et de la justice de Dieu, se tirent de la beauté de l'univers.

Récapitulons.

1° Quelque chose a existé de toute éternité.

2° Cette chose existante est immuable et indépendante.

3º Elle n'est pas la matière.
4º Elle est unique.
5º Elle n'est point un agent aveugle.
6º Elle est toute-puissante.
7º Elle est souverainement sage, bonne et juste.
Voilà DIEU.

Le mouvement.

D'où vient le MOUVEMENT de la MATIÈRE ?
Premier syllogisme (genre positif).
Ou ce mouvement lui est essentiel, ou il lui est communiqué.
Si le mouvement est *essentiel* à la matière, c'est une nécessité pour elle que ses parties soient toujours en mouvement : or,
L'expérience la plus commune démontre qu'il y a des corps en repos; donc
Le mouvement n'est pas essentiel à la matière; donc
Il lui est communiqué.
Second syllogisme (genre destructif).
Si le mouvement est *essentiel* à la matière, toutes ses parties doivent tendre sans cesse et également de tous côtés : or,
De l'éternel mouvement résulte l'éternel repos; donc
Tout est en repos dans l'univers (*absurde*).
Troisième syllogisme (genre démonstratif).
Le mouvement, par sa nature connue, n'a aucune régularité;
Il s'exerce dans toutes les dimensions et dans toutes les vitesses;
Il s'échappe par la tangente, coupe par la sécante, se plonge par la perpendiculaire, se roule par le cercle, se glisse par l'ellipse et la parabole;
Il se communique par le choc; il prend des directions nouvelles, selon l'opposition ou la réflexion des corps; or,
Les lois motrices des astres, du soleil et des planètes, s'accomplissent dans une inaltérable régularité géométrique; donc
Ces lois d'un mouvement permanent et régulier ne peuvent être engendrées par le mouvement confus et désordonné de la matière.
Il suit de ces trois syllogismes que le mouvement n'est point essentiel à la matière :
1º Parce qu'il y a des corps en repos;
2º Parce que l'universel mouvement serait le repos universel, ce qui choque l'expérience;
3º Parce que le mouvement irrégulier de la matière ne peut jamais être admis comme créateur de l'*ordre*, de l'univers. Une cause ne peut pas produire un effet dont elle n'a pas en elle-même le principe, puisqu'il y aurait

alors un effet sans cause; un composé ne peut avoir des vertus qui ne sont pas dans ses éléments simples. Enfin, si le mouvement était une qualité résidant dans la matière ou dans l'arrangement de ses parties, depuis le temps que les plus habiles mécaniciens cherchent le mouvement perpétuel, n'est-il pas plus que probable qu'ils auraient trouvé la machine propre à le mettre en évidence ? Mais l'expérience a démontré jusqu'à présent qu'il fallait un moteur étranger.

On doit conclure de ces arguments qu'il existe quelque part, *hors* de la matière, un mobile universel, premier agent du mouvement, à la fois immuable et dans un mouvement éternel.

Voilà Dieu.

Eclaircissements sur ces dernières preuves touchant le mouvement.

Le mouvement de la matière fournissant une preuve sans réplique en faveur de l'existence de Dieu, il sera bon d'y jeter encore quelque lumière.

Pour démontrer l'impossibilité de la formation des mondes par le mouvement et le hasard, Cicéron tire des lettres de l'alphabet cette objection si connue :

« Ne dois-je pas m'étonner, dit-il, [1] qu'il y ait un homme qui se persuade que de certains corps solides et indivisibles se meuvent d'eux-mêmes par leur poids naturel, et que, de leur concours fortuit, s'est fait un monde d'une si grande beauté ? Quiconque croit cela possible, pourquoi ne croirait-il pas que si l'on jetait à terre quantité de caractères d'or, ou de quelque matière que ce fût, qui représentassent les vingt et une lettres, ils pourraient tomber arrangés dans un tel ordre, qu'ils formeraient lisiblement les Annales d'Ennius ? Je doute si le hasard rencontrerait assez juste pour en faire un seul vers. Mais ces gens-là, comment assurent-ils que des corpuscules, qui n'ont point de couleur, point de qualité, point de sentiment, qui ne font que voltiger au gré du hasard, ont fait ce monde-ci, ou plutôt en font à chaque moment d'innombrables qui en remplacent d'autres ? Quoi! si le concours des atomes peut faire un monde, ne pourrait-il pas faire des choses bien plus aisées, un portique, un temple, une maison, une ville ? »

Cette absurdité, qui frappait si justement l'orateur romain, a aussi été relevée par Bayle. Nous aimons à citer Bayle aux athées. « Ce dialecticien (c'est Leibniz qui parle) passe aisément du blanc au noir ; il s'accommode de tout ce qui lui convient pour combattre l'adversaire qu'il a en tête, n'ayant pour but que d'embarrasser les philo-

1. DE NAT. DEOR. II. 37. Traduct. de d'Olivet.

sophes, et de faire voir la faiblesse de notre raison. Jamais Arcésilas et Carnéades n'ont soutenu le pour et le contre avec plus d'esprit et d'*éloquence* [1]. »

Voici donc ce que dit Bayle sur la nécessité d'une cause intelligente [2] :

« Puisque, de l'aveu de toutes les sectes, les lois du mouvement ne sont pas capables de produire, je ne dirai pas un moulin, une horloge, mais le plus grossier instrument qui se voit dans la boutique d'un serrurier, comment seraient-elles capables de produire le corps d'un chien, ou même une rose et une grenade ? Recourir aux astres ou aux formes substantielles, c'est un pitoyable asile. Il faut ici une cause qui ait l'idée de son ouvrage, et qui connaisse les moyens de le construire : tout cela est nécessaire à ceux qui font une montre et un vaisseau, à plus forte raison se doit-il trouver dans ce qui fait l'organisation des êtres vivants. »

A la note R de l'article Démocrite, il s'exprime ainsi :

« En quittant le droit chemin, qui est le système d'un Dieu, créateur libre du monde, il faut nécessairement tomber dans la multiplicité des principes ; il faut reconnaître entre eux des antipathies et des sympathies, les supposer indépendants les uns des autres, quant à l'existence et à la vertu d'agir, mais capables néanmoins de s'entre-nuire par l'action et la réaction. Ne demandez pas pourquoi, en certaines rencontres, l'effet de la réaction est plutôt ceci que cela ; car on ne peut donner raison des propriétés d'une chose, que lorsqu'elle a été faite librement par une cause qui a eu ses raisons et ses motifs en la produisant. »

Crousaz, qui cite ce passage à la huitième section de son examen du Pyrrhonisme, ajoute [3] :

« Quand on supposerait les atomes éternels et en mouvement de toute éternité, on pourrait bien en conclure qu'en s'approchant ils formeraient de certaines masses, et, si vous voulez encore, que ces masses seraient propres à produire de certains effets. Mais de là il y a infiniment loin à supposer que ces masses, formées par le concours fortuit des atomes, auraient pris un agencement régulier, et que les propriétés des unes auraient été précisément telles qu'il fallait pour l'usage des autres.

» Que l'on ploie dix billets numérotés, l'un par le chiffre 1, le second par le chiffre 2. Combien de reprises ne faudrait-il pas pour les tirer, sans choix, dans un tel ordre, que le numéro 1 vînt précisément le premier, le numéro 2 le second, et ainsi jusqu'au 10 ?

» S'il y en avait vingt, le cas ne serait pas seulement deux

---

1. Leibn. Théodic. part. III, § 353. On sait ce que c'est que l'éloquence de Bayle ; mais il faut pardonner ce jugement à Leibniz.
2. Art. Sennert., note C.
3. Page 426.

fois plus difficile, mais incomparablement plus, comme le démontrent ceux qui ont étudié la doctrine abstraite des combinaisons. Cinq choses mélangées 2 à 2 donnent 15 combinaisons; à 3, 35; à 4, 70; à 5, 126; à 6, 210; à 7, 330.

» La difficulté de ranger plusieurs choses, sans le secours du discernement, dans un ordre croissant avec le nombre de ces choses, devient toujours plus grande dans une proportion qui va si fort en augmentant. Pour donner un arrangement, sans le secours de l'intelligence et du choix, à une infinité de parties en désordre, il faudrait surmonter des difficultés infiniment infinies. Quelle étendue d'intelligence ne serait pas nécessaire pour ranger dans un grand ordre, dans un ordre exquis, dans un ordre qui se soutînt, une infinité de choses dont chacune hors de sa place serait une cause de désordre! Prenez autant de lettres qu'il y en a dans une ligne; agencez les billets où elles sont écrites, une seule par billet, sans les voir : à peine, après avoir épuisé votre vie en tentatives, viendrez-vous une fois à bout de les ranger à faire lire cette ligne. La difficulté sera beaucoup plus que double, s'il faut ainsi venir à bout d'agencer les expressions de deux lignes : où n'irait point la difficulté de les ranger, sans le secours du discernement, dans l'ordre où elles sont dans une page entière ? Leurs agencements fortuits iraient-ils enfin à composer un livre ? Une cause infinie en perfection peut seule lever les obstacles qui naissent d'une confusion infinie.

» J'ajouterai ici un exemple aisé de la variété et de la multiplicité des combinaisons. A et b se combinent en deux manières, ab, ba; abc, en six, ab, ac, ba, bc, ca, cb, et cela sans être répétées; $abcd$, en vingt-quatre, $abcd$, $abdc$, $acbd$, $acdb$, $adbc$, $adcb$; en voilà six. Il y en aura autant si l'on commence par b, autant par c, autant par d.

» Une infinité combinée 2 à 2 irait à l'infini; combinées 3 à 3, encore à l'infini et à un plus grand infini; combinées toutes ensemble, à une infinité d'infinies manières. Quelles sources de confusion, quelle infinité de dérangements, et à combien d'infinies manières ne montent pas les chaos et les confusions possibles! Si cette confusion ne se change pas tout d'un coup en régularité, elle subsistera; car quelque léger principe de régularité serait bientôt détruit par les chocs de l'infinie confusion restante.

» Dire que, dans la suite infinie des temps, la combinaison régulière a enfin eu son tour, ce serait supposer une infinie régularité dans la confusion, puisque ce serait supposer que toutes les combinaisons différentes à l'infini se seraient succédé par ordre, et que par là la combinaison régulière aurait paru dans sa place, et en aurait eu une assignée dans cette succession, où elles se présentaient par ordre, comme si une intelligence en avait fait les agencements, les essais et les revues. »

Ces raisonnements sont d'une grande force, et précisément comme les demandent les esprits positifs, c'est-à-dire des raisonnements mathématiques. Il y a des athées qui ont l'ingénuité de croire que ce n'est que dans leur secte qu'on démontre par A + B, et que les pauvres chrétiens sont réduits à l'*imagination* pour toute ressource. C'est bien quelque chose pourtant que cette imagination; et il y a tel profane qui aurait la témérité de croire qu'il est plus difficile d'écrire une seule belle page de pensées morales ou de sentiments, que de compiler des volumes entiers d'abstractions. Quoi qu'il en soit, ces incrédules ne savent donc pas que Leibniz a prouvé Dieu géométriquement dans sa *Théodicée*? Ils ne savent donc pas qu'on a emprunté d'Huygens, de Keil, de Marcalle et de cent autres, des théorèmes rigoureux pour établir l'existence d'un Etre suprême? Platon n'appelait Dieu que l'*éternel géomètre*, et c'est l'art d'Archimède qui a fourni la plus belle et la plus puissante image de Dieu, *le triangle inscrit au cercle*.

Newton a posé ainsi l'axiome fondamental de la mécanique :

« *Quand un corps est en repos ou en mouvement, il ne cesse jamais de rester en repos, ou de se mouvoir en ligne droite avec la même force, sans qu'elle reçoive aucune augmentation ou aucune diminution, à moins que quelque autre force, venant à agir sur lui, n'y cause du changement.* »

Le médecin Nieuwentyt, raisonnant sur cet axiome, dans son livre *de l'Existence de Dieu, démontrée par les merveilles de la nature*, fait cette curieuse observation [1] :

« Lorsqu'un petit corps, qui ne sera si grand qu'une petite boule, de la grosseur, par exemple, d'un grain de sable très petit, après avoir reçu une chiquenaude, va heurter contre un corps que nous supposerons aussi gros que tout le globe de la terre, ou, si vous voulez, mille fois plus grand, pourvu que ni l'un ni l'autre n'ait pas de ressort; il s'ensuit, dis-je, que ce grand corps sera entraîné avec le grain de sable en ligne droite; et, à moins que quelque force ou quelque obstacle n'intervienne et n'arrête ce mouvement, la force d'une seule chiquenaude suffira pour faire mouvoir continuellement en ligne droite ce grand corps et le petit grain de sable tout ensemble; et si dans leurs routes ils rencontraient cent mille autres corps, chacun un million de fois plus grand que la terre, ils les entraîneraient tous avec cette petite force, sans qu'il y en eût jamais aucun en état de prendre une autre direction.

» Que ceci soit vrai, quelque merveilleux qu'il paraisse, c'est une chose que les mathématiciens ne sauraient nier. Misérables Pyrrhoniens, qui espérez, en déduisant nécessairement les lois de la nature l'une de l'autre, d'éluder les preuves de la Providence divine! misérables Pyrrho-

---

1. Liv. III, chap. 3, page 541.

niens, montrez-nous par vos principes, si vous pouvez en aucune manière comprendre, non pas qu'une pareille chose arrive continuellement (car les mathématiques leur montreront ceci), mais comment et de quelle manière agit la force de ce petit grain de sable, de sorte que, pour peu qu'il pousse ces corps prodigieux, il les met non seulement en mouvement, mais il les y conserve sans jamais cesser. »

Voilà la remarque de cet excellent homme qui, avec Hippocrate et Galien, avait reconnu dans la merveilleuse machine de notre corps, la main d'une intelligence divine.

Enfin, le docteur Hancock se sert d'une comparaison frappante, pour faire sentir l'absurdité de ceux qui attribuent l'ordre de l'univers au concours fortuit des atomes.

« Supposons, dit-il [1], que tous les hommes qu'il y a sur la terre fussent aveugles, et que dans cet état il leur fût ordonné de se rendre dans les plaines de la *Mésopotamie ;* combien de siècles leur faudrait-il pour trouver cette route et pour venir à leur commun rendez-vous ? Y arriveraient-ils même jamais, quelque immense que fût leur durée ? Cela serait pourtant infiniment plus facile à faire pour les hommes, qu'il ne l'a été aux *atomes* de *Démocrite* d'exécuter l'ouvrage qu'il leur attribue. Posé cependant que ce concours si heureux ne leur ait pas été impossible, comment est-il arrivé qu'il n'ait plus rien produit de nouveau, ou que le même hasard qui les assembla pour former l'univers, ne les ait pas dissipés pour le détruire ? Dira-t-on que c'est un principe d'*attraction* et de *gravitation* qui les retient ainsi dans leur situation primitive ? Mais ce principe d'*attraction* et de *gravitation* est ou *antérieur* ou *postérieur* à la formation de l'univers. S'il est antérieur, comment est-ce que l'activité en était suspendue ? Et s'il est postérieur, quelle en est l'origine, et ne doit-elle pas venir d'ailleurs que de la matière, qui de sa nature est susceptible de se mouvoir en tout sens ? Si l'on dit d'ailleurs que c'est la *nature* qui se maintient d'elle-même dans cet état permanent, on ne peut entendre par ce terme, dans le système de *Démocrite*, que le *concours fortuit*, et l'on sent d'abord que cela ne suffit pas plus pour rendre raison de la conservation du monde, que pour celle de sa formation. »

Pour se tirer des difficultés insurmontables qui résultent de la formation du monde par le mouvement de la matière, Spinosa, d'après Straton, a soutenu qu'il n'y a dans l'univers qu'une seule substance ; que cette substance est Dieu, à la fois esprit et matière, possédant l'attribut de la pensée et de l'étendue. Ainsi, mon pied, ma main, un caillou, tous les accidents physiques et moraux, toutes les saletés de la nature sont des parties de Dieu. Rare et admirable divinité, sortie toute formée et sans douleur du cerveau d'un incrédule ! Les païens avaient bien attaché des dieux

---

1. Hancock, on the Exist. of God, sect. 5, trad. franç.

aux objets les plus vils de la terre; mais il n'appartenait qu'à un athée de déifier, en une seule et éternelle substance, tous les crimes et toutes les immondices de l'univers. Il se passe d'étranges choses dans l'intérieur de ces hommes que Dieu a éloignés de lui, et les plus habiles gens trouveraient malaisé d'expliquer les mouvements du cœur d'un athée. On peut voir comment Bayle, Clarke, Leibniz, Crouzas, etc., ont renversé le spinosisme, qui est en même temps le plus impie et le plus insoutenable des systèmes.

Anaximandre, par une autre folie, voulait que les *formes* et les *qualités*, provenues de la matière, eussent arrangé l'univers.

D'un autre côté, les Stoïciens supposaient des *formes plastiques*, destituées d'intelligence et pourtant distinctes de la matière. A la vérité, quelques-uns les dérivaient de Dieu, et ne les avaient imaginées que pour expliquer l'action d'un être immatériel sur des êtres matériels.

Qu'est-il besoin d'appeler les mépris du lecteur sur ces rêveries philosophiques ? Elles ont été combattues par les incrédules eux-mêmes.

Il ne reste donc plus à faire valoir que la loi banale de la *nécessité*. On s'en sert d'autant plus volontiers, qu'on ne sait ce que c'est, et qu'en lâchant ce grand mot, on se croit dispensé de l'expliquer. Mais cette terrible nécessité est-elle une chose créée ou incréée ? Si elle est créée, qui est-ce qui en est le créateur ? Si elle est incréée, cette nécessité qui arrange tout, qui produit tout dans un si bel ordre, qui est une, indivisible, sans étendue, est-elle autre que Dieu ?

La pensée.

D'OU VIENT LA PENSÉE DE L'HOMME, ET QUELLE EST LA NATURE DE CETTE PENSÉE ?

Elle ne peut être que *matière*, *mouvement* ou *repos*, la *chose* même, ou les deux *accidents* de cette *chose*, puisqu'il n'y a dans l'univers que *matière*, *mouvement* et *repos*.

Que la *pensée* n'est pas *matérielle*, cela parle de soi.

Que la *pensée* n'est pas le *repos* de la matière, cela est encore prouvé, puisque au contraire la *pensée* est un *mouvement*.

La *pensée* est donc un *mouvement*. Est-elle le *mouvement matériel*, ou l'effet du *mouvement matériel* ?

Examinons.

Si la pensée est l'*effet* du mouvement ou le *mouvement* lui-même, elle doit ressembler à cet *effet* de mouvement, ou à ce mouvement. Or,

Le *mouvement* rompt, désunit, déplace; la *pensée* ne fait rien de tout cela :

Elle touche les corps, sans les séparer, sans les mouvoir.

Le *mouvement* lui-même est aussi un déplacement. Un corps qui se meut change de disposition, s'arrange d'une autre manière, occupe une autre place, acquiert d'autres proportions : la *pensée* ne fait rien de tout cela :

Elle se meut sans cesser d'être en repos et sans quitter son siège; elle n'a ni dimension, ni localité, ni forme.

Le *mouvement* a sa mesure et ses degrés : la *pensée*, au contraire, est *indivisible*. Il n'y a point de moitié, de quart, de fraction de *pensée* : une *pensée* est une.

Le *mouvement* de la matière a des bornes qui l'empêchent de s'étendre au-delà de certains espaces :

La *pensée* n'a d'autres champs que l'infini. Or, comment concevoir qu'un atome, parti de mon cerveau avec la rapidité de la *pensée*, atteigne au même instant le ciel et l'enfer, et pourtant sans quitter mon cerveau ? car, s'il en était ainsi, ma pensée subsisterait hors de moi, et ne serait plus moi. Qui aurait donné à cet atome cette force immense de mouvement, incomparablement plus grande que celle qui entraîne tous les corps célestes ? Comment un si chétif insecte que l'homme aurait-il une pareille puissance *physique* ?

Le *mouvement* ne peut agir qu'au présent.

Le passé et l'avenir sont également du ressort de la *pensée*. L'espérance, par exemple, ne peut être qu'un mouvement futur; et comment un mouvement *futur matériel* existe-t-il au *présent* ?

La pensée ne peut donc être le mouvement matériel. En est-elle l'*effet* ?

La pensée ne peut être l'*effet* du mouvement, parce qu'un effet ne peut être plus noble que sa cause, une conséquence plus puissante qu'un principe. Or, que la *pensée* soit plus noble et plus forte que ce *mouvement*, qui ne le voit du premier coup d'œil, puisque la pensée connaît ce *mouvement* et que ce *mouvement* ne la connaît pas, puisque la *pensée* parcourt dans la plus petite fraction de temps, des espaces que ce *mouvement* ne pourrait franchir que dans des milliers de siècles.

Que si l'on dit à présent que la pensée n'est ni un *mouvement*, ni un *effet* de mouvement *intérieur* dans mon cerveau, mais un ébranlement produit par un mouvement *extérieur*, c'est seulement retourner les termes de la proposition. Car il est encore peut-être plus absurde d'imaginer que tel atome, émané de la lumière d'une étoile, descende dans la vitesse de la *pensée*, pour choquer telle partie de mon cerveau, tandis que d'autres millions de *mouvements* viennent en même temps l'assaillir de tous côtés. Par la seule loi de la pesanteur, un atome, tombé du soleil sur ma tête, me réduirait en poussière. Objecter que la gravité n'existe plus pour les parties extrêmement ténues de la matière, ce serait se moquer des gens, en voulant appliquer ce principe physique à la théorie de la pensée. Examinez donc un peu ce qui arriverait dans votre entendement toutes les fois que vous pensez, si votre *pensée* était le *mouvement* matériel, ou un *effet* de ce mouvement. Une petite portion de votre cervelle se détache, et s'en va roulant de tel côté, ce qui vous donne telle idée. Cet atome est long ou rond, large ou étroit, mince ou épais ; et vous voilà, en conséquence de cette figure du hasard, obligé d'être triste ou gai, insensé ou sage. Mais comme l'homme pense à mille choses à la fois, quel chaos, quel dérangement dans sa tête ! Une *pensée sublime*, sous la forme d'un embryon blanc ou bleu, en traversant votre entendement, rencontre une autre *pensée rouge* qui l'arrête. D'autres *idées* surviennent, se heurtent, etc.

Ce n'est pas là toute la difficulté ; car si le *mouvement* est la *pensée*, le *mouvement* est un *principe pensant*. Or, dans ce cas, le flot qui roule, le pied qui marche, la pierre qui tombe, pensent. Vous dites que je pense en raison d'un ébranlement produit dans une certaine partie de mon cerveau : d'accord ; mais cette partie de mon cerveau qui s'ébranle n'est pas d'une autre nature que les éléments de l'univers. C'est de l'eau, de la terre, de l'air ou du feu ; ou, si vous aimez mieux parler comme la physique du jour, c'est de l'oxygène, de l'hydrogène, etc. Amalgamez ces principes tout comme il vous plaira, ils resteront toujours tels par leur essence. Or, de leur mélange tel quel, comment ferez-vous naître la *pensée*, si le *principe* de cette pensée n'est pas renfermé dans les *éléments* qui la composent ? Vous ne voulez pas déraisonner et dire qu'un *composé* a des effets qui ne sont pas dans des *simples*, et qu'un accident peut être provenu sans cause ? Vous serez donc réduit à vous jeter dans une autre absurdité, et à dire que les éléments de la matière *pensent* en *certains cas*. Comment se fait-il alors que ces éléments, qui se trouvent combinés de tant de manières, ne répètent pas quelquefois *hors de l'homme* l'effet de la pensée ?

Disons donc, car on ne le peut nier sans folie, que la *pensée* n'est ni la *matière* ni le *mouvement*. Si l'on veut absolument que le *mouvement* fasse une des conditions de la *pensée*, du moins est-il certain que cette pensée n'est pas le mouvement lui-même, mais quelque chose qui *se joint* ou *s'applique* au mouvement, puisqu'il est indubitable qu'*il y a des mouvements qui ne pensent pas*.

Venons à la grande conclusion.

Si la *pensée* est différente (comme elle l'est) de la *matière* et du *mouvement* matériel, qu'est-elle, et d'où vient-elle ?

Comme elle n'existait pas chez moi avant que je fusse créé, elle a donc été produite.

Si elle a été produite, elle l'a été nécessairement par quelque chose *hors de la matière*, puisque nous avons reconnu que la *matière* n'a pas le *principe pensant*.

Cette chose, placée hors de la matière qui a produit ma *pensée*, ne peut être qu'une chose encore *plus excellente* que ma pensée, quoique la pensée de l'homme soit ce qu'il y a de plus beau dans l'univers : un principe est plus puissant que son effet.

Ma pensée étant indivisible est immortelle, par l'axiome reçu de tous les philosophes, qu'une chose ne se dissout que par la divisibilité de ses parties.

Or, la *cause* qui a produit ma *pensée* est donc *indivisible* comme elle; elle est donc *immortelle* comme elle.

Mais comme cette *cause* était avant ma *pensée*, cette *cause* a elle-même été produite, ou elle est de *toute éternité*.

Si elle a été produite, où est son principe ? Si vous me montrez ce principe, quel est le principe de ce principe ?

Ainsi, vous élevant sans fin, vous arrivez au premier anneau; Dieu montre sa face au fond des ombres de l'éternité : notre âme est la chaîne immortelle qu'il nous a tendue pour remonter jusqu'à lui.

C'est ainsi que la pensée de l'homme prouve irrévocablement l'existence de la divinité, de même qu'à son tour l'existence de cette divinité démontre l'existence et l'immortalité de l'âme, puisque Dieu ne peut être, s'il est injuste, et que l'homme, jeté sur la terre pour couler des jours infortunés et mourir, n'annoncerait que le caprice d'un affreux tyran. Ceci doit nous donner la plus haute opinion de notre nature; car qu'est-ce qu'un être dont Dieu est la preuve; et qui est à son tour la preuve de Dieu ? L'Ecriture a-t-elle parlé trop magnifiquement de cet être-là ? « *Quand l'univers écraserait l'homme*, dit Pascal, *l'homme serait encore plus grand que l'univers ; car il sentirait que l'univers l'écrase, et l'univers ne le sentirait pas.* »

Il faut donc admettre que, s'il y a un Dieu, ses perfections prouvent que l'homme a une âme immortelle, et, *vice versa*, conclure de l'excellence de l'âme humaine et des malheurs de ce monde que Dieu existe de nécessité.

Quelques autres preuves de l'immortalité de l'âme.

La science est éternelle ; donc le siège de la science, l'âme, doit être immortel.

La raison et l'âme ne sont qu'un; or la raison est immuable et éternelle.

La matière ne peut cesser d'être, sans un acte immédiat de la volonté de Dieu : elle demeure toujours, rien ne se crée, rien ne s'anéantit; or, la vie étant l'essence de l'âme, l'âme ne peut en être privée.

L'âme n'est point l'arrangement des parties du corps, puisque plus on la dégage des sens, plus on a de facilité à comprendre les choses [1].

Le concevant se présente toujours avant le concevable.

Nous éprouvons d'abord qu'il existe des idées; nous comprenons un objet sans le voir, nos sens nous en assurent

1. Saint August. DE IMMORT. ANIM.

ensuite. Ce sont les idées abstraites qui font les abstractions des choses. Le mouvement, par exemple, ne serait pas le mouvement, sans la comparaison que l'esprit fait du présent au passé. L'âme et ses opérations se montrent donc toujours les premières, et les corps ne viennent qu'ensuite. Ce fait, d'une vérité rigoureuse, est contraire au rapport des sens, qui ne voient que la matière, ou qui passent de celle-ci à l'esprit, au lieu de descendre de l'esprit au corps. Or, si l'âme se retrouve partout séparée de la matière, elle a donc une existence réelle [1]; donc, etc., etc.

De cette preuve de l'existence de l'âme, et conséquemment de son immortalité, nous allons faire naître cette autre preuve :

Le monde métaphysique n'existe point dans la nature-matière.

Les nombres, comme la pensée les considère, sont hors de la nature où il ne peut y avoir que des unités. Cet incompréhensible mystère des appositions de chiffres, qui fournissent des quantités abstraites, croissant ou diminuant dans des rapports donnés, ce mystère, disons-nous, n'est point dans l'ordre physique. Or donc, le monde métaphysique étant placé hors de la matière, ce monde doit être ou un univers intellectuel existant à part, ou seulement une modification de l'âme. Dans les deux cas, l'immortalité de l'âme est prouvée, car l'homme purement matériel ne pourrait concevoir hors de la matière un monde métaphysique et éternel, ni encore moins avoir au-dedans de lui quelque chose qui renfermât un monde de pensées abstraites et de vérités éternelles.

« Par l'esprit humain, dit Cicéron [2], tel qu'il est, nous devons juger qu'il y a quelque autre intelligence supérieure et divine. Car *d'où viendrait à l'homme*, dit Socrate dans Xénophon, *l'entendement dont il est doué?* On voit que c'est à un peu de terre, d'eau, de feu et d'air, que nous devons les parties solides de notre corps, la chaleur et l'humidité qui y sont répandues, le souffle même qui nous anime. Mais, ce qui est bien au-dessus de tout cela, j'entends la raison, et, pour le dire en plusieurs termes, l'esprit, le jugement, la pensée, la prudence, où l'avons-nous pris ?

» On ne peut absolument trouver sur la terre [3] l'origine des âmes : car il n'y a rien dans les âmes qui soit mixte et composé; rien qui paraisse venir de la terre, de l'eau, de l'air, ou du feu. Tous ces éléments n'ont rien qui fasse la mémoire, l'intelligence, la réflexion; qui puisse rappeler le passé, prévoir l'avenir, embrasser le présent. Jamais on ne trouvera d'où l'homme reçoit ces divines qualités, à moins que de remonter à un Dieu. Par conséquent, l'âme

1. Phed. DE MOS.
2. DE NAT. DEOR. II, 6, 7, trad. de d'Olivet.
3. Frag. de Consol.

est d'une nature singulière, qui n'a rien de commun avec les éléments que nous connaissons. Quelle que soit donc la nature d'un être qui a sentiment, intelligence, volonté, principe de vie, cet être-là est céleste, il est divin, et dès là immortel.

» Je comprends bien, ce me semble [1], de quoi et comment ont été produits le sang, la bile, la pituite, les os, les nerfs, les veines, et généralement tout notre corps, tel qu'il est. L'âme elle-même, si ce n'était autre chose dans nous que le principe de la vie, me paraîtrait un effet purement naturel, comme ce qui fait vivre à leur manière la vigne et l'arbre. Et si l'âme humaine n'avait en partage que l'instinct de se porter à ce qui lui convient, et de fuir ce qui ne lui convient pas, elle n'aurait rien de plus que les bêtes.

» Mais ses propriétés sont, premièrement, une mémoire capable de renfermer en elle-même une infinité de choses.

» Voyons ce qui fait la mémoire [1], et d'où elle procède. Ce n'est certainement ni du cœur, ni du cerveau, ni du sang, ni des atomes. Je ne sais si notre âme est de feu ou d'air; et je ne rougis point comme d'autres d'avouer que j'ignore ce qu'en effet j'ignore. Mais qu'elle soit divine, j'en jurerais, si dans une matière obscure je pouvais parler affirmativement. Car enfin, je vous le demande, la mémoire vous paraît-elle n'être qu'un assemblage de parties terrestres, qu'un amas d'air grossier et nébuleux ? Si vous ne savez ce qu'elle est, du moins vous voyez de quoi elle est capable. Hé bien! dirons-nous qu'il y a dans notre âme une espèce de réservoir, où les choses que nous confions à notre mémoire se versent comme dans un vase ? Proposition absurde : car peut-on se figurer que l'âme serait d'une forme à loger un réservoir si profond ? Dirons-nous que l'on grave dans l'âme comme sur la cire, et qu'ainsi le souvenir est l'empreinte, la trace de ce qui a été gravé dans l'âme ? Mais des paroles et des idées peuvent-elles laisser des traces ? Et quel espace ne faudrait-il pas, d'ailleurs, pour tant de traces différentes ?

» Qu'est-ce que cette autre faculté, qui s'étudie à découvrir ce qu'il y a de caché, et qui se nomme intelligence, génie ? Jugez-vous qu'il ne fût entré que du terrestre et du corruptible dans la composition de cet homme, qui le premier imposa un nom à chaque chose ? Pythagore trouvait à cela une sagesse infinie. Regardez-vous comme pétri de limon, ou celui qui a rassemblé les hommes, et leur a inspiré de vivre en société ? ou celui qui, dans un petit nombre de caractères, a renfermé tous les sons que la voix forme, et dont la diversité paraissait inépuisable ? ou celui qui a observé comment se meuvent les planètes,

1. Tuscul. I, 24 et 25.

et qu'elles sont tantôt rétrogrades, tantôt stationnaires ? Tous étaient de grands hommes, ainsi que d'autres encore plus anciens, qui enseignèrent à se nourrir de blé, à se vêtir, à se faire des habitations, à se procurer les besoins de la vie, à se précautionner contre les bêtes féroces : c'est par eux que nous fûmes apprivoisés et civilisés. Des arts nécessaires, on passa ensuite aux beaux-arts. On trouva pour charmer l'oreille les règles de l'harmonie. On étudia les étoiles, tant celles qui sont fixes que celles qui sont appelées errantes, quoiqu'elles ne le soient pas. Quiconque découvrit les diverses révolutions des astres fit voir par là que son esprit tenait de celui qui les a formés dans le ciel. »

Note XII, page 187.

« Mais si tout ce que nous avons dit concernant les sens ne suffit pas pour convaincre un incrédule, avançons encore un peu, et faisons voir que les bornes mêmes dans lesquelles l'étendue du pouvoir de nos sens extérieurs se trouve renfermée, contribuent aussi à nous rendre plus heureux que si leur pouvoir s'étendait beaucoup plus loin, comme cela s'est trouvé dans ces derniers siècles, avec le secours de certains instruments.

» Supposons que nos yeux aient le pouvoir de distinguer les objets qu'ils ne sauraient voir sans le microscope ; il est vrai qu'ils nous feraient voir un monde de créatures nouvelles ; une goutte d'eau dans laquelle on aurait fait tremper du poivre, ou une goutte de vinaigre, ou de matière séminale, nous paraîtrait comme un lac, ou une rivière pleine de poissons ; l'écume des liqueurs puantes et corrompues nous paraîtrait un champ couvert de fleurs et de plantes ; le fromage paraîtrait un composé de grosses araignées couvertes de poil ; il en serait de même à proportion d'une infinité d'autres choses : mais il est aussi aisé de concevoir le dégoût que la vue de ces insectes produirait pour beaucoup de choses qui d'ailleurs sont très bonnes et très utiles en elles-mêmes. J'ai vu des personnes faire des éclats de rire à la vue des petits animaux qui s'offrent dans un morceau de fromage, par le moyen d'un microscope, et retirer vivement leurs mains, lorsque quelqu'un de ces insectes venait à tomber, de crainte qu'il ne tombât sur elles ; mais d'autres faisaient des réflexions plus sérieuses sur la sagesse de Dieu, qui a bien voulu cacher ces choses aux yeux des ignorants et des personnes craintives, et les manifester à d'autres par le moyen des microscopes, afin que les moyens nécessaires ne manquassent point à ceux qui tâchent de pénétrer dans ces merveilles.

» Les philosophes incrédules oseraient-ils jamais souhaiter que leurs yeux eussent les propriétés des meilleurs microscopes, supposé qu'ils en connussent la nature et le fondement ? et se croiraient-ils plus heureux en voyant

des objets si petits qui grossiraient jusqu'à ce point-là,
tandis qu'en même temps tout ce qui leur tomberait sous
les yeux n'occuperait pas plus d'espace qu'un grain de
sable ? Ils ne sauraient voir aucun objet distinctement, à
moins qu'ils ne fussent à une très petite distance de l'œil,
à un ou deux pouces, par exemple. Quant aux autres objets
plus éloignés, comme les hommes, les bêtes, les arbres et les
plantes, pour ne rien dire du soleil, de la lune et des étoiles,
ces corps où brille la majesté de l'Etre Suprême, ils leur
seraient entièrement invisibles, ou ils ne les verraient que
dans une grande confusion, si tout cela se trouvait ainsi,
et si nos yeux tout seuls pouvaient pénétrer aussi avant que
lorsqu'ils sont armés de bons microscopes. Tous ceux qui
en ont fait l'expérience conviennent que, par leur moyen,
on peut voir des corps composés d'un millier de petites parties; d'où il s'ensuit que, pour bien voir chaque
chose jusqu'à ses particules primitives, la vue doit encore
s'étendre infiniment plus loin qu'elle ne s'étend avec
le secours des meilleurs microscopes.

» D'un autre côté, supposons que nos yeux soient de
grands télescopes, semblables à ceux dont nous nous servons pour observer tant de nouvelles étoiles dans les cieux
et pour faire tant de découvertes dans le soleil, la lune et les
étoiles, ils seraient encore sujets à cet inconvénient : c'est
qu'ils ne seraient presque d'aucun usage pour voir les
objets qui nous environnent, et ils nous priveraient aussi
de la vue des autres objets qui sont sur la terre, parce que
nous verrions les vapeurs et les exhalaisons qui s'élèvent
continuellement, et qui, comme des nuages épais, nous
cacheraient tous les autres objets visibles : cela n'est que
trop connu de ceux qui se servent de ces instruments.

» De même, si l'odorat était aussi fin et aussi délicat
dans les hommes qu'il paraît l'être dans de certains chiens
de chasse, il n'est personne, il n'est aucune créature qui
pût nous joindre; et il nous serait impossible de passer par
les endroits où elles auraient passé, sans ressentir de fortes
impressions des corpuscules qui en partent : mille dis-
tractions partageraient malgré nous notre attention; et,
lorsque nous serions obligés de nous appliquer à des objets
plus relevés, nous serions obligés de nous fixer à des
choses méprisables.

» Si notre langue était d'un tissu si délicat qu'elle nous
fît éprouver autant de goût dans les choses qui n'en ont
presque pas, que dans celles dont le goût est aussi fort
que celui des ragoûts ou des épiceries, il n'est personne
qui n'avouât que cela seul suffirait pour nous rendre les
aliments très désagréables, après que nous en aurions
mangé seulement deux ou trois fois.

» L'oreille pourrait-elle distinguer tous les sons avec la
même exactitude qu'elle les distingue à présent, lorsque,
par le moyen d'un porte-voix, quelqu'un parle doucement

dans son extrémité la plus évasée, ou ferait-on plus d'attention à un grand nombre de choses ? On n'en ferait certainement pas plus que lorsque nous nous trouvons au milieu d'un bruit confus et d'un grand nombre de voix, au milieu du bruit des tambours et du canon. Ceux qui ont été témoins des inconvénients que souffrent les malades qui ont l'ouïe trop fine, n'auront pas de peine à être convaincus de cette vérité.

» Si dans toutes les parties de notre corps le toucher était aussi délicat que dans les endroits extrêmement sensibles et dans les membranes des yeux, ne faut-il pas avouer que nous serions bien malheureux, et que nous souffririons de grandes douleurs, lors même qu'une plume très légère nous toucherait.

» Enfin, peut-on réfléchir sur tout cela sans reconnaître la bonté de celui qui en est l'auteur, qui non seulement nous a donné des organes aussi nobles que nos sens extérieurs, sans quoi il ne serait pas à préférer à un morceau de bois; mais qui a même, par un effet de son adorable sagesse, renfermé nos sens dans de certaines bornes, sans lesquelles ils ne nous auraient servi que d'embarras, et il nous aurait été impossible d'examiner mille objets de plus grande conséquence. » (*Nieuwentyt, Exist. de Dieu. L. 1, chap. 3, p. 131.*)

Note XIII, page 242.

« Les véritables philosophes n'auraient pas prétendu, comme l'auteur du *Système de la Nature,* que le jésuite Needham eût créé des anguilles, et que Dieu n'avait pu créer l'homme. Needham ne leur aurait pas paru philosophe, et l'auteur du *Système de la Nature* n'eût été regardé que comme un discoureur par l'empereur Marc-Aurèle. » (*Quest. encycl. tome VI, art.* Philosoph.)

Dans un autre endroit, combattant les athées, il dit, à propos des Sauvages qu'on croyait sans Dieu :

« Mais on peut insister, on peut dire : Ils vivent en société, et ils sont sans Dieu; donc on peut vivre en société sans religion.

» En ce cas, je répondrai que les loups vivent ainsi, et que ce n'est pas une société qu'un assemblage de barbares anthropophages, tels que vous les supposez : et je vous demanderai toujours si, quand vous avez prêté votre argent à quelqu'un de votre société, vous voudriez que ni votre débiteur, ni votre procureur, ni votre notaire, ni votre juge, ne crussent en Dieu ? » (*Ib., tome II, art.* Ath.)

Tout cet article sur l'athéisme mérite d'être parcouru. En poétique, *Voltaire* montre le même mépris de toutes ces vaines théories qui troublent le monde. « Je n'aime pas le gouvernement de la canaille », répète-t-il en cent endroits. (Voyez *les Lettres au roi de Prusse.)* Ses plaisanteries sur les républiques populacières, son indignation

contre les excès des peuples, tout enfin dans ses ouvrages
prouve qu'il haïssait de bonne foi les charlatans de la
philosophie.

C'est ici le lieu de mettre sous les yeux du lecteur un
certain nombre de passages tirés de la correspondance de
Voltaire, qui prouvent que je n'ai pas trop hasardé,
lorsque j'ai dit qu'il haïssait secrètement les sophistes.
Du moins l'on sera forcé de conclure (si on n'est pas
convaincu) que, Voltaire ayant soutenu éternellement le
pour et le *contre*, et varié sans cesse dans ses sentiments,
son opinion en morale, en philosophie, et en religion, doit
être comptée pour peu de chose.

Année 1766.

« *Contre les philosophes et le philosophisme. Je n'ai rien
de commun avec les philosophes modernes*, que cette horreur
pour le fanatisme intolérant. » (*Corresp. gén., tome X,
page* 337.)

Année 1741.

« La supériorité qu'une physique sèche et abstraite a usur-
pée sur les belles-lettres commence à m'indigner. Nous
avions, il y a cinquante ans, de bien plus grands hommes
en physique et en géométrie qu'aujourd'hui, et à peine
parlait-on d'eux. Les choses ont bien changé. J'ai aimé
la physique tant qu'elle n'a point voulu dominer sur la
poésie; à présent qu'elle a écrasé tous les arts, je ne veux
plus la regarder que comme un tyran de mauvaise compagnie. Je viendrai à Paris faire abjuration entre vos mains.
Je ne veux plus d'autre étude que celle qui peut rendre la
société plus agréable, et le déclin de la vie plus doux. On
ne saurait parler physique un quart d'heure et s'entendre.
On peut parler poésie, musique, histoire, littérature, tout
le long du jour, etc. (*Correspondance gén., tome III,
page* 170.)

» Les mathématiques sont fort belles; mais, hors une
vingtaine de théorèmes utiles pour la mécanique et l'astronomie, le reste n'est qu'une curiosité fatigante. » (*Tome IX,
page* 484.)

A Damilaville

« J'entends par *peuple* la populace, qui n'a que ses bras
pour vivre. Je doute que cet ordre de citoyens ait jamais
le temps ni la capacité de s'instruire; ils mourraient de
faim avant de devenir philosophes. Il me paraît essentiel
qu'il y ait des gueux ignorants. Si vous faisiez valoir
comme moi une terre, et si vous aviez des charrues, vous
seriez bien de mon avis. (*Tome X, page* 396.)

» J'ai lu quelque chose d'une antiquité dévoilée, ou
plutôt très voilée. L'auteur commence par le déluge, et

finit toujours par le chaos : j'aime mieux, mon cher confrère, un seul de vos contes que tout ce fatras. (*Tome X, page* 409.)

Année 1766.

« Je serais très fâché de l'avoir fait *(le Christianisme dévoilé)*, non seulement comme académicien, mais comme philosophe, et encore plus comme citoyen. Il est entièrement opposé à mes principes. Ce livre conduit à l'athéisme, que je déteste. J'ai toujours regardé l'athéisme comme le plus grand égarement de la raison, parce qu'il est aussi ridicule de dire que l'arrangement du monde ne prouve pas un artisan suprême, qu'il serait impertinent de dire qu'une horloge ne prouve pas un horloger.

» Je ne réprouve pas moins ce livre comme citoyen : l'auteur paraît trop ennemi des puissances. Des hommes qui penseraient comme lui ne formeraient qu'une anarchie.

» Ma coutume est d'écrire sur la marge de mes livres ce que je pense d'eux : vous verrez, quand vous daignerez venir à Ferney, les marges du *Christianisme dévoilé* chargées de remarques, qui prouvent que l'auteur s'est trompé sur les faits les plus essentiels. » (*Correspondance gén. tome XI, page* 143.)

Année 1762. A Damilaville.

« Les frères doivent toujours respecter la morale et le trône. La morale est trop blessée dans le livre d'Helvétius, et le trône est trop peu respecté dans le livre qui lui est dédié. *(Le Despotisme oriental.)*

» Il dit plus haut, en parlant de ce même ouvrage : On dira que l'auteur veut qu'on ne soit gouverné ni par Dieu, ni par les hommes. » (*Tome VIII, page* 148.)

Année 1768. A M. de Villevieille.

« Mon cher marquis, il n'y a rien de bon dans l'athéisme. Ce système est fort mauvais dans le physique et dans le moral. Un honnête homme peut fort bien s'élever contre la superstition et contre le fanatisme; il peut détester la persécution; il rend service au genre humain s'il répand les principes de la tolérance : mais quel service peut-il rendre s'il répand l'athéisme ? Les hommes en seront-ils plus vertueux, pour ne pas reconnaître un Dieu qui ordonne la vertu ? Non, sans doute. Je veux que les princes et leurs ministres en reconnaissent un, et même un Dieu qui punisse et qui pardonne. Sans ce frein, je les regarderai comme des animaux féroces qui, à la vérité, ne me mangeront pas quand ils sortiront d'un long repas, et qu'ils digéreront doucement sur un canapé avec leurs maîtresses, mais qui certainement me mangeront, s'ils me rencontrent sous leurs griffes quand ils auront faim, et qui, après m'avoir mangé, ne croiront pas seulement avoir fait une mauvaise action. » (*Tome XII, page* 349.)

Année 1749.

« Je ne suis point du tout de l'avis de Sanderson, qui nie un Dieu, parce qu'il est né aveugle. Je me trompe peut-être ; mais j'aurais, à sa place, reconnu un être très intelligent, qui m'aurait donné tant de suppléments de la vue ; et, en apercevant, par la pensée, des rapports infinis dans toutes les choses, j'aurais soupçonné un ouvrier infiniment habile. Il est fort impertinent de deviner qui il est et pourquoi il a fait tout ce qui existe ; mais il me paraît bien hardi de nier qu'il est. » (*Corresp. gén., tome IV, page* 14.)

Année 1753.

« Il me paraît absurde de faire dépendre l'existence de Dieu d'a plus b, divisé par z.

» Où en serait le genre humain, s'il fallait étudier la dynamique et l'astronomie pour connaître l'Etre Suprême ? Celui qui nous a créés tous doit être manifesté à tous, et les preuves les plus communes sont les meilleures, par la raison qu'elles sont les plus communes ; il ne faut que des yeux et point d'algèbre pour voir le jour. (*Corresp. gén., tome IV, page* 463.)

» Mille principes se dérobent à nos recherches, parce que tous les secrets du Créateur ne sont pas faits pour nous. On a imaginé que la nature agit toujours par le chemin le plus court, qu'elle emploie le moins de force et la plus grande économie possible : mais que répondraient les partisans de cette opinion, à ceux qui leur feraient voir que nos bras exercent une force de près de cinquante livres pour lever un poids d'une seule livre ; que le cœur en exerce une immense pour exprimer une goutte de sang ; qu'une carpe fait des milliers d'œufs pour produire une ou deux carpes ; qu'un chêne donne un nombre innombrable de glands, qui souvent ne font pas naître un seul chêne ? Je crois toujours, comme je vous le mandais il y a longtemps, qu'il y a plus de profusion que d'économie dans la nature. » (*Tome IV, page* 463.)

NOTE XIV, page 245.

Comme la philosophie du jour loue précisément le polythéisme d'avoir fait cette séparation, et blâme le christianisme d'avoir uni les forces morales aux forces religieuses, je ne croyais pas que cette proposition pût être attaquée. Cependant un homme de beaucoup d'esprit et de goût, et à qui l'on doit toute déférence, a paru douter de l'assertion. Il m'a objecté la personnification des êtres moraux, comme la sagesse dans Minerve, etc.

Il me semble, sauf erreur, que les personnifications

ne prouvent pas que la morale fût unie à la religion dans le polythéisme. Sans doute, en adorant tous les vices divinisés, on adorait aussi les vertus; mais le prêtre enseignait-il la morale dans les temples et chez les pauvres? Son ministère consistait-il à consoler les malheureux par l'espoir d'une autre vie, à inviter le pauvre à la vertu, le riche à la charité? Que s'il y avait quelque morale attachée au culte de la déesse de *la Justice*, de *la Sagesse*, cette morale n'était-elle pas presque absolument détruite, et surtout pour le peuple, par le culte des plus infâmes divinités? Tout ce qu'on pourrait dire, c'est qu'il y avait quelques sentences gravées sur le frontispice et sur les murs des temples, et qu'en général le prêtre et le législateur recommandaient au peuple la crainte des dieux. Mais cela ne suffit pas pour prouver que *la profession de la morale* fût essentiellement liée au polythéisme, quand tout démontre au contraire qu'elle en était séparée.

Les moralités qu'on trouve dans Homère sont presque toujours indépendantes de l'action céleste; c'est une simple réflexion que le poète fait sur l'événement qu'il raconte, ou la catastrophe qu'il décrit. S'il personnifie les remords, la colère divine, etc., s'il peint le coupable au Tartare et le juste aux champs Elysées, ce sont sans doute de belles fictions, mais qui ne constituent pas un code moral attaché au polythéisme comme l'Evangile l'est à la religion chrétienne. Otez l'Evangile à Jésus-Christ, et le christianisme n'existe plus; enlevez aux anciens l'allégorie de Minerve, de Thémis, de Némésis, et le polythéisme existe encore. Il est certain, d'ailleurs, qu'un culte qui n'admet qu'un seul Dieu doit s'unir étroitement à la morale, parce qu'il est uni à la vérité, tandis qu'un culte qui reconnaît la pluralité des dieux, s'écarte nécessairement de la morale, en se rapprochant de l'erreur.

Quant à ceux qui font un crime au christianisme d'avoir ajouté la force morale à la force religieuse, ils trouveront ma réponse dans le dernier chapitre de cet ouvrage, où je montre qu'*au défaut de l'esclavage antique, les peuples modernes doivent avoir un frein puissant dans leur religion.*

NOTE XV, page 299.

Voici quelques fragments que nous avons retenus de mémoire, et qui semblent être échappés à un poète grec, tant ils sont pleins du goût de l'antiquité.

> Accours, jeune Chromis, je t'aime, et je suis belle,
> Blanche comme Diane, et légère comme elle,
> Comme elle grande et fière; et les bergers, le soir,
> Lorsque, les yeux baissés, je passe sans les voir,
> Doutent si je ne suis qu'une simple mortelle,
> Et, me suivant des yeux, disent : Comme elle est belle!
> Néère, ne va point te confier aux flots,
> De peur d'être déesse, et que les matelots

N'invoquent, au milieu de la tourmente amère,
La blanche Galatée et la blanche Néère.

Une autre idylle, intitulée *le Malade*, trop longue pour
être citée, est pleine des beautés les plus touchantes. Le
fragment qui suit est d'un genre différent, par la mélancolie
dont il est empreint : on dirait qu'André Chénier, en le
composant, avait un pressentiment de sa destinée.

Souvent las d'être esclave et de boire la lie
De ce calice amer que l'on nomme la vie ;
Las du mépris des sots qui suit la pauvreté,
Je regarde la tombe, asile souhaité ;
Je souris à la mort volontaire et prochaine ;
Je me prie, en pleurant, d'oser rompre ma chaîne.
Le fer libérateur, qui percerait mon sein,
Déjà frappe mes yeux et frémit sous ma main,
. . . .
Et puis mon cœur s'écoute et s'ouvre à la faiblesse,
Mes parents, mes amis, l'avenir, ma jeunesse,
Mes écrits imparfaits ; car à ses propres yeux
L'homme sait se cacher d'un voile spécieux.
A quelque noir destin qu'elle soit asservie,
D'une étreinte invincible il embrasse la vie,
Et va chercher bien loin, plutôt que de mourir,
Quelque prétexte ami pour vivre et pour souffrir.
Il a souffert, il souffre : aveugle d'espérance,
Il se traîne au tombeau de souffrance en souffrance ;
Et la mort, de nos maux ce remède si doux,
Lui semble un nouveau mal, le plus cruel de tous.

Les écrits de ce jeune homme, ses connaissances variées,
son courage, sa noble proposition à M. de Malesherbes,
ses malheurs et sa mort, tout sert à répandre le plus vif
intérêt sur sa mémoire. Il est remarquable que la France
a perdu, sur la fin du dernier siècle, trois beaux talents
à leur aurore : Malfilâtre, Gilbert et André Chénier ; les
deux premiers sont morts de misère, le troisième a péri
sur l'échafaud.

NOTE XVI, page 313.

Nous ne voulons qu'éclaircir ce mot *descriptif* afin
qu'on ne l'interprète pas dans un sens différent de celui
que nous lui donnons. Quelques personnes ont été cho-
quées de notre assertion, faute d'avoir bien compris ce
que nous voulions dire. Certainement les poètes de
l'antiquité ont des morceaux *descriptifs ;* il serait absurde
de le nier, surtout si l'on donne la plus grande extension à
l'expression, et qu'on entende par là des descriptions de
vêtements, de repas, d'armées, de cérémonies, etc., etc. ;
mais ce genre de *description* est totalement différent du
nôtre ; en général, les anciens ont peint les *mœurs*, nous
peignons les *choses :* Virgile décrit la *maison rustique*,
Théocrite les *bergers*, et Thomson les *bois* et les *déserts*.

Quand les Grecs et les Latins ont dit quelques mots d'un paysage, ce n'a jamais été que pour y placer des personnages et faire rapidement un fond de tableau; mais ils n'ont jamais représenté nûment, comme nous, les fleuves, les montagnes et les forêts : c'est tout ce que nous prétendons dire ici. Peut-être objectera-t-on que les anciens avaient raison de regarder la poésie descriptive comme l'objet *accessoire*, et non comme l'objet *principal* du tableau; je le pense aussi, et l'on a fait de nos jours un étrange abus du genre descriptif; mais il n'en est pas moins vrai que c'est un moyen de plus entre nos mains, et qu'il a étendu la sphère des images poétiques, sans nous priver de la peinture des mœurs et des passions, telle qu'elle existait pour les anciens.

NOTE XVII, page 318.

POÉSIES SANSKRITES. *Sacontala.*

Ecoutez, ô vous arbres de cette forêt sacrée! écoutez, et pleurez le départ de Sacontala pour le palais de l'époux! Sacontala, celle qui ne buvait point l'onde pure avant d'avoir arrosé vos tiges; celle qui, par tendresse pour vous, ne détacha jamais une seule feuille de votre aimable verdure, quoique ses beaux cheveux en demandassent une guirlande; celle qui mettait le plus grand de tous ses plaisirs dans cette saison qui entremêle de fleurs vos flexibles rameaux!

Chœur des Nymphes des bois.

Puissent toutes les prospérités accompagner ses pas! puissent les brises légères disperser, pour ses délices, la poussière odorante des fleurs! puissent les lacs d'une eau claire et verdoyante sous les feuilles du lotos, la rafraîchir dans sa marche! puissent de doux ombrages la défendre des rayons brûlants du soleil! *(Robertson's Indie.)*

POÉSIE PERSE.

CHANT DES BARDES; *First Bard.*

Night is dull and dark; the clouds rest on the hills; no star with green trembling beam : no moon looks from the sky. I hear the blast in the wood; but I hear it distant far. The stream of the valley murmurs, but its murmur is sullen and sad. From the tree at the grave of the dead, the long-howling owl is heard. I see a dim form on the plain! It is a ghost! It fades, it flies. Some funeral shall pass this way. The meteor marks the path.

The distant dog is howling from the hut of the hill; the stag lies on the mountain moss : the hind is at his side. She hears the wind in his branchy horns. She starts, but lies again.

The roe is in the clift of the rock. The heathcock's

head is beneath his wing. No beast, no bird is abroad,
but the owl and the howling fox. She on a leafless tree,
he in a cloud on the hill.

Dark, panting, trembling, sad, the traveller has lost
his way. Through shrubs, through thorns, he goes,
along the gurgling rill; he fears the rocks and the fen.
He fears the ghost of night. The old tree groans to the
blast. The falling branch resounds. The wind drives the
withered burs, clung together, along the grass. It is the
light tread of a ghost! he trembles amidst the night.

Dark, dusky, howling is night, cloudy, windy and full
of ghosts! the dead are abroad! my friends, receive me
from the night. (*Ossian.*)

NOTE XVIII, page 334.

IMITATION DE VOLTAIRE

> Toi sur qui mon tyran prodigue ses bienfaits,
> Soleil! astre de feu, jour heureux que je hais,
> Jour qui fais mon supplice, et dont mes yeux s'étonnent;
> Toi qui sembles le dieu des cieux qui t'environnent,
> Devant qui tout éclat disparaît et s'enfuit,
> Qui fais pâlir le front des astres de la nuit;
> Image du Très-Haut qui régla ta carrière,
> Hélas! j'eusse autrefois éclipsé ta lumière!
> Sur la voûte des cieux élevé plus que toi,
> Le trône où tu t'assieds s'abaissait devant moi;
> Je suis tombé! l'orgueil m'a plongé dans l'abîme.
> Hélas! je fus ingrat, c'est là mon plus grand crime.
> J'osai me révolter contre mon Créateur :
> C'est peu de me créer, il fut mon bienfaiteur.
> Il m'aimait; j'ai forcé sa justice éternelle
> D'appesantir son bras sur ma tête rebelle :
> Je l'ai rendu barbare en sa sévérité;
> Il punit à jamais, et je l'ai mérité.
> Mais si le repentir pouvait obtenir grâce!...
> Non, rien ne fléchira ma haine et mon audace;
> Non, je déteste un maître, et sans doute il vaut mieux
> Régner dans les enfers qu'obéir dans les cieux. »

NOTE XIX, page 349.

Le Dante a répandu quelques beaux traits dans son
Purgatoire; mais son imagination, si féconde dans les
tourments de l'Enfer, n'a plus la même abondance quand
il faut peindre des peines mêlées de quelques joies.
Cependant cette aurore qu'il trouve au sortir du Tartare,
cette lumière qu'il voit passer rapidement sur la mer, ont
du vague et de la fraîcheur.

> Dolce color d'oriental zafiro
> Che s'accoglieva nel sereno aspetto
> De l'aer puro infin' al primo gero.
>
> A gli occhi miei ricomincio diletto
> Tosto che di uscir fuor de l'aura morta;
> Che m'havea contristati gli occhi e'l petto.

Lo bel pianeta, ch'al amar conforte,
Faceva tutto rider l'oriente
Velando i pesci, ch'erano in sua scorta.

Mi vols'a man destra; et posi mente
A l'altro polo, et vidi quattro stelle
Non viste mai fuor ch'a la prima gente.

Goder pareva'l ciel di lor fiammelle,
O settentrional vedovo sito,
Poi che privato se di mirar quelle.

Com'i de loro sguardo fui partito
Un poco me volgendo a l'altro polo
Là, onde'l carro gia era sparito.

Vidi presso di me un veglio solo
Degno di tanta reverentia in vista;
Che piu non dee a prade alcun figliuolo.

Lunga la barba, et di pel bianco mista
Portava a suoi capeli simigliante,
De'quai cadeva al petto doppia lista.

Li Raggi de le quatre luci sante
Fregiavan si la sua faccia di lume;
Ch'io'l vedea come'l sol fosse davante.

. . . .
. . . .
. . . .

Venimmo poi in sublito diserto :
Che mai non vide navicar su acque
Huom, che di ritornar sie poscia esperto.

. . . .
. . . .
. . . .

Gia era' sole a l'orizonte giunto.
Il cu' meridian cerchio coverchia
Gierusalem col su' piu alto punto;

Et la notte, ch' opposit' e lui cerchia,
Uscia di Gange fuor con le biluance,
Che la caggion di man, quando soverchia;

Si che le bianche et le vermiglie guance
Là, dov't era, de la bell' aurora
Per troppa etate divenivan rance.

Noi eravam lungh' esso'l mare ancora,
Come gente, ch' aspetta su camino;
Che va col cuor, et col corpo dimora :

Et ecco, qual sul presso del mattino
Per li grossi vapor morte rosseggia
Giu nel ponente sovra'l suol marino :

> Cotal m'apparue, sancor lo veggia,
> Un lume per lo mar venir si ratto
> Ch'el muover su nessun volar parreggia;
>
> Del qual com'i un poco hebbi ritratto
> L'occhio, per dimandar lo Duca mio,
> Rividi'l piu lucente et maggior fatto.
>
> *Purgatorio di Danto*, canto I et II.

NOTE XX, page 359.

Fragment du sermon de Bossuet sur le bonheur du ciel.

Si l'apôtre saint Paul a dit[1] que les fidèles sont un spectacle au monde, aux anges et aux hommes, nous pouvons encore ajouter qu'ils sont un spectacle à Dieu même. Nous apprenons de Moïse que ce grand et sage architecte, diligent contemplateur de son propre ouvrage, à mesure qu'il bâtissait ce bel édifice du monde, en admirait toutes les parties[2] : *Vidit Deus lucem quod esset bona :* « Dieu vit que la lumière était bonne » : qu'en ayant composé le tout, parce qu'en effet la beauté de l'architecture paraît dans le tout, et dans l'assemblage plus encore que dans les parties détachées, il avait encore enchéri et l'avait trouvé parfaitement beau[3]. *Et erant valde bona :* et enfin, qu'il s'était contenté lui-même en considérant dans ses créatures les traits de sa sagesse et l'effusion de sa bonté. Mais comme le juste et l'homme de bien est le miracle de sa grâce et le chef-d'œuvre de sa main puissante, il est aussi le spectacle le plus agréable à ses yeux[4] : *Oculi Domini super justos :* « Les yeux de » Dieu, dit le saint psalmiste, sont attachés sur les justes », non seulement parce qu'il veille sur eux pour les protéger, mais encore parce qu'il aime à les regarder du plus haut des cieux comme le plus cher objet de ses complaisances[5]. « N'avez-vous point vu, dit-il, mon serviteur Job, comme » il est droit et juste, et craignant Dieu, comme il évite » le mal avec soin, et n'a point son semblable sur la » terre ? »

Que le soldat est heureux qui combat ainsi sous les yeux de son capitaine et de son roi, à qui sa valeur invincible prépare un si beau spectacle ! Que si les justes sont le spectacle de Dieu, il veut aussi à son tour être leur spectacle : comme il se plaît à les voir, il veut aussi qu'ils le voient : il les ravit par la claire vue de son éternelle beauté, et leur montre à découvert sa vérité même dans

---

1. Cor, IV, 6.
2. Gen., I, 4.
3. *Id.*, I, 31.
4. Psalm., XXXIII, 15.
5. Job, I, 8.

une lumière si pure qu'elle dissipe toutes les ténèbres et tous les nuages.

. . . .

Mais, mes frères, ce n'est pas à moi de publier ces merveilles, pendant que le Saint-Esprit nous représente si vivement la joie triomphante de la céleste Jérusalem par la bouche du prophète Isaïe. « Je créerai, dit le » Seigneur, un nouveau ciel et une nouvelle terre, et » toutes les angoisses seront oubliées, et ne reviendront » jamais : mais vous vous réjouirez, et votre âme nagera » dans la joie durant toute l'éternité dans les choses que » je crée pour votre bonheur : car je ferai que Jérusalem » sera toute transportée d'allégresse, et que son peuple » sera dans le ravissement : et moi-même je me réjouirai » en Jérusalem, et je triompherai de joie dans la félicité » de mon peuple [1]. »

Voilà de quelle manière le Saint-Esprit nous représente les joies de ses enfants bienheureux. Puis, se tournant à ceux qui sont sur la terre, à l'Eglise militante, il les invite, en ces termes, à prendre part aux transports de la sainte et triomphante Jérusalem. « Réjouissez-vous, dit-il, avec » elle, ô vous qui l'aimez! réjouissez-vous avec elle d'une » grande joie, et sucez avec elle par une foi vive la mamelle » de ses consolations divines, afin que vous abondiez en » délices spirituelles, parce que le Seigneur a dit : Je » ferai couler sur elle un fleuve de paix; et ce torrent se » débordera avec abondance : toutes les nations de la » terre y auront part; et avec la même tendresse qu'une » mère caresse son enfant, ainsi je vous consolerai, dit » le Seigneur [2]. »

Quel cœur serait insensible à ses divines tendresses ? Aspirons à ces joies célestes, qui seront d'autant plus touchantes qu'elles seront accompagnées d'un parfait repos, parce que nous ne les pourrons jamais perdre. (*Sermons de Bossuet*, tom. III.)

(Note de l'édit.)

[1]. Oblivioni traditæ sunt angustiæ priores, et non ascendent super cor.

Gaudebitis et exaltabitis usque in sempiternum, in his quæ ego creo.

Quia ecce ego creo Jerusalem exultationem, et populum ejus gaudium.

Et exaltabo in Jerusalem, et gaudebo in populo meo.

(Is. 63, 17 et suiv.)

[2]. Lætamini cum Jerusalem, et exultate in eâ omnes qui diligitis eam : gaudete cum eâ gaudio... Ut sugatis et repleamini ab ubere consolationis ejus; ut mulgeatis et deliciis affluatis ab omnimodâ gloriâ ejus. Quia hæc dicit Dominus : Ecce ego declinabo super eam quasi fluvium pacis, et quasi torrentem inundantem gloriam gentium... Quomodo si cui mater blandiatur, ita ego consolabor vos.

(Is. 66, 10 et suiv.)

NOTE XXI, page 365.

On sera bien aise de trouver ici le beau morceau de
Bossuet sur saint Paul... « Afin que vous compreniez
quel est donc ce prédicateur, destiné par la Providence
pour confondre la sagesse humaine, écoutez la description
que j'en ai tirée de lui-même dans la première épître aux
Corinthiens.

» Trois choses contribuent ordinairement à rendre un
orateur agréable et efficace : la personne de celui qui
parle, la beauté des choses qu'il traite, la manière ingénieuse
dont il les explique : et la raison en est évidente; car
l'estime de l'orateur prépare une attention favorable, les
belles choses nourrissent l'esprit, et l'adresse de les
expliquer d'une manière qui plaise, les fait doucement
entrer dans le cœur; mais de la manière que se représente
le prédicateur dont je parle, il est bien aisé de juger qu'il
n'a aucun de ces avantages.

» Et premièrement, chrétiens, si vous regardez son
extérieur, il avoue lui-même que sa mine n'est pas relevée [1] : *Præsentia corporis infirma ;* et si vous considérez sa
condition, il est méprisable, et réduit à gagner sa vie par
l'exercice d'un art mécanique. De là vient qu'il dit aux
Corinthiens : « J'ai été au milieu de vous avec beaucoup
de crainte et d'infirmité [2] »; d'où il est aisé de comprendre
combien sa personne était méprisable. Chrétiens, quel
prédicateur pour convertir tant de nations !

» Mais peut-être que sa doctrine sera si plausible et si
belle, qu'elle donnera du crédit à cet homme si méprisé.
Non, il n'en est pas de la sorte : « Il ne sait, dit-il, autre
chose que son maître crucifié [3] : « *Non judicavi me scire
aliquid inter vos, nisi Jesum Christum, et hunc crucifixum,*
c'est-à-dire qu'il ne sait rien que ce qui choque, que ce
qui scandalise, que ce qui paraît folie et extravagance.
Comment donc peut-il espérer que ses auditeurs soient
persuadés ? Mais, grand Paul ! si la doctrine que vous
annoncez est si étrange et si difficile, cherchez du moins
des termes polis, couvrez des fleurs de la rhétorique cette
face hideuse de votre Evangile, et adoucissez son austérité
par les charmes de votre éloquence. A Dieu ne plaise,
répond ce grand homme, que je mêle la sagesse humaine
à la sagesse du Fils de Dieu; c'est la volonté de mon maître,
que mes paroles ne soient pas moins rudes, que ma doctrine paraît incroyable [4] : *Non in persuasibilibus humanæ
sapientiæ verbis...* Saint Paul rejette tous les artifices de la
rhétorique. Son discours, bien loin de couler avec cette

1. Cor. X, 10.
2. Et ego in infirmitate, et timore et tremore multo fuiapud vos.
I Cor. 2, 3.
3. I Cor. 2.
4. *Ibid.* 4.

douceur agréable, avec cette égalité tempérée que nous admirons dans les orateurs, paraît inégal et sans suite à ceux qui ne l'ont pas assez pénétré; et les délicats de la terre, qui ont, disent-ils, les oreilles fines, sont offensés de la dureté de son style irrégulier. Mais, mes frères, n'en rougissons pas. Le discours de l'Apôtre est simple, mais ses pensées sont toutes divines. S'il ignore la rhétorique, s'il méprise la philosophie, Jésus-Christ lui tient lieu de tout; et son nom, qu'il a toujours à la bouche, ses mystères, qu'il traite si divinement, rendront sa simplicité toute-puissante. Il ira, cet ignorant dans l'art de bien dire, avec cette locution rude, avec cette phrase qui sent l'étranger, il ira en cette Grèce polie, la mère des philosophes et des orateurs; et, malgré la résistance du monde, il y établira plus d'églises que Platon n'y a gagné de disciples par cette éloquence qu'on a crue divine. Il prêchera Jésus dans Athènes, et le plus savant de ses sénateurs passera de l'Aréopage en l'école de ce barbare. Il poussera encore plus loin ses conquêtes, il abattra aux pieds du Sauveur la majesté des faisceaux romains en la personne d'un proconsul, et il fera trembler dans leurs tribunaux les juges devant lesquels on le cite. Rome même entendra sa voix; et un jour cette ville maîtresse se tiendra bien plus honorée d'une lettre du style de Paul adressée à ses citoyens, que de tant de fameuses harangues qu'elle a entendues de son Cicéron.

» Et d'où vient cela, chrétiens ? c'est que Paul a des moyens pour persuader, que la Grèce n'enseigne pas, et que Rome n'a pas appris. Une puissance surnaturelle, qui se plaît de relever ce que les superbes méprisent, s'est répandue et mêlée dans l'auguste simplicité de ses paroles. De là vient que nous admirons dans ses admirables épîtres une certaine vertu plus qu'humaine, qui persuade contre les règles, ou plutôt qui ne persuade pas tant qu'elle captive les entendements, qui ne flatte pas les oreilles, mais qui porte ses coups droit au cœur. De même qu'on voit un grand fleuve qui retient encore, coulant dans la plaine, cette force violente et impétueuse qu'il avait acquise aux montagnes d'où il tire son origine; ainsi cette vertu céleste, qui est contenue dans les écrits de saint Paul, même dans cette simplicité de style, conserve toute la vigueur qu'elle apporte du ciel, d'où elle descend.

» C'est par cette vertu divine que la simplicité de l'Apôtre a assujetti toutes choses. Elle a renversé les idoles, établi à la croix de Jésus, persuadé à un million d'hommes de mourir pour en défendre la gloire : enfin, dans ses admirables épîtres elle a expliqué de si grands secrets, qu'on a vu les plus sublimes esprits, après s'être exercés longtemps dans les plus hautes spéculations où pouvait aller la philosophie, descendre de cette vaine hauteur où ils se croyaient élevés, pour apprendre à bégayer humblement dans l'école de Jésus-Christ, sous la discipline de Paul... »

NOTE XXII, pages 318 et 394.

Voici le catalogue de Pline :

Peintres des trois grandes Ecoles, Ionique, Sicyonienne *et* Attique.

Polygnote de Thasos peignit un guerrier avec son bouclier. Il peignit, de plus, le temple de Delphes, et le portique d'Athènes, en concurrence avec Mylon.

Apollodore d'Athènes. Un Prêtre en adoration. Ajax tout enflammé des feux de la foudre.

Zeuxis. Une Alcmène. Un dieu Pan. Une Pénélope. Un Jupiter assis sur son trône, et entouré des Dieux, qui sont debout. Hercule enfant, étouffant deux serpents, en présence d'Amphitryon et d'Alcmène qui pâlit d'effroi. Junon Sacinienne. Le Tableau des raisins. Une Hélène et un Marsyas.

Parrhasius. Le Rideau. Le Peuple d'Athènes personnifié. Le Thésée. Méléagre. Hercule et Persée. Le Grand-Prêtre de Cybèle. Une Nourrice crétoise avec son enfant. Un Philoctète. Un dieu Bacchus. Deux Enfants accompagnés de la Vertu. Un Pontife assisté d'un jeune garçon qui tient une boîte d'encens, et qui a une couronne de fleurs sur la tête. Un Coureur armé, courant dans la lice. Un autre Coureur armé, déposant ses armes à la fin de la course. Un Enée. Un Achille. Un Agamemnon. Un Ulysse. Un Ajax disputant à Ulysse l'armure d'Achille.

Timanthe. Sacrifice d'Iphigénie. Polyphème endormi, dont de petits Satyres mesurent le pouce avec un thyrse.

Pamphyle. Un Combat devant la ville de Phlius. Une Victoire des Athéniens. Ulysse dans son vaisseau.

Echion. Un Bacchus. La Tragédie et la Comédie personnifiées. Une Sémiramis. Une Vieille qui porte deux lampes devant une nouvelle mariée.

Apelles. Campaspe nue, sous les traits de Vénus Anadyomène. Le roi Antigone. Alexandre tenant un foudre. La Pompe de Mégabyse, pontife de Diane. Clitus partant pour la guerre, et prenant son casque des mains de son écuyer. Un Habron, ou homme efféminé. Un Ménandre, roi de Carie. Un Ancée. Un Gorgosthein le tragédien. Les Dioscures. Alexandre et la Victoire. Bellone enchaînée au char d'Alexandre. Un Héros nu. Un Cheval. Un Néoptolème combattant à cheval contre les Perses. Archéloüs avec sa femme et sa fille. Antigonus armé. Diane dansant avec de jeunes filles. Les trois tableaux connus sous le nom de l'Eclair, du Tonnerre et de la Foudre.

Aristide de Thèbes. Une Ville prise d'assaut, et pour sujet une Mère blessée et mourante. Bataille contre les Perses. Des Quadriges en course. Un Suppliant. Des

Chasseurs avec leur gibier. Le Portrait du peintre Léontion. Biblis. Bacchus et Ariane. Un Tragédien accompagné d'un jeune garçon. Un Vieillard qui montre à un enfant à jouer de la lyre. Un Malade.

Protogène. Le Lialyssus. Un Satyre mourant d'amour. Un Cydippe. Un Tlépolème. Un Philisque méditant. Un Athlète. Le Roi Antigonus. La Mère d'Aristote. Un Alexandre. Un Pan.

Asclépiodore. Les douze grands Dieux.

Nicomaque. L'Enlèvement de Proserpine. Une Victoire s'élevant dans les airs sur un char. Un Ulysse. Un Apollon. Une Diane. Une Cybèle assise sur un lion. Des Bacchantes et des Satyres. La Scylla.

Philoxène d'Erétrie. La Bataille d'Alexandre contre Darius. Trois Silènes.

Genre grotesque et peinture à fresque.

Ici Pline parle de Pyréicus, qui peignit, dans une grande perfection, des boutiques de barbiers, de cordonniers, des ânes, etc. C'est l'Ecole flamande. Il dit ensuite qu'Auguste fit représenter, sur les murs des palais et des temples, des paysages et des marines. Parmi les peintures à fresque de ce genre, la plus célèbre était connue sous le nom de *Marachers.* C'étaient des paysans à l'entrée d'un village, faisant prix avec des femmes pour les porter sur leurs épaules à travers une mare, etc. Ce sont les seuls paysages dont il soit fait mention dans l'antiquité, et encore n'était-ce que des peintures à fresque. Nous reviendrons dans une autre note sur ce sujet.

Peinture encaustique.

Pausanias de Sicyone. L'Hémérésios, ou l'enfant. Glycère assise et couronnée de fleurs. Une Hécatombe.

Euphranor. Un Combat équestre. Les douze Dieux. Thésée. Un Ulysse contrefaisant l'insensé. Un Guerrier remettant son épée dans le fourreau.

Cydias. Les Argonautes.

Antidotas. Le Champion armé du bouclier. Le Lutteur et le joueur de flûte.

Nicias Athénien. Une Forêt. Némée personnifiée. Un Bacchus. L'Hyacinthe. Une Diane. Le Tombeau de Mégabyze. La Nécromancie d'Homère. Calypso. Io et Andromède. Alexandre. Calypso assise.

Athénion. Un Phylarque. Un Syngénicon. Un Achille déguisé en fille. Un Palefrenier avec un cheval.

Limonaque de Byzance. Ajax. Médée. Oreste. Iphigénie en Tauride. Un Lécythion, ou maître à voltiger. Une Famille noble. Une Gorgone.

Aristolaüs. Un Epaminondas. Un Périclès. Une Médée. La Vertu. Thésée. Le Peuple Athénien personnifié. Une Hécatombe.

Socrate. Les Filles d'Esculape, Hygie, Eglé, Panacée, Laso, Œnos, ou le cordier fainéant.

Antiphile. L'Enfant soufflant le feu. Les Fileuses au fuseau. La Chasse du roi Ptolémée, et le Satyre aux aguets.

Aristophon. Ancée blessée par le sanglier de Calydon. Un Tableau allégorique de Priam et d'Ulysse.

Artemon. Danaé et les Corsaires. La reine Stratonice. Hercule et Déjanire. Hercule au mont Oéta. Laomédon.

Pline continue à nommer environ une quarantaine de peintres inférieurs, dont il ne cite que quelques tableaux.

PLINE, liv. 35.

Nous n'avons à opposer à ce catalogue que celui que tous les lecteurs peuvent se procurer au *Muséum*. Nous observerons seulement que la plupart de ces tableaux antiques sont des portraits ou des tableaux d'histoire; et que, pour être impartial, il ne faut mettre en parallèle avec des sujets chrétiens que des sujets mythologiques.

NOTE XXIII, page 395.

Le catalogue que Pline nous a laissé des tableaux de l'antiquité n'offre pas un seul tableau de paysage, si l'on en excepte les peintures à fresque. Il se peut faire que quelques-uns des tableaux des grands maîtres eussent un arbre, un rocher, un coin de vallon ou de forêt, un courant d'eau dans le second ou troisième plan; mais cela ne constitue pas le paysage proprement dit, et tel que nous l'ont donné les le Lorrain et les Berghem.

Dans les antiquités d'Herculanum, ou n'a rien trouvé qui pût porter à croire que l'ancienne Ecole de peinture eût des paysagistes. On voit seulement, dans le *Télèphe*, une femme assise, couronnée de guirlandes, appuyée sur un panier rempli d'épis, de fruits et de fleurs. Hercule est vu par le dos, debout devant elle, et une biche allaite un enfant à ses pieds. Un Faune joue de la flûte dans l'éloignement, et une femme ailée fait le fond de la figure d'Hercule. Cette composition est gracieuse; mais ce n'est pas là encore le véritable paysage, le paysage *nu*, et représentant seulement un accident de la nature.

Quoique Vitruve prétende qu'Anaxagore et Démocrite avaient parlé de la perspective en traitant de la scène grecque, on peut encore douter que les anciens connussent cette partie de l'art, sans laquelle toutefois il ne peut y avoir de paysage. Le dessin des sujets d'Herculanum est sec, et tient beaucoup de la sculpture et des bas-reliefs. Les ombres, d'un rouge mêlé de noir, sont également épaisses depuis le haut jusqu'au bas de la figure, et conséquemment ne font point fuir les objets. Les fruits même, les fleurs et les vases manquent de perspective, et le contour supérieur de ces derniers ne répond pas au même horizon que leur base. Enfin, tous ces sujets, tirés de la fable, que l'on trouve dans les ruines d'Herculanum, prouvent que la mythologie dérobait aux peintres le vrai paysage, comme elle cachait aux poètes la vraie nature.

Les voûtes des thermes de Titus, dont Raphaël étudia les peintures, ne représentaient que des personnages.

Quelques empereurs iconoclastes avaient permis de dessiner des *fleurs* et des *oiseaux* sur les murs des églises de Constantinople. Les Egyptiens, qui avaient la mythologie grecque et latine, avec beaucoup d'autres divinités, n'ont point su rendre la nature. Quelques-unes de leurs peintures que l'on voit encore sur les murailles de leurs temples, ne s'élèvent guère, pour la composition, au-delà du *faire* des Chinois.

Le Père Sicard, parlant d'un petit temple situé au milieu des grottes de la Thébaïde, dit : « La voûte, les murailles, le dedans, le dehors, tout est peint, mais avec des couleurs si brillantes et si douces, qu'il faut les avoir vues pour le croire...

» Au côté droit, on voit un homme debout, avec une canne de chaque main, appuyé sur un crocodile, et une fille auprès de lui, ayant une canne à la main.

» On voit, à gauche de la porte, un homme pareillement debout, et appuyé sur un crocodile, tenant une épée de la main droite, et de la gauche une torche allumée. Au-dedans du temple, des fleurs de toutes couleurs, des instruments de différents arts, et d'autres figures grotesques et emblématiques y sont dépeintes. On y voit aussi d'un autre côté une chasse, où tous les oiseaux qui aiment le Nil sont pris d'un seul coup de rets; et de l'autre on y voit une pêche, où les poissons de cette rivière sont enveloppés dans un seul filet, etc. » (*Lett. édif.*, tom. V, pag. 144.)

Pour trouver des *paysages* chez les anciens, il faudrait avoir recours aux mosaïques; encore ces paysages sont-ils tous historiés. La fameuse mosaïque du palais des princes Barberins à Palestrine représente dans sa partie supérieure un pays de montagnes, avec des chasseurs et des animaux : dans la partie inférieure, le Nil qui serpente autour de plusieurs petites îles. Des Egyptiens poursuivent des crocodiles; des Egyptiennes sont couchées sous des berceaux; une femme offre une palme à un guerrier, etc.

Il y a bien loin de tout cela aux paysages de Claude le Lorrain.

NOTE XXIV, page 407.

L'abbé Barthélemy trouva le prélat Baïardi occupé à répondre à des moines de Calabre, qui l'avaient consulté sur le système de Copernic. « Le prélat répondait longuement et savamment à leurs questions, exposait les lois de la gravitation, s'élevait contre l'imposture de nos sens, et finissait par conseiller aux moines de ne pas troubler les cendres de Copernic. » (*Voyage en Italie.*)

Note XXV, page 426.

On se refuse presque à croire que quelques-unes de ces notes soient de Voltaire, tant elles sont au-dessous de lui. Mais on ne peut s'empêcher d'être révolté à chaque instant de la mauvaise foi des éditeurs, et des louanges qu'ils se donnent entre eux. Qui croirait, à moins de l'avoir vu imprimé, que dans une *notule*, faite sur une *note*, on appelle le commentateur, *le Secrétaire de Marc-Aurèle*, et Pascal, *le Secrétaire de Port-Royal*? Dans cent autres endroits on force les idées de Pascal, pour le faire passer pour athée. Par exemple, lorsqu'il dit que *la raison de l'homme seule ne peut arriver à une démonstration parfaite de l'existence de Dieu*, on triomphe, on s'écrie qu'il est beau de voir Voltaire prendre le parti de Dieu contre Pascal. En vérité, c'est bien se jouer du sens commun, et compter sur la bonhomie du lecteur.

N'est-il pas évident que Pascal raisonne en *chrétien* qui veut presser l'argument de la *nécessité d'une révélation*? Il y a d'ailleurs quelque chose de pis que tout cela dans cette édition commentée. Il ne nous est pas démontré que les *Pensées nouvelles* qu'on y a ajoutées, ne soient pas au moins dénaturées, pour ne rien dire de plus. Ce qui autorise à le croire, c'est qu'on s'est permis de retrancher plusieurs des anciennes, et qu'on a souvent divisé les autres, sous prétexte que le premier ordre était arbitraire, de manière qu'elles ne donnent plus le même sens. On conçoit combien il est aisé d'altérer un passage en rompant la chaîne des idées, et en séparant deux membres de phrase, pour en faire deux sens complets. Il y a une adresse, une ruse, une intention cachée dans cette édition, qui l'auraient rendue dangereuse, si les notes n'avaient heureusement détruit tout le fruit qu'on s'en était promis.

Note XXVI, page 428.

Outre les projets de réforme et d'amélioration qui sont venus à la connaissance du public, on prétend que l'on a trouvé depuis la révolution, dans les anciens papiers du ministère, une foule de projets proposés dans le conseil de Louis XIV, entre autres celui de reculer les frontières de la France jusqu'au Rhin, et de s'emparer de l'Egypte. Quant aux monuments et aux travaux pour l'embellissement de Paris, ils paraissent avoir tous été discutés. On voulait achever le Louvre, faire venir des eaux, découvrir les quais de la Cité, etc. etc.

Des raisons d'économie ou quelque autre motif arrêtèrent apparemment les entreprises. Ce siècle avait tant fait, qu'il fallait bien qu'il laissât quelque chose à faire à l'avenir.

Note XXVII, page 442.

Je répondrai par un seul fait à toutes les objections

qu'on peut me faire contre l'ancienne censure. N'est-ce pas en France que tous les ouvrages contre la religion ont été composés, vendus et publiés, et souvent même imprimés ? et les grands eux-mêmes n'étaient-ils pas les premiers à les faire valoir et à les protéger ? Dans ce cas, la censure n'était donc qu'une mesure dérisoire, puisqu'elle n'a jamais pu empêcher un livre de paraître, ni un auteur d'écrire librement sa pensée sur toute espèce de sujets : après tout, le plus grand mal qui pouvait arriver à un écrivain, était d'aller passer quelques mois à la Bastille, d'où il sortait bientôt avec les honneurs d'une persécution, qui quelquefois était son seul titre à célébrité.

NOTE XXVIII page 448.

L'auteur du *Génie de l'homme*, M. de Chênedollé, a reproduit en très beaux vers quelques traits de ce chapitre, dans un des plus brillants morceaux de ses *Etudes poétiques*, intitulé BOSSUET :

> Ainsi quand, défenseur d'Athène,
> Au plus redoutable des rois,
> Jadis l'impétueux et libre Démosthène
> Lançait, brûlant d'éclairs, les foudres de sa voix ;
> Ou quand, par l'art de la vengeance,
> Armé d'une double puissance,
> Il réclamait le prix de la couronne d'or,
> Et pressant son rival du poids de son génie,
> Sous son éloquence infinie,
> L'accablait, plus terrible encor.
>
> Bouillant de verve et de pensée,
> Et fort de ses expressions,
> L'orateur, sur la foule, autour de lui pressée
> Promenait à son gré toutes les passions.
> A la Grèce entière assemblée,
> Muette, et ravie et troublée,
> De sa foudre il faisait sentir les traits vainqueurs ;
> Et de l'art agrandi redoublant les miracles,
> Tonnait, renversait les obstacles,
> Et triomphait de tous les cœurs.
>
> Tel, et plus éloquent encore,
> Bossuet parut parmi nous,
> Quand, s'annonçant au nom du grand Dieu qu'il adore,
> De sa parole aux rois il fit sentir les coups.
> Dès qu'à la tribune sacrée,
> De ses vieux défauts épurée,
> Il monte étincelant de génie et d'ardeur ;
> Des grands talents soudain la palme ceint sa tête,
> Et l'art dont il fait sa conquête
> Luit d'une plus vive splendeur.
>
> Toujours sublime et magnifique,
> Soit que, plein de nobles douleurs,
> Il nous montre un abîme où fut un trône antique,
> Et d'une grande reine étale les malheurs ;

Soit lorsque, entrouvrant le ciel même,
Il peint le monarque suprême
Courbant tous les Etats sous d'immuables lois;
Et de sa main terrible ébranlant les couronnes,
Secouant et brisant les trônes,
Et donnant des leçons aux rois!

Mais de quelle mélancolie
Il frappe et saisit tous les cœurs,
Lorsqu'attristant notre âme, et sombre, et recueillie,
Au cercueil d'Henriette il invoque nos pleurs!
Et comme il peint cette princesse,
Riche de grâce et de jeunesse,
Tout à coup arrêtée au sein du plus beau sort,
Et des sommets riants d'une gloire croissante,
Et d'une santé florissante,
Tombant dans les bras de la mort!

Voyez, *à ce coup de tonnerre*[1],
Comme il méprise nos grandeurs,
De ce qu'on crut pompeux sur notre triste terre
Comme il voit en pitié les trompeuses splendeurs!
Du plus haut des cieux élancée
Sa vaste et sublime pensée
Redescend et s'assied sur les bords d'un cercueil :
Et là, dans la muette et commune poussière,
D'une voix redoutable et fière,
Des rois il terrasse l'orgueil.

Castillan si fier de tes armes!
Quoi! tu fuis aux champs de Rocroi ?
Ton intrépide cœur, étranger aux alarmes,
Vient donc aussi d'apprendre à connaître l'effroi!
Quel précoce amant de la gloire,
Dans ses yeux portant la victoire,
Rompt tes vieux bataillons jusqu'alors si vaillants ?
Et de tant de soldats, en ce combat funeste,
Laisse à peine échapper un reste
Qu'il promet aux plaines de Lens[2] ?

C'est Condé qui, dans la carrière,
Entre pour la première fois;
C'est lui dont Bossuet peint la fougue guerrière,
Couronnée à vingt ans par les plus hauts exploits.
Oh! comme l'orateur s'enflamme!
Du jeune Enghien à la grande âme
Comme il suit tous les pas, de carnage fumants!
Ce n'est plus un tableau, c'est la bataille même,
Bossuet! dont ton art suprême
Reproduit tous les mouvements.

Comme une aigle aux ailes immenses
Agile habitante des cieux,
Franchit, en un instant, les plus vastes distances,
Parcourt tout de son vol et voit tout de ses yeux,

1. Expression même de Bossuet.
2. Oraison funèbre du Grand Condé.

> Tel, à son gré changeant de place,
> Bossuet à notre œil retrace
> Sparte, Athènes, Memphis aux destins éclatants;
> Tel il passe, escorté de leurs grandes images,
> Avec la majesté des âges
> Et la rapidité du temps [1].

> Oui; s'il parut jamais sublime
> C'est lorsqu'armé de son flambeau,
> Interprète inspiré des siècles qu'il ranime,
> Des Etats écroulés il sonde le tombeau.
> C'est lorsqu'en sa douleur profonde,
> Pour fermer le convoi du monde,
> Il scelle le cercueil de l'empire romain,
> Et qu'il élève alors ses accents prophétiques
> A travers les débris antiques
> Et la poudre du genre humain!

(Note de l'Editeur).

[1]. Disc. sur l'Hist. univ., 3ᵉ partie, intitulée *les Empires*.

GF — TEXTE INTÉGRAL — GF

1804-1966. — IMPRIMERIE-RELIURE MAME
N° d'édition 5535. 2e trimestre 1966.
PRINTED IN FRANCE